2025 판례·기출 증보판

객관식 테마

령 · 판례 · 기출문제 반영

검찰직 · 법원직

교정보호직 · 승진 | 철도경찰직 | 해양경찰직

조충환 · 양건

형사소송법

조충환 · 양건 · 오상훈 편저

동영상강의 www.pmg.co.kr

THEMA

조충환 · 양건

형사소송법

THEMA

PREFACE

2025 테마 형사소송법 판례·기출증보판을 내면서

이번 2025 판례·기출증보판에서는 다음과 같은 사안에 중점을 두었습니다.

첫째, 기출문제 반영

작년 테마형사소송법 출간 이후의 2023년 기출문제(9급 법원직, 순경 2차, 경력채용, 7급 국가직 등)와 2024년 기출문제(경찰간부, 경찰승진, 순경 1차, 해경간부, 소방간부, 9급 검찰·마약수사·교정·보호·철도경찰, 변호사시험 등)를 전부 비교분석하여 테마와 객관식문제에 반영하였습니다.

둘째, 판례 반영

최근 판례(2024.6.1. 대법원 판례공보)까지 빠짐없이 추가하였으며, 특히 전원합의체 판결(예: 국선변호인선정사유 중 피고인이 구속된 때의 범위 등)에 따라 변경된 기존 판례들을 수정·교체·추가·삭제하였고, 기존 판례들도 최근 출제경향에 맞추어 수정·보완하였습니다.

셋째, 테 마

각 단원마다 사안별로 (판례)총정리 또는 문제화하여 기본서나 요약집(sub-note)을 보지 않고도 한눈에 내용이 정리되고, 사안마다 키워드와 기출을 색표기로 중요도를 파악하여 짧은 시간에 기본서를 총정리하고 뒤에 나온 객관식 문제를 쉽게 해결할 수 있도록 하였습니다.

넷째, 객관식문제(기출문제)

최근 판례와 기출문제까지 전부 비교·분석하여 최근 출제경향에 맞추어 선별하였습니다. 순서는 테마마다 이어서 관련 문제를 넣었고, 마지막에는 파트별 종합문제를 수록하였으며, 문제에서 빠진 기출문제들은 기출지문 종합문제로 배치하였습니다.

테마 형사소송법으로 반복학습 하신다면 테마 형사소송법 한 권만으로도 어느 시험에서나 고득점으로 합격·승진하는 데 아무런 지장이 없을 것입니다.
애독자 여러분께 진심으로 감사드리며, 절실한 심정으로 초지일관하시어 우수한 성적으로 합격·승진하시길 간절히 기원합니다.

2024. 6.

공편저자 조충환·양건·오상훈

차례

CONTENTS

1권

2권

차례
CONTENTS

제2장 소송절차의 일반이론

3권

공 판

제1장 공판절차

제2장 증 거

4권

제3장 재 판

차례

CONTENTS

제5편

상소·비상구제절차·특별형사절차·재판의 집행과 형사보상

PART 04

공판

제3절 증명력

I. 자유심증주의

THEMA 01 자유심증주의

<table>
<tr><td>의 의</td><td colspan="2">자유심증주의란 증거의 증명력 평가를 법률로 규정하지 않고 법관의 자유로운 판단에 맡기는 원칙을 말한다(제308조).
증거법정주의 : 증거의 증명력을 미리 법률로 정해 둔 다음 일정한 증거가 존재하면 반드시 일정한 사실의 존재를 인정하도록 하는 주의</td></tr>
<tr><td rowspan="6">내 용</td><td>자유판단주체</td><td>개개의 법관(수소법원 ×)</td></tr>
<tr><td>자유판단대상</td><td>판단의 대상은 증거의 증명력</td></tr>
<tr><td>자유판단의미</td><td>증거의 증명력 평가는 법관의 자유판단에 의한다(제308조). 자유판단이란 법관이 증거의 증명력을 판단함에 있어서 법률이 규정해놓은 법칙에 따르지 않고 자신의 합리적 이성에 의하여 사실의 존부에 대한 판단을 행하는 것을 말한다. ▶ 법관은 감정인의 의견에 구속 ×</td></tr>
<tr><td>자유판단기준</td><td>법관의 사실인정이 논리와 경험법칙에 위배되지 않아야 한다.</td></tr>
<tr><td>심증정도</td><td>1. 심증형성의 정도는 합리적 의심을 할 여지가 없을 정도여야 한다(형사소송법 제307조 제2항).
2. 합리적인 의심이라 함은 모든 가능한 의심을 배제할 정도에 이를 것까지 요구하는 것은 아니라, 24. 경찰승진 논리와 경험칙에 기하여 요증사실과 양립할 수 없는 사실의 개연성에 대한 합리성 있는 의문을 의미하는 것으로서, 피고인에게 유리한 정황(불리한 정황 ×)을 사실인정과 관련하여 파악한 이성적 추론에 그 근거를 둔 것이어야 하므로, 단순히 관념적인 의심이나 추상적인 가능성에 기초한 의심은 합리적 의심에 포함된다고 할 수 없다(대판 2008.8.21, 2008도3570). 09. 9급 국가직, 22. 순경 1차</td></tr>
<tr><td>증명력판단의 합리성보장</td><td>현행법상 증명력판단의 합리성 보장을 위한 제도
① 증거요지의 명시 ② 상소에 의한 구제 ③ 증거능력의 제한 ④ 탄핵증거</td></tr>
<tr><td rowspan="2">자유심증주의 제한 여부</td><td>자유심증주의의 제한(○)</td><td>자유심증주의의 제한(×)</td></tr>
<tr><td>• 증거의 증거능력 제한
• 상소제도
• 피고인의 진술거부권 행사에 대한 불이익 추정금지
• 논리와 경험법칙
• 법률상 추정
• 공판조서의 배타적 증명력
• 자백보강법칙</td><td>• 의심스러운 때에는 피고인의 이익으로
• 탄핵증거
• 사실상 추정
• 직권주의</td></tr>
</table>

01 **자유심증주의에 관한 설명으로 가장 적절하지 않은 것은?**(다툼이 있으면 판례에 의함)

① 자백의 증명력 제한을 규정한 형사소송법 제310조는 자유심증주의의 예외가 된다.

② 형사재판에 있어 심증형성은 반드시 직접증거에 의하여 형성되어야만 하는 것은 아니고 간접증거에 의할 수도 있는 것이며, 간접증거는 이를 개별적 · 고립적으로 평가하여서는 아니 되고 모든 관점에서 빠짐없이 상호 관련시켜 종합적으로 평가하고, 치밀하고 모순 없는 논증을 거쳐야 한다.

③ 합리적 의심이라 함은 피고인에게 불리한 정황을 사실인정과 관련하여 파악한 이성적 추론에 그 근거를 두어야 하는 것이므로 단순히 관념적인 의심이나 추상적인 가능성에 기초한 의심은 합리적 의심에 포함된다고 할 수 없다.

④ 유전자검사나 혈액형검사 등 과학적 증거방법을 아무런 합리적 근거 없이 함부로 배척하는 것은 자유심증주의의 한계를 벗어나는 것으로서 허용될 수 없다.

| 해설 ① 타당한 내용이다. ② 대판 2009.3.12, 2008도8486
③ 합리적 의심이라 함은 모든 의문, 불신을 포함하는 것이 아니라 논리와 경험칙에 기하여 요증사실과 양립할 수 없는 사실의 개연성에 대한 합리성 있는 의문을 의미하는 것으로서, 피고인에게 유리한 정황을 사실인정과 관련하여 파악한 이성적 추론에 그 근거를 두어야 하는 것이므로 단순히 관념적인 의심이나 추상적인 가능성에 기초한 의심은 합리적 의심에 포함된다고 할 수 없다(대판 2009.3.12, 2008도8486).
④ 대판 2009.3.12, 2008도8486

02 **자유심증주의에 대한 설명으로 옳지 않은 것은?**(다툼이 있는 경우 판례에 의함)

15. 9급 검찰 · 마약수사

① 형사재판에서 당해 사건과 관련된 다른 형사사건의 확정판결에서 인정된 사실은 배척할 수 없다.

② 상해진단서는 특별한 사정이 없는 한 피해자의 진술과 더불어 피고인의 상해사실에 대한 유력한 증거가 되며, 합리적인 근거 없이 그 증명력을 함부로 배척할 수는 없다.

③ 공동피고인 중 1인이 다른 공동피고인들과 공동하여 범행을 하였다고 자백한 경우 그 자백을 전부 믿어 공동피고인들 전부에 대하여 유죄를 인정하거나 그 전부를 배척하여야만 하는 것은 아니다.

④ 항소법원이 제1심에서 채용된 증거의 신빙성에 의문이 있는 경우 이미 증거조사를 거친 동일한 증거라도 그 증거의 신빙성에 대하여 더 심리하여 본 후 그 채부를 판단하여야 한다.

| 해설 ① 형사재판에서 이와 관련된 다른 형사사건의 확정판결에서 인정된 사실은 특별한 사정이 없는 한 유력한 증거자료가 되는 것이나, 당해 형사재판에서 제출된 다른 증거 내용에 비추어 관련 형사사건 확정판결의 사실판단을 그대로 채택하기 어렵다고 인정될 경우에는 이를 배척할 수 있다. 피고인이 '甲 등과 공동하여 乙을 폭행하고, 피고인은 乙을 때려 사망에 이르게 하였다.'는 내용의 유죄판결이 확정된 후, 관련 형사사건의 증인으로 출석하여 '乙을 때린 사실이 없고, 피고인과 甲은 乙의 사망과 관련이 없다.'는 취지로 위증하였다는 내용으로 기소된 사안에서, 유죄 확정판결의 결정적 증거인 피고인과 甲의 자백 진술은 제반 사정에 비추어 신빙성을 인정하기 어렵다고 보아 무죄를 인정하였다(대판 2012.6.14, 2011도15653).
② 대판 2011.1.27, 2010도12728 ③ 대판 1995.12.8, 95도2043 ④ 대판 1996.12.6, 96도2461

Answer 1. ③ 2. ①

03 간접증거에 대한 설명으로 옳지 않은 것은?(다툼이 있는 경우 판례에 의함) 18. 9급 검찰·마약수사

① 유죄의 심증은 반드시 직접증거에 의하여 형성되어야만 하는 것은 아니며 경험칙과 논리법칙에 위반되지 아니하는 한 간접증거에 의하여 형성되어도 된다.

② 간접증거가 개별적으로는 범죄사실에 대한 완전한 증명력을 가지지 못하더라도 전체 증거를 상호관련하에 종합적으로 고찰할 경우 종합적 증명력이 있는 것으로 판단되면 그에 의하여도 범죄사실을 인정할 수가 있다.

③ 형사재판에서 유죄로 인정하기 위한 심증형성의 정도는 합리적인 의심을 할 여지가 없을 정도여야 하나, 이는 모든 가능한 의심을 배제할 정도에 이를 것까지 요구하는 것은 아니다.

④ 간접증거에 의하여 주요사실의 전제가 되는 수개의 간접사실을 인정할 때에는 하나하나의 간접사실 사이에 모순, 저촉이 없어야 할 정도까지는 요구되지 않으며 전체적으로 고찰하여 유죄의 심증을 형성할 수 있으면 충분하다.

해설 ① 대판 2011.5.26, 2011도1902

② 대판 2000.11.10, 2000도2524

③ 대판 2009.3.12, 2008도8486

④ 직접증거 없이 간접증거만으로도 유죄를 인정할 수 있으나, 그 경우에도 주요사실의 전제가 되는 간접사실의 인정은 합리적 의심을 허용하지 않을 정도의 증명이 있어야 하고, 그 하나하나의 간접사실이 상호 모순, 저촉이 없어야 함은 물론 논리와 경험칙, 과학법칙에 의하여 뒷받침되어야 한다. 그러므로 유죄의 인정은 범행 동기, 범행수단의 선택, 범행에 이르는 과정, 범행 전후 피고인의 태도 등 여러 간접사실로 보아 피고인이 범행한 것으로 보기에 충분할 만큼 압도적으로 우월한 증명이 있어야 하고, 피고인이 고의적으로 범행한 것이라고 보기에 의심스러운 사정이 병존하고 증거관계 및 경험법칙상 고의적 범행이 아닐 여지를 확실하게 배제할 수 없다면 유죄로 인정할 수 없다(대판 2017.5.30, 2017도1549).

04 자유심증주의에 관한 설명으로 적절하지 않은 것은 몇 개인가?(다툼이 있으면 판례에 의함)

㉠ 항소심 법원이 제1심에서 채용된 증거의 신빙성에 의문을 가지면 심리 없이 그 증거를 곧바로 배척할 수 있다.

㉡ 피고인 모발에서 메스암페타민 성분이 검출되었다는 국립과학수사연구소장의 감정의뢰회보가 있는 경우, 구체적인 사정이 없는 한 피고인으로부터 채취한 모발에서 메스암페타민 성분이 검출되었다고 인정하여야 한다.

㉢ 피고인 모발에서 메스암페타민 성분이 검출되지 않았다는 국립과학수사연구소장의 감정의뢰회보가 있는 경우, 위 감정의뢰회보는 적어도 피고인은 모발채취일로부터 위 모발이 자라는 통상적 기간 내에는 필로폰을 투약하지 않았다고 인정하여야 한다.

㉣ 유전자검사 결과 주사기에서 마약성분과 함께 피고인의 혈흔이 확인됨으로써 피고인이 필로폰을 투약한 사정이 적극적으로 증명되는 경우, 소변 및 모발검사에서 마약성분이 검출되지 않았다는 소극적 사정에 관한 증거만으로 이를 쉽사리 뒤집을 수 없다.

㉤ 형벌법규의 해석과 적용은 엄격하여야 하므로, 범행 결과가 매우 중대하고 범행 동기나 방법 및 범행 정황에 비난 가능성이 크다는 사정이 있더라도, 그러한 사정을 이유로 고의를 쉽게 인정할 것은 아니다.

Answer 3.④ 4.③

ⓑ 동일인의 검찰에서의 진술과 법정에서의 증언이 다를 경우 법원은 검찰에서의 진술이 위법하게 이루어진 것이 아닌 한 이를 믿고 범죄사실을 인정할 수 있다.
ⓢ 운전자가 정당한 이유 없이 상당한 시간이 경과한 후에야 호흡측정 결과에 이의를 제기하면서 혈액채취의 방법에 의한 측정을 요구하는 경우라도 경찰공무원이 혈액채취의 방법에 의한 측정을 실시하지 않고 호흡측정기에 의한 측정의 결과만으로 음주운전 사실을 증명할 수 없다.
ⓞ 혈중알코올농도 측정 없이 위드마크 공식을 사용해 피고인이 마신 술의 양을 기초로 피고인의 운전 당시 혈중알코올농도를 추산하는 경우, 알코올의 분해소멸에 따른 혈중알코올농도의 감소기에 운전이 이루어진 것으로 인정되는 경우에는 피고인에게 가장 유리한 음주 시작 시점부터 곧바로 생리작용에 의하여 분해소멸이 시작되는 것으로 보아야 한다.

① 1개 ② 2개 ③ 3개 ④ 4개

04

| 해설 ㉠ ×: 형사재판에서 항소심은 사후심 겸 속심의 구조이므로, 제1심이 채용한 증거에 대하여 그 신빙성에 의문은 가지만 그렇다고 직접 증거조사를 한 제1심의 자유심증이 명백히 잘못되었다고 볼만한 합리적인 사유도 나타나 있지 아니한 경우에는, 비록 동일한 증거라고 하더라도 다시 한번 증거조사를 하여 항소심이 느끼고 있는 의문점이 과연 그 증거의 신빙성을 부정할 정도의 것인지 알아보거나, 그 증거의 신빙성에 대하여 입증의 필요성을 느끼지 못하고 있는 검사에 대하여 항소심이 가지고 있는 의문점에 관하여 입증을 촉구하는 등의 방법으로 그 증거의 신빙성에 대하여 더 심리하여 본 후 그 채부를 판단하여야 하고, 그 증거의 신빙성에 의문이 간다는 사유만으로 더 이상 아무런 심리를 함이 없이 그 증거를 곧바로 배척하여서는 아니 된다(대판 1996.12.6, 96도2461).
㉡ ○: 대판 2008.2.14, 2007도10937
㉢ ×: 피고인 모발에서 메스암페타민 성분이 검출되지 않았다는 국립과학수사연구소장의 감정의뢰회보가 있는 경우, 개인의 연령, 성별, 인종, 영양상태, 개체차 등에 따라 차이가 있으나 모발이 평균적으로 한 달에 1cm 정도 자란다고 볼 때 감정의뢰된 모발의 길이에 따라 필로폰 투약시기를 대략적으로 추정할 수 있으므로, 위 감정의뢰회보는 적어도 피고인은 모발채취일로부터 위 모발이 자라는 통상적 기간 내에는 필로폰을 투약하지 않았다는 유력한 증거에 해당한다(대판 2008.2.14, 2007도10937).
㉣ ○: 대판 2009.3.12, 2008도8486
㉤ ○: 대판 2015.10.29, 2015도5355
ⓑ ○: 대판 1988.6.28, 88도740
ⓢ ×: 운전자가 경찰공무원에 대하여 호흡측정기에 의한 측정결과에 불복하고 혈액채취의 방법에 의한 측정을 요구할 수 있는 것은 경찰공무원이 운전자에게 호흡측정의 결과를 제시하여 확인을 구하는 때로부터 상당한 정도로 근접한 시점에 한정된다 할 것이고(경찰청의 교통단속처리지침에 의하면, 운전자가 호흡측정 결과에 불복하는 경우에 2차, 3차 호흡측정을 실시하고 그 재측정결과에도 불복하면 운전자의 동의를 얻어 혈액을 채취하고 감정을 의뢰하도록 되어 있고, 한편 음주측정 요구에 불응하는 운전자에 대하여는 음주측정 불응에 따른 불이익을 10분 간격으로 3회 이상 명확히 고지하고 이러한 고지에도 불구하고 측정을 거부하는 때, 즉 최초 측정요구시로부터 30분이 경과한 때에 측정거부로 처리하도록 되어 있는바, 이와 같은 처리지침에 비추어 보면 위 측정결과의 확인을 구하는 때로부터 30분이 경과하기까지를 일응 상당한 시간 내의 기준으로 삼을 수 있을 것이다), 운전자가 정당한 이유 없이 그 확인을 거부하면서 시간을 보내다가 위 시점으로부터 상당한 시간이 경과한 후에야 호흡측정 결과에 이의를 제기하면서 혈액채취의 방법에 의한 측정을 요구하는 경우에는 이를 정당한 요구라고 할 수 없으므로, 이와 같은 경우에는 경찰공무원이 혈액채취의 방법에 의한 측정을 실시하지 않았다고 하더라도 호흡측정기에 의한 측정의 결과만으로 음주운전 사실을 증명할 수 있다(대판 2002.3.15, 2001도7121).
ⓞ ○: 대판 2022.5.12, 2021도14074

05 과학적 증거에 대한 설명으로 옳지 않은 것은?

21. 9급 검찰·마약·교정·보호·철도경찰

① 범죄구성요건에 해당하는 사실을 증명하기 위한 근거가 되는 과학적인 연구 결과는 적법한 증거조사를 거친 증거능력 있는 증거에 의하여 엄격한 증명으로 증명되어야 한다.

② 유전자검사나 혈액형검사 등 과학적 증거방법은 그 전제로 하는 사실이 모두 진실임이 입증되고 그 추론의 방법이 과학적으로 정당하여 오류의 가능성이 전무하거나 무시할 정도로 극소한 것으로 인정되는 경우에는 법관이 사실인정을 함에 있어 상당한 정도로 구속력을 가진다.

③ 전문 감정인이 공인된 표준 검사기법으로 분석한 후 법원에 제출한 과학적 증거는 모든 과정에서 시료의 동일성이 인정되고 인위적인 조작·훼손·첨가가 없었음이 담보되었다면, 각 단계에서 시료에 대한 정확한 인수·인계 절차를 확인할 수 있는 기록이 유지되지 않았다 하더라도 사실인정에 있어서 상당한 정도로 구속력을 가진다.

④ 컴퓨터 디스켓에 들어 있는 문건이 증거로 사용되는 경우 그 컴퓨터 디스켓은 그 기재의 매체가 다를 뿐 실질에 있어서는 피고인 또는 피고인 아닌 자의 진술을 기재한 서류와 크게 다를 바 없고, 압수 후의 보관 및 출력과정에 조작의 가능성이 있으며, 기본적으로 반대신문의 기회가 보장되지 않는 점 등에 비추어 그 기재내용의 진실성에 관하여는 전문법칙이 적용된다.

| 해설 ① 대판 2010.2.11, 2009도2338

② 대판 2009.3.12, 2008도8486

③ 과학적 증거방법이 사실인정에 있어서 상당한 정도로 구속력을 갖기 위해서는 감정인이 전문적인 지식·기술·경험을 가지고 공인된 표준 검사기법으로 분석한 후 법원에 제출하였다는 것만으로는 부족하고, 시료의 채취·보관·분석 등 모든 과정에서 시료의 동일성이 인정되고 인위적인 조작·훼손·첨가가 없었음이 담보되어야 하며, 각 단계에서 시료에 대한 정확한 인수·인계 절차를 확인할 수 있는 기록이 유지되어야 한다(대판 2018.2.8, 2017도14222).

④ 대판 2011.4.28, 2009도10412

06 자유심증주의에 대한 설명으로 가장 적절하지 않은 것은?(다툼이 있는 경우 판례에 의함)

22. 경찰승진

① 조서의 내용에 대한 증명력은 전체적으로 고찰되어야 하므로, 진술조서의 기재 중 일부분을 믿고 다른 부분을 믿지 아니한다면 곧바로 부당하다고 평가되어야 한다.

② 검찰에서의 피고인의 자백이 법정진술과 다르다거나 피고인에게 지나치게 불리한 내용이라는 사유만으로는 그 자백의 신빙성이 의심스럽다고 할 수는 없다.

③ 유전자검사 결과 주사기에서 마약성분과 함께 피고인의 혈흔이 확인됨으로써 피고인이 필로폰을 투약한 사정이 적극적으로 증명되는 경우, 반증의 여지가 있는 소변 및 모발검사에서 마약 성분이 검출되지 않았다는 소극적 사정에 관한 증거만으로 이를 쉽사리 뒤집을 수 없다.

Answer 5. ③ 6. ①

④ 동일한 사실관계에 관하여 이미 확정된 형사판결이 인정한 사실은 유력한 증거자료가 되므로, 그 형사재판의 사실판단을 채용하기 어렵다고 인정되는 특별한 사정이 없는 한 이와 배치되는 사실은 인정할 수 없다.

| 해설 ① 진술조서의 기재 중 일부분을 믿고 타 부분을 믿지 아니한다고 하더라도 그것이 곧 부당하다고 할 수 없다(대판 1980.3.11, 80도145).
② 대판 1985.7.9, 85도826
③ 대판 2009.3.12, 2008도8486
④ 대판 2009.12.24, 2009도11349

07 **자유심증주의에 관한 설명으로 가장 적절하지 않은 것은?**(다툼이 있는 경우 판례에 의함)

23. 순경 2차

① 경찰에서의 진술조서의 기재와 당해 사건의 공판정에서의 같은 사람의 증인으로서의 진술이 상반되는 경우 반드시 공판정에서의 증언에 따라야 한다는 법칙은 없고 그중 어느 것을 채용하여 사실인정의 자료로 할 것인가는 오로지 사실심법원의 자유심증에 속하는 것이다.
② 호흡측정기에 의한 음주측정치와 혈액검사에 의한 음주측정치가 다른 경우에 혈액채취에 의한 검사 결과를 믿지 못할 특별한 사정이 없는 한, 혈액검사에 의한 음주측정치가 호흡측정기에 의한 음주측정치보다 측정 당시의 혈중알코올농도에 더 근접한 음주측정치라고 보는 것이 경험칙에 부합한다.
③ '성추행 피해자가 추행 즉시 행위자에게 항의하지 않은 사정'이나 '피해 신고시 성폭력이 아닌 다른 피해 사실을 먼저 진술한 사정'만으로 곧바로 피해자 진술의 신빙성을 부정할 것은 아니고, 가해자와의 관계와 피해자의 구체적 상황을 모두 살펴 판단하여야 한다.
④ 형사재판에서 이와 관련된 다른 형사사건의 확정판결에서 인정된 사실은 특별한 사정이 없는 한 유력한 증거자료가 되는 것이므로, 당해 형사재판에서 제출된 다른 증거 내용에 비추어 관련 형사사건 확정판결의 사실판단을 그대로 채택하기 어렵다고 인정되는 면이 있다고 하여도 이를 배척할 수는 없다.

| 해설 ① 대판 1987.6.9, 87도691
② 대판 2004.2.13, 2003도6905
③ 대판 2020.9.24, 2020도7869
④ 형사재판에서 이와 관련된 다른 형사사건의 확정판결에서 인정된 사실은 특별한 사정이 없는 한 유력한 증거자료가 되는 것이나, 당해 형사재판에서 제출된 다른 증거 내용에 비추어 관련 형사사건 확정판결의 사실판단을 그대로 채택하기 어렵다고 인정될 경우에는 이를 배척할 수 있다(대판 2012.6.14, 2011도15653).

Answer 7. ④

08 자유심증주의 또는 그 제한에 관한 설명으로 가장 적절한 것은?(다툼이 있는 경우 판례에 의함)

24. 경찰승진

① 공소사실을 인정할 증거로 사실상 피해자의 진술이 유일한 경우에 피고인의 진술이 경험칙상 합리성이 없고 그 자체로 모순되어 믿을 수 없다는 사정은 공소사실을 인정하는 직접증거가 될 수 없으며, 이러한 사정은 법관의 자유판단에 따라 피해자 진술의 신빙성을 뒷받침하거나 직접증거인 피해자 진술과 결합하여 공소사실을 뒷받침하는 간접정황도 될 수 없다.

② 범행에 관한 간접증거만이 존재하고 그 간접증거의 증명력에 한계가 있는 경우에 증거의 증명력은 법관의 자유판단에 의하는 것이므로, 범인으로 지목되고 있는 자에게 범행을 저지를 만한 동기가 발견되지 않더라도 만연히 무엇인가 동기가 분명히 있는데 이를 범인이 숨기고 있는 것으로 단정한다고 하여도 형사증거법의 이념에 반하는 것은 아니다.

③ 유죄의 인정은 법관으로 하여금 합리적 의심의 여지가 없을 정도로 공소사실이 진실한 것이라는 확신을 가지게 하는 증명력을 가진 증거에 의하여 하며, 이는 모든 가능한 의심을 배제할 정도에 이를 것을 요한다.

④ 살인죄 등과 같이 법정형이 무거운 범죄의 경우에도 직접증거 없이 간접증거만으로 유죄를 인정할 수 있으나, 그러한 유죄 인정에는 공소사실에 대한 관련성이 깊은 간접증거들에 의하여 신중한 판단이 요구된다.

해설 ① 공소사실을 인정할 증거로 사실상 피해자의 진술이 유일한 경우에 피고인의 진술이 경험칙상 합리성이 없고 그 자체로 모순되어 믿을 수 없다고 하여 그것이 공소사실을 인정하는 직접증거가 되는 것은 아니지만, 이러한 사정은 법관의 자유판단에 따라 피해자 진술의 신빙성을 뒷받침하거나 직접증거인 피해자 진술과 결합하여 공소사실을 뒷받침하는 간접정황이 될 수 있다(대판 2022.12.15, 2021도14234).

② 범행에 관한 간접증거만이 존재하고 더구나 그 간접증거의 증명력에 한계가 있는 경우, 범인으로 지목되고 있는 자에게 범행을 저지를 만한 동기가 발견되지 않는다면, 만연히 무엇인가 동기가 분명히 있는데도 이를 범인이 숨기고 있다고 단정할 것이 아니라 반대로 간접증거의 증명력이 그만큼 떨어진다고 평가하는 것이 형사증거법의 이념에 부합하는 것이라 할 것이다(대판 2006.3.9, 2005도8675).

③ 형사재판에 있어서 유죄로 인정하기 위한 심증 형성의 정도는 합리적인 의심을 할 여지가 없을 정도여야 하나, 이는 모든 가능한 의심을 배제할 정도에 이를 것까지 요구하는 것은 아니다(대판 2022.3.31, 2018도19037).

④ 대판 2013.9.12, 2013도4381

Answer 8. ④

최신판례

1. 모발감정결과만을 토대로 마약류 투약기간을 추정하고 유죄로 판단하는 것은 신중하여야 한다. 甲의 모발에 대한 감정에서 필로폰이 검출되었다는 사정과 甲이 사용하던 차량을 압수·수색하여 발견된 주사기에서 필로폰이 검출된 사정만으로 필로폰 투약 사실을 유죄로 인정한 것은 증거재판주의, 자유심증주의 원칙을 위반한 잘못이 있다(대판 2023.8.31, 2023도8024).
2. 피고인이 화물차를 운전하다가 사고를 낸 후 현장을 이탈하여 소주 1병을 마셨고, 이후 이루어진 음주측정에서 혈중알코올농도가 0.169%로 측정되었는데, 약 두 달 후 경찰이 피고인에게 정상적인 상태에서 소주 1병을 마시도록 한 뒤 음주측정을 실시하여 혈중알코올농도가 0.115%로 측정되자, 피고인이 0.054%의 술에 취한 상태로 화물차를 운전하였다는 공소사실로 기소된 사안에서, 대법원은 피고인이 소주 1병을 마셨을 경우 위드마크 공식에 따라 피고인에게 가장 유리한 수치를 적용하여 계산된 결과는 0.141%이고, 이를 사고 이후 음주측정치인 0.169%에서 공제하면 사고 당시 피고인의 혈중알코올농도 추정치는 0.028%가 된다고 보아, 무죄로 판단한 원심판결을 인정하면서 죄증을 인멸하기 위해 추가음주가 이루어지는 경우 정당한 형사처벌의 필요성이 인정되지만, 별도의 입법적 조치가 없는 현상황에서는 위드마크 공식을 통해 혈중알코올농도를 추정할 밖에 없다고 보았다(대판 2023.12.28, 2020도6417).
3. 피고인이 수사과정에서 공소사실을 부인하였고 그 내용이 기재된 피의자신문조서 등에 관하여 증거동의를 한 경우에는, 형사소송법에 따라 증거능력 자체가 부인되는 것은 아니지만, 전체적 내용이나 진술의 맥락·취지를 고려하지 않은 채 그 중 일부만을 발췌하여 유죄의 증거로 사용하는 것은 함부로 허용할 수 없다. 특히 지적능력·판단능력 등과 같이 본질적으로 수사기관이 작성한 진술조서에 나타나기 어려운 피고인의 상태에 대해서는 공판중심주의 및 실질적 직접심리주의 원칙에 따라 검사가 제출한 객관적인 증거에 대하여 적법한 증거조사를 거친 후 이를 인정하여야 할 것이지, 공소사실을 부인하는 취지의 피고인의 진술이 기재된 피의자신문조서 중 일부를 근거로 이를 인정하여서는 아니된다(대판 2024.1.4, 2023도13081).
4. 성범죄 사건을 심리할 때에는 사건이 발생한 맥락에서 성차별 문제를 이해하고 양성평등을 실현할 수 있도록 '성인지적 관점'을 유지하여야 하므로, 개별적·구체적 사건에서 성범죄 피해자가 처하여 있는 특별한 사정을 충분히 고려하지 않은 채 피해자 진술의 증명력을 가볍게 배척하는 것은 정의와 형평의 이념에 입각하여 논리와 경험의 법칙에 따른 증거판단이라고 볼 수 없지만, 이는 성범죄 피해자 진술의 증명력을 제한 없이 인정하여야 한다거나 그에 따라 해당 공소사실을 무조건 유죄로 판단해야 한다는 의미는 아니다(대판 2024.1.4, 2023도13081).
5. 사실상 피해자의 진술만이 유죄의 증거가 되는 경우에는, 피해자 진술의 신빙성을 인정하더라도 피고인의 주장은 물론 피고인이 제출한 증거, 피해자 진술 내용의 합리성·타당성, 객관적 정황과 다양한 경험칙 등에 비추어 피해자의 진술만으로 피고인의 주장을 배척하기에 충분할 정도에 이르지 않아 법관으로 하여금 합리적인 의심을 할 여지가 없을 정도로 공소사실이 진실한 것이라는 확신을 가질 수 없게 되었다면, 피고인의 이익으로 판단하여야 한다(대판 2024.1.4, 2023도13081).

04

Ⅱ. 자백의 보강법칙

THEMA 02 자백보강법칙

<table>
<tr><td>의 의</td><td colspan="2">피고인이 임의로 한 자백이 증거능력이 있고 신빙성이 있어서 법관이 유죄의 심증을 얻었다 할지라도, 자백이 유일한 증거이고 다른 보강증거가 없는 경우에는 유죄로 인정할 수 없다는 원칙(제310조)</td></tr>
<tr><td>보강을 필요로 하는 자백</td><td colspan="2">1. 보강증거에 의해 보강을 필요로 하는 것은 피고인의 자백에 대해서이다.
▶ 피의자의 지위, 참고인 또는 증인의 지위에서 행한 자백도 그가 후에 피고인이 되었을 때에는 피고인의 자백에 해당
▶ 일기장, 비망록, 수첩 등에 기재된 내용도 자백에 해당
▶ 수사기관 아닌 사인에 대한 자백도 포함
▶ 피고인의 공판정에서의 자백도 보강증거 필요(대판 1966.7.26, 66도634 전원합의체) 17. 9급 법원직
2. 공범자(공동피고인)의 자백
① 피고인의 자백에 공범자의 자백은 포함 ×(대판 1990.10.30, 90도1939), 따라서 판례에 의하면, 공범자의 자백을 피고인의 자백이라고 할 수 없으므로 공범자의 자백에 대해서는 자백보강법칙이 적용되지 않으므로 보강증거가 불필요하다(보강증거불요설). 12. 9급 법원직, 13. 변호사시험, 13 · 15. 7급 국가직, 14 · 16. 순경 1차, 16. 9급 검찰 · 마약 · 교정 · 보호 · 철도경찰, 15 · 17. 경찰승진, 12 · 17. 경찰간부
② 공동피고인의 자백은 피고인들 간에 이해관계가 상반된다고 하여도 독립한 증거능력이 있다(대판 2006.5.11, 2006도1944). 17 · 23. 9급 법원직</td></tr>
<tr><td rowspan="2">보강증거 자격</td><td>일반적 자격</td><td>1. 보강증거는 증거능력을 갖추고 있어야 한다.
▶ 전문증거는 전문법칙의 예외를 제외하고는 보강증거로 사용불가
2. 독립증거 : 자백과는 별개의 독립증거로서 증거로 할 수 있는 증거인 이상 인증이든 물증이든 증거서류이든 묻지 않고 보강증거가 될 수 있다.
▶ 피고인이 범행을 자인하는 것을 들었다는 피고인 아닌 자의 진술내용 ⇨ 보강증거 사용 ×(대판 1981.7.7, 81도1314) 12. 순경 3차 · 9급 국가직, 11 · 13. 경찰승진, 13. 순경 2차, 12 · 14. 경찰간부 · 9급 검찰 · 마약수사, 14. 순경 1차, 14 · 21. 9급 법원직
▶ 반드시 직접증거에 한하지 않고 간접증거 내지 정황증거로도 보강증거가 될 수 있다(대판 2008.11.27, 2008도7883). 12. 순경 3차, 13. 순경 2차, 14 · 21. 9급 법원직, 14. 경찰간부, 12 · 15. 순경 1차, 16. 경찰승진, 24. 소방간부</td></tr>
<tr><td>보강증거로서의 공범자 자백</td><td>공범인 甲 · 乙이 모두 범죄사실을 자백하였으나 그 밖에 다른 증거가 없을 경우 공범자들의 자백은 상호보강증거가 되어 甲 · 乙 모두 유죄판결 가능(대판 1990.10.30, 90도1939) 10. 9급 국가직, 10 · 21. 9급 법원직, 10 · 11 · 16. 경찰승진</td></tr>
</table>

보강증거 범위	┌ 죄체의 전부 또는 중요부분에 대하여 보강증거가 있어야 한다는 견해(죄체설) └ 자백의 진실성을 담보할 정도의 보강증거가 있으면 된다는 견해(진실성담보설; 대판 2002.1.8, 2001도1897) 13. 변호사시험, 16. 순경 2차 · 7급 국가직, 10 · 11 · 23. 9급 법원직, 10 · 13 · 17 · 24. 경찰승진, 24. 순경 1차
보강증거 대상	보강증거는 자백한 범죄의 객관적 구성사실에 한해서만 인정된다(다수설 · 판례). 따라서 범죄의 주관적 요소(고의 · 목적), 누범가중사유인 전과, 객관적 처벌조건에 관한 사실, 정상, 범행동기, 확정판결의 존부 등은 범죄사실이 아니므로 자백만으로 인정할 수 있고 달리 보강증거를 요하지 않는다.
보강법칙의 배제	즉결심판,10 · 12. 9급 법원직, 13. 변호사시험 소년보호사건00. 9급 검찰, 10. 9급 법원직 에는 보강법칙의 적용이 없다.12. 순경 ▶ 약식절차, 간이공판절차 ⇨ 적용 ○
보강법칙의 위반효과	1. 항소사유(제361조의 5 제1호), 상고이유(제383조 제1호), 비상상고의 이유(제441조)로 된다. 2. 유죄판결이 보강법칙을 위반한 경우는 무죄의 증거가 새로 발견된 때가 아니므로 재심사유(제420조 제5호)로 되지 아니한다.

01 **보강법칙에 관한 기술 중 옳지 않은 것은 몇 개인가?**(다툼이 있으면 판례에 의함)

㉠ 처벌조건이나 전과사실은 보강증거를 필요로 하지 않는다.
㉡ 고의 · 목적 등은 보강증거를 필요로 한다.
㉢ 경합범과 상상적 경합은 각각의 죄에 대하여 보강증거를 필요로 하나, 상습범인 포괄일죄의 경우는 개별행위별로 보강증거가 필요하지 않다.
㉣ 전문법칙의 예외에 해당하지 않아 증거능력이 없는 전문증거는 언제나 보강증거로 될 수 없다.
㉤ 확정판결은 엄격한 의미의 범죄사실과는 구별되는 것이어서 피고인의 자백만으로서도 그 존부를 인정할 수 있다.
㉥ 제1심법원이 증거의 요지에서 피고인의 자백을 뒷받침할 만한 보강증거를 거시하지 않았음에도, 항소심이 적법하게 증거조사를 마쳐 채택한 증거들로 피고인의 자백을 뒷받침하기에 충분한 경우 제1심법원의 판단을 유지한 것은 정당하다.

① 1개 ② 2개
③ 3개 ④ 4개

| 해설 ㉠ ○ : 범죄구성요건표지에 속하는 사실 이외에 객관적 처벌조건, 누범가중사유인 전과 및 정상 등은 보강증거 없이 피고인의 자백만으로도 인정할 수 있다(다수설). 판례도 전과에 관한 사실은 피고인의 자백만으로 인정할 수 있다고 판시하고 있다(대판 1981.6.9, 81도1353).
㉡ × : 고의 · 목적 등과 같은 범죄의 주관적 요소에 대해서는 보강을 요하지 않는다는 것이 지배적인 견해이다. 판례도 범의는 자백만으로 인정할 수 있다는 입장이다(대판 1995.4.25, 95도424).

Answer 1. ④

㉢ × : 경합범은 수죄이므로 개별범죄사실에 대하여 보강증거를 요한다는 점에 이론이 없다(대판 1973.11. 27, 73도2106). 한편 상상적 경합의 경우에도 실체법상으로는 수죄이므로 각각에 대하여 보강증거를 필요로 한다(반대견해 있음). 포괄1죄의 경우에는 견해의 대립은 있으나 개별적인 행위가 독립된 의미를 가지지 아니한 때에는(예 영업범) 개개의 행위에 대한 보강증거를 요하지 않지만, 그것이 구성요건상 독립된 의미를 가지는 경우(예 상습범, 연속범)에는 보강증거를 요한다고 해석함이 타당하며(다수설), 판례는 상습범인 포괄일죄에 대하여 개별적인 보강증거를 요하고 있다(대판 1996.2.13, 95도1794).
㉣ × : 보강증거도 피고인의 자백과는 독립된 증거능력 있는 증거라야 한다. 따라서 전문법칙의 예외에 해당하여 증거능력이 인정되는 경우를 제외하고는 전문증거는 보강증거로 될 수 없다. 다만, 간이공판절차에서는 증거능력이 없는 전문증거라도 동의가 있는 것으로 간주되어 증거능력이 인정되므로, 전문법칙의 예외에 해당하지 않은 전문증거일지라도 보강증거 사용이 가능하다(제318조의 3 참조).
㉤ ○ : 대판 1983.8.23, 83도820
㉥ × : 제1심법원이 증거의 요지에서 피고인의 자백을 뒷받침할 만한 보강증거를 거시하지 않았음에도, 항소심법원이 조사·채택한 증거들로 피고인의 자백을 뒷받침하기에 충분하다는 이유로 제1심법원의 판단을 유지한 것은 위법하다(대판 2007.11.29, 2007도7835).

02 자백의 보강법칙에 관한 설명 중 옳지 않은 것은 모두 몇 개인가?(다툼이 있는 경우 판례에 의함)

17. 9급 법원직

㉠ 소년보호사건에서는 피고인의 자백만을 증거로 범죄사실을 인정할 수 있다.
㉡ 공판정의 자백에 대해서도 보강법칙은 적용된다.
㉢ 공동피고인의 자백은 이에 대한 피고인의 반대신문권이 보장되어 있어 증인으로 신문한 경우와 다를 바 없으므로 독립한 증거능력이 있고, 이는 피고인들 간에 이해관계가 상반된다고 하여도 마찬가지이다.
㉣ 피고인이 범행을 자인하는 것을 들었다는 피고인 아닌 자의 진술내용은 피고인의 자백에 대한 보강증거가 될 수 있다.
㉤ 고의는 자백만으로도 인정할 수 있다.

① 1개　　② 2개
③ 3개　　④ 4개

해설 ㉠ ○ : 소년법의 적용을 받은 소년보호사건에는 자백보강법칙의 적용이 없다(대결 1982.10.15, 82모36).
㉡ ○ : 자백이 공판정에서의 자백이 있다 하더라도 그것만으로는 유죄의 판결을 할 수 없다(대판 1966.7.26, 66도634 전원합의체).
㉢ ○ : 대판 2006.5.11, 2006도1944
㉣ × : 피고인이 범행을 자인하는 것을 들었다는 피고인 아닌 자의 진술내용은 형사소송법 제310조의 피고인의 자백에는 포함되지 아니하나, 이는 피고인의 자백과 동일하게 보아야 할 것이므로 피고인의 자백의 보강증거로 될 수 없다(대판 1981.7.7, 81도1314).
㉤ ○ : 대판 1990.11.13, 90도1218

Answer 2. ①

03 자백보강법칙에 대한 설명으로 가장 적절하지 않은 것은?(다툼이 있는 경우 판례에 의함)

22. 경찰간부

① 직접증거가 아닌 간접증거나 정황증거도 자백에 대한 보강증거가 될 수 있고, 자백과 보강증거가 서로 어울려서 전체로서 범죄사실을 인정할 수 있으면 유죄의 증거로 충분하다.

② 통상의 형사공판절차는 물론 간이공판절차나 약식명령절차, 즉결심판에는 자백보강법칙이 적용되나, 소년보호사건에는 자백보강법칙이 적용되지 않으므로 자백만으로도 유죄 인정이 가능하다.

③ 자백에 대한 보강증거는 범죄사실의 전부 또는 중요 부분을 인정할 수 있는 정도가 되지 않더라도 피고인의 자백이 가공적인 것이 아닌 진실한 것임을 인정할 수 있는 정도만 되면 충분하다.

④ 공범인 공동피고인의 진술은 다른 공동피고인에 대한 범죄사실을 인정하는 증거로 할 수 있고, 공범인 공동피고인들의 각 진술은 상호간에 서로 보강증거가 될 수 있다.

| 해설 ①③ 대판 2002.1.8, 2001도1897

② 통상의 형사공판절차는 물론 간이공판절차나 약식명령절차에서는 자백보강법칙이 적용되지만, 즉결심판절차나 소년보호사건에는 자백보강법칙이 적용되지 않는다(즉결심판절차법, 대결 1982.10.15, 82모36).

④ 대판 1990.10.30, 90도1939

04

Answer 3. ②

THEMA 03 판례정리

보강증거가 될 수 있는 경우	보강증거가 될 수 없는 경우
• 피고인이 업무추진과정에서 지출한 자금내역을 기록한 수첩의 기재내용이 자백에 대한 독립적인 보강증거가 될 수 있다(대판 1996.10.17, 94도2865). 11. 순경 1차, 12. 9급 국가직·법원직, 14. 경찰간부, 16. 9급 검찰·마약·교정·보호·철도경찰, 13·15·16·17. 경찰승진 • 자동차등록증에 차량소유자등록은 그 차량을 운전하였다는 자백의 보강증거가 될 수 있고, 결과적으로 무면허 운전이라는 전체 범죄사실의 보강증거로도 충분하다(대판 2000.9.26, 2000도2365). 07. 9급 법원직, 12. 경찰간부, 16. 순경 2차, 10·24. 경찰승진·교정특채, 24. 소방간부 • 다세대주택의 여러 세대에서 7건의 절도행위를 한 것으로 기소되었는데, 그중 4건은 범행장소인 구체적인 호수가 특정되지 않았으나 자백하고 있는 경우, 피고인의 집에서 피해품을 압수한 압수조서와 압수물의 사진은 자백에 대한 보강증거가 된다고 봄이 상당하다(대판 2008.5.29, 2008도2343). 12. 순경·경찰간부, 10·17. 경찰승진 • 피고인이 위조신분증을 제시·행사하였다고 자백하고 있는 때에 그 신분증의 현존은 간접증거로서 자백을 보강하는 보강증거가 된다(대판 1983.2.22, 82도3107). 06. 순경, 14. 7급 국가직, 15. 경찰승진 • 뇌물공여 상대방이 뇌물공여자를 만났던 사실 및 청탁을 받은 사실을 시인한 것은 뇌물공여자의 자백에 대한 보강증거가 된다(대판 1995.6.30, 94도993). 08. 순경, 14. 변호사시험, 16. 순경 2차 • 뇌물수수자가 무자격자인 뇌물공여자로 하여금 건축공사를 하도급 받도록 알선하고 그 하도급계약을 승인받을 수 있도록 하였으며 공사와 관련된 각종의 편의를 제공한 사실을 인정할 수 있는 증거들이 뇌물공여자의 자백에 대한 보강증거가 될 수 있다(대판 1998.12.22, 98도2890). 08. 순경, 10. 경찰승진 • 가정불화로 유아를 살해했다는 공소사실에 대하여 낙태를 시키려 한 정황적 사실은 보강증거가 될 수 있다(대판 1960.3.18, 4292형상880). 06. 순경, 15. 경찰승진 • 공동피고인의 자백은 이에 대한 피고인의 반대신문권이 보장되어 있어 증인으로 신문한 경우와 다를 바 없으므로 독립한 증거능력이 있다(대판 2006.5.11, 2006도1944). ∴ 보강증거 가능 17. 경찰승진	• 필로폰 매수대금을 송금한 사실에 대한 증거는 필로폰 매수행위에 대한 보강증거는 될 수 있어도, 그와 실체적 경합관계에 있는 필로폰 투약행위에 대한 보강증거는 될 수 없다(대판 2008.2.14, 2007도10937). 10. 경찰승진, 16. 검찰·마약·교정·보호·철도경찰 • 검사가 보강증거로서 제출한 증거의 내용이 피고인과 친구(甲)가 현대자동차 춘천영업소를 점거했다가 甲이 처벌받았다는 것이고, 피고인의 자백내용은 현대자동차 점거로 甲이 처벌받은 것은 학교측의 제보 때문이라 하여 피고인이 그 보복으로 학교총장실을 침입점거했다는 것이라면, 위 보강증거로서 제출한 증거는 주거침입사실과는 관련이 없는 범행의 침입동기에 관한 정황증거에 지나지 않으므로 위 증거는 자백에 대한 보강증거가 될 수 없다(대판 1990.12.7, 90도2010). 14. 7급 국가직 • 성남시 태평동 자기집 앞에 세워둔 봉고 화물차 1대를 도난당하였다는 사건에서 피고인이 위 차량으로 충주까지 가서 소매치기 범행을 하였다고 자백하고 있는 경우 피고인이 범행장소인 충주까지 가기 위한 교통수단으로 이용하였다는 취지에 불과하여 소매치기 범행과는 직·간접적으로 아무런 관계가 없어 보강증거가 될 수 없다(대판 1986.2.25, 85도2656). • 검사의 피고인에 대한 피의자신문조서기재에 피고인이 성명불상자로부터 반지 1개를 편취한 후 이 반지를 甲에게 매도하였다는 취지로 진술하고 있고 한편 검사의 甲에 대한 진술조서기재에 위 일시경 피고인으로부터 금반지 1개를 매입하였다고 진술하고 있다면 위 甲의 진술은 피고인이 자백하고 있는 편취물품의 소재 내지 행방에 부합하는 진술로서 형식적으로 피고인의 자백의 진실성을 보강하는 증거가 될 수 있다. 다만, 피고인이 자백한 범죄사실은 성명불상 여자로부터 동인이 끼고 있는 금반지를 편취하였다는 내용이어서 위 참고인 甲에 대한진술조서기재에 의하면 피고인이 매도한 금반지는 남자

- 피고인이 甲과 합동하여 乙의 재물을 절취하려다가 미수에 그쳤다는 내용의 공소사실을 자백한 사안에서, 피고인을 현행범으로 체포한 乙의 수사기관에서의 진술과 현장사진이 첨부된 수사보고서가 피고인 자백의 진실성을 담보하기에 충분한 보강증거가 된다(대판 2011.9.29, 2011도8015). 16. 7급 국가직
- 피고인으로부터 금반지 1개를 매입하였다는 甲의 진술은 피고인이 성명불상자로부터 반지 1개를 편취한 후 반지를 甲에게 매도하였다는 하였다는 자백의 진실성을 보강하는 증거가 될 수 있다(대판 1985.11.12, 85도1838). 14. 7급 국가직
- 필로폰을 건네받은 후 피고인이 차량을 운전해 갔다고 한 甲의 진술과 피고인으로부터 채취한 소변에서 나온 필로폰 양성 반응은, 피고인이 필로폰 투약으로 정상적으로 운전하지 못할 우려가 있는 상태에 있었다는 도로교통법위반 공소사실 부분에 대한 자백을 보강하는 증거가 되기에 충분하다(대판 2010.12.23, 2010도11272). 12. 순경 1차
- 피고인이 제1심 법정에서 공문서변조 및 동행사의 공소범죄사실을 모두 자백하였고, 제출된 증거자료 중 형사민원사무처리부에 피고인이 변조하였다는 내용이 기재되어 있고 피고인은 제1심에서 위 증거자료를 증거로 함에 동의한 사실을 알 수 있으므로, 위 형사민원사무처리부는 피고인의 자백에 대한 보강증거로 삼기에 족하다 할 것이고, 필적감정결과 피고인의 평소 필적과 서로 다른 것으로 판명되었다고 하여 위 형사민원사무처리부가 보강증거가 되지 못한다고 볼 수는 없다(대판 2001.9.28, 2001도4091). 08. 순경
- 상업장부나 항해일지, 진료일지 또는 이와 유사한 금전출납부 등과 같이 범죄사실의 인정 여부와는 관계없이 자기에게 맡겨진 사무를 처리한 사무 내역을 그때그때 계속적, 기계적으로 기재한 문서 등의 경우는 별개의 독립된 증거자료이고, 설사 그 문서가 우연히 피고인이 작성하였고, 공소사실에 일부 부합되는 사실의 기재가 있다고 하더라도, 이를 피고인이 범죄사실을 자백하는 문서라고 볼 수는 없다(대판 1996.10.17, 94도2865). ∴ 보강증거 ○ 07. 9급 법원직
- 히로뽕, 주사기, 자기앞수표 등에 대한 압수조서는 압수된 양을 넘는 부분의 히로뽕 소지 및 매매사실에 대한 자백의 보강증거가 될 수 있다(대판 1997.4.11, 97도470). 06. 순경

용 반지라는 것이므로, 위 甲의 신술조서의 진술은 피고인의 자백한 범죄사실과 저촉되는 내용이어서 그 보강증거가 될 수 없을 것이다(대판 1985.11.12, 85도1838).

- 피고인이 범행을 자백하는 것을 들었다는 피고인 아닌 자의 진술은 피고인의 자백에 대한 보강증거가 되지 못한다(대판 1981.7.7, 81도1314).
- 피고인이 점포바닥에 타다남은 성냥개비를 버렸다는 자백에 대해서, 점포 내의 상품이 화학성섬유로 되어 있는 의류와 같은 경우에는 훈소현상의 발생이 희박하다는 감정 증인의 증언부분을 아울러 보면 동인의 훈소성 화원에 의한 발화라는 감정내용은 자백에 대한 보강증거로서 미흡하다(대판 1979.7.24, 78도3226).
- 수사기관에서 행한 자백을 공판정에서의 자백에 대한 보강증거로 사용할 수 없다(대판 1978.6.27, 78도743).
- 피고인이 1968. 11.경 군청직원에게 20,000원을 뇌물로 교부한 사실을 자백하였다 하더라도 피고인에게 같은 해 9.경 20,000원을 장사자금으로 대여한 바 있다는 증인의 증언은 위 자백에 대한 보강증거가 될 수 없다(대판 1970.1.27, 69도2200).

04

- 기소된 대마 흡연일자로부터 한 달 후 피고인의 주거지에서 압수된 대마 잎이 피고인의 자백에 대한 보강증거가 된다(대판 2007.9.20, 2007도5845).
- 자신이 운영하는 게임장에서 미등급 게임기를 판매·유통시켰다는 공소사실에 대하여 경찰 및 제1심 법정에서 자백한 후 이를 다시 번복한 사안에서, 미등급 게임기가 설치된 게임장 내부 사진 및 피고인 명의의 게임제공업자등록증 등의 증거가 자백의 진실성을 담보하기에 충분한 보강증거가 된다(대판 2008.9.25, 2008도6045).
- 피고인이 검문당시 버린 주사기에서 메스암페타민염이 검출된 사실 등을 인정할 수 있는 정황증거들은 메스암페타민 투약사실에 대한 피고인의 검찰에서의 자백에 대한 보강증거로 사용할 수 있다(대판 1999.3.23, 99도338).
- 오토바이 시동을 걸려는 것을 보고 오토바이를 압수하였다는 사법경찰관 작성의 압수조서는 무면허운전의 범죄사실의 보강증거로 충분하다(대판 1994.9.30, 94도1146).
- 국가보안법상 회합죄를 피고인이 자백하는 경우 회합 당시 상대방으로부터 받았다는 명함의 현존은 보강증거로 될 수 있다(대판 1990.6.22, 90도741).
- 고추를 절취했다는 피고인의 자백과 누가 훔쳐간지는 모르지만 고추를 도난 당했다는 피해자의 진술로 절도공소사실을 인정함은 적법하다(대판 1968.3.26, 68도148).
- 공동피고인 중의 한 사람이 자백하였고 피고인 역시 자백했다면 다른 공동피고인 중의 한 사람이 부인한다 하여도 위 공동피고인 중의 한 사람이 자백은 피고인의 자백에 대한 보강증거가 된다(대판 1968.3.19, 68도43).
- 쉐타(스웨터)가 장물이라는 점을 알면서 운반한 사실을 자백하는 경우, 압수되어 현존하는 쉐타(스웨터)는 자백의 보강증거로 충분하다(대판 1967.12.18, 67도1084).
- 수사기관에서 피고인이 '乙로부터 향정신성의약품인 러미라 약 1,000정을 건네받아 그중 일부는 甲에게 제공하고, 남은 것은 자신이 투약하였다.'고 자백한 경우, 乙은 피고인의 최초 러미라 투약행위가 있었던 시점에 피고인에게 50만원 상당의 채무변제에 갈음하여 러미라 약 1,000정이 들어있는 플라스틱통 1개를 건네주었다고 하고 있고, 甲은 乙

에게 피고인으로부터 러미라를 건네받았다는 취지의 카카오톡 메시지를 보냈다는 乙에 대한 검찰 진술조서 및 수사보고는 자백의 보강증거가 될 수 있다(대판 2018.3.15, 2017도20247).

- 피고인이 증거로 함에 동의한 압수조서상에 피고인의 범행장면(휴대폰으로 여성치마속 촬영)을 현장에서 목격한 사법경찰관리가 이를 묘사한 진술내용이 포함된 경우, 이러한 내용은 형사소송법 제312조 제5항에서 정한 '피고인이 아닌 자가 수사과정에서 작성한 진술서'에 준하는 것으로서, 압수절차가 적법하였는지 여부에 영향을 받지 않는 별개의 독립적인 증거에 해당한다. 따라서 이는 2018. 3. 26. 08 : 14경 지하철역 에스컬레이터에서 휴대전화기로 여성피해자의 치마속을 몰래 촬영하였다는 자백에 대한 보강증거가 된다(대판 2019.11.14, 2019도13290).

01 보강증거에 관한 판례의 내용으로 잘못된 것은?

① 봉고화물차 1대를 도난당하였다는 공소외인의 진술은 피고인이 위 차를 타고 그 무렵 충주까지 가서 소매치기 범행을 하였다고 자백하고 있는 경우, 위 피고인의 자백이 그 차량을 범행의 수단·방법으로 사용하였다는 취지가 아니고, 피고인이 범행장소인 충주까지 가기 위한 교통수단으로 이용하였다는 취지에 불과하여 위 소매치기범행과는 직접적으로나 간접적으로 아무런 관계가 없어 이는 위 피고인의 자백에 대한 보강증거가 될 수 없다.

② 점포바닥에 타다 남은 성냥개비를 버렸다는 피고인의 자백에 대해서 점포 내의 상품이 화학섬유로 되어 있는 의류와 같은 경우는 훈소현상발생이 희박하다는 감정증인의 증언부분을 아울러 보면 훈소성 화원에 의한 발화라는 감정내용은 자백에 대한 보강증거로는 미흡하다.

③ 피고인이 검문 당시 버린 주사기에서 메스암페타민염이 검출된 사실 등을 인정할 수 있는 정황증거들이 메스암페타민 투약사실에 대한 피고인의 검찰에서의 자백에 대한 보강증거로서 충분하다.

④ 필로폰 매수대금을 송금한 사실에 대한 증거가 필로폰매수죄와 실체적 경합범관계에 있는 필로폰 투약행위에 대한 보강증거가 될 수 있다.

| 해설 ① 대판 1986.2.25, 85도2656 ② 대판 1979.7.24, 78도3226 ③ 대판 1999.3.23, 99도338
④ 필로폰 매수대금을 송금한 사실에 대한 증거가 필로폰매수죄와 실체적 경합범관계에 있는 필로폰 투약행위에 대한 보강증거가 될 수 없다(대판 2008.2.14, 2007도10937).

Answer 1. ④

02 **자백의 보강법칙에 대한 설명으로 가장 적절하지 않은 것은?**(다툼이 있는 경우 판례에 의함)

17. 순경 2차

① 뇌물수수자가 무자격자인 뇌물공여자로 하여금 건축공사를 하도급 받도록 알선하고 그 하도급계약을 승인받을 수 있도록 하였으며, 공사와 관련된 각종의 편의를 제공한 사실을 인정할 수 있는 증거들은 뇌물공여자의 자백에 대한 보강증거가 될 수 있다.

② 2010. 2. 18. 01 : 35경 자동차를 타고 온 피고인으로부터 필로폰을 건네받은 후 피고인이 위 차량을 운전해 갔다고 한 甲의 진술과 2010. 2. 20. 피고인으로부터 채취한 소변에서 나온 필로폰 양성 반응은, 피고인이 2010. 2. 18. 02 : 00경의 필로폰 투약으로 정상적으로 운전하지 못할 우려가 있는 상태에 있었다는 도로교통법위반 공소사실 부분에 대한 자백을 보강하는 증거가 되기에 충분하다.

③ 피고인이 자신이 거주하던 다세대주택의 여러 세대에서 7건의 절도행위를 한 것으로 기소되었는데 그중 4건은 범행장소인 구체적 호수가 특정되지 않은 사안에서, 위 4건에 관한 피고인의 범행 관련 진술이 매우 사실적・구체적・합리적이고 진술의 신빙성을 의심할 만한 사유도 없어 자백의 진실성이 인정되므로, 피고인의 집에서 해당 피해품을 압수한 압수조서와 압수물 사진은 위 자백에 대한 보강증거가 된다.

④ 피고인이 甲과 합동하여 乙의 재물을 절취하려다가 미수에 그쳤다는 내용의 공소사실을 자백한 사안에서, 피고인을 현행범으로 체포한 乙의 수사기관에서의 진술과 현장사진이 첨부된 수사보고서가 피고인 자백에 대한 보강증거가 될 수 없다.

| 해설 ① 대판 1998.12.22, 98도2890

② 대판 2010.12.23, 2010도11272

③ 대판 2008.5.29, 2008도2343

④ 피고인이 甲과 합동하여 乙의 재물을 절취하려다가 미수에 그쳤다는 내용의 공소사실을 자백한 사안에서, 피고인을 현행범으로 체포한 乙의 수사기관에서의 진술과 현장사진이 첨부된 수사보고서가 피고인 자백의 진실성을 담보하기에 충분한 보강증거가 된다(대판 2011.9.29, 2011도8015).

03 **자백의 보강증거에 관한 설명 중 가장 적절하지 않은 것은?**(다툼이 있는 경우 판례에 의함)

20. 경찰승진

① 공동피고인의 자백은 원칙적으로 피고인의 자백에 대한 보강증거가 될 수 있으나 피고인들 간에 이해관계가 상반되는 경우에는 그 진실성을 담보할 수 없으므로 공동피고인의 자백이 피고인의 자백에 대한 보강증거가 될 수 없다.

② 뇌물공여의 상대방이 뇌물을 수수한 사실을 부인하면서도 그 일시경에 뇌물공여자를 만났던 사실 및 공무에 관한 청탁을 받기도 한 사실 자체는 시인하였다면, 이는 뇌물을 공여하였다는 뇌물공여자의 자백에 대한 보강증거가 될 수 있다.

③ 피고인의 자백을 내용으로 하는 피고인 아닌 자의 진술은 피고인의 자백에 대한 보강증거가 될 수 없다.

Answer 2. ④ 3. ①

④ 전과에 관한 사실을 엄격한 의미에서의 범죄사실과는 구별되는 것으로서 피고인의 자백만으로서도 이를 인정할 수 있다.

| 해설 ① 공동피고인의 자백은 피고인의 반대신문권이 보장되어 증인으로 신문한 경우와 다를 바 없으므로, 원칙적으로 피고인의 자백에 대한 보강증거가 될 수 있고, 이는 피고인들 간에 이해관계가 상반되는 경우에도 마찬가지이다(대판 2006.5.11, 2006도1944).
② 대판 1995.6.30, 94도993 ③ 대판 1981.7.7, 81도1314 ④ 대판 1973.3.20, 73도280

04 **자백의 보강증거에 관한 설명 중 가장 적절한 것은?**(다툼이 있는 경우 판례에 의함)

① 피고인이 업무수행에 필요한 자금을 지출하면서, 스스로 그 지출한 자금내역을 자료로 남겨두기 위하여 뇌물자금과 기타 자금을 구별하지 아니하고 그 지출 일시, 금액, 상대방 등 내역을 그때그때 계속적·기계적으로 기입한 수첩의 기재 내용은, 피고인이 자신의 범죄사실을 시인하는 자백이라고 볼 수 있다.
② 공문서인 형사민원사무처리부의 기재내용을 변조하였다는 피고인의 자백에 대하여 피고인이 변조하였다는 내용이 기재되어 있는 형사민원사무처리부의 현존은 보강증거가 될 수 없다.
③ 상업장부나 항해일지, 진료일지 또는 이와 유사한 금전출납부 등은 그 존재 자체 및 기재가 그러한 내용의 사무가 처리되었음의 여부를 판단할 수 있는 별개의 독립된 증거자료에 해당하나, 그 문서를 피고인이 작성하였고, 그 문서의 내용 중 공소사실에 부합되는 사실의 기재가 있다면 피고인의 자백문서로 볼 수 있으므로 이는 보강증거가 될 수 없다.
④ 국가보안법상 회합죄를 피고인이 자백하는 경우 회합 당시 상대방으로부터 받았다는 명함의 현존은 보강증거로 될 수 있다.

| 해설 ① 피고인이 업무수행에 필요한 자금을 지출하면서, 스스로 그 지출한 자금내역을 자료로 남겨두기 위하여 뇌물자금과 기타 자금을 구별하지 아니하고 그 지출 일시, 금액, 상대방 등 내역을 그때그때 계속적·기계적으로 기입한 수첩의 기재 내용은, 피고인이 자신의 범죄사실을 시인하는 자백이라고 볼 수 없으므로, 증거능력이 있는 한 피고인의 금전출납을 증명할 수 있는 별개의 증거라고 할 것인즉, 피고인의 검찰에서의 자백에 대한 보강증거가 될 수 있다(대판 1996.10.17, 94도2865 전원합의체).
② 피고인은 자신에게 배당된 형사사건 중 여러 건을 기한 내에 처리하지 아니하고 계속 무단방치하고 있다가 사건관련 진정인들의 항의를 받는 등 궁지에 몰려 있던 중 무단방치하고 있던 사건 중의 하나인 피의자 등에 대한 진정사건을 마치 다른 경찰서에 이송한 것처럼 형사민원사무처리부에 기재하였다는 자백에 대하여, 피고인이 변조하였다는 내용이 기재된 형사민원사무처리부의 현존은 보강증거가 될 수 있다(대판 2001.9.28, 2001도4091).
③ 상업장부나 항해일지, 진료일지 또는 이와 유사한 금전출납부 등과 같이 범죄사실의 인정 여부와는 관계없이 자기에게 맡겨진 사무를 처리한 사무내역을 그때그때 계속적·기계적으로 기재한 문서 등의 경우는 사무처리내역을 증명하기 위하여 존재하는 문서로서 그 존재 자체 및 기재가 그러한 내용의 사무가 처리되었음의 여부를 판단할 수 있는 별개의 독립된 증거자료이고, 설사 그 문서를 피고인이 작성하였고, 그 문서의 내용 중 공소사실에 부합되는 사실의 기재가 있다고 하더라도 피고인의 자백문서로 볼 수 없으므로 보강증거가 될 수 있다(대판 1996.10.17, 94도2865전원합의체).
④ 대판 1990.6.22, 90도741

Answer 4. ④

05 **甲이 공무원 乙에게 1,000만원을 제공하였다는 뇌물 사건을 수사하던 검사는 甲의 직장동료인 丙으로부터 "甲이 '乙에게 뇌물을 주었다'고 내게 말했다."라는 참고인 진술을 확보하고 甲과 乙을 공동피고인으로 기소하였다. 그러나 공판정에 출석한 丙은 일체의 증언을 거부하였고, 일관되게 범행을 부인하던 甲이 심경의 변화를 일으켜 뇌물공여 혐의를 모두 자백하였으나, 乙은 뇌물을 받은 사실이 없다고 주장하며 혐의를 부인하고 있다. 이에 대한 설명으로 가장 적절하지 않은 것은?**(다툼이 있는 경우 판례에 의함)

22. 경찰승진

① 甲은 소송절차가 분리되면 乙에 대한 공소사실에 관하여 증인이 될 수 있다.

② 甲이 공판정에서 한 자백은 丙에 대한 참고인진술조서 가운데 "甲이 '乙에게 뇌물을 주었다'고 내게 말했다."라는 진술내용으로 보강할 수 있다.

③ 甲이 공판정에서 한 자백은 乙의 혐의에 대해서 유죄 인정의 증거가 될 수 있다.

④ 변론분리 후 甲이 증언하는 과정에서 "뇌물을 제공받은 乙이 저에게 '귀하에게 받은 돈은 나라와 민족을 위해 필요한 곳에 쓰겠습니다'라고 말했습니다."라고 진술한 경우, 乙의 위 진술 내용은 그 진술이 특히 신빙할 수 있는 상태하에서 행하여졌음이 증명된 때에 한하여 이를 증거로 할 수 있다.

| 해설 | ① 대판 2008.6.26, 2008도3300
② 피고인이 범행을 자인하는 것을 들었다는 피고인 아닌 자의 진술내용은 형사소송법 제310조의 피고인의 자백에는 포함되지 아니하나 이는 피고인의 자백의 보강증거로 될 수 없다(대판 1981.7.7, 81도1314).
③ 대판 1990.10.30, 90도1939 ④ 변론분리 후 甲이 증언하는 과정에서 "뇌물을 제공받은 乙이 저에게 '귀하에게 받은 돈은 나라와 민족을 위해 필요한 곳에 쓰겠습니다'라고 말했습니다."라고 진술한 경우, 피고인 乙의 진술을 내용으로 하는 전문진술이므로 제316조 제1항에 의거 그 진술이 특히 신빙할 수 있는 상태하에서 행하여졌음이 증명된 때에 한하여 이를 증거로 할 수 있다.

06 **보강증거에 대한 설명으로 옳지 않은 것은?**(다툼이 있는 경우 판례에 의함)

22. 9급 검찰·마약·교정·보호·철도경찰

① 휴대전화기의 카메라를 이용하여 성명불상 여성 피해자의 치마 속을 몰래 촬영하다가 현행범으로 체포된 피고인이 공소사실에 대해 자백한바, 현행범체포 당시 임의제출 방식으로 압수된 피고인 소유 휴대전화기에 대한 압수조서의 '압수경위'란에 기재된 피고인의 범행을 직접 목격한 사법경찰관의 진술내용은 피고인의 자백을 보강하는 증거가 된다.

② '○○자동차 점거로 甲이 처벌받은 것은 학교측의 제보 때문이라 하여 피고인이 그 보복으로 학교총장실을 침입점거했다'는 피고인의 자백에 대해, '피고인과 공소외 甲이 ○○자동차 △△영업소를 점거했다가 甲이 처벌받았다'는 검사 제출의 증거내용은 보강증거가 될 수 없다.

③ 피고인이 甲과 합동하여 피해자 乙의 재물을 절취하려다가 미수에 그쳤다는 내용의 공소사실을 자백한 경우, 피고인을 현행범으로 체포한 피해자 乙의 수사기관에서의 진술과 현장 사진이 첨부된 수사보고서는 피고인 자백에 대한 보강증거가 된다.

Answer 5.② 6.④

④ 자동차등록증에 차량의 소유자가 피고인으로 등록·기재된 것이 피고인이 그 차량을 운전하였다는 사실의 자백 부분에 대한 보강증거는 될 수 있지만 피고인의 무면허운전이라는 전체 범죄사실의 보강증거가 될 수는 없다.

| 해설 ① 대판 2019.11.14, 2019도13290 ② 대판 1990.12.7, 90도2010 ③ 대판 2011.9.29, 2011도8015
④ 차량이 피고인의 소유로 등록되어 있으므로 피고인이 그 소유 차량을 운전하였다는 사실의 자백 부분에 대한 보강증거가 될 수 있고, 운전면허 없이 운전하였다는 전체 범죄사실의 보강증거로 충분하다 할 것이다(대판 2000.9.26, 2000도2365).

07 **자백보강법칙에 관한 다음 설명 중 가장 옳지 않은 것은?**(다툼이 있는 경우 판례에 의하고, 전원합의체 판결의 경우 다수의견에 의함)
23. 9급 법원직

① 공동피고인의 자백은 이에 대한 피고인의 반대신문권이 보장되어 있어 증인으로 신문한 경우와 다를 바 없으므로 독립한 증거능력이 있으나, 피고인들간에 이해관계가 상반되는 경우에는 독립한 증거로 보기 어렵다.

② 직접증거가 아닌 간접증거나 정황증거도 보강증거가 될 수 있고, 자백과 보강증거가 서로 어울려서 전체로서 범죄사실을 인정할 수 있으면 유죄의 증거로 충분하다.

③ 피고인의 습벽을 범죄구성요건으로 하며 포괄일죄인 상습범에 있어서도 이를 구성하는 각 행위에 관하여 개별적으로 보강증거를 요구하고 있는 점에 비추어 보면 투약습성에 관한 정황증거만으로 향정신성의약품관리법위반죄의 객관적 구성요건인 각 투약행위가 있었다는 점에 관한 보강증거로 삼을 수는 없다.

④ 사람의 기억에는 한계가 있는 만큼 자백과 보강증거 사이에 어느 정도의 차이가 있어도 중요부분이 일치하고 그로써 진실성이 담보되면 보강증거로서의 자격이 있다.

| 해설 ① 공동피고인의 자백은 이에 대한 피고인의 반대신문권이 보장되어 있어 증인으로 신문한 경우와 다를 바 없으므로 독립한 증거능력이 있고, 이는 피고인들간에 이해관계가 상반된다고 하여도 마찬가지라 할 것이다(대판 2006.5.11, 2006도1944).
② 대판 2008.11.27, 2008도7883 ③ 대판 1996.2.13, 95도1794 ④ 대판 2008.5.29, 2008도2343

08 **자백보강법칙에 관한 설명으로 가장 적절하지 않은 것은?**(다툼이 있는 경우 판례에 의함)
24. 경찰승진

① 형사소송법 제310조 소정의 '피고인의 자백'에 공범인 공동피고인의 진술은 포함되지 않으므로, 공범인 공동피고인의 진술은 다른 공동피고인에 대한 범죄사실을 인정하는 증거로 할 수 있고, 공범인 공동피고인들의 각 진술은 상호 간에 서로 보강증거가 될 수 있다.

② 자백에 대한 보강증거는 피고인의 자백이 가공적인 것이 아닌 진실한 것임을 인정할 수 있는 정도로는 족하지 않고, 범죄사실의 전부 또는 중요 부분을 인정할 수 있는 정도가 되어야 한다.

Answer 7.① 8.②

③ 자동차등록증에 차량의 소유자가 피고인으로 등록되어 있는 것은 피고인이 그 차량을 운전하였다는 사실의 자백 부분에 대한 보강증거가 될 수 있고, 결과적으로 피고인이 운전면허 없이 운전하였다는 전체 범죄사실의 보강증거로 충분하다.

④ 2020. 2. 18. 01 : 35경 자동차를 타고 온 피고인 甲으로부터 필로폰 0.06g을 건네받은 후 甲이 그 차량을 운전해 갔다고 한 공소외인 A의 진술과 2020. 2. 20. 甲으로부터 채취한 소변에서 나온 필로폰 양성 반응은, 甲이 2020. 2. 18. 02 : 00경의 필로폰 투약으로 정상적으로 운전하지 못할 우려가 있는 상태에 있었다는 공소사실 부분에 대한 자백을 보강하는 증거가 되기에 충분하다.

해설 ① 대판 1990.10.30, 90도1939

② 자백에 대한 보강증거는 범죄사실의 전부 또는 중요부분을 인정할 수 있는 정도가 되지 아니하더라도 피고인의 자백이 가공적인 것이 아닌 진실한 것임을 인정할 수 있는 정도만 되면 족하다(대판 2002.1.8, 2001도1897).

③ 대판 2000.9.26, 2000도2365

④ 대판 2010.12.23, 2010도11272

09 자백보강법칙에 관한 설명으로 옳지 않은 것은?(다툼이 있는 경우 판례에 의함) 24. 소방간부

① 필로폰 매수 대금을 송금한 사실에 대한 증거는 필로폰 매수죄와 실체적 경합범 관계에 있는 필로폰 투약행위에 대한 보강증거가 될 수 없다.

② 직접증거가 아닌 간접증거나 정황증거도 보강증거가 될 수 있고, 자백과 보강증거가 서로 어울려서 전체로서 범죄사실을 인정할 수 있으면 유죄의 증거로 충분하다.

③ 피고인의 습벽을 범죄구성요건으로 하는 포괄일죄로서의 상습범에 있어서는 이를 구성하는 각 행위에 관하여 개별적으로 보강증거를 필요로 하지 않는다.

④ 공범인 공동피고인의 진술은 다른 공동피고인에 대한 범죄사실을 인정하는 증거로 할 수 있는 것일 뿐만 아니라 공범인 공동피고인들의 각 진술은 상호 간에 서로 보강증거가 될 수 있다.

⑤ 자동차등록증에 차량의 소유자가 피고인으로 등록 · 기재된 사실은 피고인이 그 차량을 운전하였다는 사실의 자백 부분에 대한 보강증거가 될 수 있고, 결과적으로 피고인의 무면허운전이라는 전체 범죄사실의 보강증거로 될 수 있다.

해설 ① 대판 2008.2.14, 2007도10937

② 대판 2008.11.27, 2008도7883

③ 피고인의 습벽을 범죄구성요건으로 하는 포괄일죄로서의 상습범에 있어서는 이를 구성하는 각 행위에 관하여 개별적으로 보강증거를 필요로 한다(대판 1996.2.13, 95도1794).

④ 대판 1990.10.30, 90도1939

⑤ 대판 2000.9.26, 2000도2365

Answer 9. ③

Ⅲ. 공판조서의 증명력

THEMA 04 공판조서의 증명력

<table>
<tr><td>의 의</td><td>1. 의의 : 형사소송법 제56조는 "공판기일의 소송절차로서 공판조서에 기재된 것은 그 조서만으로 증명한다."라고 규정하여 공판조서에 배타적 증명력을 인정하고 있다. 여기서 '조서만으로 증명한다.'의 의미는 공판조서 이외의 다른 증거를 참작하거나 반증을 허용하지 않고 공판조서의 기재 그대로를 인정한다는 뜻이다.
공판조서란 공판기일의 소송절차가 법정의 방식에 따라서 적법하게 행하여졌는지 여부를 인증하기 위하여 공판에 참여한 법원사무관 등이 공판기일의 소송절차의 경과를 기재하는 조서를 말한다.
2. 자유심증주의와의 관계 : 공판조서에 기재된 소송절차에 관한 사실은 법관의 심증 여하를 불문하고 공판조서에 기재된 대로 인정하여야 하므로, 제56조는 자유심증주의에 대한 예외이다.</td></tr>
<tr><td>배타적 증명력의 적용범위</td><td>1. 공판기일의 소송절차
① 공판기일의 소송절차 : 공판조서의 배타적 증명력은 공판기일의 소송절차에 한하므로 공판기일 전의 증인신문청구나 증거보전절차는 물론이고 공판준비기일의 증인신문이나 검증의 경우에도 배타적 증명력이 인정되지 않는다.
② 소송절차 : 공판기일의 절차라 하더라도 소송절차에 대해서만 배타적 증명력이 인정되고 실체면에 관한 사항(예 증언)에 대해서는 공판조서는 증거능력만 인정될 뿐(제311조) 다른 증거에 의해 얼마든지 그 증명력을 다툴 수 있다.
예 판결선고일이 언제인가, 판결선고가 있었는가, 피고인에게 증거조사결과에 대한 의견을 묻고 증거조사를 신청할 수 있음을 고지하고 최종의견진술의 기회를 주었는가와 같은 소송절차에 관한 사실은 공판조서에 의해 증명된다.
2. 공판조서에 기재된 소송절차
① 공판기일의 소송절차로서 공판조서에 기재된 것에 한하여 배타적 증명력이 인정된다. 여기서 공판조서란 당해 사건의 공판조서를 의미하므로 다른 사건의 공판조서는 배타적 증명력이 인정되지 않는다.
예 甲사건에서 증언한 증인이 위증죄로 재판을 받은 경우에 선서를 하였는가를 판단함에 있어서 甲사건의 공판조서가 배타적 증명력을 갖는 것은 아니다.
② 공판조서에 기재되지 아니한 소송절차라 하더라도 그 존재가 부인되는 것은 아니며 이에 대하여 다른 자료에 의하여 증명할 수 있다(자유로운 증명).
③ 공판조서에 명백한 오기가 있는 경우에는 정확한 내용에 따라 증명력이 인정되며, 공판조서의 기재내용이 동일사항에 관하여 서로 다른 내용인 경우 어느 쪽이 진실한 것으로 보아야 하느냐의 문제는 법관의 자유심증에 따를 수밖에 없다는 것이 판례의 입장이다.</td></tr>
<tr><td>멸실 및 무효</td><td>공판조서의 배타적 증명력은 유효한 공판조서의 존재를 전제로 한다. 공판조서가 멸실되었거나 무효인 경우에 상소심에서 원심판결의 소송절차가 위법함을 주장함에 있어 다른 자료에 의한 증명이 허용되는가에 대해 견해가 나뉘고 있으나 허용된다고 봄이 다수설이다.</td></tr>
</table>

01 공판조서의 배타적 증명력에 대한 설명 중 옳지 않은 것은?(다툼이 있는 경우 판례에 의함)

① 공판조서가 무효인 경우에는 배타적 증명력이 없다.

② 피고인에게 증거조사를 신청할 수 있음을 고지하였고 아울러 최종의견진술의 기회를 주었다고 공판조서에 기재되어 있다면 공판조서에 기재된 대로 공판절차가 진행된 것으로 증명된다.

③ 공판조서에 피고인에 대하여 인정신문을 한 기재가 없다 하여도 같은 조서에 피고인이 공판기일에 출석하여 공소사실신문에 대하여 이를 시정하고 있는 기재가 있으니 인정신문이 있었던 사실이 추정된다.

④ 피고인이 검사 또는 사법경찰관 앞에서 한 진술과 다른 내용을 공판준비 또는 공판기일에 진술한 경우, 검사는 피고인의 공판준비 또는 공판기일에 한 진술의 증명력을 다투기 위하여 검사 또는 사법경찰관 앞에서 한 진술을 내용으로 하는 영상녹화물을 원칙적으로 공판준비 또는 공판기일에 피고인에게 재생하여 시청하게 할 수 있다.

| 해설 ① 공판조서의 배타적 증명력은 유효한 공판조서의 존재를 전제로 한다. 공판조서가 멸실되었거나 무효인 경우에 소송절차가 위법함을 주장함에 있어 다른 자료에 의한 증명이 허용된다고 봄이 다수설이다.
② 대판 1990.2.27, 89도2304 ③ 대판 1972.12.26, 72도2421
④ 피고인 또는 피고인이 아닌 자의 진술을 내용으로 하는 영상녹화물은 탄핵증거로 사용할 수 없다. 공판준비 또는 공판기일에 피고인 또는 피고인이 아닌 자가 진술함에 있어서 기억이 명백하지 아니한 사항에 관하여 기억을 환기시켜야 할 필요가 있다고 인정되는 때에 한하여 피고인 또는 피고인이 아닌 자에게 재생하여 시청하게 할 수 있다(제318조의 2 제2항).

02 공판조서에 대한 설명 중 가장 적절하지 않은 것은?(다툼이 있는 경우 판례에 의함) 18. 경찰승진

① 피고인의 공판조서에 대한 열람 또는 등사청구에 법원이 불응하여 피고인의 열람 또는 등사청구권이 침해된 경우에는 그 공판조서를 유죄의 증거로 할 수 없으나, 공판조서에 기재된 증인의 진술은 증거로 할 수 있다.

② 공판조서의 기재가 명백한 오기인 경우를 제외하고는 공판기일의 소송절차로서 공판조서에 기재된 것은 조서만으로써 증명하여야 하고, 그 증명력은 공판조서 이외의 자료에 의한 반증이 허용되지 않는 절대적인 것이다.

③ 공판기일의 소송절차에 관하여는 참여한 법원사무관 등이 공판조서를 작성하여야 한다.

④ 검사 제출의 증거에 관하여 동의 또는 진정성립 여부 등에 관한 피고인의 의견이 증거목록에 기재된 경우에는 그 증거목록의 기재는 공판조서의 일부로서 명백한 오기가 아닌 이상 절대적인 증명력을 가지게 된다.

| 해설 ① 피고인이 공판조서의 열람 또는 등사를 청구하였음에도 법원이 불응하여 피고인의 열람 또는 등사청구권이 침해된 경우에는 공판조서를 유죄의 증거로 할 수 없을 뿐만 아니라 공판조서에 기재된 당해 피고인이나 증인의 진술도 증거로 할 수 없다고 보아야 한다(대판 2012.12.27, 2011도15869).
② 대판 1996.9.10, 96도1252 ③ 제51조 제1항 ④ 대판 1998.12.22, 98도2890

Answer 1.④ 2.①

03 공판조서의 증명력에 대한 설명 중 옳은 것만을 모두 고르면?(다툼이 있는 경우 판례에 의함)

20. 7급 국가직

㉠ 공판기일에 검사가 제출한 증거에 관하여 동의 또는 진정성립 여부 등에 관한 피고인의 의견이 증거목록에 기재된 경우에 그 증거목록의 기재는 공판조서의 일부로서 명백한 오기가 아닌 이상 절대적인 증명력을 가진다.

㉡ 동일한 사항에 관하여 두 개의 서로 다른 내용이 기재된 공판조서가 병존하는 경우에 그 중 어느 쪽이 진실한 것으로 볼 것인지는 법관의 자유로운 심증에 따를 수밖에 없다.

㉢ 피고인이 변호인과 함께 출석한 공판기일의 공판조서에 검사가 제출한 증거에 대하여 동의한다는 기재가 되어 있다면 이는 피고인이 증거동의를 한 것으로 보아야 하고, 그 기재는 절대적인 증명력을 가진다.

㉣ 공판조서에 재판장이 판결서에 의하여 판결을 선고하였음이 기재되어 있다면 검찰서기의 판결서 없이 판결 선고되었다는 내용의 보고서가 있더라도 공판조서의 기재내용이 허위라고 판정할 수 없다.

① ㉠, ㉣ ② ㉡, ㉢
③ ㉡, ㉢, ㉣ ④ ㉠, ㉡, ㉢, ㉣

| 해설 ㉠ ○ : 대판 1998.12.22, 98도2890
㉡ ○ : 대판 1988.11.8, 86도1646
㉢ ○ : 대판 2016.3.10, 2015도19139
㉣ ○ : 대판 1983.10.25, 82도571

04 공판조서의 증명력에 관한 다음 설명 중 가장 옳지 않은 것은?(다툼이 있는 경우 판례에 의하고, 전원합의체 판결의 경우 다수의견에 의함)

23. 9급 법원직

① 피고인에게 증거조사결과에 대한 의견을 묻고 증거조사를 신청할 수 있음을 고지하였을 뿐만 아니라 최종의견진술의 기회를 주었는지 여부와 같은 소송절차에 관한 사실은 공판조서에 기재된 대로 공판절차가 진행된 것으로 증명되고 다른 자료에 의한 반증은 허용되지 않는다.

② 동일한 사항에 관하여 두개의 서로 다른 내용이 기재된 공판조서가 병존하는 경우 양자는 동일한 증명력을 가지는 것으로서 그 증명력에 우열이 있을 수 없다고 보아야 할 것이므로 그중 어느 쪽이 진실한 것으로 볼 것인지는 공판조서의 증명력을 판단하는 문제로서 법관의 자유로운 심증에 따를 수 밖에 없다.

③ 공판조서에 기재되지 않은 소송절차는 공판조서 이외의 자료에 의한 증명이 허용되므로 공판조서에 피고인에 대하여 인정신문을 한 기재가 없다면 같은 조서에 피고인이 공판기일에 출석하여 공소사실신문에 대하여 이를 시정하고 있는 기재가 있다 하더라도 인정신문이 있었던 사실이 추정된다고 할 수는 없다.

Answer 3. ④ 4. ③

④ 공소사실이 최초로 심리된 제1심 제4회 공판기일부터 피고인이 공소사실을 일관되게 부인하여 경찰 작성 피의자신문조서의 진술내용을 인정하지 않는 경우, 제1심 제4회 공판기일에 피고인이 위 서증의 내용을 인정한 것으로 공판조서에 기재된 것은 착오 기재 등으로 보아 위 피의자신문조서의 증거능력을 부정하여야 한다.

해설 ① 대판 1990.2.27, 89도2304
② 대판 1988.11.8, 86도1646
③ 공판조서에 피고인에 대하여 인정신문을 한 기재가 없다 하여도 같은 조서에 피고인이 공판기일에 출석하여 공소사실신문에 대하여 이를 시정하고 있는 기재가 있으니 인정신문이 있었던 사실이 추정된다 할 것이고 다만 조서의 기재에 이 점에 관한 누락이 있었을 따름인 것이 인정된다(대판 1972.12.26, 72도2421).
④ 대판 2010.6.24, 2010도5040

05 **공판조서의 증거능력과 증명력에 대한 설명으로 옳지 않은 것은?** 24. 9급 교정·보호·철도경찰

① 동일한 사항에 관하여 두 개의 서로 다른 내용이 기재된 공판조서가 병존하는 경우 어느 쪽이 진실한 것으로 볼 것인지는 법관의 자유로운 심증에 따를 수밖에 없다.
② 공판조서의 기재가 명백한 오기인 경우를 제외하고 공판기일의 소송절차로서 공판조서에 기재된 것은 조서만으로써 증명이 되지만, 그 증명력은 공판조서 이외의 자료에 의한 반증이 허용되지 않는 절대적인 것은 아니다.
③ 공판조서의 기재가 소송기록상 명백한 오기인 경우에는 공판조서는 그 올바른 내용에 따라 증명력을 가진다.
④ 공판조서에 기재되지 않은 소송절차의 존재는 공판조서에 기재된 다른 내용이나 공판조서 이외의 자료로 증명될 수 있고, 이는 자유로운 증명의 대상이 된다.

해설 ① 대판 1988.11.8, 86도1646
② 공판조서의 기재가 명백한 오기인 경우를 제외하고 공판기일의 소송절차로서 공판조서에 기재된 것은 조서만으로써 증명이 되어야 하고, 그 증명력은 공판조서 이외의 자료에 의한 반증이 허용되지 않는 절대적인 것이다(대판 1996.9.10, 96도1252).
③ 대판 1995.12.22, 95도1289
④ 대판 2023.6.15, 2023도3038

최신판례

어떤 소송절차가 진행된 내용이 공판조서에 기재되지 않았다고 하여 당연히 그 소송절차가 당해 공판기일에 행하여지지 않은 것으로 추정되는 것은 아니고 공판조서에 기재되지 않은 소송절차의 존재가 공판조서에 기재된 다른 내용이나 공판조서 이외의 자료로 증명될 수 있고, 이는 소송법적 사실이므로 자유로운 증명의 대상이 된다(대판 2023.6.15, 2023도3038).

Answer 5. ②

CHAPTER

03 재 판

제1절 재판의 의의 · 종류 · 성립과 방식

THEMA 05 재판의 종류

기능에 의한 분류	1. 종국재판 : 종국재판이란 당해소송을 그 심급에서 종결시키는 재판을 말한다(예 유 · 무죄판결, 관할위반판결, 24. 경찰승진 면소판결, 공소기각판결, 공소기각결정). 종국재판을 한 법원은 그 재판을 취소 · 변경할 수 없다. 종국재판은 원칙적으로 상소가 허용된다. 2. 종국 전 재판 : 종국 전 재판이란 종국재판에 이르기까지 절차상의 문제를 해결하기 위해 행하는 재판을 말하며 중간재판이라고도 한다. 종국재판 이외의 결정과 명령이 여기에 속하는데, 종국 전 재판은 법원 스스로가 취소 · 변경할 수 있으며 원칙적으로 상소가 허용되지 아니한다. ▶ 다만, 구금 · 보석 · 압수 · 압수물환부 · 감정유치결정 ⇨ 예외적으로 상소가능(제403조 제2항) 14. 9급 교정 · 보호 · 철도경찰
내용에 의한 분류	1. 실체재판 : 유 · 무죄의 판결을 말하며 본안재판이라고 한다. 실체재판은 모두 종국재판이고 판결의 형식을 취한다. 2. 형식재판 : 형식재판이란 실체재판 이외의 재판, 즉 절차적 법률관계를 판단하는 재판을 말한다(예 공소기각결정 · 공소기각판결 · 관할위반판결 · 면소판결).
형식에 의한 분류	1. 판결 : 판결은 종국재판의 원칙적 형식으로서 가장 중요한 재판이다(예 유 · 무죄판결, 관할위반판결, 공소기각판결, 면소판결 등). 판결은 원칙적으로 구두변론에 의해야 하고(제37조 제1항), 반드시 이유를 명시하여야 하며, 상소방법은 항소 또는 상고이다. ▶ 판결은 구두변론을 거쳐 행함이 원칙이나 대법원판결에 대한 정정판결은 예외이다(제401조 제1항). 2. 결정 : 결정은 법원이 행하는 종국 전 재판의 기본형식이다(예 보석허가결정, 증거신청에 대한 결정, 공소장변경허가결정). 그러나 종국재판에서도 결정에 의한 경우가 있다(예 공소기각결정). 결정은 구두변론을 요하지 않으나(제37조 제2항) 필요한 경우에는 사실조사를 할 수 있다(동조 제3항). 상소를 불허하는 결정을 제외하고는 원칙적으로 결정에도 이유를 명시하여야 한다(제39조). 결정에 대한 상소방법은 항고이다. 3. 명령 : 명령은 법원이 아니라 재판장, 수명법관, 수탁판사 등 개별법관이 행하는 재판을 말하며 모두 종국 전 재판에 해당한다(재판장의 공판기일 지정). 형사소송법이 명령이란 표현을 사용하지 않더라도 재판장 또는 법관 1인이 하는 재판은 모두 명령에 해당한다(▶ 약식명령은 여기서 말하는 명령이 아니고 독립형식의 재판임). 명령은 구두변론을 요하지 않을 뿐 아니라, 14. 9급 교정 · 보호 · 철도경찰 사실조사를 할 수 있다는 점은 결정의 경우와 같다(제37조 제2항 · 제3항). 명령에 대한 일반적인 상소방법은 없으며, 특수한 경우에는 이의신청(예 제304조의 재판장의 처분에 대한 이의신청) 또는 준항고, 즉 법관소속 법원에 재판의 취소 또는 변경을 청구할 수 있다(제416조).

01 재판에 대한 설명 중 타당한 것은?

① 판결은 법원이 하는 재판이고, 결정과 명령은 법관이 하는 재판이다.
② 공소기각판결, 공소기각결정, 형면제판결, 면소판결 등은 형식재판에 해당한다.
③ 유죄, 무죄판결, 공소기각결정, 관할위반판결, 증거결정 등은 종국재판에 해당한다.
④ 판결은 원칙적으로 구두변론에 의거하여야 하지만 결정과 명령은 구두변론에 의거하지 않을 수 있다.

| 해설 ① 결정은 법원이 행하는 종국 전 재판의 기본형식이다. 그러나 명령은 법원이 아니라 재판장, 수명법관, 수탁판사 등 개별 법관이 행하는 재판을 말한다.
② 형면제판결은 실체재판에 해당한다.
③ 증거신청에 대한 결정은 종국 전 재판에 해당한다.

02 판결 · 결정 · 명령을 잘못 설명한 것은?

① 판결의 형식을 취하는 재판은 재판장이 선고한다.
② 실체재판은 모두 판결이나 형식재판에는 판결 이외의 결정인 경우도 있다.
③ 결정에 대한 상소는 항소에 의한다.
④ 명령에 대한 상소방법은 없으나 이의신청, 준항고 등은 허용된다.

| 해설 ① 제43조
② 실체재판(무죄판결, 유죄판결)은 모두 판결에 의하나, 형식재판(공소기각결정, 공소기각판결, 관할위반판결, 면소판결)은 판결 이외의 결정인 경우도 있다.
③ 결정에 대한 상소는 항고에 의한다.
④ 명령에 대한 상소방법은 없으며 특수한 경우에 이의신청(제304조) 또는 준항고(제416조)가 허용된다.

Answer 1. ④ 2. ③

THEMA 06 **재판의 성립**

내부적 성립	의 의	재판의 의사표시 내용이 재판기관 내부에서 결정되는 것을 말한다. ▶ 재판의 내부적 성립 후에는 법관이 경질되어도 공판절차를 갱신할 필요가 없다(제301조).
	합의부	합의가 이루어진 때 ▶ 합의에 관하여는 재판장을 포함한 모든 법관이 평등한 지위에 서며, 재판의 합의는 공개하지 않는다. 그러나 대법원의 재판서에는 합의에 관여한 대법관의 의견을 표시하여야 한다(법원조직법 제15조).
	단 독	법관이 재판서를 작성한 때 ▶ 다만, 재판서가 작성되지 않은 재판의 경우에는 재판의 고지 또는 선고에 의하여 내부적 성립과 외부적 성립이 동시에 일어난다.
외부적 성립	의 의	재판의 의사표시적 내용이 재판을 받은 자에게 인식될 수 있는 상태에 이른 경우를 말한다.
	시 기	재판은 선고 또는 고지에 의하여 외부적으로 성립한다. ▶ 선고와 고지의 차이 : 선고란 공판정에서 재판의 내용을 구술로 선언하는 행위이고, 고지는 선고 이외의 적당한 방법으로 재판의 내용을 관계인에게 알려주는 행위이다. 고지는 선고보다 훨씬 간편한 재판공표의 방법이다. ▶ ┌ 판결 : 반드시 선고에 의하여 공표 └ 결정 · 명령 : 원칙적으로 고지의 방식으로 공표
	선고 · 고지의 방법	1. 재판의 선고 또는 고지는 공판정에서는 재판서에 의하여야 하며, 공판정 이외 결정 · 명령의 고지 ⇨ 재판서 등본의 송달 또는 다른 적당한 방법(제42조) 2. 결정 · 명령을 고지한 경우는 재판서를 작성하지 않고 조서에만 기재할 수 있다(제38조).
	외부적 성립의 효력	1. 재판을 한 법원도 이를 철회 · 변경할 수 없다(재판의 구속력). 97. 9급 법원직 2. 상소기간이 진행한다(제343조 제2항). 10. 경찰승진 3. 일정한 경우 구속영장의 효력이 상실한다(제331조). 4. 결정이나 명령이 선고 또는 고지되면 불복이 허용되지 아니하는 한 집행력이 발생한다.

01 재판의 성립에 관한 설명이다. 타당하지 못한 것은?

① 공판정에서 재판을 선고·고지함은 재판서에 의하여야 한다.
② 재판이 외부적으로 성립하는 시기는 선고 또는 고지시이다.
③ 재판이 내부적으로 성립하는 시기는 합의부재판의 경우는 합의가 성립된 때이고 단독판사재판의 경우는 재판서 작성시이다.
④ 재판의 외부적 성립시기의 확정은 공판절차 갱신 여부와 관련하여 중요한 의미를 지닌다.

해설 ④ 재판의 내부적 성립이 있는 때에는 그 후 법관이 경질되어도 공판절차를 갱신할 필요가 없다. 따라서 내부적 성립시기의 확정은 공판절차의 갱신 여부와 관련하여 중요한 의미를 지닌다.

02 재판의 성립과 방식에 관한 설명으로 틀린 것은 몇 개인가?(다툼이 있으면 판례에 의함)

㉠ 종국재판이나 종국 전 재판에 있어서 재판이 외부적으로 성립하면 당해 법원은 철회·변경은 불가능하나, 재판장이 선고기일에 법정에서 '피고인을 징역 1년에 처한다'는 주문을 낭독한 뒤, 상소기간 등에 관한 고지를 하던 중 피고인이 난동을 부리자 다시 피고인에게 '징역 3년'을 선고한 경우 이는 위법하다고 할 수 없다.
㉡ 재판서 등본이 모사전송의 방법으로 구치소장에게 송부된 경우에는 재판을 받은 자가 현실적으로 재판의 내용을 알았을 때 그 재판이 고지되었다고 보아야 할 것이다.
㉢ 법원이 형을 선고받은 피고인에게 재판서를 송달하지 않았다면, 국민의 알 권리를 침해한다고 할 수 있고, 형사소송법 제343조 제2항이 상소기간을 재판서 송달일이 아닌 재판선고일로부터 계산하는 것이 과잉으로 국민의 재판청구권을 제한한다고 할 수 있다.
㉣ 판결의 선고내용과 판결문의 내용이 상이한 경우에는 판결문 내용에 의거하여 판결의 효력이 발생한다.

① 1개 ② 2개 ③ 3개 ④ 4개

해설 ㉠ × : 위 변경 선고는 최초 낭독한 주문 내용에 잘못이 있다거나 재판서에 기재된 주문과 이유를 잘못 낭독하거나 설명하는 등 변경 선고가 정당하다고 볼 만한 특별한 사정이 발견되지 않으므로 위법하고, 피고인이 난동을 부린 것은 제1심 재판장이 징역 1년의 주문을 낭독한 이후의 사정이며, 선고기일에 피고인의 변호인이 출석하지 않았고, 피고인은 자신의 행동이 양형에 불리하게 반영되는 과정에서 어떠한 방어권도 행사하지 못하였으므로 위법하다(대판 2022.5.13, 2017도3884).
㉡ × : 재판서 등본을 모사전송의 방법으로 송부하는 것은 형사소송법 제42조에서 정한 재판을 고지하는 '다른 적당한 방법'에 해당한다 할 것이며, 한편 재판을 받는 자가 그 재판의 내용을 알 수 있는 상태에 이른 경우라면 현실적으로 재판의 내용을 알았는지 여부에 관계없이 그 재판이 고지되었다고 보아야 할 것이다. 나아가 재판을 받는 자가 구치소에 수용되어 있는 경우 재판서 등본이 모사전송의 방법으로 구치소장에게 송부되었다면 구치소장에게는 이를 수용 중인 재판을 받는 자에게 전달할 의무가 있으므로 이로써 재판을 받는 자가 그 재판의 내용을 알 수 있는 상태에 이르렀다고 봄이 상당하고, 따라서 재판서 등본이 모사전송의 방법으로 구치소장에게 송부된 때 그 재판이 고지되었다고 보아야 한다(대결 2004.8.12, 2004모208).

Answer 1.④ 2.④

㉢ × : 재판의 선고는 공판기일에 출석한 피고인에게 주문을 낭독하고 이유의 요지를 설명하여야 하는 것이 원칙으로 되어 있으며, 형사소송법 제324조는 형을 선고하는 경우에는 재판장은 피고인에게 상소할 기간과 상소할 법원을 고지하여야 한다고 규정하고 있으므로, 법원이 형을 선고받은 피고인에게 재판서를 송달하지 않는다고 하여 국민의 알 권리를 침해한다고 할 수 없고, 형사소송법 제343조 제2항이 상소기간을 재판서 송달일이 아닌 재판선고일로부터 계산하는 것이 과잉으로 국민의 재판청구권을 제한한다고 할 수 없다(헌재결 1995.3.23, 92헌바1).
㉣ × : 판결의 선고내용과 판결문의 내용이 상이한 경우에는 선고된 내용에 의거하여 판결의 효력이 발생한다(대결 1981.5.14, 81모8).

최신판례

형사소송법 제42조는 "재판의 선고 또는 고지는 공판정에서는 재판서에 의하여야 하고 기타의 경우에는 재판서등본의 송달 또는 다른 적당한 방법으로 하여야 한다. 단 법률에 다른 규정이 있는 때에는 예외로 한다."라고 규정하고 있는데, 피고인의 상고에 대하여 형사소송법 제380조 본문에 따라 상고기각 결정을 한 경우에는 법률에 다른 규정이 있지 않는 한 형사소송법 제42조 본문의 규정에 의하여 그 등본을 피고인에게 송달하거나 다른 적당한 방법으로 고지하였을 때 그 효력이 생긴다(대결 2023.7.13, 2021도15745).

THEMA 07 재판서

<table>
<tr><td>의 의</td><td colspan="2">1. 재판의 내용을 기재한 문서로서 재판의 형식에 따라서 판결서, 결정서, 명령서로 구분된다.
2. 재판을 한 때에는 재판서를 작성해야 한다. 다만, 결정 또는 명령을 고지한 때에는 재판서를 작성하지 아니하고 조서에만 기재할 수 있다(제38조). 10 · 21. 9급 법원직</td></tr>
<tr><td rowspan="3">재판서 기재사항</td><td>주 문</td><td>주문이란 재판의 대상이 된 사실에 대한 최종적 결론을 말한다.
주문에 기재될 사항 : 선고형, 형의 집행유예, 미결구금일수 산입, 노역장유치기간, 재산형의 가납명령, 소송비용부담, 배상명령(소송촉진 등에 관한 특례법 제31조 제1항), 압수장물의 피해자환부 등
▶ 선고유예판결의 주문은 "피고인에 대한 형의 선고를 유예한다."로 되지만 나중에 실효되어 형을 선고할 경우에 대비하여 판결이유에서 선고를 유예한 형의 종류와 양을 명시하게 된다.</td></tr>
<tr><td>이 유</td><td>이유는 주문에 이르게 된 논리적 과정을 설명한 것으로서 재판에는 이유를 명시하여야 한다. 다만, 상소를 불허한 결정 또는 명령은 예외로 한다(제39조).</td></tr>
<tr><td>그밖의 기재사항</td><td>1. 재판을 받는 자의 성명 등(제40조 제1항)
2. 판결서에는 기소한 검사와 공판에 관여한 검사의 관직 · 성명과 변호인의 성명을 기재하여야 한다(동조 제3항). 21. 9급 법원직
3. 재판서에는 재판을 한 법관이 서명 · 날인하여야 한다(제41조 제1항). 판결서 기타 대법원규칙이 정한 재판서를 제외하고는 기명 · 날인 가능(제41조 제3항)
▶ 반드시 서명 · 날인 필요 ⇨ 판결문, 각종 영장(규칙 제25조의 2) 10. 7급 국가직
▶ 재판서에 재판장이 서명 · 날인할 수 없는 때 ⇨ 다른 법관이, 다른 법관이 서명 · 날인할 수 없는 때 ⇨ 재판장이 그 사유를 부기하고 서명 · 날인하여야 한다(동조 제2항).</td></tr>
<tr><td>재판서 송부</td><td colspan="2">1. 법원은 피고인에게 판결을 선고한 때에는 선고일로부터 7일 이내(14일 이내 ×)에 피고인에게 그 판결서 등본을 송달하여야 한다. 다만, 피고인이 동의하는 경우에는 그 판결서 초본을 송달할 수 있다(규칙 제148조 제1항).
2. 불구속피고인과 구속영장의 효력이 상실되는 구속피고인에 대해서는 피고인이 송달을 신청하는 경우에 한하여 판결서 등본 또는 판결서 초본을 송달한다(규칙 제148조 제2항). 07. 9급 법원직</td></tr>
<tr><td>소송관계인의 재판서 등 · 초본의 청구</td><td colspan="2">피고인 기타 소송관계인은 비용을 납입하고 재판서 또는 재판을 기재한 조서의 등 · 초본의 교부를 청구할 수 있다(제45조).</td></tr>
<tr><td>재판서의 경정</td><td colspan="2">1. 재판서에 잘못된 계산이나 기재 그 밖에 이와 비슷한 잘못이 있음이 분명한 때에는 법원은 직권 또는 당사자의 신청에 의하여 경정결정을 할 수 있다(규칙 제25조 제1항). 대법원판결의 경우는 제400조에 특칙이 마련되어 있다.
▶ 이미 선고된 판결의 내용을 실질적으로 변경하는 것은 경정의 범위를 벗어나는 것으로서 허용되지 않는다. 그리고 경정결정은 이를 주문에 기재하여야 하고,</td></tr>
</table>

	판결 이유에만 기재한 경우 경정결정이 이루어졌다고 할 수 없다(대판 2021.1.28, 2017도18536). 2. 경정결정은 재판서의 원본과 등본에 덧붙여 적어야 한다. 다만, 등본에 덧붙여 적을 수 없을 때에는 경정결정의 등본을 작성하여 재판서의 등본을 송달받은 자에게 송달하여야 한다(규칙 제25조 제2항). 3. 경정결정에 대해서는 즉시항고할 수 있다(규칙 제25조 제3항).

01 재판서와 관련한 설명으로 가장 적절하지 아니한 것은?

① 배상명령은 주문에 표시하여야 할 내용이다.
② 재판은 언제나 법관이 작성한 재판서에 의하여야 한다.
③ 상소를 불허하는 결정 또는 명령을 제외하고 재판에는 이유를 명시하여야 한다.
④ 재판서에는 재판을 한 법관이 서명·날인하여야 하나, 기명날인할 수 있는 경우도 있다.

| 해설 ① 소송촉진 등에 관한 특례법 제31조 ② 재판은 법관이 작성한 재판서에 의하여야 한다. 다만, 결정·명령을 고지하는 경우에는 재판서를 작성하지 않고 조서에만 기재하여 할 수 있다(제38조). ③ 제39조 ④ 재판서에는 재판을 한 법관이 서명·날인하여야 한다(제41조 제1항). 그러나 판결서 기타 대법원규칙이 정한 재판서를 제외하고는 서명·날인에 갈음하여 기명·날인할 수 있다(제41조 제3항).

02 다음 설명 중 가장 잘못된 것은? 10. 9급 법원직

① 피고인은 공판조서의 열람 또는 등사를 청구할 수 있고, 피고인이 공판조서를 읽지 못하는 때에는 공판조서의 낭독을 청구할 수 있다. 청구에 응하지 아니한 때에는 그 공판조서를 유죄의 증거로 할 수 없다.
② 검사의 집행지휘를 요하는 재판은 재판서 또는 재판을 기재한 조서의 등본 또는 초본을 재판의 선고 또는 고지한 때로부터 원칙적으로 14일 이내에 검사에게 송부하여야 한다. 단, 법률에 다른 규정이 있는 때에는 예외로 한다.
③ 공판조서는 각 공판기일 후 신속히 정리하여야 한다. 다음 회의 공판기일에 있어서는 전회의 공판심리에 관한 주요사항의 요지를 조서에 의하여 고지하여야 하나, 다음 회의 공판기일까지 전회의 공판조서가 정리되지 아니한 때에는 조서에 의하지 아니하고 고지할 수 있다.
④ 재판은 법관이 작성한 재판서에 의함이 원칙이나, 결정 또는 명령을 고지하는 경우에는 재판서를 작성하지 아니하고 조서에만 기재하여 할 수 있다.

| 해설 ① 제55조 ② 검사의 집행지휘를 요하는 재판은 재판서 또는 재판을 기재한 조서의 등본 또는 초본을 재판의 선고 또는 고지한 때로부터 원칙적으로 10일 이내에 검사에게 송부하여야 한다(제44조). ③ 제54조 ④ 제38조

Answer 1.② 2.②

03 재판의 성립과 방식에 관한 판례의 내용으로 옳은 것은?

① 종국 전 재판이라도 상소가 허용된 경우에는 그 이유를 명시하여야 하는데, 이는 상소의 근거가 되는 것이므로 간결하게 하는 것은 안 되고, 구체적 사유에 대한 설명을 하여야 한다.
② 내부적 성립에 관여하지 아니한 법관이 판결문에 서명 · 날인한 경우 절대적 항소이유인 '판결법원의 구성이 법률에 위반한 때'에 해당한다.
③ 판결의 선고내용과 판결문의 내용이 상이한 경우에는 판결문의 내용에 의거하여 판결의 효력이 발생한다.
④ 재판관의 서명날인이 없는 재판서에 의한 판결은 '판결에 영향을 미친 법률의 위반이 있는 때'에 해당하여 파기되어야 하나, 서명한 재판관의 인영이 아닌 다른 재판관의 인영이 날인되어 있는 경우에는 파기사유로 되는 것은 아니다.

| 해설 ① 재판의 간결성의 요청에 따라 그 구체적 사유에 대한 설명을 생략하고, 다만 청구의 이유가 있다. 또는 그 이유가 없다고 밝히면 된다(대결 1996.11.14, 96모94).
② 대판 1963.7.25, 63도73 ③ 선고된 내용에 의거하여 판결의 효력이 발생한다(대결 1981.5.14, 81모8).
④ 재판관의 서명날인이 없는 재판서에 의한 판결은 '판결에 영향을 미친 법률의 위반이 있는 때'에 해당하여 파기되어야 한다. 이는 서명한 재판관의 인영이 아닌 다른 재판관의 인영이 날인되어 있는 경우에도 마찬가지이다(대판 2021.4.29, 2021도2650).

04 재판서에 관한 다음 설명 중 옳지 않은 것은 모두 몇 개인가?

21. 9급 법원직

㉠ 판결서에는 기소한 검사의 관직, 성명과 변호인의 성명을 기재하여야 하나, 공판에 관여한 검사의 관직과 성명은 기재할 필요가 없다.
㉡ 형사소송법 제38조의 규정에 의하면 재판은 법관이 작성한 재판서에 의하여야 하고, 같은 법 제41조의 규정에 의하면 재판서에는 재판한 법관의 서명날인을 하여야 하나, 재판장이 서명날인할 수 없는 때에는 다른 법관이 서명날인하지 않더라도 형사소송법 제383조 제1호 소정의 판결에 영향을 미친 법률위반에 해당하지 않는다.
㉢ 재판의 선고 또는 고지는 주심 판사가 하고, 판결을 선고함에는 이유의 요지를 설명하고 주문을 낭독하여야 한다.
㉣ 재판은 법관이 작성한 재판서에 의하여야 하나, 결정 또는 명령을 고지하는 경우에는 재판서를 작성하지 아니하고 조서에만 기재하여 할 수 있다.

① 1개 ② 2개 ③ 3개 ④ 4개

| 해설 ㉠ × : 판결서에는 기소한 검사와 공판에 관여한 검사의 관직, 성명과 변호인의 성명을 기재하여야 한다(제40조 제3항).
㉡ × : 재판서에는 재판한 법관의 서명 · 날인을 하여야 하나, 재판장이 서명 · 날인할 수 없는 때에는 다른 법관이 사유를 부기하고 서명 · 날인하도록 되어 있으므로, 재판장의 서명 · 날인이 누락되어 있고 재판장이 서명 · 날인을 할 수 없는 사유의 부기도 없는 재판서에 의한 판결은 형사소송법 제383조 제1호 소정의 판결에 영향을 미친 법률위반으로서 파기사유가 된다(대판 1990.2.27, 90도145).
㉢ × : 재판의 선고 또는 고지는 재판장이 한다. 판결을 선고함에는 이유의 요지를 설명하고 주문을 낭독하여야 한다(제43조). ㉣ ○ : 제38조

Answer 3.② 4.③

제2절 종국재판

THEMA 08 유죄판결

<table>
<tr><td>의 의</td><td colspan="2">1. 범죄증명이 있는 때에 선고하는 재판
2. 유죄판결에는 형선고판결, 형면제판결, 형의 선고유예판결이 있다.
▶ 형의 집행유예, 판결 전 구금의 산입 일수, 노역장 유치기간, 재산형의 가납판결은 형의 선고와 동시에 판결로써 선고하여야 한다(제321조 제2항, 제334조 제2항).
▶ 형면제 또는 선고유예 ⇨ 판결(결정 ×)로써 선고하나 형을 선고하지는 않는다. 10. 경찰승진
▶ 과형상 1죄 또는 포괄1죄의 일부에 대해서만 유죄를 인정한 경우 ⇨ 주문에는 원칙적으로 유죄만 표시하고, 무죄부분은 판결이유에 설시해야 하나, 무죄부분을 주문에 표시하더라도 위법은 아니다(대판 1999.12.24, 99도3003).
▶ 선고유예판결의 주문과 이유 ⇨ 주문에서는 "형의 선고를 유예한다."라고 기재, 판결 이유에서는 선고를 유예한 형의 종류와 양을 명시하고 그 형이 벌금형일 경우에는 벌금액뿐만 아니라 환형유치처분까지 해 두어야 한다(대판 2015.1.29, 2014도15120).</td></tr>
<tr><td rowspan="3">유죄 판결에 명시할 이유</td><td>의 의</td><td>유죄판결에는 반드시 재판의 이유를 명시하여야 한다(제39조). 형을 선고한 때에는 판결이유에 범죄될 사실, 증거의 요지, 법령의 적용을 명시하여야 한다(제323조 제1항).
▶ 판결에 이유를 붙이지 않거나 이유에 모순이 있는 때 ⇨ 절대적 항소이유(제361조의 5 제11호), 상대적 상고이유(제383조 제1호)가 된다.</td></tr>
<tr><td>범죄될 사실</td><td>1. 구성요건 해당사실
① 객관적 구성요건 요소(행위 주체, 객체, 결과발생, 인과관계 등)와 주관적 구성요건요소(고의, 과실, 목적, 불법영득의사 등)는 범죄사실에 해당하므로 이를 명시(다만, 고의는 객관적 구성요건요소가 존재하면 그에 상응하여 인정되므로 원칙적으로는 이를 명시할 것을 요하지 않는다)
② 교사범, 종범은 정범의 범죄사실도 명시
2. 위법성과 책임 : 명시 필요 ×
3. 처벌조건 : 명시 필요 ○
4. 죄수의 명시방법
┌ 경합범의 경우 ⇨ 개별범죄마다 범죄될 사실을 명시
├ 과형상 1죄의 경우 ⇨ 각개의 범죄마다 범죄사실을 명시
└ 포괄일죄의 경우 ⇨ 그 전체범행의 시기와 종기, 범행방법, 범행횟수 또는 피해액의 합계 및 피해자나 상대방 등을 명시하면 충분(대판 1983.1.18, 82도2572) 09. 9급 국가직</td></tr>
<tr><td>증거요지</td><td>1. 범죄사실을 인정한 자료된 증거의 요지를 말한다.
▶ 범죄사실을 인정하는 데 배치되는 증거들에 관하여 이를 배척한다는 취지의 판단이나 이유를 설시할 필요는 없다. 03. 행시, 08. 순경, 12. 경찰승진</td></tr>
</table>

		2. '증거의 요지'는 어느 증거의 어느 부분에 의하여 범죄사실을 인정하였냐 하는 이유 설명까지 할 필요는 없지만 적어도 어떤 증거에 의하여 어떤 범죄사실을 인정하였는가를 알아볼 정도로 증거의 중요부분은 표시하여야 한다(대판 2000.3.10, 99도5312). 09. 9급 법원직, 10. 순경, 14. 7급 국가직, 16. 경찰간부, 17. 경찰승진 3. 고의 ⇨ 증거적시 불필요 4. 범죄의 원인과 동기, 일시와 장소 ⇨ 범죄사실은 아니므로 증거적시 불필요
	법령 적용	1. 몰수와 압수장물의 환부를 선고하면서 적용법률을 표시하지 않는 경우 ⇨ 위법 ×(대판 1971.4.30, 71도510) 10 · 11. 경찰승진 2. 적용조문만 기재하고 항을 기재하지 않은 경우 ⇨ 위법 ×(대판 1971.8.21, 71도1334) 11. 경찰승진 3. 공동정범의 성립을 인정하면서 형법 제30조를 적시하지 않는 경우 ⇨ 위법 ×(대판 1983.10.11, 83도1942) 11. 경찰승진 4. 간접정범에 형법 제30조(공동정범)를 적용 ⇨ 위법 ×(대판 1997.7.11, 97도1180) 5. 경합범가중을 할 적용법조문만을 나열한 데 그친 경우 ⇨ 위법 ×(대판 2000.5.12, 2000도605) 11. 경찰승진
	소송 관계인의 주장에 대한 판단	1. 법률상 범죄의 성립을 조각하는 이유 또는 형의 가중 · 감면의 이유되는 사실의 진술이 있을 때에는 이에 대한 판단을 명시하여야 한다(제323조 제2항). 2. 범죄성립을 조각하는 이유되는 사실 ⇨ 구성요건 이외의 사실로서 위법성조각사유 또는 책임조각사유를 말한다. ▶ 이러한 사유를 피고인이 주장하는 경우 이를 배척한 때에는 이에 대한 판단을 명시하여야 한다. 04. 행시, 08. 순경

01 **유죄판결에 명시될 '이유의 기재'에 관한 설명 중 가장 적절하지 않은 것은?**(다툼이 있는 경우 판례에 의함)

17. 경찰승진

① 공정증서원본부실기재죄 및 그 행사죄로 공소제기된 피고인이 당해 등기가 실체적 권리관계에 부합하는 유효한 등기라고 주장하는 경우 그 주장이 받아들여지지 아니한 때에는 유죄의 선고를 하는 것으로 부족하고 그에 대한 판단을 판결이유에 명시하여야 한다.

② 증거의 요지를 적시할 때 어느 증거의 어느 부분에 의하여 범죄사실을 인정하였느냐 하는 이유 설명까지 할 필요는 없지만 적어도 어떤 증거에 의하여 어떤 범죄사실을 인정하였는가를 알아볼 정도로 증거의 중요 부분을 표시하여야 한다.

③ 유죄판결의 판결이유에는 범죄사실, 증거의 요지와 법령의 적용을 명시하여야 하므로, 유죄판결을 선고하면서 판결이유에 이 중 어느 하나를 전부 누락한 경우에는 형사소송법 제383조 제1호에 정한 판결에 영향을 미친 법률위반으로서 파기사유가 된다.

Answer 1. ①

④ 유죄판결의 증거는 범죄될 사실을 증명할 적극적 증거를 거시하면 되므로 범죄사실에 배치되는 증거들에 관하여 배척한다는 취지의 판단이나 이유를 설시하지 아니하여도 잘못이라 할 수 없고 증언의 일부분만을 믿고 다른 부분을 믿지 않는다고 하여 채증법칙에 위배된다고는 할 수 없다.

| 해설 ① 공정증서원본부실기재죄 및 그 행사죄로 공소가 제기된 경우 피고인이 당해 등기가 실체적 권리관계에 부합하는 유효한 등기라고 주장하는 것은 공소사실에 대한 적극부인에 해당할 뿐, 범죄의 성립을 조각하는 사유에 관한 주장이라고는 볼 수 없으므로 그 주장이 받아들여지지 아니한다면 그대로 유죄의 선고를 함으로써 족하고 반드시 그에 대한 판단을 판결이유에 명시하여야만 하는 것은 아니다(대판 1997. 7.11, 97도1180).
② 대판 2000.3.10, 99도5312 ③ 대판 2009.6.25, 2009도3505
④ 대판 1986.10.14, 86도1606

02 유죄판결 이유에 명시할 사항에 대한 설명으로 옳은 것을 모두 고른 것은?(다툼이 있으면 판례에 의함)

> ㉠ 범죄의 성립을 조각하는 이유되는 사실은 구성요건해당성 조각사유, 위법성조각사유 또는 책임조각사유에 해당하는 사실을 말한다.
> ㉡ 범행당시에 술에 만취하였기 때문에 전혀 기억이 나지 않는다는 취지의 진술은 범행당시 심신상실 또는 심신미약의 상태에 있었다는 주장으로 범죄의 성립을 조각하거나 형의 감면의 이유가 있는 사실에 해당한다.
> ㉢ 교사범, 방조범의 사실 적시에 있어서는 그 전제조건이 되는 정범의 구성요건이 되는 사실 전부를 적시하여야 한다.
> ㉣ 공문서위조죄에서 위조의 수단과 방법, 뇌물죄에서 공무원의 직무범위, 상해죄에서 상해의 부위와 정도 등은 유죄판결 이유에 명시하여야 한다.
> ㉤ 사실인정에 배치되는 증거에 대한 판단을 반드시 판결이유에 기재하여야 하는 것은 아니므로 피고인이 알리바이를 내세우는 증인들의 증언에 관한 판단을 하지 아니하였다고 하더라도 위법이 아니다.
> ㉥ 피해회복에 관한 주장이 있었다면 이는 유죄판결에 반드시 명시하여야 하는 사유에 해당한다.

① ㉠, ㉡, ㉥　　② ㉠, ㉡, ㉢
③ ㉡, ㉢, ㉣　　④ ㉡, ㉢, ㉣, ㉤

| 해설 ㉠ × : 구성요건해당성 조각사유의 진술은 범죄의 부인에 불과하다 할 것이므로, 범죄성립을 조각하는 이유되는 사실은 위법성조각사유와 책임조각사유만을 의미한다(대판 1990.9.28, 90도427).
㉡ ○ : 대판 1990.2.13, 89도2364
㉢ ○ : 대판 1981.11.24, 81도2422
㉣ ○ : 대판 2002.11.8, 2002도5016
㉤ ○ : 대판 1982.9.28, 82도1798
㉥ × : 피해회복에 관한 주장이 있었더라도 이는 작량감경 사유에 해당하여 형의 양정에 영향을 미칠 수 있을지언정 유죄판결에 반드시 명시하여야 하는 것은 아니다(대판 2017.11.9, 2017도14769).

Answer 2. ④

03 **유죄판결에 명시될 이유에 관한 다음 설명 중 가장 옳은 것은?** 18. 9급 법원직

① 유죄판결을 선고하면서 판결이유에 범죄사실, 증거의 요지, 법령의 적용 중 어느 하나를 전부 누락한 경우에는 판결에 영향을 미친 법률 위반으로 파기사유가 된다.

② 유죄판결 이유에서 그에 대한 판단을 명시하여야 할 '형의 감면의 이유되는 사실'에는 형의 필요적 감면사유뿐만 아니라 임의적 감면사유도 이에 포함된다.

③ 피고인이 자수감경에 관한 주장을 하였음에도 판결 이유에서 이에 대하여 판단하지 아니한 것은 위법이다.

④ 판결에 범죄사실에 대한 증거를 설시함에 있어 어느 증거의 어느 부분에 의하여 어느 범죄사실을 인정한다고 구체적으로 설시하지 아니하였다 하더라도 그 적시한 증거들에 의하여 범죄사실을 인정할 수 있으면 이를 위법한 증거설시라고 할 수 없으므로, 항소심판결이 '피고인의 법정진술과 적법하게 채택되어 조사된 증거들'로만 기재된 제1심판결의 증거의 요지를 그대로 인용하였다고 하여 위법하다고 할 수 없다.

해설 ① 대판 2014.6.26, 2013도13673

②③ 형사소송법 제323조 제2항에 규정된 법률상 형의 가중감면의 이유가 되는 사실이라 함은 법률상 형의 필요적 가중감면의 이유가 되는 사실을 말하는 것으로서, 임의적 감면사유는 유죄판결 이유에서 그에 대한 판단을 명시하지 아니하여도 위법하지 않다(대판 1985.3.12, 84도3042).

④ 판결에 범죄사실에 대한 증거를 설시함에 있어 어느 증거의 어느 부분에 의하여 어느 범죄사실을 인정한다고 구체적으로 설시하지 아니하였다 하더라도 그 적시한 증거들에 의하여 범죄사실을 인정할 수 있으면 이를 위법한 증거설시라고 할 수 없으나, 항소심판결이 '피고인의 법정진술과 적법하게 채택되어 조사된 증거들'로만 기재된 제1심판결의 증거의 요지를 그대로 인용하였다면 피고인의 자백이 그 피고인에게 불리한 유일의 증거인 때에는 이를 유죄의 증거로 하지 못하는 것이므로 이는 증거 없이 그 범죄사실을 인정하였거나 형사소송법 제323조 제1항을 위반한 위법을 저지른 것이라 아니할 수 없다(대판 2000.3.10, 99도5312).

04 **유죄판결에 명시될 이유의 기재에 대한 설명으로 옳지 않은 것은?**(다툼이 있는 경우 판례에 의함)

① 피고인이 상습으로 1975. 9경부터 1980. 7. 29까지의 기간 중 피고인이 교도소에서 복역한 기간을 공제한 나머지 기간 동안에 매달 평균 2, 3회 가량 자기 모와 여동생에게 폭행을 가하였다는 사실의 기재로써는 범죄될 사실을 명시하였다고 볼 수 없다.

② "면장의 직인을 동 면장의 직인란에 찍혀지게 하고"라는 판시는 동 면장의 직인이 날인된 현상, 즉 결과만을 설시하고 그 직인이 인감증명서에 현출되는 과정의 수단, 방법 등 행위나 작위에 관하여는 아무런 설명이 없으므로 범죄된 사실을 명시하였다고 볼 수 없다.

③ 유죄판결이 확정된 甲·乙·丙 세 개의 죄와 형법 제37조 후단의 경합범 관계에 있는 丁죄에 대한 형을 선고하면서 판결 이유의 '법령의 적용' 부분에서 乙·丙죄에 대한 전과 기재를 누락하고 전과의 구체적 내용을 심리하지 아니한 경우라도 위법은 아니다.

Answer 3. ① 4. ③

④ 법률상 범죄성립을 조각하는 이유되는 사실의 주장에 대한 판단(제323조 제2항)은 구성요건 이외의 사실로서 범죄성립을 조각하는 이유되는 사실을 말하므로 단순한 범죄사실의 부인은 여기에 해당하지 않는다.

해설 ① 대판 1981.4.28, 81도809
② 대판 1979.11.13, 79도1782
③ 유죄판결이 확정된 甲·乙·丙 세 개의 죄와 형법 제37조 후단의 경합범 관계에 있는 丁죄에 대한 형을 선고하면서 판결 이유의 '법령의 적용' 부분에서 乙·丙죄에 대한 전과 기재를 누락하고 전과의 구체적 내용을 심리하지 아니한 경우, 형법 제37조 후단 경합범에서 당해 사건 범죄와 이미 판결이 확정된 죄를 동시에 판결할 경우와 형평을 고려하여 당해 사건 범죄에 대하여 형을 선고할 것을 요구하는 형법 제39조 제1항을 위반하여 위법하다(대판 2008.10.23, 2008도209).
④ 대판 1983.10.11, 83도2281

04

05 **유죄판결에 명시될 이유의 기재에 대한 설명으로 옳지 않은 것은 모두 몇 개인가?**(다툼이 있는 경우 판례에 의함)

㉠ 피고인을 공동정범으로 인정하였음이 판결이유설시 자체에 비추어 명백하더라도 법률적용에서 형법 제30조를 빠뜨려 명시하지 않았다고 한다면 판결에 영향을 미친 위법이 있다고 할 수 있다.
㉡ 몰수와 압수장물의 환부를 주문에서 선고하면서 판결이유에 적용법조를 표시하지 않은 경우에도 그 판결이유에 의하면 이 규정을 적용한 취지가 뚜렷이 인정되는 이상 위법이라고 할 수 없다.
㉢ 경합범의 경우에 판결이유에서 경합범가중을 할 적용법조문만을 나열한 데 그쳤다면 주문에서 형종과 형기를 명기하였더라도 형사소송법 제323조 제1항의 규정에 위배된 것이다.
㉣ 과형상 1죄 또는 포괄1죄의 일부에 대해서만 유죄를 인정한 경우 주문에는 원칙적으로 유죄만 표시하고, 무죄부분은 판결이유에 설시해야 하나, 무죄부분을 주문에 표시하더라도 위법은 아니다.
㉤ 증뢰죄의 판시에 있어서 공무원의 직무권한의 범위에 관한 기재가 없는 경우 범죄사실이 명시되었다고 볼 수 없다.
㉥ 판결이유에서 증거를 설시하면서 '검사 작성의 피의자신문조서 중 판시사실에 부합하는 내용의 진술기재'라고 설시하였다면 이는 증거의 표목만을 열거한 것이 아니고 어떠한 증거의 어떠한 부분을 증거로 하였다는 것을 분명히 한 것이므로 유죄판결의 증거설시에 관한 규정에 위반한 것이 아니다.
㉦ 항소심판결은 항소이유에 대한 판단을 기재함으로써 충분하고, 제1심판결을 파기하여 유죄의 판결을 하는 경우 외에는 판결이유에 범죄사실이나 증거의 요지는 물론이고 그에 관한 법령의 적용을 따로이 기재할 필요가 없다.
㉧ 항소심에서 제1심 형량이 적절하다고 판단하여 항소기각의 판결을 선고하는 경우 양형의 조건이 되는 사유는 판결에 일일이 명시하지 아니하여도 위법이 아니다.

① 1개 ② 2개 ③ 3개 ④ 4개

Answer 5. ②

| 해설 ㉠ × : 형법 제30조(공동정범)를 빠뜨려 명시하지 않았다고 하더라도 위법하다고 할 수 없다(대판 1983.10.11, 83도1942).
㉡ ○ : 대판 1971.4.30, 71도510
㉢ × : 경합범의 경우에 판결이유에서 경합범가중을 할 적용법조문만을 나열하였다고 하더라도 형사소송법 제323조 제1항의 규정에 위배된 것이 아니다(대판 2000.5.12, 2000도605).
㉣ ○ : 대판 1999.12.24, 99도3003
㉤ ○ : 대판 1982.9.28, 80도2309
㉥ ○ : 대판 1969.8.26, 69도1007
㉦ ○ : 대판 2002.7.12, 2002도2134
㉧ ○ : 대판 1994.12.13, 94도2584

06 유죄판결에 명시될 이유에 관한 설명 중 가장 옳은 것은?(다툼이 있는 경우 판례에 의함)

20. 경찰간부

① 유죄판결 이유에서 그에 대한 판단을 명시하여야 할 '형의 감면의 이유되는 사실'에는 형의 필요적 감면사유뿐만 아니라 임의적 감면사유도 포함된다.
② 공모공동정범의 공모에 대해서는 모의의 구체적인 일시, 장소, 내용 등을 상세하게 명시할 필요는 없고, 범행에 관하여 의사의 합치가 성립되었다는 것만을 설시하면 된다.
③ 사기죄의 법률적용에 있어서 형법 제347조만을 적시하고 그것이 동조 제1항에 해당하는 범죄인지 제2항에 해당하는 범죄인지를 밝히지 않았다면 위법하다.
④ 피고인이 자수감경에 관한 주장을 하였음에도 판결 이유에서 이에 대하여 판단하지 아니한 것은 위법하다.

| 해설 ① 필요적 감면사유만 해당하고, 임의적 감면사유는 포함되지 아니한다(대판 2017.11.9, 2017도14769).
② 대판 1989.6.27, 88도2381
③ 사기죄의 법률적용에 있어서 형법 제347조만을 적시하고 그것이 동조 제1항에 해당하는 범죄인지 제2항에 해당하는 범죄인지를 밝히지 않았더라도 위법한 것이라 할 수 없다(대판 1971.8.21, 71도1334).
④ 자수는 임의적 감경사유에 불과하므로, 피고인이 자수감경에 관한 주장을 하였음에도 판결이유에서 판단하지 아니한 것은 위법하다고 할 수 없다(대판 1980.6.24, 80도905).

Answer 6. ②

THEMA 09 무죄판결

<table>
<tr><td>의 의</td><td colspan="2">1. 무죄판결이란 피고사건이 범죄로 되지 않거나 범죄사실의 증명이 없는 경우에 법원이 선고하는 실체적 종국재판을 말한다(제325조). 01. 행시
2. 피고사건이 범죄로 되지 않는 때라 함은 공소사실 자체는 인정되지만 구성요건에 해당하지 않거나, 구성요건에 해당하여도 위법성조각사유나 책임조각사유가 존재하는 것이 실체심리를 거친 후에 밝혀진 경우를 말한다.
▶ 범죄로 되지 않는 것이 공소장 기재에 의하여 처음부터 명백한 때에는 제328조 제1항 제4호에 의거 공소기각결정을 해야 한다.</td></tr>
<tr><td rowspan="2">판시 방법</td><td>죄수론과 무죄판결</td><td>1. 상상적 경합, 포괄일죄 관계에 있는 부분사실이 무죄에 해당한 경우 ⇨ 주문에는 원칙적으로 유죄부분만 표시하고 무죄부분은 판결이유에 설시(주문에 표시해도 위법은 아님 : 판례)
2. 1죄의 일부에 대하여 무죄에 해당하는 부분사실과 면소, 공소기각에 해당하는 부분사실이 상상적 경합관계를 이루고 있는 경우 ⇨ 주문에서 무죄로 판시하고 면소부분이나 공소기각부분은 판결이유에서 기재하면 족하다(포괄일죄도 동일).</td></tr>
<tr><td>무죄판결 이유 설시방법</td><td>무죄판결은 유죄판결(제323조)과는 달리 판결이유의 설시방법이 명시되어 있지는 않지만, 무죄판결도 재판의 일반원칙에 따라 이유를 명시하지 않으면 안 된다(제39조).
▶ 피고인에 대하여 무죄판결을 선고하는 때에도 공소사실에 부합하는 증거를 배척하는 이유까지 일일이 설시할 필요는 없다고 하더라도, 그 증거들을 배척한 취지를 합리적인 범위 내에서 기재하여야 한다. 주문에서 무죄를 선고하고도 그 판결이유에는 이에 관한 아무런 판단을 기재하지 아니하였다면, 항소이유 또는 상고이유로 할 수 있다(대판 2014.11.13, 2014도6341).</td></tr>
<tr><td>선고와 확정</td><td colspan="2">1. 무죄판결은 선고에 의해 구속력이 발생, 확정에 의해 일사부재리의 효력 발생(집행력은 발생 ×)
2. 무죄선고 ⇨ 구속영장실효, 검사의 상소권발생(피고인은 상소이익 ×)
3. 독립하여 치료감호만 청구 가능(대판 1999.8.24, 99도1194) 15. 경찰간부</td></tr>
</table>

01 다음 중 무죄판결에 대한 설명으로 옳은 것이 아닌 것은 몇 개인가?

㉠ 헌법불합치결정이 나온바 있는 전기통신에 관한 '통신제한조치기간의 연장'에 관한 부분에 대하여 개정시한이 도과함으로써 이 사건 법률조항의 효력이 상실되었다고 하더라도 그 효과는 소급적으로 영향을 미친다고 볼 것이다.
㉡ 상상적 경합범의 관계에 있는 공소사실의 일부에 대하여 무죄를 선고하여야 할 것으로 판단되는 경우에는 이를 판결주문에 따로 표시할 필요가 없으나, 판결주문에 표시하였다 하더라도 판결에 영향을 미친 위법사유가 되는 것은 아니다.
㉢ 피고인의 알리바이가 입증된 경우는 무죄판결을 선고하여야 한다.
㉣ 경찰관이 벌금형에 따르는 노역장 유치의 집행을 위하여 형집행장 없이 체포·구인하려고 하자 피고인이 이를 거부하면서 경찰관을 폭행한 경우, 공무집행방해의 공소사실에 대하여 무죄를 선고한 것은 정당하다.
㉤ 피고인이 교통신호를 위반하여 차량을 운행한 과실로 피해자에게 상해를 입게 하였다는 공소사실에 대하여, 차량이 공제조합에 가입하여 공소제기를 할 수 없는 경우라면, 사건의 실체에 관한 심리가 이미 완료되어 죄를 범하였다고 인정되지 않는 경우일지라도, 교통사고처리특례법 위반의 공소사실에 대하여 공소기각판결을 하여야 하며, 무죄의 실체판결을 선고하는 것은 위법이라고 볼 수 있다.
㉥ 피고인에 대하여 무죄판결을 선고하는 때에는 공소사실에 부합하는 증거를 배척하는 이유까지 일일이 설시할 필요는 없다고 할 것이므로, 그 증거들을 배척한 취지를 합리적인 범위 내에서 기재하지 아니하였다고 하더라도 이를 항소이유 또는 상고이유로 할 수는 없다.

① 1개　② 2개　③ 3개　④ 4개

| 해설 ㉠ × : 헌법재판소는 2010. 12. 28. 통신비밀보호법 제6조 제7항 단서 중 전기통신에 관한 '통신제한조치기간의 연장'에 관한 부분이 통신제한조치의 총연장기간이나 총연장횟수를 제한하지 아니하고 계속해서 통신제한조치가 연장될 수 있도록 한 것은 헌법에 합치하지 아니한다고 선언하면서, 이 사건 법률조항은 입법자가 2011. 12. 31.을 시한으로 개정할 때까지 계속 적용한다고 결정하였다. 이 사건 법률조항의 위헌성이 제거된 개선입법이 이루어지지 아니한 채 위 개정시한이 도과함으로써 이 사건 법률조항의 효력이 상실되었다고 하더라도 그 효과는 장래에 향하여만 미칠 뿐이며 그 이전에 이 사건 법률조항에 따라 이루어진 통신제한조치기간 연장의 적법성이나 효력에는 영향을 미치지 아니한다고 볼 것이다(대판 2012.10.11, 2012도7455).

비교판례 : 헌법재판소가 집회 및 시위에 관한 법률 제23조 제1호, 제10조 본문에 대해 헌법불합치결정을 선고하면서 일정 시한을 정하여 입법개선을 촉구하였는데도 그 시한까지 법률 개정이 이루어지지 않은 경우, 그 법률은 소급하여 효력을 상실하므로, 야간옥외집회 참가의 피고사건에 대하여 무죄를 선고하여야 한다(대판 2011.8.25, 2008도10960).

▶ **헌법재판소법 제47조 제2항** : 위헌으로 결정된 법률은 그 결정이 있는 날부터 효력을 상실한다. 다만, 형벌에 관한 법률은 소급하여 그 효력을 상실한다.

㉡ ○ : 대판 1999.12.24, 99도3003

㉢ ○ : 피고사건이 범죄로 되지 않거나 범죄사실의 증명이 없는 경우에 법원은 무죄판결을 선고한다(제325조).

Answer 1. ③

ⓡ ○ : 경찰관이 벌금형에 따르는 노역장 유치의 집행을 위하여 형집행장을 소지하지 아니한 채 피고인을 구인할 목적으로 그의 주거지를 방문하여 임의동행의 형식으로 데리고 가다가, 피고인이 동행을 거부하며 다른 곳으로 가려는 것을 제지하면서 체포·구인하려고 하자 피고인이 이를 거부하면서 경찰관을 폭행한 경우, 위와 같이 피고인을 체포·구인하려고 한 것은 노역장유치의 집행에 관한 법규정에 반하는 것으로서 적법한 공무집행행위라고 할 수 없으며, 또한 그 경우에 형집행장의 제시 없이 구인할 수 있는 '급속을 요하는 경우'에 해당한다고 할 수 없고, 이는 피고인이 벌금미납자로 지명수배되었다고 하더라도 달리 볼 것이 아니라는 이유로, 위 공무집행방해의 공소사실에 대하여 무죄를 선고한 것은 정당하다(대판 2010.10.14, 2010도8591).

ⓜ × : 피고인이 교통신호를 위반하여 차량을 운행한 과실로 피해자에게 상해를 입게 하였다는 공소사실에 대하여, 비록 피고인 차량이 공제조합에 가입하여 공소제기를 할 수 없는 경우라도, 사건의 실체에 관한 심리가 이미 완료되어 죄를 범하였다고 인정되지 않는 경우, 교통사고처리특례법 위반의 공소사실에 대하여 공소기각판결을 하지 않고 무죄의 실체판결을 선고하였더라도 이를 위법이라고 볼 수는 없다(대판 2015.5.14, 2012도11431).

ⓑ × : 피고인에 대하여 무죄판결을 선고하는 때에도 공소사실에 부합하는 증거를 배척하는 이유까지 일일이 설시할 필요는 없다고 하더라도, 그 증거들을 배척한 취지를 합리적인 범위 내에서 기재하여야 한다. 주문에서 무죄를 선고하고도 그 판결이유에는 이에 관한 아무런 판단을 기재하지 아니하였다면, 항소이유 또는 상고이유로 할 수 있다(대판 2014.11.13, 2014도6341).

02 **대법원 판례에 의할 경우 헌법재판소의 위헌결정으로 형벌법규가 소급하여 그 효력을 상실할 경우 당해법조를 적용하여 기소한 피고사건에 대하여 법원은 (㉠)을(를) 하여야 하고 소년법 제32조의 보호처분을 받은 사건과 동일한**(상습범 등 포괄1죄에 한함) **사건에 관하여 다시 공소가 제기된 경우 법원은 (㉡)을(를) 하여야 한다고 한다. ㉠, ㉡에 들어갈 알맞은 말은?** 05. 순경

① ㉠ 공소기각판결 ㉡ 무죄판결
② ㉠ 공소기각판결 ㉡ 공소기각판결
③ ㉠ 무죄판결 ㉡ 공소기각결정
④ ㉠ 무죄판결 ㉡ 공소기각판결

| 해설 ㉠ 헌법재판소의 위헌결정으로 인하여 형벌에 관한 법률 또는 법률조항이 소급하여 그 효력을 상실한 경우에는 당해 법조를 적용하여 기소한 피고사건은 범죄로 되지 아니하는 때에 해당하므로, 결국 이 부분 공소사실은 무죄라 할 것이다(대판 1999.12.24, 99도3003). 따라서 무죄판결을 하여야 한다.
㉡ 소년법 제30조의 보호처분을 받은 사건과 동일한 사건에 대하여 다시 공소제기가 되었다면 동조의 보호처분은 확정판결이 아니고 따라서 기판력도 없으므로 이에 대하여 면소판결을 할 것이 아니라 공소제기절차가 동법 제47조의 규정에 위배하여 무효인 때에 해당한 경우이므로 공소기각의 판결을 하여야 한다(대판 1985. 5.28, 85도21).

Answer 2. ④

03 무죄판결에 대한 다음 설명으로 가장 적절하지 않은 것은?(다툼이 있는 경우 판례에 의함)

21. 순경 1차

① 포괄일죄의 관계에 있는 공소사실에 대하여는 그 일부가 무죄로 판단되는 경우에도 이를 판결 주문에 따로 표시할 필요가 없으므로, 이를 판결 주문에 표시한 경우에는 판결에 영향을 미친 위법사유에 해당한다.

② 포괄일죄의 일부에 대하여는 유죄의 증거가 없고 나머지 부분에 대하여 공소시효가 완성된 경우, 피고인에게 유리한 무죄를 주문에 표시하고 면소부분은 이유에서만 설시하면 족하다.

③ 헌법재판소법 제47조 제3항 본문에 따라 형벌에 관한 법률조항에 대하여 위헌결정이 선고된 경우 그 조항은 소급하여 효력을 상실하므로, 법원은 당해 조항이 적용되어 공소가 제기된 피고 사건에 대하여 형사소송법 제325조 전단에 따라 무죄를 선고하여야 한다.

④ 피고인에게 가장 유리한 판결인 무죄판결에 대한 피고인의 상고는 부적법하다.

| 해설 ① 포괄일죄의 일부분인 상습절도부분에 관하여 유죄로 인정되지 아니한다 하여도 주문에서 특히 무죄를 선고할 필요는 없고, 단지 판결이유에서만 이를 설시하면 족하다. 그러나 판결주문에서 이 부분에 관하여 무죄를 선고하였다 하여 판결결과에 어떤 영향을 미친다고는 할 수 없다(대판 1975.12.23, 75도3155). 상상적 경합범의 관계에 있는 경우에도 동일한 원리가 적용된다(대판 1999.12.24, 99도3003).

② 대판 1977.7.12, 77도1320(상상적 경합의 경우도 동일 : 대판 1996.4.12, 95도2312)

③ 대판 1999.12.24, 99도3003

④ 대판 2020.3.27, 2017도20455

Answer 3. ①

THEMA 10 관할위반판결

의 의	1. 피고사건이 법원의 관할에 속하지 아니한 때에는 판결로써 관할위반의 선고를 하여야 한다(제319조). 2. 소송행위는 관할위반인 경우에도 그 효력에 영향이 없다(제2조). ▶ 관할위반판결을 한 법원에서 작성한 공판조서, 증인신문조서, 검증조서 등은 동일한 사건이 공소제기된 법원의 공판절차에서 증거로 사용가능
사 유	관할위반의 판결을 할 수 있는 사유는 피고사건이 해당법원의 관할(토지·사물관할)에 속하지 않는 경우이다. 관할권의 존재는 소송조건이므로 법원은 직권으로 관할유무를 조사하여야 한다. 사물관할은 공소제기시뿐만 아니라 재판시에도 존재하여야 하나 토지관할은 공소제기시에만 존재하면 된다(공소제기 후 피고인이 다른 법원관할로 이사간 경우라도 관할위반판결 ×).
예 외	1. 법원은 피고인의 신청이 없으면 토지관할에 관하여 관할위반선고를 하지 못한다(제320조 제1항). 2. 관할위반신청은 피고사건에 대한 진술 전에 하여야 한다(동조 제2항). 15. 9급 법원직 여기서 진술은 피고인의 모두진술을 말한다(모두진술 후에는 토지관할위반이 치유된다).
관련 문제	1. 관할위반판결은 공소기각판결과는 달리 구속영장의 실효사유로 되지 않는다(제331조). 2. 관할위반판결은 공소기각판결이나 공소기각결정, 면소판결과는 달리 피고인불출석(제277조), 공판절차정지(제306조 제4항)와 관련된 특례규정이 적용되지 않는다. 3. 공소제기로 인해 정지되었던 공소시효가 관할위반판결의 확정으로 인해 다시 진행된다는 점은 공소기각판결이나 공소기각결정이 확정된 경우와 동일하다(제253조 제1항). 4. 관할위반판결의 확정은 일사부재리의 효력이 없으므로 다시 공소제기하여도 무효가 아니다.

04

01 관할에 관한 설명 중 옳은 것은?

① 피고사건이 법원의 관할에 속하지 않은 때에는 관할법원으로 이송하여야 한다.
② 법원은 피고인의 신청이 없더라도 토지관할위반판결을 선고할 수 있다.
③ 관할위반이 있는 경우에도 소송행위의 효력에 영향이 없다.
④ 관할위반의 판결이 확정된 사건에 대한 공소제기는 무효이다.

해설 ① 판결로 관할위반의 선고를 하여야 한다(제319조).
② 토지관할위반판결은 피고인의 신청을 필요로 한다(제320조 제1항).
③ 소송행위는 관할위반인 경우에도 효력에 영향이 없으므로, 관할위반의 판결을 선고한 법원에서의 소송행위(예 증인신문)도 유효하다.
④ 관할위반판결이 확정된 사건은 기판력이 없으므로 다시 공소제기를 할 수 있다.

Answer 1. ③

THEMA 11 공소기각판결

제1호 피고인에 대하여 재판권이 없을 때 10·15. 9급 법원직, 17. 경찰간부

제2호 공소제기절차가 법률의 규정을 위반하여 무효일 때 03. 9급 검찰, 17. 경찰간부

▶ 교통사고처리특례법 제3조 제2항 단서에서 정한 사유(신호위반 등)가 없다면 공소제기할 수 없으므로 공소기각판결을 하는 것이 원칙이다. 그런데 사건의 실체에 관한 심리가 이미 완료되어 피고인의 이익을 위하여 교통사고처리특례법 위반의 공소사실에 대하여 무죄의 실체판결을 선고하였더라도 이를 위법이라고 볼 수는 없다(대판 2015.5.14, 2012도11431). 24. 9급 교정·보호·철도경찰

제3호 공소가 제기된 사건에 대하여 다시 공소가 제기되었을 때

제4호 공소취소 후 다른 중요한 증거가 발견되지 않았음에도 다시 공소가 제기되었을 때

제5호 친고죄에 대하여 고소가 취소되었을 때(▶ 공소제기 전에 고소취소 ⇨ 동조 제2호에 의해 공소기각판결) 17. 경찰간부

제6호 반의사불벌죄에서 처벌을 원하지 않는 의사표시를 하거나 처벌을 원하는 의사표시를 철회하였을 때

01 **공소기각판결에 관한 설명 중 가장 적절하지 않은 것은?**(다툼이 있는 경우 판례에 의함)

20. 경찰승진

① 소년법 제32조의 보호처분을 받은 사건과 동일한 사건에 대하여 다소 공소제기가 되었다면 이는 공소제기절차가 법률의 규정에 위반하여 무효인 때에 해당한다.

② 피해자의 명시한 의사에 반하여 죄를 논할 수 없는 사건에 대하여 처벌을 희망하지 아니하는 의사표시가 있거나 처벌을 희망하는 의사표시가 철회되었을 때는 공소기각판결 사유에 해당한다.

③ 사기죄에서 피고인의 딸과 피해자의 아들이 혼인 관계에 있음에도 고소권자의 적법한 고소가 없다면 이는 공소기각판결 사유에 해당한다.

④ 공소가 제기된 사건에 대하여 다시 공소가 제기되었을 때는 공소기각판결 사유에 해당한다.

| 해설 ① 대판 1996.2.23, 96도47

② 제327조 제6호

③ 피고인의 딸과 피해자의 아들이 혼인하여 피고인과 피해자가 사돈지간이라고 하더라도 민법상 친족으로 볼 수 없는데도, 2촌의 인척인 친족이라는 이유로 위 범죄를 친족상도례가 적용되는 친고죄라고 판단한 후 피해자의 고소가 고소기간을 경과하여 부적법하다고 보아 공소를 기각한 원심판결 및 제1심판결에 친족의 범위에 관한 법리오해의 위법이 있다(대판 2011.4.28, 2011도2170). 따라서 법원은 실체재판을 하여야 한다.

④ 제327조 제3호

Answer 1. ③

02 **공소기각의 재판에 관한 다음 설명 중 가장 옳지 않은 것은?**

① 수표발행자가 수표발행 후 예금부족으로 인하여 제시 기일에 지급되지 아니하게 하였으나 제1심판결 선고 전에 부도수표가 회수된 경우 공소기각판결을 하여야 한다.

② 검사가 종전에 기소유예처분을 한 피의사실에 대하여 이를 번복할 만한 사정변경이 없었음에도 4년여가 지난 시점에 다시 기소하였다면, 검사가 공소권을 자의적으로 행사하여 소추재량권을 현저히 일탈하였다고 볼 수 있어 공소기각의 판결을 하여야 한다.

③ 경찰서장의 통고처분을 받았다가 모용사실이 적발되어 이후 납부 통고 등 후속절차는 중단된 상태에서 무전취식의 범칙행위와 동일성이 인정되는 사기의 공소사실로 재차 기소된 경우, 공소제기의 절차가 법률의 규정을 위반하여 무효인 때에 해당한다고 볼 수는 없다.

④ 검사의 공소제기가 소추재량을 현저히 일탈하였다고 판단되는 경우에는 공소기각판결을 할 수 있다.

04

| 해설 ① 부정수표단속법 제2조 제4항에서 부정수표가 회수된 경우 공소를 제기할 수 없도록 하는 취지는 부정수표가 회수된 경우에는 수표소지인이 부정수표 발행자 또는 작성자의 처벌을 희망하지 아니하는 것과 마찬가지로 보아 같은 조 제2항 및 제3항의 죄를 이른바 반의사불벌죄로 규정한 취지로서 부도수표 회수나 수표소지인의 처벌을 희망하지 아니하는 의사의 표시가 제1심판결 선고 이전까지 이루어지는 경우에는 공소기각의 판결을 선고하여야 할 것이고, 이는 부정수표가 공범에 의하여 회수된 경우에도 마찬가지이다(대판 2009.12.10, 2009도9939).
② 대판 2021.10.14, 2016도14772
③ 피고인이 무전취식을 하여 출동한 경찰관에게 친형의 인적 사항을 모용함에 따라 친형 이름으로 경범죄처벌법상 경찰서장의 통고처분을 받았다가 모용사실이 적발되어 이후 납부 통고 등 후속절차는 중단된 상태에서 무전취식의 범칙행위와 동일성이 인정되는 사기의 공소사실로 재차 기소된 경우, 이미 발령된 통고처분의 효력이 기소된 사기의 공소사실에도 미쳐 이 부분 공소제기의 절차가 법률의 규정을 위반하여 무효인 때에 해당한다(대판 2023.3.16, 2023도751).
④ 대판 2004.4.27, 2004도482

03 **甲은 운전 중 업무상 과실로 피해자로 하여금 중상해에 이르게 한 결과, 교통사고처리 특례법 위반**(동법 제3조 제2항 단서위반은 없음)**으로 공소제기되었다. 이후 심리가 진행되면서 법위반사실이 없음이 밝혀졌다. 한편 甲은 자동차종합보험에 가입되어 있었을 경우 법원의 조치는?**

① 공소기각결정
② 면소판결
③ 무죄판결
④ 공소기각판결

| 해설 헌법재판소는 업무상 과실 또는 중대한 과실로 인한 교통사고로 말미암아 피해자로 하여금 중상해에 이르게 한 경우에 공소를 제기할 수 없도록 규정한 교통사고처리 특례법 제4조 제1항의 부분은 피해자의 재판절차진술권 및 평등권을 침해하여 헌법에 위반된다고 판시하면서, 합헌으로 보았던 종전의 결정(헌재결 1997.1.16, 90헌마110)은 이 결정과 저촉되는 범위 내에서 이를 변경하였다(헌재결 2009.2.26, 2008헌마118). 따라서 이제는 공소제기가 가능하게 되었으므로 혐의가 없다면 무죄판결을 하여야 할 것이다.

Answer 2. ③ 3. ③

04 **다음 각각의 경우에 법원이 어떤 재판을 하여야 하는지 옳은 것으로만 연결된 것은?**(다툼이 있는 경우 판례에 의함) 18. 9급 검찰·마약수사

> ㉠ 소년법상 보호처분이 확정된 사건에 대해 다시 공소가 제기된 경우
> ㉡ 공소제기된 범죄사실에 대한 적용법조가 헌법재판소의 위헌결정으로 효력을 상실한 경우
> ㉢ 공소취소로 공소기각이 확정된 후 그 범죄사실에 대한 다른 중요한 증거가 발견되지 않았음에도 다시 공소를 제기한 경우

	㉠	㉡	㉢
①	면소판결	면소판결	공소기각판결
②	공소기각판결	면소판결	공소기각결정
③	면소판결	무죄판결	공소기각결정
④	공소기각판결	무죄판결	공소기각판결

| 해설 ㉠ 공소기각판결(대판 1996.2.23, 96도47)
㉡ 무죄판결(대판 1992.5.8, 91도2825)
㉢ 공소기각판결(제327조 제4호)

05 **다음 중 공소기각판결과 관련한 판례의 내용으로 타당하지 못한 것은?**

① 검사가 일단 상습사기죄로 공소를 제기한 후 그 공소의 효력이 미치는 기준시까지의 사기행위 일부를 별개의 독립된 사기죄로 공소를 제기하는 경우는 이중기소에 해당하여 공소기각판결을 하여야 한다.
② 일반도로에서 후진하다가 교통사고를 낸 것은 중앙선침범 사고에도 해당하지 않아 피해자의 명시한 의사에 반하여 공소를 제기할 수 없는 죄에 해당하여 공소기각판결은 정당하다.
③ 신호기에 의한 신호에 위반하여 운전한 경우에는 보험 또는 공제에 가입한 경우에도 공소를 제기할 수 있으나, 여기서 '신호기에 의한 신호에 위반하여 운전한 경우'란 신호위반행위가 교통사고 발생의 간접적인 원인이 된 경우도 해당한다.
④ 甲은 자신이 경영하는 사업장에서 퇴직한 자(18세)에 대하여 퇴직금 등을 지급하지 않음으로써 근로기준법 제122조 제1항을 위반하였다. 乙은 이 사건 공소제기 전인 2005. 1. 9. 甲의 처벌을 원하지 아니한다고 진술하였으나, 검사는 공소를 제기하였다. 그런데 2005. 3. 31. 동법 제122조 제1항 위반행위가 반의사불벌죄로 개정되었고, 부칙에는 경과규정을 두지 않았다. 이 경우 법원은 甲에 대하여 공소기각의 판결을 선고하여야 한다.

| 해설 ① 대판 2001.7.24, 2001도2196 ② 대판 2012.3.15, 2010도3436
③ 교통사고처리 특례법 규정에 의하면, 신호기에 의한 신호에 위반하여 운전한 경우에는 같은 법 제4조 제1항에서 정한 보험 또는 공제에 가입한 경우에도 공소를 제기할 수 있으나, 여기서 '신호기에 의한 신호에 위반하여 운전한 경우'란 신호위반행위가 교통사고 발생의 직접적인 원인이 된 경우를 말한다(대판 2012.3.15, 2011도17117). ④ 대판 2005.10.28, 2005도4462

Answer 4.④ 5.③

06 **다음 중 공소기각판결과 관련한 판례의 내용으로 타당하지 못한 것은 모두 몇 개인가?**(다툼이 있는 경우 판례에 의함)

> ㉠ 검사가 단순일죄라고 하여 특수절도 범행을 먼저 기소하고 포괄일죄인 상습특수절도 범행을 추가기소하였으나 심리과정에서 전후에 기소된 범죄사실이 모두 포괄하여 상습특수절도인 일죄를 구성하는 것으로 밝혀진 경우에는, 검사로서는 원칙적으로 먼저 기소한 사건의 범죄사실에 추가기소의 공소장에 기재한 범죄사실을 추가하여 전체를 상습범행으로 변경하고 그 죄명과 적용법조도 이에 맞추어 변경하는 공소장변경 신청을 하고, 추가기소한 사건에 대하여는 공소취소를 하는 것이 형사소송법의 규정에 충실한 처리이다.
> ㉡ 포괄일죄를 구성하는 일부 범죄사실이 먼저 단순일죄로 기소된 후 그 나머지 범죄사실이 포괄일죄로 추가기소되고 단순일죄의 범죄사실도 추가 기소된 포괄일죄를 구성하는 행위의 일부임이 밝혀진 경우라면, 추가기소에 대하여 이중기소라고 하여 공소기각판결을 하여야 한다.
> ㉢ 피고인이 체류자격이 없는 외국인들을 고용하여 구 출입국관리법 위반 사건을 입건한 지방경찰청이 지체 없이 관할 출입국관리사무소장 등에게 인계하지 아니한 채 그 고발없이 수사를 진행하였고, 이후 위 사무소장이 지방경찰청장의 고발의뢰에 따라 고발한 경우, 지방경찰청 및 검찰의 수사가 위법하다거나 공소제기의 절차가 법률의 규정에 위배되어 무효인 때에 해당하지 않는다.
> ㉣ 피고인과 친족관계에 있는 피해자에 대한 '흉기휴대 공갈'의 '폭력행위 등 처벌에 관한 법률 위반죄'를 친고죄로 보고, 제1심판결 선고 전에 피고인의 처벌을 바라지 아니하는 의사가 표시된 합의서가 제출되었다는 이유로, 공소를 기각한 판결은 정당하다.
> ㉤ 공소제기된 피고인의 범죄사실 중 일부에 대하여 검사의 1차 무혐의결정이 있었고, 이에 대하여 그 고소인이 아무런 이의를 제기하지 않고 있다가 그로부터 약 3년이 지난 뒤에야 뒤늦게 다시 피고인을 동일한 혐의로 고소함에 따라, 검사가 그 수사결과에 터잡아 재량권을 행사하여 공소를 제기한 것은 공소권을 남용한 경우로서 그 공소제기의 절차가 무효인 때에 해당한다고 볼 수 있으므로 공소기각판결을 하여야 한다.

① 1개 ② 2개 ③ 3개 ④ 4개

해설 ㉠ ○ : 대판 1996.10.11, 96도1698

㉡ × : 포괄일죄를 구성하는 일부 범죄사실이 먼저 단순일죄로 기소된 후 그 나머지 범죄사실이 포괄일죄로 추가기소되고 단순일죄의 범죄사실도 추가 기소된 포괄일죄를 구성하는 행위의 일부임이 밝혀진 경우라면, 추가기소의 공소장 제출은 포괄일죄를 구성하는 행위로서 먼저 기소된 공소장에 누락된 것을 추가 보충하고 죄명과 적용법조를 포괄일죄의 죄명과 적용법조로 변경하는 취지의 것으로서 그 추가기소에 의하여 공소장 변경이 이루어진 것으로 보아 전후에 기소된 범죄사실 전부에 대하여 실체판단을 하여야 하고 추가기소에 대하여 이중기소라고 하여 공소기각판결을 할 필요가 없다(대판 1996.10.11, 96도1698).

유사판례

1. 검사가 수 개의 협박범행을 먼저 기소하고 다시 별개의 협박범행을 추가로 기소하였는데 이를 병합하여 심리하는 과정에서 전후에 기소된 각각의 범행이 모두 포괄하여 하나의 협박죄를 구성하는 것으로 밝혀졌다면, 비록 협박죄의 포괄일죄로 공소장을 변경하는 절차가 없었다거나 추가로 공소장을 제출한 것이 포괄일죄를 구성하는 행위로서 기존의 공소장에 누락된 것을 추가·보충하는 취지의 것이라는 석명절차를 거치지 아니하였더라도, 법원은 전후에 기소된 범죄사실 전부에 대하여 실체 판단을 할 수 있고, 추가기소된 부분에 대하여 공소기각판결을 할 필요는 없다(대판 2007.8.23, 2007도2595).

Answer 6. ②

2. 상상적 경합관계에 있는 공소사실 중 일부가 먼저 기소된 후 나머지 공소사실이 추가기소되고 이들 공소사실이 상상적 경합관계에 있음이 밝혀진 경우라면, 추가기소에 의하여 공소장변경이 이루어진 것으로 보아 전후에 기소된 공소사실 전부에 대하여 실체판단을 하여야 하고 추가기소에 대하여 공소기각판결을 할 필요가 없다(대판 2012.6.28, 2012도2087).

㉢ ○ : 대판 2011.3.10, 2008도7724

㉣ ○ : 대판 2010.7.29, 2010도5795

㉤ × : 공소제기된 피고인의 범죄사실 중 일부에 대하여 검사의 1차 무혐의결정이 있었고, 이에 대하여 그 고소인이 항고 등 아무런 이의를 제기하지 않고 있다가 그로부터 약 3년이 지난 뒤에야 뒤늦게 다시 피고인을 동일한 혐의로 고소함에 따라, 검사가 새로이 수사를 재기하게 된 것이라 하더라도, 검사가 그 수사결과에 터잡아 재량권을 행사하여 공소를 제기한 것은 적법하다고 아니할 수 없으며, 이를 가리켜 공소권을 남용한 경우로서 그 공소제기의 절차가 무효인 때에 해당한다고 볼 수는 없다(대판 1995.3.10, 94도2598 ∴ 공소기각판결 ×).

07 **재판에 대한 설명으로 옳지 않은 것은?**(다툼이 있는 경우 판례에 의함) 21. 7급 국가직

① 특별사면으로 형 선고의 효력이 상실된 유죄확정판결에 대하여 재심개시결정이 이루어진 경우, 재심심판절차에서 그 심급에 따라 다시 심판하여 실체에 관한 유・무죄 등의 판단을 하여야 하지, 특별사면이 있음을 들어 면소판결을 하여서는 아니된다.

② 법령의 적용은 유죄판결 이유에 명시하여야 할 사항이지만 공동정범을 인정하면서 형법 제30조를 명시하지 않았더라도 판결 이유설시 자체에 비추어 실행의 분담을 한 공동정범을 인정함이 명백하다면 판결에 영향을 미친 위법이 있다고 할 수 없다.

③ 국회의원의 면책특권에 속하는 행위에 대한 공소제기가 있는 경우, 피고인에 대한 재판권이 없는 경우에 해당하므로 공소기각판결을 하여야 한다.

④ 경범죄처벌법상 범칙금 통고를 받고 범칙금을 납부하였다면, 이는 확정판결에 준하는 효력이 있는 경우로 동일사건에 대하여 다시 공소가 제기된 때에는 면소판결을 하여야 한다.

| 해설 ① 대판 2015.5.21, 2011도1932 전원합의체

② 대판 1983.10.11, 83도1942

③ 국회의원의 면책특권에 속하는 행위에 대하여는 공소를 제기할 수 없으며 이에 반하여 공소가 제기된 것은 결국 공소권이 없음에도 공소가 제기된 것이 되어 형사소송법 제327조 제2호의 "공소제기의 절차가 법률의 규정에 위반하여 무효인 때"에 해당되므로 판결로 공소를 기각하여야 한다(대판 1992.9.22, 91도3317).

④ 대판 2012.6.14, 2011도6858

Answer 7. ③

08 공소기각의 판결에 대한 설명으로 옳지 않은 것은? 24. 9급 교정 · 보호 · 철도경찰

① 검사가 서면인 공소장에 전자문서나 저장매체를 첨부하는 방식으로 공소를 제기한 경우, 서면인 공소장에 기재된 부분만으로는 공소사실이 특정되지 않고 검사가 법원의 특정요구에 응하지 않으면 그 부분에 대해 공소기각의 판결을 선고하여야 한다.

② 공소를 제기할 수 없는 법률상의 사유가 있어 공소기각의 판결을 하여야 할 사건에서 그 사건의 실체에 관한 심리가 이미 완료되어 무죄로 판명된 경우라도 무죄의 실체판결을 선고하는 것은 위법하다.

③ 피고인이 공소를 기각한 제1심판결에 대해 무죄를 주장하며 항소한 경우, 공소기각 판결에 대하여 피고인에게 상소권이 인정되지 않으므로 이 항소는 법률상의 방식에 위반한 것이 명백한 때에 해당한다.

④ 기소 당시에는 이중기소된 위법이 있었다 하여도 그 후 공소사실과 적용법조가 적법하게 변경되어 새로운 사실의 소송계속상태가 있게 된 때에는 공소기각의 판결을 하여야 할 위법상태가 계속 존재한다고 할 수 없다.

해설 ① 대판 2016.12.15, 2015도3682

② 공소를 제기할 수 없는 법률상의 사유가 있어 공소기각의 판결을 하여야 할 사건에서 그 사건의 실체에 관한 심리가 이미 완료되어 무죄로 판명된 경우라도 무죄의 실체판결을 선고하는 것은 위법이라 볼 수는 없다(대판 2015.5.28, 2013도10958).

③ 대판 2008.5.15, 2007도6793

④ 대판 1989.2.14, 85도1435

최신판례

피고인이 무전취식을 하고 출동한 경찰관에게 친형의 인적사항을 모용함에 따라 친형 이름으로 경범죄처벌법상 경찰서장의 통고처분을 받았다가 모용사실이 적발되어 이후 납부 통고 등 후속절차는 중단된 상태에서 무전취식의 범칙행위와 동일성이 인정되는 사기의 공소사실로 재차 기소된 경우, 이미 발령된 통고처분의 효력이 기소된 사기의 공소사실에도 미쳐 이 부분 공소제기의 절차가 법률의 규정을 위반하여 무효인 때에 해당한다(대판 2023.3.16, 2023도751).

Answer 8. ②

THEMA 12 공소기각결정사유(제328조)

1. 공소가 취소된 경우 03. 9급 검찰
2. 피고인이 사망하거나 피고인인 법인이 존속하지 아니하게 된 경우 03. 9급 검찰, 10. 9급 법원직
3. 관할의 경합(제12조, 제13조)으로 인하여 재판할 수 없는 경우 09. 순경·9급 법원직, 10. 9급 법원직
4. 공소장에 기재된 사실이 진실하다고 하더라도 범죄가 될 만한 사실이 포함되지 아니한 경우

01 다음 중 공소기각결정의 사유인 것은 모두 몇 개인가? 03. 9급 검찰

㉠ 피고인의 당사자능력이 소멸되었을 때
㉡ 공소장에 기재된 사실이 진실이더라도 범죄가 될 만한 사실이 포함되지 않았을 때
㉢ 공소가 취소된 때
㉣ 공소제기절차가 법률의 규정에 위반하여 무효인 때
㉤ 밀수범인 주한 甲국 대사에게 공소가 제기되었을 때

① 1개 ② 2개 ③ 3개 ④ 4개

| 해설 ㉠㉡㉢ 공소기각결정사유
㉣㉤ 공소기각판결사유

02 부정수표단속위반사건에 있어서 수표가 제시기일에 제시되지 아니한 것이 공소사실 자체에 의하여 명백할 때에는 무슨 재판을 하여야 하는가?(판례에 의함) 08. 경찰승진

① 무죄판결 ② 공소기각의 판결
③ 공소기각의 결정 ④ 면소의 판결

| 해설 공소장에 기재된 사실이 진실하다고 하더라도 범죄가 될 만한 사실이 포함되지 아니한 때(제328조 제1항 제4호)에 해당되어 공소기각결정사유가 된다(대판 1973.12.11, 73도2173).

Answer 1.③ 2.③

THEMA 13 면소판결사유(제326조)

제1호 확정판결이 있은 때 13. 7급 국가직
제2호 사면이 있은 때
제3호 공소시효가 완성된 때 10. 9급 법원직, 11. 교정특채
제4호 범죄 후 법령개폐로 형이 폐지되었을 때

제1호 관련

- 확정판결 ○
  - 유죄 · 무죄뿐만 아니라 면소판결
  - 약식명령이나 즉결심판에서 선고된 것
  - 경범죄처벌법 및 도로교통법상 범칙금 납부 13. 9급 법원직
- 확정판결 × : 과태료부과처분, 외국확정판결, 공소기각판결(결정), 관할위반판결, 소년법상 보호처분, 검사의 불기소처분

제2호 관련 : 사면은 일반사면을 의미(특별사면 ×)

제3호 관련

- 공소제기시 공소시효가 완성되어 있어야 함.
- 공소장변경이 있는 경우 공소제기 당시를 기준으로 변경된 사실에 대한 시효완성 여부 판단
- 공소제기 사건 확정판결 없이 25년 경과

제4호 관련(판례변경)

- 범죄 후 법률이 변경되어 그 행위가 범죄를 구성하지 아니하게 되거나 형이 구법보다 가벼워진 경우에는 신법에 따라야 하고(형법 제1조 제2항), 범죄 후의 법령 개폐로 형이 폐지되었을 때는 판결로써 면소의 선고를 하여야 한다(형사소송법 제326조 제4호). 이러한 형법 제1조 제2항과 형사소송법 제326조 제4호의 적용과 관련하여 대법원은 '종전 법령이 범죄로 정하여 처벌한 것이 부당하였다거나 과형이 과중하였다는 반성적 고려에 따라 변경된 것인지 여부를 따지지 않고 원칙적으로 형법 제1조 제2항과 형사소송법 제326조 제4호가 적용된다.'라고 판시함으로써, '법률이념의 변경에 따라 종래의 처벌 자체가 부당하였다거나 또는 과형이 과중하였다는 반성적 고려에서 법령을 변경하였을 경우에만 형법 제1조 제2항과 형사소송법 제326조 제4호의 적용된다.'고 한 종래의 판결을 변경했다(대판 2022.12.22, 2020도16420 전원합의체).
- 형벌법규가 대통령령, 총리령, 부령과 같은 법규명령이 아닌 고시 등 행정규칙 · 행정명령, 조례 등에 구성요건의 일부를 수권 내지 위임한 경우에도 형법 제1조 제2항과 형사소송법 제326조 제4호가 적용된다(대판 2022.12.22, 2020도16420 전원합의체).
- 형벌법규 자체 또는 그로부터 수권 내지 위임을 받은 법령이 아닌 이와 관련이 없는 법령의 변경으로 인하여 해당 형벌법규의 가벌성에 영향을 미치게 되는 경우에는 형법 제1조 제2항과 형사소송법 제326조 제4호가 적용되지 않는다(대판 2022.12.22, 2020도16420 전원합의체).
- 법령이 개정 내지 폐지된 경우가 아니라, 스스로 유효기간을 구체적인 일자나 기간으로 특정하여 효력의 상실을 예정하고 있던 법령이 그 유효기간을 경과함으로써 더 이상 효력을 갖지 않게 된 경우에는 형법 제1조 제2항과 형사소송법 제326조 제4호에서 말하는 법령의 변경에 해당한다고 볼 수 없다(대판 2022.12.22, 2020도16420 전원합의체). – 유효기간 경과 후에도 행위시법으로 처벌

01 다음의 사항 중 면소판결을 내려야 할 경우들만 옳게 묶은 것은?

> ㉠ 외국에서 확정판결을 받은 사안에 대해 다시 공소가 제기된 경우
> ㉡ 공소제기된 사안에 대해 일반사면이 내려진 경우
> ㉢ 공소시효가 완성된 사안에 대해 공소가 제기된 경우
> ㉣ 공소제기된 사안에 적용될 법률에 대하여 헌법재판소가 위헌결정을 내린 경우

① ㉠, ㉡, ㉢, ㉣
② ㉠, ㉡, ㉢
③ ㉡, ㉢
④ ㉡, ㉢, ㉣

| 해설 ㉠ 외국판결은 우리나라에서는 기판력이 없으므로 일사부재리의 원칙 적용이 없다(대판). 따라서 면소판결사유가 되지 않아 법원은 유죄 또는 무죄의 실체재판을 하여야 한다.
㉡㉢ 면소판결사유
㉣ 무죄판결사유(대판 1992.5.8, 91도2825)

02 형법 제1조 제2항(신법주의), **형사소송법 제326조 제4호**(면소판결) **적용 여부와 관련한 대법원 전원합의체 판결의 내용으로 틀린 것은?**

① 종전 법령이 범죄로 정하여 처벌한 것이 부당하였다거나 과형이 과중하였다는 반성적 고려에 따라 변경된 것인지 여부를 따지지 않고 원칙적으로 형법 제1조 제2항과 형사소송법 제326조 제4호가 적용된다.
② 형벌법규가 대통령령, 총리령, 부령과 같은 법규명령이 아닌 고시 등 행정규칙·행정명령, 조례 등에 구성요건의 일부를 수권 내지 위임한 경우에도 형법 제1조 제2항과 형사소송법 제326조 제4호가 적용된다.
③ 법령이 개정 내지 폐지된 경우가 아니라, 스스로 유효기간을 구체적인 일자나 기간으로 특정하여 효력의 상실을 예정하고 있던 법령이 그 유효기간을 경과함으로써 더 이상 효력을 갖지 않게 된 경우에도 형법 제1조 제2항과 형사소송법 제326조 제4호에서 말하는 법령의 변경에 해당한다고 볼 수 있다.
④ 음주운전으로 처벌받은 전력이 있는 사람이 다시 술에 취한 상태로 전동킥보드를 운전한 행위에 대하여 형이 경하게 개정된 경우, 반성적 고려에 따라 변경된 것인지 여부를 따지지 않고 형법 제1조 제2항을 적용하여야 한다.

| 해설 ①②④ 대판 2022.12.22, 2020도16420 전원합의체
③ 법령이 개정 내지 폐지된 경우가 아니라, 스스로 유효기간을 구체적인 일자나 기간으로 특정하여 효력의 상실을 예정하고 있던 법령이 그 유효기간을 경과함으로써 더 이상 효력을 갖지 않게 된 경우에는 형법 제1조 제2항과 형사소송법 제326조 제4호에서 말하는 법령의 변경에 해당한다고 볼 수 없다(대판 2022.12.22, 2020도16420 전원합의체).

Answer 1. ③ 2. ③

03 면소판결에 대한 설명으로 옳지 않은 것만을 모두 고르면?(다툼이 있는 경우 판례에 의함)

19. 9급 검찰 · 마약수사

ㄱ 일반사면과 특별사면을 불문하고 사면이 있는 경우에는 법원은 별도의 실체적 심리를 진행함이 없이 면소판결을 하여야 한다.
ㄴ 여러 개의 범죄사실 중 일부에 대하여 상습범이 아닌 기본범죄로 유죄판결이 확정되었더라도, 판결이 확정된 범죄사실과 판결 선고 전에 저질러진 나머지 범죄사실이 상습범으로서 포괄일죄의 관계가 있다면, 새로이 공소제기된 그 나머지 범죄사실에 대해 법원은 면소판결을 하여야 한다.
ㄷ 피고인이 사물변별능력 또는 의사능력이 없는 상태에 있는 경우에는 당해 사건에 대한 면소판결이 명백히 예견되더라도 공판절차를 정지하여야 할 것이고 피고인의 출정 없이 재판할 수 없다.
ㄹ 몰수나 추징이 공소사실과 관련이 있다 하더라도 그 공소사실에 관하여 이미 공소시효가 완성되어 면소판결의 사유에 해당하는 경우에는 몰수나 추징도 할 수 없다.
ㅁ 면소판결은 유죄 확정판결이라 할 수 없으므로 면소판결을 대상으로 한 재심청구는 부적법하다.

① ㄱ, ㄴ, ㄷ ② ㄱ, ㄴ, ㅁ ③ ㄴ, ㄷ, ㄹ ④ ㄷ, ㄹ, ㅁ

| 해설 ㄱ ×: 면소판결의 사유인 사면이 있을 때란 일반사면이 있을 때를 말한다(대판 2000.2.11, 99도2983).
ㄴ ×: 상습범 아닌 기본 구성요건의 범죄로 처단되는 데 그친 경우에는, 확정판결을 상습범의 일부에 대한 확정판결이라고 보아 그 기판력이 그 사실심판결 선고 전의 나머지 범죄에 미친다고 보아서는 아니 된다(대판 2004.9.16, 2001도3206 전원합의체). 따라서 새로이 공소제기된 범죄사실에 대해 법원은 실체판결을 하여야 한다.
ㄷ ×: 피고사건에 대하여 무죄, 면소, 형의 면제 또는 공소기각의 재판을 할 것으로 명백한 때에는 피고인이 사물변별능력 또는 의사능력이 없는 상태에 있는 경우에도 피고인의 출정 없이 재판할 수 있다(제306조 제4항).
ㄹ ○: 대판 1992.7.28, 92도700
ㅁ ○: 대결 2018.5.2, 2015모3243

04 면소판결을 선고해야 하는 경우가 아닌 것은?(다툼이 있는 경우 판례에 의함) 11. 7급 국가직

① 甲이 술에 취해 주점에 찾아와 그곳 손님들에게 시비를 거는 등 영업을 방해하였다는 사실 때문에 경범죄처벌법 위반으로 구류 5일의 즉결심판을 받아 확정되었는데, 같은 일시 · 장소에서 손님인 피해자 乙과 시비를 벌이다 그를 폭행하여 사망케 하였다는 사실로 공소가 제기된 경우
② 甲이 1982. 4. 16. 무면허의료행위로 인한 의료법 위반으로 약식기소 되어 1982. 7. 7. 약식명령을 고지받고 1982. 7. 29. 확정되었는데, 1982. 1. 30부터 1982. 6. 17. 사이에 같은 장소에서 무면허의료행위를 하였다는 사실로 다시 공소가 제기된 경우
③ 甲이 1997. 12. 9. 부정수표단속법 위반죄로 징역 6월의 선고를 받은 후 1998. 3. 13. 특별사면을 받았는데, 사면 이전에 행한 동법 위반행위를 이유로 다시 공소가 제기된 경우

Answer 3. ① 4. ③

④ 甲이 업무방해죄로 공소제기 되어 유죄판결이 확정된 후 그 업무방해행위와 상상적 경합의 관계에 있는 명예훼손행위에 대하여 공소가 제기된 경우

| 해설 ① 대판 1990.3.9, 89도1046, ② 대판 1983.6.14, 83도939, ④ 대판 2007.2.23, 2005도10233의 경우는 확정판결의 기판력이 미치는 경우에 해당하므로 면소판결을 선고하여야 한다.
③ 형사소송법 제326조 제2호 소정의 면소판결의 사유인 사면이 있을 때란 일반사면이 있을 때를 말하는 것인데, 기록에 의하면 피고인은 부정수표단속법위반죄로 징역 6월, 집행유예 2년의 선고를 받은 형의 언도의 효력을 상실케 하는 특별사면을 받았음을 알 수 있으므로, 위 특별사면 이전에 저지른 것으로 공소제기된 부정수표단속법위반의 점에 대한 주위적 공소사실은 면소판결의 대상에 해당하지 아니한다(대판 2000.2.11, 99도2983).

05 **면소판결에 관한 다음 설명 중 틀린 것은 몇 개인가?**(판례에 의함)

㉠ 피고인에 대하여 유죄판결이 확정된 '아파트 사전분양'으로 인한 구 주택건설촉진법 위반죄 범죄사실과 '아파트를 건축하여 분양할 의사나 능력 없이 피해자들을 기망하여 분양대금을 편취하였다.'는 내용의 특정경제범죄 가중처벌 등에 관한 법률 위반(사기) 공소사실 중 피고인이 구 주택건설촉진법 위반죄의 범죄사실에 관하여 확정판결을 받았다고 하여 위 사기 부분 공소사실에 대하여 면소를 선고할 수 없다.
㉡ 피고인에 대하여 공소가 제기된 날로부터 25년이 경과되었는데도 아직 판결이 확정되지 아니하였을 경우 공소시효완성으로 간주하므로 제326조 제3호에 해당되어 법원은 면소판결을 한다.
㉢ 실체판단에 들어가 공소사실을 인정하는 경우가 아닌 면소의 경우에도 원칙적으로 몰수할 수는 있다.
㉣ 단일하고 계속된 범의 아래 같은 장소에서 반복하여 여러 사람으로부터 계불입금을 편취한 행위는 피해자별로 포괄하여 1개의 사기죄가 성립하고 이들 포괄일죄 상호간은 상상적 경합관계에 있다고 볼 것이므로 그중 일부 피해자들로부터 계불입금을 편취하였다는 공소사실에 대하여 확정판결이 있었다면 나머지 피해자들에 대해서는 면소판결을 선고해야 한다.
㉤ 약식명령이 확정된 구 성매매알선 등 행위의 처벌에 관한 법률위반죄의 범죄사실인 '영업으로 성매매에 제공되는 건물을 제공하는 행위'와 위 약식명령 발령 전에 행해진 구 성매매알선 등 처벌법 위반의 공소사실인 '영업으로 성매매를 알선한 행위'가 포괄일죄의 관계에 있다고 보아 위 공소사실에 대하여 면소를 선고한 것은 정당하다.
㉥ 피고인이 유죄판결에 대하여 상고하였는데, 그 후에 헌법재판소가 처벌의 근거가 된 법률조항에 대해 헌법불합치결정을 선고하면서 개정시한을 정하여 입법개선을 촉구하였는데도 위 시한까지 법률 개정이 이루어지지 아니한 경우 면소판결을 하여야 한다.
㉦ 법무사가 개인회생·파산사건 관련 법률사무를 위임받아 취급하여 변호사법위반으로 기소된 후 개인회생·파산사건 신청대리업무를 법무사의 업무로 추가하는 법무사법 개정이 이루어진 경우, 형법 제1조 제2항과 형사소송법 제326조 제4호를 적용하여야 한다.
㉧ 피고인이 특정인을 중소기업중앙회장으로 당선되도록 할 목적으로 선거인에게 재산상 이익을 제공하면서 그 비용을 자신이 이사장으로 있었던 협동조합의 법인카드로 결제한 사안에서, 업무상 배임죄로 유죄판결을 선고받아 확정된 후 선거인에 대한 재산상 이익 제공으로 인한 중소기업협동조합법 위반죄로 공소제기 되었다면 면소판결을 하여야 한다.

Answer 5. ④

① 2개 ② 3개 ③ 4개 ④ 5개

해설 ㉠ ○ : 피고인에 대하여 유죄판결이 확정된 '아파트 사전분양'으로 인한 구 주택건설촉진법 위반죄 범죄사실과 '아파트를 건축하여 분양할 의사나 능력 없이 피해자들을 기망하여 분양대금을 편취하였다.'는 내용의 특정경제범죄 가중처벌 등에 관한 법률 위반(사기) 공소사실 사이에 동일성이 있다고 보기 어렵고, 또한 두 죄는 행위 태양이나 보호법익에 비추어 1죄 내지 상상적 경합관계에 있다고 볼 수도 없으므로, 피고인이 구 주택건설촉진법 위반죄의 범죄사실에 관하여 확정판결을 받았다고 하여 위 사기 부분 공소사실에 대하여 면소를 선고할 수 없다(대판 2011.6.30, 2011도1651).

㉡ ○ ㉢ × : 형법 제49조 단서는 행위자에게 유죄의 재판을 하지 아니할 때에도 몰수의 요건이 있는 때에는 몰수만을 선고할 수 있다고 규정하고 있으나, 우리 법제상 몰수나 추징을 선고하기 위해서는 몰수나 추징의 요건이 고소가 제기된 공소사실과 관련이 있어야 하고, 몰수나 추징의 요건이 공소사실과 관련이 있다 하더라도 그 공소사실에 관하여 이미 공소시효가 완성되어 유죄의 선고를 할 수 없는 경우에는 몰수나 추징도 할 수 없다고 보아야 한다(대판 2007.7.26, 2007도4556).

㉣ ○ : 단일하고 계속된 범의 아래 같은 장소에서 반복하여 여러 사람으로부터 계불입금을 편취한 소위는 피해자별로 포괄하여 1개의 사기죄가 성립하고 이들 포괄일죄 상호간은 상상적 경합관계에 있다고 볼 것이므로 그중 일부 피해자들로부터 계불입금을 편취하였다는 공소사실에 대하여 확정판결이 있었다면 나머지 피해자들에 대한 이 사건 공소사실에 대하여도 위 판결의 기판력이 미치게 된다고 할 것이다(대판 1990.1.25, 89도252).

㉤ × : 약식명령이 확정된 구 성매매알선 등 행위의 처벌에 관한 법률위반죄의 범죄사실인 '영업으로 성매매에 제공되는 건물을 제공하는 행위'와 위 약식명령 발령 전에 행해진 구 성매매알선 등 처벌법 위반의 공소사실인 '영업으로 성매매를 알선한 행위'가 서로 독립된 가벌적 행위로서 별개의 죄를 구성한다고 보아야 하는데도, 포괄일죄의 관계에 있다고 보아 위 공소사실에 대하여 면소를 선고한 원심판결에 법리오해의 위법이 있다(대판 2011.5.26, 2010도6090).

㉥ × : 피고인이 유죄판결에 대하여 상고하였는데, 그 후에 헌법재판소가 처벌의 근거가 된 법률조항에 대해 헌법불합치결정을 선고하면서 개정시한을 정하여 입법개선을 촉구하였는데도 위 시한까지 법률 개정이 이루어지지 아니한 경우 소급하여 효력을 상실한다 할 것이므로, 무죄판결을 하여야 한다(대판 2011.8.25, 2008도10960).

㉦ × : 법무사가 개인회생 · 파산사건 관련 법률사무를 위임받아 취급하여 변호사법위반으로 기소된 후 개인회생 · 파산사건 신청대리업무를 법무사의 업무로 추가하는 법무사법 개정이 이루어진 경우, 이는 해당 형벌법규 자체 또는 그로부터 수권 내지 위임을 받은 법령이 아닌 별개의 다른 법령에 불과하고, 법무사의 업무범위에 관한 규정으로서 기본적으로 형사법과 무관한 행정적 규율에 관한 내용이므로, 형법 제1조 제2항과 형사소송법 제326조 제4호를 적용하지 아니하고 유죄로 인정한 것은 타당하다(대판 2023.2.23, 2022도6434).

㉧ × : 피고인이 특정인을 중소기업중앙회장으로 당선되도록 할 목적으로 선거인에게 재산상 이익을 제공하면서 그 비용을 자신이 이사장으로 있었던 협동조합의 법인카드로 결제한 사안에서, 협동조합에 재산상 손해를 가한 것으로 인한 업무상 배임죄와 선거인에 대한 재산상 이익 제공으로 인한 중소기업협동조합법 위반죄와는 각 범죄의 구성요건 및 행위의 태양과 보호법익을 달리하고 있어 실체적 경합관계에 있으므로 피고인에게 면소를 선고할 수는 없다(대판 2023.2.23, 2020도12431).

04

06 **면소판결에 대한 설명으로 옳지 않은 것은?** 23. 7급 국가직

① 재심대상판결이 확정된 후에 형 선고의 효력을 상실케 하는 특별사면이 있었던 사건에 대하여 재심개시결정이 확정되어 재심심판절차를 진행하는 법원은 면소판결이 아니라 실체에 관한 유·무죄 등의 판단을 해야 한다.
② 법원은 범죄 후 법령의 개폐로 그 형이 폐지되었을 경우 실체적 재판에 앞서 면소판결을 선고하여야 하며, 이에 관하여 무죄로서의 실체적 재판을 하는 것은 위법이다.
③ 면소판결은 유죄의 확정판결이라고 할 수 없으므로 면소판결을 대상으로 한 재심청구는 부적법하다.
④ 공소제기 당시의 공소사실에 대한 법정형을 기준으로 하면 공소시효가 완성되지 않았던 경우, 법원은 공소장변경에 의하여 변경된 공소사실에 대하여 그 법정형을 기준으로 하면 공소제기 당시 이미 공소시효가 완성된 경우에도 공소시효의 완성을 이유로 면소판결을 선고할 수 없다.

| 해설 ① 대판 2015.5.21, 2011도1932 전원합의체
② 대판 2010.7.15, 2007도7523
③ 대결 2021.4.2, 2020모2071
④ 공소제기 당시의 공소사실에 대한 법정형을 기준으로 하면 공소제기 당시 아직 공소시효가 완성되지 않았으나 변경된 공소사실에 대한 법정형을 기준으로 하면 공소제기 당시 이미 공소시효가 완성된 경우에는 공소시효의 완성을 이유로 면소판결을 선고하여야 한다(대판 2013.7.26, 2013도6182).

07 **종국재판에 관한 설명으로 가장 적절하지 않은 것은?**(다툼이 있는 경우 판례에 의함)
24. 경찰승진

① 이중기소의 경우 공소기각판결을 하도록 규정한 형사소송법 제327조 제3호의 취지는 동일 사건에 대하여 피고인으로 하여금 이중위험을 받지 않게 하고 법원이 2개의 실체판결을 하지 않도록 함에 있는 것이다.
② 형벌에 관한 법령이 헌법재판소의 위헌결정으로 인하여 소급하여 그 효력을 상실하였거나 법원에서 위헌·무효로 선언된 경우, 법원은 그 법령을 적용하여 공소가 제기된 피고사건에 대하여 무죄를 선고하여야 하므로, 이 경우 법원이 면소판결을 선고하면 그에 대한 상소가 가능하다.
③ 국회의원의 면책특권에 속하는 행위에 대하여 공소가 제기되었다면 공소권 없음에도 불구하고 공소가 제기된 것이므로 법원은 공소기각의 판결을 하여야 한다.
④ 형사소송법 제319조의 관할위반의 판결은 종국재판에 해당하지 않는다.

| 해설 ① 대판 2004.8.20, 2004도3331
② 대판 2010.12.16, 2010도5986 전원합의체
③ 대판 1992.9.22, 91도3317
④ 관할위반의 판결은 종국재판에 해당한다(제319조 참조).

Answer 6.④ 7.④

최신판례

피고인이, '2020. 10. 9. 전동킥보드를 운전하여 사람을 상해에 이르게 하였다'는 특정범죄 가중처벌 등에 관한 법률 위반 등의 공소사실로 기소된 사안에서, 특정범죄가중법 제5조의 11 제1항에서의 '원동기장치자전거'에는 전동킥보드와 같은 개인형 이동장치도 포함된다고 판단되고, 다만, 개정 도로교통법이 전동킥보드와 같은 개인형 이동장치에 관한 규정을 신설하면서 이를 "자동차 등"이 아닌 "자전거 등"으로 분류한 것은 입법기술상의 편의를 위한 것으로 보는 것이 타당하므로, 이를 형법 제1조 제2항의 '범죄 후 법률이 변경되어 그 행위가 범죄를 구성하지 아니하게 된 경우'라고 볼 수는 없다(대판 2023.6.29, 2023도3351 전원합의체). 따라서 면소판결 없이 특정범죄 가중처벌 등에 관한 법률 위반 등을 적용하여 처벌 가능

THEMA 14 종국재판의 부수적 효과

구속영장의 실효	무죄, 면소, 형면제, 형의 선고유예, 형의 집행유예, 15. 9급 법원직 공소기각, 벌금, 과료를 과하는 판결이 선고된 때에는 구속영장은 효력을 잃는다(제331조).
압수물의 처분	1. 압수한 서류 또는 물품에 대하여 몰수의 선고가 없는 때에는 압수를 해제한 것으로 간주한다(제332조). 15. 9급 법원직 2. 압수한 장물로서 피해자에게 환부할 이유가 명백한 것은 판결로써 피해자에게 환부하는 선고를 하여야 한다(제333조 제1항). 이 경우에 장물을 처분하였을 때에는 판결로써 그 대가로 취득한 것을 피해자에게 교부하는 선고를 하여야 한다(동조 제2항). 3. 가환부한 장물에 대하여 별단의 선고가 없는 때에는 환부의 선고가 있는 것으로 간주한다(동조 제3항). 4. 위 2. 3.의 경우 이해관계인이 민사소송절차에 의하여 권리를 주장할 수 있다(동조 제4항).
가납재판	1. 법원은 벌금, 과료 또는 추징의 선고를 하는 경우에 판결의 확정 후에는 집행할 수 없거나 집행하기 곤란한 염려가 있다고 인정하는 때에는 직권이나 검사의 청구에 의하여 그에 상당한 금액의 가납을 명할 수 있다(제334조 제1항). 16. 경찰간부 2. 이 재판은 형의 선고와 동시에 판결로써 선고하여야 한다. 이 판결은 즉시 집행할 수 있으며, 상소에 의해 정지되지 않는다. 3. 부정수표단속법에 의하여 벌금을 선고하는 경우에는 필수적으로 가납을 명하여야 한다(동법 제6조).
집행유예 취소	1. 집행유예를 취소할 경우에는 검사는 피고인의 현재지 또는 최후의 거주지를 관할하는 법원에 청구(제335조 제1항) 2. 청구를 받은 법원은 피고인 또는 대리인의 의견을 물은 후 결정(동조 제2항) 3. 즉시항고 가능(동조 제3항)

01 압수물에 대한 설명으로 틀린 것은?

① 가납재판은 형의 선고와 동시에 판결로써 선고하여야 한다. 이 판결은 즉시 집행할 수 있으며, 상소에 의해 정지되지 않는다.
② 압수한 장물로서 피해자에게 환부할 이유가 명백한 것은 판결로써 피해자에게 환부하는 선고를 하여야 한다.
③ 부정수표단속법에 의하여 벌금을 선고하는 경우에도 가납을 명할 수 있다.
④ 압수장물에 대한 환부의 선고는 이해관계인이 민사소송절차에 의하여 그 권리를 주장함에 영향을 미치지 아니한다.

| 해설 ③ 부정수표단속법에 의하여 벌금을 선고하는 경우에는 필수적으로 가납을 명하여야 한다(동법 제6조).

Answer 1. ③

02 **판결의 효력과 관련된 다음 설명 중 가장 옳지 않은 것은?** 06. 법원사무관

① 압수한 서류 또는 물품에 대하여 몰수의 선고가 없는 때에는 압수를 해제한 것으로 간주한다.
② 벌금, 과료 또는 추징에 상당한 금액의 가납을 명한 판결은 즉시로 집행할 수 있다.
③ 무죄, 면소, 형의 면제, 형의 선고유예, 형의 집행유예, 공소기각의 판결이 선고된 때에는 구속영장은 효력을 잃으나, 벌금을 과하는 판결이 선고된 때에는 구속영장은 효력을 잃지 않는다.
④ 가환부한 장물에 대하여 별단의 선고가 없는 때에는 환부의 선고가 있는 것으로 간주한다.

| 해설 ① 제332조
② 제334조 제3항
③ 무죄, 면소, 형면제, 형의 선고유예, 형의 집행유예, 공소기각, 벌금, 과료를 과하는 판결이 선고된 때에는 구속영장은 효력을 잃는다(제331조).
④ 제333조 제3항

03 **종국재판에 관한 다음 설명 중 가장 옳지 않은 것은?** 15. 9급 법원직

① 피고인의 신청이 없으면 토지관할에 관하여 관할 위반의 선고를 하지 못하고, 관할 위반의 신청은 증거조사를 마치기 전에 하여야 한다.
② 피고인에 대하여 재판권이 없는 때에는 판결로써 공소기각의 선고를 하여야 한다.
③ 형의 집행유예 판결이 선고된 때에는 구속영장은 즉시 효력을 잃는다.
④ 종국재판에서 압수물에 대하여 몰수 또는 피해자환부의 선고가 없는 때에는 압수를 해제한 것으로 간주한다.

| 해설 ① 피고인의 신청이 없으면 토지관할에 관하여 관할 위반의 선고를 하지 못하고, 토지관할 위반의 신청은 피고사건에 대한 진술 전에 하여야 한다(제320조 제2항).
② 제327조 제1호
③ 제331조
④ 제332조

Answer 2. ③ 3. ①

제3절 재판의 확정과 효력

THEMA 15 재판의 확정과 효력

<table>
<tr><td>의 의</td><td colspan="4">재판이 통상의 불복방법에 의해서는 다툴 수 없게 되어 그 내용을 변경할 수 없게 된 상태를 말한다.</td></tr>
<tr><td rowspan="7">재판확정 시기</td><td rowspan="4">불복이 허용되지 않는 경우</td><td colspan="2">판결 전 소송절차에 관한 결정</td><td>원칙적으로 항고불가(제403조 제1항). 따라서 고지와 동시에 확정</td></tr>
<tr><td colspan="2">항고법원 · 고등법원의 결정</td><td>대법원에 즉시항고 가능한 경우를 제외하고 고지와 동시에 확정</td></tr>
<tr><td colspan="2">대법원의 결정</td><td>불복이 허용되지 않으므로 고지와 동시에 확정</td></tr>
<tr><td colspan="2">대법원의 판결</td><td>선고와 동시에 확정</td></tr>
<tr><td rowspan="3">불복이 허용되는 경우</td><td colspan="2">불복신청기간의 경과</td><td>• 제1심과 항소심판결, 약식명령, 즉결심판의 경우 선고 또는 고지 받은 날로부터 7일 경과로 확정
• 즉시항고가 허용되는 결정은 7일 경과로 확정
• 보통항고가 허용되는 결정은 항고기간 제한이 없으므로 결정을 취소해도 실익이 없게 된 때 확정</td></tr>
<tr><td colspan="2">불복신청의 포기 · 취하</td><td>상소의 포기 · 취하에 의해 확정</td></tr>
<tr><td colspan="2">불복신청기각재판의 확정</td><td>불복신청기각재판의 확정에 의해 재판확정</td></tr>
<tr><td rowspan="3">재판확정의 효력</td><td>형식적 확정력</td><td colspan="3">재판이 통상의 불복신청방법에 의해서 다툴 수 없는 상태에 이른 것을 말하며, 불가쟁적 효력을 형식적 확정력이라고 한다(재판의 형식적 확정력은 종국재판, 종국 전 재판, 형식재판, 실체재판을 불문하고 모든 재판에 발생함).</td></tr>
<tr><td rowspan="2">내용적 확정력</td><td>대내적 효과</td><td colspan="2">집행력이 발생한다(제459조). 실체재판 · 형식재판을 불문(집행을 요하는 재판에 대해서만 발생)</td></tr>
<tr><td>대외적 효과</td><td colspan="2">┌ 형식재판 ⇨ 형식재판이 확정되면 다른 법원은 동일한 사정 및 동일한 사항에 관하여 다른 판단을 할 수 없다(그러나 사정변경이 있는 경우에는 다른 판단가능).
└ 유 · 무죄, 면소판결 ⇨ 일사부재리의 효력(기판력)이 발생
▶ 일사부재리의 효력 ⇨ 유 · 무죄 및 면소판결이 내용적으로 확정(실체적 확정력)되면, 동일사건에 대해 후소법원은 다시 심리 · 판단할 수 없는 것을 말한다(다시 공소를 제기 ⇨ 면소판결).</td></tr>
</table>

01 **재판의 확정시기에 관한 설명 중 틀린 것은?**

① 고등법원의 판결은 선고 후 7일 이내에 상소하지 않으면 확정된다.

② 대법원판결은 정정기간의 경과로 확정된다는 견해가 판례이다.

③ 불복신청을 할 수 없는 재판에 대하여는 선고와 동시에 확정되는 것이 원칙이다.

④ 상소권의 포기 또는 상소의 취하가 있으면 재판이 확정된다.

해설 ② 대법원판결은 선고와 동시에 확정된다(대판 1967.6.2, 67초22).

02 **재판의 확정력에 관한 설명 중 옳지 않은 것은?** 02. 9급 검찰

① 형식적 확정력은 실체적 재판, 형식적 재판에 모두 발생한다.

② 재판의 내용적 확정력에 의하여 재판의 의사표시의 내용이 확정된다.

③ 재판의 실체적 확정력이 발생하면 동일사건에 대한 재소(再訴)가 금지된다.

④ 재판의 집행력은 내용적 확정에 의하는 것이므로 형식적 확정과는 관계없이 발생한다.

해설 ④ 재판이 통상의 불복신청방법에 의해서 다툴 수 없는 상태에 이른 것을 형식적 확정이라 하며, 확정재판의 이러한 불가쟁력 효력을 형식적 확정력이라고 한다. 그리고 재판이 형식적으로 확정되면 그와 함께 의사표시의 내용도 확정되는데 이를 내용적 확정이라 한다. 재판의 집행력은 내용적 확정력의 대내적 효과라고 한다. 따라서 형식적 확정력이 발생하면 그와 함께 의사표시의 내용도 확정되고 집행력도 발생하므로 형식적 확정과 집행력은 밀접한 관계가 있다.

03 **다음 설명 중 옳지 않은 것은?**(다툼이 있는 경우 판례에 의함) 15. 9급 검찰·마약수사

① 피고인이 동일한 행위에 관하여 외국에서 형의 확정판결을 받았더라도 이 외국판결에 대해서는 일사부재리의 원칙이 적용되지 않는다.

② 같은 일시·장소에서 도로교통법상 안전운전의무위반의 범칙 행위와 교통사고처리특례법 위반의 범죄행위를 한 경우 안전운전의무 불이행을 이유로 통고처분을 받아 범칙금을 납부한 자를 교통사고처리특례법 위반죄로 처벌하더라도 이중처벌에 해당하지 않는다.

③ 피고인이 공소사실의 내용이 된 사기범행과 관련하여 유사수신행위의 규제에 관한 법률에서 금지하고 있는 유사수신행위를 하였다는 범죄사실로 이미 유죄의 확정판결을 받았다면 다시 사기죄로 처벌할 수 없다.

④ 근접한 일시·장소에서 각각 '음주소란'과 '흉기휴대협박행위'를 한 경우 '음주소란'에 대하여 경범죄처벌법상 통고처분을 받아 범칙금을 납부한 자를 '흉기휴대 협박행위'에 대하여 폭력행위 등 처벌에 관한 법률 위반죄로 처벌하더라도 이중처벌에 해당하지 않는다.

해설 ① 대판 1988.1.19, 87도2287 ② 대판 1983.7.12, 83도1296
③ 유사수신행위의 규제에 관한 법률 제3조에서 금지하고 있는 유사수신행위 그 자체에는 기망행위가 포함되어 있지 않고, 이러한 위 법률 위반죄와 특정경제범죄 가중처벌 등에 관한 법률 위반(사기)죄는 각 그 구성요건을 달리하는 별개의 범죄로서, 서로 행위의 태양이나 보호법익을 달리하고 있어 양 죄는 상상적 경합관계가 아니라 실체적 경합관계로 봄이 상당할 뿐만 아니라, 그 기본적 사실관계에 있어서도 동일하다고 볼 수 없다(대판 2008.2.29, 2007도10414). ④ 대판 2012.9.13, 2012도6612

Answer 1.② 2.④ 3.③

THEMA 16 기판력

의 의	유죄·무죄의 실체판결과 면소판결이 확정된 경우에 동일사건에 대하여 재차 심리·판결하는 것을 허용하지 않는 일사부사재의 효력을 말한다(통설).	
기판력이 인정되는 재판	1. 유죄·무죄의 실체재판이나 면소판결이 확정되면 일사부재리의 효력이 발생한다. 13. 7급 국가직 2. 약식명령과 즉결심판도 확정되면 유죄판결확정과 동일하므로 일사부재리의 효력이 발생한다. 10·13. 9급 국가직·경찰간부 3. 경범죄처벌법과 도로교통법 위반 범칙금납부 ⇨ 일사부재리의 효력이 인정 4. 관세범인이 통고의 요지를 이행한 때 ⇨ 일사부재리의 효력인정(관세법 제317조) 5. 당연무효판결(예 死者에 대한 형선고) ⇨ 일사부재리의 효력인정(다수설) ▶ 소년법상의 보호처분의 결정을 받은 소년에 대하여 다시 공소제기 ⇨ 공소기각판결(대판 1985.5.28, 85도21) 09. 순경·9급 국가직, 10. 경찰승진·순경 2차, 12. 경찰간부, 15. 9급 교정·보호·철도경찰, 12·16. 9급 법원직, 16. 7급 국가직 ▶ 외국판결 ⇨ 일사부재리의 원칙이 적용 ×(대판 1983.10.25, 83도2366) 09. 경찰승진, 15. 9급 검찰·마약수사, 16. 순경 1차·경찰간부	
기판력이 미치는 범위	주관적 범위 (인적 범위)	1. 기판력은 피고인에게만 미치고, 그 이외의 자는 비록 공동피고인이라 하더라도 미치지 아니한다. 13. 7급 국가직 2. 성명을 모용 ⇨ 기판력은 피모용자에게 미치지 아니한다. 3. 위장출석의 경우 ⇨ 위장출석한 사람에 대해 기판력이 미친다.
	객관적 범위 (물적 범위)	법원의 현실적 심판대상인 공소사실뿐만 아니라 공소사실과 단일성·동일성이 인정되는 모든 사실에 미친다(다수설·판례). ▶ 상상적 경합관계의 경우에는 그중 1죄에 대한 확정판결의 기판력은 다른 죄에 대하여도 미친다(대판 2009.4.9, 2008도5634). 17. 9급 법원직
	시간적 범위	1. 상습범, 영업범 등 포괄일죄의 경우에 그 범죄행위가 확정판결 전후에 걸쳐서 행해졌다면 어느 시점까지 기판력을 인정할 것인가에 대하여 견해의 대립이 있으나 사실심리가 가능한 최후시점인 판결선고시를 기준으로 함이 타당(판례) 12. 경찰승진 2. 약식명령의 경우에는 명령의 발령시점이 기판력의 시간적 범위를 결정하는 기준이 된다(판례). 13. 경찰간부, 14. 7급 국가직, 15·16. 9급 법원직, 16. 순경 2차, 24. 경찰승진
기판력의 배제	형사소송법은 기판력을 배제하는 예외적인 경우로서 상소권의 회복(제345조), 재심(제420조) 및 비상상고(제441조)를 인정하고 있다.	

기판력의 객관적 범위 관련판례

확정판결과 그 이전의 범죄	1. ① 상습범으로서 포괄적 일죄의 관계에 있는 여러 개의 범죄사실 중 일부에 대하여 유죄판결이 확정된 경우에, 그 확정판결의 사실심판결 선고 전에 저질러진 나머지 범죄에 대하여 새로이 공소가 제기되었다면 그 새로운 공소는 확정판결이 있었던 사건과 동일한 사건에 대하여 다시 제기된 데 해당하므로 이에 대하여는 판결로써 면소의 선고를 하여야 하는 것인바(형사소송법 제326조 제1호), ② 다만 이러한 법리가 적용되기 위해서는 전의 확정판결에서 당해 피고인이 상습범으로 기소되어 처단되었을 것을 필요로 한다. 17. 9급 교정·보호·철도경찰 상습범 아닌 기본 구성요건의 범죄로 처단되는 데 그친 경우에는, 뒤에 기소된 사건에서 비로소 드러났거나 새로 저질러진 범죄사실과 전의 판결에서 이미 유죄로 확정된 범죄사실 등을 종합하여 비로소 그 모두가 상습범으로서의 포괄적 일죄에 해당하는 것으로 판단

<table>
<tr><td></td><td colspan="2">된다 하더라도 뒤늦게 앞서의 확정판결을 상습범의 일부에 대한 확정판결이라고 보아 그 기판력이 그 사실심판결 선고 전의 나머지 범죄에 미친다고 보아서는 아니 된다(대판 2004.9.16, 2001도3206 전원합의체). 따라서 단순사기죄로 기소되어 유죄판결이 확정된 범인은 상습성을 매개로 포괄일죄로 파악되는 여타의 사기범행에 대하여 기판력을 주장하지 못하게 된다(대판 2004.9.16, 2001도3206 전원합의체). 10. 경찰승진, 14. 9급 검찰·마약수사, 13·14·15. 9급 교정·보호·철도경찰, 14·17. 9급 법원직, 17. 경찰간부
2. 확정판결의 기판력이 미치는 범위는 확정된 사건 자체의 범죄사실과 죄명을 기준으로 정하는 것이 원칙이므로, 그 전의 확정판결에서 조세범 처벌법 제10조 제3항 각 호의 위반죄로 처단되는 데 그친 경우에는, 확정된 사건 자체의 범죄사실이 뒤에 공소가 제기된 사건과 종합하여 특정범죄 가중처벌 등에 관한 법률 제8조의 2 제1항 위반의 포괄일죄에 해당하는 것으로 판단된다 하더라도, 뒤늦게 앞서의 확정판결을 특정범죄 가중처벌 등에 관한 법률위반 범죄사실에 미친다고 볼 수 없다(대판 2015.6.23, 2015도2207).</td></tr>
<tr><td rowspan="2">범행 중간에 확정판결이 끼어 있는 경우</td><td>동종의 범죄에 관한 확정 판결</td><td>1. 공소제기된 범죄사실과 판결이 확정된 범죄사실만이 포괄하여 하나의 상습범을 구성하고, 추가로 발견된 확정판결 후의 범죄사실은 그것과 경합범 관계에 있는 별개의 상습범이 되므로, 어디까지나 별개의 독립된 범죄로 공소를 제기하여야 한다(대판 2000.3.10, 99도2744).
2. 공익근무요원인 피고인이 2009. 1. 13.부터 2009. 1. 15.까지 3일간, 2009. 9. 17.부터 2009. 9. 21.까지 3일간, 2009. 9. 23.부터 2009. 9. 24.까지 2일간 등 정당한 사유 없이 통산 8일 이상 복무를 이탈하여 구 병역법 위반으로 기소되었는데, 별도로 이와 동종의 범죄사실로 유죄판결을 받아 2009. 5. 16. 위 판결이 확정된 사안에서, 위 공소사실 중 확정판결 전에 범한 3일간의 복무이탈 부분에 대해서만 판결이 확정된 구 병역법 위반죄와 하나의 범죄를 구성한다(대판 2011.3.10, 2010도9317).</td></tr>
<tr><td>별개의 범죄에 관한 확정 판결</td><td>사기죄에 있어서 동일한 피해자에 대하여 수회에 걸쳐 기망행위를 하여 금원을 편취한 경우, 그 범의가 단일하고 범행방법이 동일하다면 사기죄의 포괄1죄만이 성립한다 할 것이고, 포괄1죄는 그 중간에 별종의 범죄에 대한 확정판결이 끼어 있어도 그 때문에 포괄적 범죄가 둘로 나뉘는 것은 아니라 할 것이고, 또 이 경우의 포괄 1죄는 그 확정판결 후인 최종의 범죄행위시에 완성되는 것이다(대판 2002.7.12, 2002도2029).</td></tr>
</table>

기판력의 시간적 범위 관련판례

<table>
<tr><td>유죄확정 판결의 기판력의 범위</td><td>1. 포괄일죄의 관계에 있는 범행 일부에 대하여 판결이 확정된 경우에는 사실심 판결선고시를 기준으로 그 이전에 이루어진 범행에 대하여는 확정판결의 기판력이 미쳐 면소의 판결을 선고하여야 한다(대판 2014.1.16, 2013도11649). 예 무면허 의료행위
2. 항소된 경우 유죄확정판결의 기판력의 시적범위는 사실심리의 가능성이 있는 최후의 시점인 항소심 판결선고시라고 함이 타당하다(대판 1983.4.26, 82도2829). 17. 9급 법원직
▶ 상고심의 파기환송에 의하여 포괄일죄가 항소심에 다시 소송계속된다면 그 판결의 기판력범위는 사실심리가 가능한 환송 후 항소심의 판결선고시점을 기준으로 결정
3. 약식명령은 그 기판력의 시적 범위를 판결절차와 달리 하여야 할 이유가 없으므로 그 발령시를 기준으로 하여야 한다(대판 1984.7.24, 84도1129).</td></tr>
<tr><td>항소기각으로 인한 기판력의 범위</td><td>항소이유서를 제출하지 아니하여 결정으로 항소가 기각된 경우에도 형사소송법 제361조의 4 제1항에 의하면 피고인이 항소한 때에는 법정기간 내에 항소이유서를 제출하지 아니하였다 하더라도 판결에 영향을 미친 사실오인이 있는 등 직권조사사유가 있으면 항소법원이 직권으로 심판하여 제1심판결을 파기하고 다시 판결할 수도 있으므로 사실심리의 가능성이 있는 최후시점은 항소기각 결정시라고 보는 것이 옳다(대판 1993.5.25, 93도836). 10·14. 7급 국가직</td></tr>
</table>

01 다음 중 기판력이 인정되지 아니한 경우를 모두 고른다면?(다툼이 있으면 판례에 의함)

㉠ 소년법상 보호처분결정	㉡ 불기소처분사건을 다시 공소제기한 경우
㉢ 외국법원에서 확정된 판결	㉣ 면소판결이 확정된 경우
㉤ 약식명령·즉결심판이 확정된 경우	㉥ 경범죄처벌법상 통고처분을 이행한 경우
㉦ 무죄판결이 확정된 경우	㉧ 관할위반판결이 확정된 경우

① ㉠, ㉡, ㉢, ㉣ ② ㉠, ㉡, ㉢, ㉧

③ ㉡, ㉢, ㉣, ㉥ ④ ㉠, ㉢, ㉣, ㉦

| 해설 기판력(일사부재리효력)은 원칙적으로 유죄판결·무죄판결·면소판결이 확정된 경우에 발생한다. 약식명령이나 즉결심판이 확정된 경우에도 확정판결과 동일한 효력이 있으므로 기판력이 발생한다.

㉠ 소년법상 보호처분은 확정판결이 아니므로 기판력이 발생하지 아니하며, 면소판결을 할 것이 아니라 공소기각판결을 하여야 한다는 것이 판례의 입장이다(대판 1985.5.28, 85도21).

㉡ 검사의 불기소처분은 확정판결이 아니므로 기판력이 인정되지 아니한다.

㉢ 외국판결은 우리나라에서 기판력이 부정된다(대판 1983.10.25, 83도2366).

㉥ 통고처분은 기판력이 미치지 아니하나 경범죄처벌법, 도로교통법, 관세법상 통고처분을 이행한 경우에는 그 범칙행위에 대하여 다시 벌을 받지 아니한다고 규정하고 있다(경범죄처벌법 제7조 제3항, 도로교통법 제119조 제3항, 관세법 제317조).

㉧ 관할위반판결이 확정된 경우에도 기판력이 발생하지 아니한다.

02 기판력의 발생시점에 대하여 옳은 것으로만 묶인 것은?(다툼이 있으면 판례에 의함) 12. 경찰승진

㉠ 甲은 폭행죄로 약식명령이 청구되어 서울중앙지방법원에서 2010. 10. 5. 甲에게 벌금 50만원의 약식명령을 발령하였고, 그 약식명령은 2010. 10. 9. 甲에게 송달되었는데 甲은 그 후 정식재판을 청구하지 않아 그 약식명령이 확정되었다.

㉡ 乙은 강도강간죄로 공소제기 되어 서울중앙지방법원에서 2010. 5. 2. 변론을 종결한 후 2010. 5. 16. 乙에게 징역 7년을 선고하였고, 乙이 이에 항소하여 서울고등법원에서 2010. 7. 6. 변론을 종결한 후 2010. 7. 20. 乙에게 징역 6년을 선고하였으며, 乙이 이에 상고하였으나 대법원에서 2010. 9. 4. 乙의 상고를 기각함으로써 그 판결이 확정되었다.

㉢ 丙은 특수절도죄로 공소제기 되어 서울중앙지방법원에서 2010. 7. 4. 변론을 종결한 후 2010. 7. 18. 징역 1년에 집행유예 2년을 선고하였는데, 丙과 검사가 모두 항소하지 않아 항소기간 도과로 판결이 확정되었다.

① ㉠ : 2010. 10. 5. ㉡ : 2010. 9. 4. ㉢ : 2010. 7. 18.

② ㉠ : 2010. 10. 9. ㉡ : 2010. 7. 6. ㉢ : 2010. 7. 4.

③ ㉠ : 2010. 10. 9. ㉡ : 2010. 7. 20. ㉢ : 2010. 7. 28.

④ ㉠ : 2010. 10. 5. ㉡ : 2010. 7. 20. ㉢ : 2010. 7. 18.

| 해설 ㉠㉢ 유죄의 확정판결의 기판력의 시적범위, 즉 어느 때까지의 범죄사실에 관하여 기판력이 미치느냐의 기준시점은 사실심리의 가능성이 있는 최후의 시점인 판결선고시를 기준으로 하여 가리게 되고, 판결절차 아닌 약식명령은 그 발령시를 기준으로 하여야 한다(대판 1984.7.24, 84도1129).

Answer 1.② 2.④

ⓛ 공소의 효력과 판결의 기판력의 기준시점은 사실심리의 가능성이 있는 최후의 시점인 판결선고시라고 할 것이나, 항소된 경우 그 시점은 현행 항소심의 구조에 비추어 항소심 판결선고시라고 함이 타당하고, 그것은 파기자판한 경우이든 항소기각된 경우든 다를 바가 없다(대판 1983.4.26, 82도2829).

03 **상습범으로서 포괄적 일죄의 관계에 있는 여러 개의 범죄사실 중 일부에 대하여 상습범이 아닌 기본 구성요건의 범죄로 유죄판결이 확정된 후에 검사가 그 확정판결의 사실심판결 선고 전에 저질러진 나머지 범죄사실을 상습범으로 기소한 경우 법원의 처리방법으로 옳은 것은?**(다툼이 있는 경우 판례에 의함) ※ 단, 다른 소송조건은 충족된 것으로 봄 14. 9급 검찰·마약·교정·보호·철도경찰

① 확정판결이 있었던 사건과 동일한 사건에 대하여 다시 공소제기된 것이므로 판결로써 면소의 선고를 하여야 한다.

② 공소제기가 법률의 규정에 위반하여 무효인 때에 해당하므로 공소기각의 결정을 하여야 한다.

③ 확정판결의 기판력이 미치지 않으므로 실체판결을 하여야 한다.

④ 공소제기된 사건에 대하여 다시 공소제기된 경우에 해당하므로 공소기각의 판결을 하여야 한다.

| 해설 ③ 상습범으로서 포괄적 일죄의 관계에 있는 여러 개의 범죄사실 중 일부에 대하여 유죄판결이 확정된 경우에, 그 확정판결의 사실심판결 선고 전에 저질러진 나머지 범죄에 대하여 새로이 공소가 제기되었다면 그 새로운 공소는 확정판결이 있었던 사건과 동일한 사건에 대하여 다시 제기된 데 해당하므로 이에 대하여는 판결로써 면소의 선고를 하여야 하는 것인바(형사소송법 제326조 제1호), 다만 이러한 법리가 적용되기 위해서는 전의 확정판결에서 당해 피고인이 상습범으로 기소되어 처단되었을 것을 필요로 하는 것이고, 상습범 아닌 기본 구성요건의 범죄로 처단되는 데 그친 경우에는, 가사 뒤에 기소된 사건에서 비로소 드러났거나 새로 저질러진 범죄사실과 전의 판결에서 이미 유죄로 확정된 범죄사실 등을 종합하여 비로소 그 모두가 상습범으로서의 포괄적 일죄에 해당하는 것으로 판단된다 하더라도 뒤늦게 앞서의 확정판결을 상습범의 일부에 대한 확정판결이라고 보아 그 기판력이 그 사실심판결 선고 전의 나머지 범죄에 미친다고 보아서는 아니 된다(대판 2004.9.16, 2001도3206 전원합의체).

04 **재판의 효력에 대한 설명으로 가장 적절하지 않은 것은?**(다툼이 있는 경우 판례에 의함)
18. 순경 3차

① 포괄일죄의 관계에 있는 범행일부에 관하여 약식명령이 확정된 경우, 약식명령의 발령시를 기준으로 하여 그 전의 범행에 대하여는 면소의 판결을 하여야 한다.

② 소년법 제32조의 보호처분을 받은 사건과 동일한 사건에 대하여 다시 공소제기가 되었다면 동조의 보호처분은 기판력이 있으므로 이에 대하여 면소판결을 해야 하는 것이지 공소제기절차가 동법 제53조의 규정에 위배하여 무효인 때로 판단하여 공소기각의 판결을 해야 할 것은 아니다.

③ 판결의 기판력의 기준시점은 사실심리의 가능성이 있는 최후의 시점인 판결선고시이므로, 항소된 경우 그 시점은 항소심 판결선고시이다.

Answer 3. ③ 4. ②

④ 원래 실체법상 상습사기의 일죄로 포괄될 수 있는 관계에 있는 일련의 사기 범행의 중간에 동종의 죄에 관한 확정판결이 있는 경우에는 그 확정판결에 의하여 원래 일죄로 포괄될 수 있었던 일련의 범행은 그 확정판결의 전후로 분리된다.

| 해설 ① 대판 2013.6.13, 2013도4737

② 이는 공소제기절차가 법률의 규정에 위배하여 무효인 때에 해당한 경우이므로 형사소송법 제327조 제2호의 규정에 의하여 공소기각의 판결을 하여야 한다(대판 1996.2.23, 96도47).

③ 대판 1983.4.26, 82도2829

④ 대판 2000.3.10, 99도2744

비교판례 : 포괄일죄는 그 중간에 별종의 범죄에 대한 확정판결이 끼어 있어도 그 때문에 포괄적 범죄가 둘로 나뉘는 것은 아니라 할 것이고, 그 확정판결 후의 범죄로서 다루어야 한다(이 경우의 포괄일죄는 그 확정판결 후인 최종의 범죄시에 완성되는 것이다)(대판 2002.7.12, 2002도2029).

05 **기판력에 관한 설명 중 가장 옳지 않은 것은?**(다툼이 있는 경우 판례에 의함) 18. 경찰간부

① 항소이유서 미제출을 이유로 항소법원이 항소기각결정을 하여 피고인이 상고하였으나 대법원이 상고를 기각한 경우, 기판력의 기준시점은 항소기각 결정시이다.

② 검사의 불기소처분에는 확정재판에 있어서의 확정력과 같은 효력이 없어 일단 불기소처분이 있더라도 공소시효가 완성되기 전이면 언제라도 공소를 제기할 수 있다.

③ 피고인이 '1997. 4. 3. 21 : 50경 서울 용산구 이태원동에 있는 햄버거 가게 화장실에서 피해자 甲을 칼로 찔러 乙과 공모하여 甲을 살해하였다.'는 내용으로 기소되었는데, 선행사건에서 '1997. 2. 초순부터 1997. 4. 3. 22 : 00경까지 정당한 이유 없이 범죄에 공용될 우려가 있는 위험한 물건인 휴대용 칼을 소지하였고, 1997. 4. 3. 23 : 00경 乙이 범행 후 햄버거 가게 화장실에 버린 칼을 집어들고 나와 용산 미8군영 내 하수구에 버려 타인의 형사사건에 관한 증거를 인멸하였다.'는 내용의 범죄 사실로 유죄판결을 받아 확정된 사안에서, 살인죄의 공소사실과 선행사건에서 유죄로 확정된 증거인멸죄 등의 범죄사실 사이에는 기본적 사실관계의 동일성이 있다.

④ 피고인이 동일한 행위에 관하여 외국에서 형사처벌을 과하는 확정판결을 받았다 하더라도 이러한 외국판결은 우리나라에서 기판력이 없다.

| 해설 ① 대판 1993.5.25, 93도836

② 대판 2009.10.29, 2009도6614

③ 살인죄의 공소사실과 선행사건에서 유죄로 확정된 증거인멸죄 등은 범행의 일시, 장소와 행위 태양이 서로 다르고, 보호법익이 서로 다르며 죄질에서도 현저한 차이가 있다. 따라서 이 사건 살인죄의 공소사실과 증거인멸죄 등의 범죄사실 사이에 기본적 사실관계의 동일성을 인정할 수 없다(대판 2017.1.25, 2016도15526).

④ 대판 1983.10.25, 83도2366

Answer 5. ③

06 **다음 설명 중 가장 옳지 않은 것은?**(다툼이 있는 경우 판례에 의함) 20. 9급 법원직

① 일사부재리의 효력이 미치는 객관적 범위는 법원의 현실적 심판의 대상인 공소사실은 물론이고, 그 공소사실과 단일하고 동일한 관계에 있는 사실 전부에 미친다.

② 상습범의 범죄사실에 대한 공판심리 중인 그 범죄사실과 동일한 습벽의 발현에 의한 것으로 인정되는 범죄사실이 추가로 발견된 경우에는 검사는 공소장변경절차에 의하여 그 범죄사실을 공소사실로 추가할 수 있다.

③ 공소제기된 사건에 적용된 법령이 헌법재판소의 위헌결정으로 효력이 소급하여 상실된 경우 '범죄 후의 법령개폐형이 폐지되었을 때'에 해당하므로 법원은 면소판결을 선고하여야 한다.

④ 형법 제40조 소정의 상상적 경합관계의 경우에는 그중 1죄에 대한 확정판결의 기판력은 다른 죄에 대하여도 미치는 것이고, 여기서 1개의 행위라 함은 법적 평가를 떠나 사회관념상 행위가 사물자연의 상태로서 1개로 평가되는 것을 의미한다. 따라서 일죄에 대한 판결이 확정되었다면 다른 일죄에 대하여도 기판력이 미친다.

| 해설 ① 대판 2012.6.14, 2011도6858
② 대판 2000.3.10, 99도2744
③ 위헌결정으로 인하여 형벌에 관한 법률 또는 법률조항이 소급하여 그 효력을 상실한 경우에는 당해 조항을 적용하여 공소가 제기된 피고사건은 범죄로 되지 아니한 때에 해당한다고 할 것이어서 법원은 그 피고사건에 대하여 형사소송법 제325조 전단에 따라 무죄를 선고하여야 한다(대판 2011.9.29, 2009도12515).
④ 대판 2009.4.9, 2008도5634

07 **다음의 〈사례〉는 甲이 저지른 X, Y, Z 범죄사실에 관한 처리 상황이다. 〈전제〉는 이 〈사례〉에 대한 가정이다. 이에 관한 설명 중 옳은 것은?**(다툼이 있는 경우 판례에 의함) 21. 경찰간부

〈사 례〉	甲은 X범죄사실(범행종료일 2015. 9. 21)로 기소되어 징역 8월 및 집행유예 2년의 형을 선고 받아 2016. 2. 27. 확정되었다. 甲은 다시 Y범죄사실(범행종료일 2016. 1. 7)로 공소가 제기되어 재판을 받고 있다. 그런데 Y공소사실의 공판심리 중 검사는 甲의 Z범죄사실(범행종료일 2016. 4. 18)을 추가로 확인하였다.
〈전 제〉	ⓐ X, Y, Z 범죄사실이 모두 포괄일죄인 영업범에 해당한다. ⓑ X, Y, Z 범죄사실 모두를 포괄일죄인 하나의 상습범으로 처벌할 수 있다.

① ⓐ의 경우 Z범죄사실을 Y공소사실에 추가하는 공소장변경을 할 수 있다.

② ⓐ의 경우 법원은 Y공소사실에 대해 면소판결을 선고하여야 한다.

③ ⓑ의 경우 만일 X범죄사실이 상습사기죄에 관한 것이면 Z범죄사실을 Y공소사실에 추가하는 공소장변경을 할 수 있다.

④ ⓑ의 경우 만일 X범죄사실이 단순사기죄에 관한 것이면 법원은 Y공소사실에 대해 면소판결을 선고하여야 한다.

Answer 6. ③ 7. ①②③

| 해설 포괄일죄에 관한 기판력의 효력범위와 공소장변경의 가능 여부를 묻는 문제인데 출제기관은 문제의 지문 중 사실심선고 시점을 기재하지 않은 오류가 있었다는 이유로 복수정답 처리하였다. 판례에 의하면, 포괄일죄의 관계에 있는 범행 일부에 관하여 판결이 확정된 경우에 사실심판결의 선고시를 기준으로 그 이전에 이루어진 범행에 대하여는 확정판결의 효력이 미쳐 면소판결을 선고하여야 하며, 그 이후에 이루어진 범행에 대하여는 별개의 범죄로 되어 재차 공소제기가 가능하다(대판 2013.5.24, 2011도9549).
①③ Z범죄사실을 Y공소사실에 추가하는 공소장변경 가능 여부는 X범죄에 대한 판결선고 시점이 밝혀져야 할 것인데, X범죄의 사실심판결 선고가 2016. 1. 7.(Y범죄 종료일) 이전이라면 Z범죄사실에 Y공소사실을 추가하는 공소장변경이 가능하지만 2016. 1. 7. 이후라면 X사실의 기판력이 Y사실에 미칠 수도 있어 기판력이 미치는 범위 여하에 따라 공소장변경 가능 여부가 달라질 것이다.
② X범죄의 사실심 판결선고시 여부에 따라 Y공소사실에 대하여 면소판결 여부가 달라지게 된다.
④ 상습범 아닌 기본 구성요건의 범죄로 처단되는 데 그친 경우에는, 그 기판력이 그 사실심판결 선고 전의 나머지 범죄에 미친다고 보아서는 아니된다(대판 2004.9.16, 2001도3206 전원합의체). 따라서 X범죄사실이 단순사기죄에 관한 것이면 법원은 Y공소사실에 대해 면소판결을 선고하여서는 안되고 실체판결을 하여야 한다.

08 기판력에 대한 설명으로 가장 적절하지 않은 것은?(다툼이 있는 경우 판례에 의함) 22. 경찰승진

① 경찰서장이 범칙행위에 대하여 통고처분을 한 경우, 통고처분에서 정한 범칙금 납부기간까지는 원칙적으로 경찰서장은 즉결심판을 청구할 수 없지만, 검사는 통고처분에서 정한 범칙금 납부기간이 지나지 않더라도 동일한 범칙행위에 대하여 공소를 제기할 수 있다고 보아야 한다.

② 소년법 제32조의 보호처분을 받은 사건과 동일한 사건에 대하여 다시 공소제기가 되었다면 면소판결을 할 것이 아니라 공소기각의 판결을 하여야 한다.

③ 피고인이 외국에서 형사처벌을 과하는 확정판결을 받았더라도 그 외국 판결은 우리나라 법원을 기속할 수 없고 우리나라에서는 기판력도 없어 일사부재리의 원칙이 적용되지 않는다.

④ 회사의 대표이사가 업무상 보관하던 회사 자금을 빼돌려 횡령한 다음 그 중 일부를 더 많은 장비 납품 등의 계약을 체결할 수 있도록 해달라는 취지의 묵시적 청탁과 함께 배임증재에 공여한 경우, 횡령의 점에 대하여 약식명령이 확정되었다고 하더라도 그 기판력이 배임증재의 점에는 미치지 아니한다.

| 해설 ① 경찰서장이 범칙행위에 대하여 통고처분을 한 이상, 통고처분에서 정한 범칙금 납부기간까지는 원칙적으로 경찰서장은 즉결심판을 청구할 수 없고, 검사도 동일한 범칙행위에 대하여 공소를 제기할 수 없다(대판 2020.4.29, 2017도13409).
② 대판 1996.2.23, 96도47
③ 대판 1983.10.25, 83도2366
④ 대판 2008.11.13, 2006도4885

Answer 8. ①

09 **기판력에 대한 설명으로 가장 적절하지 않은 것은?**(다툼이 있는 경우 판례에 의함) 23. 경찰승진

① 가정폭력범죄의 처벌 등에 관한 특례법에 따른 보호처분을 받은 사건과 동일한 사건에 대하여 다시 공소제기가 된 경우 공소기각 판결을 하여야 한다.

② 과태료를 납부한 후에 다시 형사처벌을 하는 것은 일사부재리의 원칙에 반하는 것이 아니다.

③ 사기죄에 있어서 동일한 피해자에 대하여 수회에 걸쳐 기망행위를 하여 금원을 편취한 경우, 그 범의가 단일하고 범행방법이 동일하다면 사기죄의 포괄일죄만이 성립한다고 할 것이나, 포괄일죄의 중간에 별종의 범죄에 대한 확정판결이 끼어 있다면 그로 인해 사기죄의 포괄적 범죄는 둘로 나뉘는 것이다.

④ 판결의 기판력의 기준시점은 사실심리의 가능성이 있는 최후의 시점인 판결선고시이므로, 항소된 경우 그 시점은 항소심 판결선고시이다.

| 해설 ① 대판 2017.8.23, 2016도5423 ② 대판 2002.11.22, 2001도849
③ 사기죄에 있어서 동일한 피해자에 대하여 수회에 걸쳐 기망행위를 하여 금원을 편취한 경우, 그 범의가 단일하고 범행방법이 동일하다면 사기죄의 포괄1죄만이 성립한다 할 것이고, 포괄1죄는 그 중간에 별종의 범죄에 대한 확정판결이 끼어 있어도 그 때문에 포괄적 범죄가 둘로 나뉘는 것은 아니라 할 것이고, 또 이 경우의 포괄1죄는 그 확정판결 후인 최종의 범죄행위시에 완성되는 것이다(대판 2002.7.12, 2002도2029).
④ 대판 1983.4.26, 82도2829

10 **일사부재리에 관한 설명으로 옳지 않은 것은 몇 개인가?**(다툼이 있으면 판례에 의함)

㉠ 헌법은 제13조 제1항에서 "모든 국민은 … 동일한 범죄에 대하여 거듭 처벌받지 아니한다."라고 규정하여 일사부재리의 원칙을 선언하고 있다. 여기에서 '처벌'이란 원칙적으로 범죄에 대한 국가의 형벌권 실행으로서의 과벌을 의미하고, 국가가 행하는 일체의 제재나 불이익처분이 모두 여기에 포함되는 것은 아니다.

㉡ '금지통고된 집회를 주최하였다.'는 집회 및 시위에 관한 법률 위반 공소사실로 기소되었는데, 선행 사건에서 위 집회와 그 이후 계속된 폭력적인 시위에 참가하였다는 이른바 질서위협 집회 및 시위 참가로 인한 같은 법 위반죄 등으로 유죄 확정판결을 받은 사안에서, 위 공소사실과 선행 확정판결의 공소사실은 기본적 사실관계가 동일한 것으로 평가할 수 있어 기판력이 미친다.

㉢ 피고인이 유사석유제품을 판매하였다는 석유 및 석유대체연료 사업법 위반죄의 범죄사실로 유죄판결을 받아 확정되었는데, 위와 같은 유사석유제품을 제조하여 판매하고도 그에 관한 부가가치세 등 조세를 포탈하였다는 공소사실은 기본적 사실관계의 동일성을 인정할 수 있으므로 확정판결의 기판력이 공소사실에 미친다.

㉣ 피고인이 수회의 공갈행위로 폭력행위 등 처벌에 관한 법률 제2조 제1항 제3호, 형법 제350조(상습공갈)가 적용되어 상습범으로 유죄판결이 확정된 경우 그 사실심판결 선고 전에 저질러진 재물손괴 범죄에 대하여는 동일한 폭력행위의 습벽이 인정되더라도 그 확정판결의 기판력이 미치지 아니한다.

Answer 9. ③ 10. ②

> ㉤ 피고인이 '2015. 4. 16. 13 : 10경부터 14 : 30경까지 甲업체 사무실에서 직원 6명 가량이 있는 가운데 직원들에게 행패를 하면서 피해자 乙의 업무를 방해하였다.'는 공소사실로 기소되었는데, 피고인은 '2015. 4. 16. 13 : 30경부터 15 : 00경 사이에 甲업체 사무실에 찾아와 피해자 丙, 丁과 일반 직원들이 근무를 하고 있음에도 피해자들에게 욕설을 하는 등 큰소리를 지르고 돌아다니며 위력으로 업무를 방해하였다.'는 등의 범죄사실로 이미 유죄판결을 받아 확정된 사안에서, 업무방해의 공소사실과 확정판결 중 업무방해죄의 범죄사실은 상상적 경합관계에 있고, 확정판결의 기판력이 업무방해의 공소사실에 미친다.

① 1개 ② 2개 ③ 3개 ④ 4개

| 해설 ㉠ ○ : 대판 2017.8.23, 2016도5423

㉡ ○ : 대판 2017.8.23, 2015도11679

㉢ × : 피고인이 유사석유제품을 판매하였다는 석유 및 석유대체연료 사업법 위반죄의 범죄사실로 유죄판결을 받아 확정되었는데, 위와 같은 유사석유제품을 제조하여 판매하고도 그에 관한 부가가치세 등을 신고·납부하지 않고 조세를 포탈하였다는 공소사실로 기소된 사안에서, 석유사업법 위반죄의 범죄사실은 내용이나 행위 태양, 피해법익이 조세 포탈행위로 인한 공소사실과 서로 달라 석유사업법 위반죄의 범죄사실과 공소사실 사이에 기본적 사실관계의 동일성을 인정할 수 없으므로 확정판결의 기판력이 공소사실에 미치지 않는다(대판 2017.12.5, 2013도7649).

㉣ × : 폭력행위 등 처벌에 관한 법률 제2조 제1항에서 말하는 '상습'이란 같은 항 각 호에 열거된 각 범죄행위 상호간의 상습성만을 의미하는 것이 아니라, 같은 항 각 호에 열거된 모든 범죄행위를 포괄한 폭력행위의 습벽을 의미하는 것이라고 해석함이 상당하므로, 위와 같은 습벽을 가진 자가 폭력행위 등 처벌에 관한 법률 제2조 제1항 각 호에 열거된 형법 각 조 소정의 다른 수종의 죄를 범하였다면 그 각 행위는 그 각 호 중 가장 중한 법정형의 상습폭력범죄의 포괄일죄에 해당한다(대판 2008.8.21, 2008도3657). 따라서 확정판결의 기판력이 미치게 된다.

㉤ ○ : 대판 2017.9.21, 2017도11687

11 기판력에 관한 판례의 내용으로 틀린 것은 몇 개인가?

> ㉠ 전의 확정판결에서 조세범 처벌법 위반죄(재화 또는 용역을 공급하거나 공급받지 않고 세금계산서 등 발급, 알선, 중개 등)로 처단되는 데 그친 경우에, 확정된 사건 자체의 범죄사실이 뒤에 공소가 제기된 사건과 종합하여 특정범죄 가중처벌 등에 관한 법률위반(영리목적으로 조세범처벌법 제10조 제3항 및 제4항 위반)의 포괄일죄에 해당하는 것으로 판단된다면 뒤늦게 앞서의 확정판결을 포괄일죄의 일부에 대한 확정판결이라고 보아 기판력이 사실심판결 선고 전의 특가법 위반 범죄사실에 미친다고 볼 수 있다.
>
> ㉡ 2000년 8월 20일 무면허의료행위로 유죄판결이 선고되어 확정된 후 그 사건 선고 전에 범한 동년 7월 2일부터 8월 2일까지 3회에 걸친 무면허의료행위사실이 다시 공소제기된 경우 법원은 면소판결을 하여야 한다.
>
> ㉢ 사기죄에 있어서 동일한 피해자에 대하여 수회에 걸쳐 기망행위를 하여 금원을 편취한 경우, 그 범의가 단일하고 범행 방법이 동일하다면 사기죄의 포괄일죄만이 성립한다 할 것이고, 포괄일죄는 그 중간에 별종의 범죄에 대한 확정판결이 끼어 있으면, 포괄적 범죄가 둘로 나뉘는 것이다.

Answer 11. ②

㉣ 단일하고 계속된 범의아래 같은 장소에서 반복하여 여러 사람으로부터 계불입금을 편취한 소위는 피해자별로 포괄하여 1개의 사기죄가 성립하고 이들 포괄일죄 상호간은 상상적 경합관계에 있다고 볼 것이므로 그중 일부 피해자들로부터 계불입금을 편취하였다는 공소사실에 대하여 확정판결이 있었다면 나머지 피해자들에 대한 이 사건 공소사실에 대하여도 위 판결의 기판력이 미치게 된다고 할 것이다.

㉤ 공익근무요원인 피고인이 2009. 1. 13.부터 2009. 1. 15.까지 3일간, 2009. 9. 17.부터 2009. 9. 21.까지 3일간, 2009. 9. 23.부터 2009. 9. 24.까지 2일간 등 정당한 사유 없이 통산 8일 이상 복무를 이탈하여 구 병역법 위반으로 기소된 경우, 별도로 이와 동종의 범죄사실로 2009. 5. 16. 유죄판결을 받아 판결이 확정된 사안에서, 위 공소사실 중 확정판결 전에 범한 3일간의 복무이탈 부분에 대해서는 면소를 선고하고, 나머지 공소사실 부분인 통산 5일간의 복무이탈 부분에 대해서는 범죄로 되지 아니하는 때에는 무죄를 선고하여야 한다.

㉥ 유죄판결이 선고되어 확정된 "피고인이 2013. 5. 12.경 부천시 원미구 소재 새마을금고 앞에서 동네 후배인로부터 그 명의의 새마을금고 통장과 현금카드를 양수하였다."라는 사실과 "피고인과 성명불상자가 공동하여 통장을 만들어주지 아니하면 위해를 가할 것처럼 행동하며 위협적인 말투로 통장을 만들어 달라고 겁을 주어 2013. 5. 12.경 부천시 원미구 소재 새마을금고에서 피해자로 하여금 자신들이 원하는 비밀번호를 설정하고 피해자 명의의 새마을금고 통장을 개설하게 하여 위 통장 및 접근매체를 갈취하였다."라는 공소사실은 동일성이 인정되므로 확정판결의 기판력이 미친다.

① 1개 ② 2개 ③ 3개 ④ 4개

| 해설 ㉠ × : 전의 확정판결에서 조세범 처벌법 제10조 제3항 각 호의 위반죄(재화 또는 용역을 공급하거나 공급받지 않고 세금계산서 등 발급, 알선, 중개 등)로 처단되는 데 그친 경우에는, 확정된 사건 자체의 범죄사실이 뒤에 공소가 제기된 사건과 종합하여 특정범죄 가중처벌 등에 관한 법률 제8조의 2 제1항 위반(영리목적으로 조세범처벌법 제10조 제3항 및 제4항 위반)의 포괄일죄에 해당하는 것으로 판단된다 하더라도, 뒤늦게 앞서의 확정판결을 포괄일죄의 일부에 대한 확정판결이라고 보아 기판력이 사실심판결 선고 전의 특가법 제8조의 2 제1항 위반 범죄사실에 미친다고 볼 수 없다(대판 2015.6.23, 2015도2207).
㉡ ○ : 위 사안의 경우 판결선고 전의 사실이므로 이미 확정된 판결의 기판력이 판결선고 전 사실에 미친다 할 것이므로 확정된 사건에 대한 공소제기는 면소판결사유가 된다(만일 선고 후 범한 경우라면 별개의 범죄로 되어 재차 공소제기가 가능하다).
㉢ × : 사기죄에 있어서 동일한 피해자에 대하여 수회에 걸쳐 기망행위를 하여 금원을 편취한 경우, 그 범의가 단일하고 범행 방법이 동일하다면 사기죄의 포괄일죄만이 성립한다 할 것이고, 포괄일죄는 그 중간에 별종의 범죄에 대한 확정판결이 끼어 있어도 그 때문에 포괄적 범죄가 둘로 나뉘는 것은 아니라 할 것이고, 이 경우의 포괄일죄는 다른 종류의 죄의 확정판결 후인 최종의 범죄행위시에 완성되는 것이다(대판 2002.7.12, 2002도2029).
㉣ ○ : 대판 1990.1.25, 89도252
㉤ ○ : 대판 2011.3.10, 2010도9317
㉥ ○ : 대판 2015.9.10, 2015도708

12 **일사부재리효력에 관한 설명 중 적절하지 않은 것으로만 묶인 것은?**(다툼이 있는 경우 판례에 의함)

㉠ 특정범죄 가중처벌 등에 관한 법률 제5조의 4 제5항(범죄전력 및 누범가중의 요건을 갖춘 경우에는 상습성이 인정되지 않은 경우에도 상습범에 관한 제1항 내지 제4항에 정한 법정형에 의하여 처벌한다는 규정)에 의해 기소되어 처벌받은 경우에 피고인에게 절도의 습벽이 인정된다면, 위 조항으로 처벌받은 확정판결의 기판력은 그 판결확정 전에 범한 다른 절도범행에 대하여도 미치게 된다.

㉡ 17개월 동안 피해자의 휴대전화로 거의 동일한 내용을 담은 문자 메시지를 발송함으로써 이루어진 정보통신망 이용촉진 및 정보보호 등에 관한 법률 위반행위 중 일부 기간의 행위에 대하여 먼저 유죄판결이 확정된 후, 판결확정 전의 다른 일부 기간의 행위가 다시 기소된 사안에서, 이는 판결이 확정된 후 위 법률위반죄와 포괄일죄의 관계이므로 확정판결의 기판력이 미친다.

㉢ 위험물인 유사석유제품을 제조한 석유사업법 위반 및 소방법 위반의 범행(제1범죄행위)으로 경찰에 단속된 후 기소중지되어 한 달 이상 범행을 중단하였다가 다시 위험물인 유사석유제품을 제조함으로써 석유 및 석유대체연료 사업법 위반 및 위험물안전관리법 위반의 범행(제2범죄행위)을 하고, 그 후 제1범죄행위에 대하여 약식명령이 확정된 사안에서, 확정된 약식명령의 기판력은 제2범죄행위에 미치지 않는다.

㉣ 하나의 사건에 관하여 한 번 선서한 증인이 같은 기일에 여러 가지 사실에 관하여 기억에 반하는 허위의 진술을 한 경우, 당해 위증 사건의 허위진술 일자와 같은 날짜에 한 다른 허위진술로 인한 위증사건에 관한 판결이 확정되었다면, 비록 종전 사건 공소사실에서 허위의 진술이라고 한 부분과 당해 공소사실에서 허위의 진술이라고 한 부분이 다르다 하여도 종전 사건의 확정판결의 기판력은 당해 사건에도 미치게 되어 당해 위증죄 부분은 면소되어야 한다.

㉤ 도로교통법 제148조의 2 제1항 제1호의 '도로교통법 제44조 제1항을 2회 이상 위반한' 것에 구 도로교통법 제44조 제1항 위반 음주운전 전과도 포함된다고 해석하는 것은 형벌불소급원칙이나 일사부재리원칙 또는 비례원칙에 위배된다.

㉥ '영리를 목적으로 병원 시술상품을 판매하는 배너광고를 게시하는 방법으로 병원에 환자들을 소개·유인·알선하고, 그 대가로 환자들이 지급한 진료비 중 일정 비율을 수수료로 의사들로부터 지급받았다.'는 의료법 위반 공소사실로 기소된 사안에서, 유죄로 확정된 표시·광고의 공정화에 관한 법률 위반죄의 범죄사실과 동일성이 있으므로, 표시·광고의 공정화에 관한 법률 위반죄의 약식명령이 확정되었다면 그 기판력이 공소사실에까지 미치는 것이다.

① ㉠, ㉡, ㉣　　② ㉠, ㉤, ㉥
③ ㉡, ㉣, ㉤　　④ ㉢, ㉣, ㉤

해설 ㉠ ×: 특정범죄 가중처벌 등에 관한 법률 제5조의 4 제5항은 거기서 정하는 범죄전력 및 누범가중의 요건이 갖추어진 경우에는 상습성이 인정되지 아니하는 때에도 상습범에 관한 같은 조 제1항 내지 제4항 소정의 법정형에 의하여 처벌한다는 취지로서, 위 제5항의 범죄로 기소되어 처벌받은 경우를 상습범으로 기소되어 처벌받은 경우라고 볼 수 없다. 따라서 설사 피고인에게 절도의 습벽이 인정된다고 하더라도 위 법조항으로 처벌받은 확정판결의 기판력은 그 판결의 확정 전에 범한 다른 절도행위에 대하여는 미치지 아니한다고 봄이 상당하다(대판 2010.1.28, 2009도13411).
㉡ ○: 대판 2009.2.26, 2009도39

Answer 12. ②

㉢ ○ : 대판 2006.9.8, 2006도3172
㉣ ○ : 대판 2007.3.15, 2006도9463
㉤ × : 도로교통법 제148조의 2 제1항 제1호는 도로교통법 제44조 제1항(음주운전)을 2회 이상 위반한 사람으로서 다시 같은 조 제1항을 위반하여 술에 취한 상태에서 자동차 등을 운전한 사람에 대해 1년 이상 3년 이하의 징역이나 500만원 이상 1,000만원 이하의 벌금에 처하도록 규정하고 있는데, 도로교통법 제148조의 2 제1항 제1호에서 정하고 있는 '도로교통법 제44조 제1항을 2회 이상 위반한' 것에 개정된 도로교통법이 시행된 2011. 12. 9. 이전에 구 도로교통법 제44조 제1항을 위반한 음주운전 전과까지 포함되는 것으로 해석하는 것이 형벌불소급의 원칙이나 일사부재리의 원칙 또는 비례의 원칙에 위배된다고 할 수 없다(대판 2012.11.29, 2012도10269).
㉥ × : 인터넷 성형쇼핑몰 형태의 통신판매 사이트를 운영하는 피고인들이 '병원 시술상품을 판매하는 배너광고를 게시하면서 배너의 구매 개수와 시술후기를 허위로 게시하였다.'는 표시·광고의 공정화에 관한 법률 위반죄의 범죄사실로 각 벌금형의 약식명령을 받아 확정되었는데, '영리를 목적으로 병원 시술상품을 판매하는 배너광고를 게시하는 방법으로 병원에 환자들을 소개·유인·알선하고, 그 대가로 환자들이 지급한 진료비 중 일정 비율을 수수료로 의사들로부터 지급받았다.'는 의료법 위반 공소사실로 기소된 사안에서, 공소사실에 따른 의료법 위반죄는 유죄로 확정된 표시·광고의 공정화에 관한 법률 위반죄의 범죄사실과 동일성이 없으므로, 표시·광고의 공정화에 관한 법률 위반죄의 약식명령이 확정되었다고 하여 그 기판력이 공소사실에까지 미치는 것은 아니다(대판 2019.4.25, 2018도20928).

04

13 기판력에 대한 설명으로 옳은 것만을 모두 고르면? 23. 7급 국가직

㉠ 종전의 확정판결에서 조세범처벌법위반죄로 처단되는 데 그친 사건의 범죄사실이 뒤에 공소가 제기된 사건과 종합하여 특정범죄 가중처벌 등에 관한 법률위반의 포괄일죄에 해당하는 것으로 판단된다면, 조세범처벌법위반에 대한 확정판결의 기판력이 그 사실심판결 선고 전의 특정범죄 가중처벌 등에 관한 법률위반 범죄사실에 미친다.
㉡ 경범죄처벌법상 '음주소란' 범칙행위로 범칙금 통고처분을 받아 이를 납부한 피고인이 이와 근접한 일시·장소에서 위험한 물건인 과도를 들고 피해자를 쫓아가며 "죽여 버린다"라고 소리쳐 협박하였다는 내용의 폭력행위 등 처벌에 관한 법률위반으로 기소된 경우, 위 범칙금 납부의 효력은 공소사실에 미치지 않는다.
㉢ 약식명령의 기판력의 시적 범위는 약식명령의 송달시를 기준으로 한다.
㉣ 회사의 대표이사가 회사자금을 빼돌려 횡령한 다음 그 중 일부를 배임증재에 공여한 경우, 횡령의 점에 대해 확정된 약식명령의 기판력은 배임증재의 점에는 미치지 않는다.

① ㉠, ㉡ ② ㉠, ㉢ ③ ㉡, ㉣ ④ ㉢, ㉣

해설 ㉠ × : 종전의 확정판결에서 조세범처벌법위반죄로 처단되는 데 그친 사건의 범죄사실이 뒤에 공소가 제기된 사건과 종합하여 특정범죄 가중처벌 등에 관한 법률위반의 포괄일죄에 해당하는 것으로 판단된다 하더라도 조세범처벌법위반에 대한 확정판결의 기판력이 그 사실심판결 선고 전의 특정범죄 가중처벌 등에 관한 법률위반 범죄사실에 미친다고 볼 수 없다(대판 2015.6.23, 2015도2207).
㉡ ○ : 대판 2012.9.13, 2012도6612
㉢ × : 포괄일죄의 관계에 있는 범행의 일부에 대하여 약식명령이 확정된 경우에는 그 약식명령의 발령 시를 기준으로 하여 그 이전에 이루어진 범행에 대하여는 면소의 판결을 선고하여야 한다(대판 2013.6.13, 2013도4737).
㉣ ○ : 대판 2010.5.13, 2009도13463

Answer 13. ③

최신판례

피고인이 피해자 A에 대한 성폭력범죄의 처벌 등에 관한 특례법위반(통신매체이용음란) 등 범행으로 선행 확정판결, 선행 약식명령을 받았고, 이 사건 공소사실 중 일부가 선행 확정판결 사실심 판결선고시, 약식명령 발령시 이전에 이루어졌으며, 선행 확정판결, 선행 약식명령의 범죄사실과 포괄일죄 관계에 있는 피해자 A에 대한 성폭력범죄의 처벌 등에 관한 특례법위반(통신매체이용음란) 등 범행과 상상적 경합관계에 있으므로, 해당 부분 공소사실에 대하여 선행 확정판결, 선행 약식명령의 기판력이 미친다(대판 2023.6.29, 2020도3705).

THEMA 17

소송비용부담에 관한 설명 중 틀린 것은?

① 소송비용은 국가가 부담하는 것이 원칙이나 일정한 조건하에서 그 전부 또는 일부를 피고인에게 부담하게 할 수 있다.

② 법원이 선임한 변호인의 일당, 여비, 숙박료 및 관보와 신문지에의 공고비용도 소송비용에 포함된다.

③ 법원은 소환장을 송달받은 증인이 정당한 사유 없이 출석하지 아니한 때에는 당해 불출석으로 인한 소송비용을 증인이 부담하도록 명할 수 있다.

④ 소송비용의 부담을 명하는 재판에 그 금액을 표시하지 않은 때에는 검사가 추후 그 금액을 산정한다.

| 도움말 소송비용(형사소송비용 등에 관한 법률 제2조)

형사소송법에 따른 소송비용은 다음에 해당하는 것으로 한다.

1. 증인 · 감정인 · 통역인 또는 번역인의 일당, 여비 및 숙박료
2. 감정인 · 통역인 또는 번역인의 감정료 · 통역료 · 번역료, 그 밖의 비용
3. 국선변호인의 일당, 여비, 숙박료 및 보수

▶ 국선변호인 보수 ⇨ 포함 ○

▶ 무죄 또는 면소판결의 공시에 의한 관보 등에 공고한 비용 ⇨ 포함 ×

| 해 설

① 제186조 참조

② 신문에 공고비용은 개정법에 의하면 소송비용에 포함되지 않는다.

③ 제151조 제1항

④ 소송비용의 부담을 명하는 재판에 그 금액을 표시하지 아니한 때에는 집행을 지휘하는 '검사'가 산정한다(제194조).

» ②

01 **형사재판에서 소송비용부담에 관한 설명 중 잘못된 것은?** 02. 9급 법원직

① 형의 선고를 하는 때에는 피고인에게 소송비용의 전부 또는 일부를 부담하게 하여야 한다.
② 피고인에게 책임지울 사유로 발생된 비용은 형의 선고를 하지 아니하는 경우에도 피고인에게 부담하게 할 수 있다.
③ 고소 또는 고발에 의하여 공소를 제기한 사건에 관하여 피고인이 무죄 또는 면소의 판결을 받은 경우에 고소인 또는 고발인에게 고의 또는 중대한 과실이 있는 경우에는 그 자에게 소송비용의 전부 또는 일부를 부담하게 할 수 있다.
④ 검사만이 상소 또는 재심청구를 한 경우에 상소 또는 재심의 청구가 기각되거나 취하된 때에는 그 소송비용을 피고인에게 책임지울 사유로 발생된 비용은 피고인에게 부담하게 할 수 있다.

| 해설 ① 제186조 제1항(다만, 피고인의 경제적 사정으로 소송비용을 납부할 수 없는 때에는 그러하지 아니하다)의 형을 선고하는 때란 집행유예의 경우는 포함되나 형면제나 선고유예는 여기에 해당하지 아니한다.
② 동조 제2항
③ 제188조
④ 검사만이 상소 또는 재심청구를 한 경우 기각되거나 취하된 경우에는 피고인에게 소송비용을 부담하게 할 수 없다(제189조). 검사 아닌 자가 상소 또는 재심청구를 한 경우에 상소 또는 재심의 청구가 기각되거나 취하된 때에는 그 자에게 소송비용을 부담하게 할 수 있다(제190조 제1항). 여기의 검사 아닌 자란 피고인도 포함한다. 그러나 변호인이 피고인을 대리하여 상소 또는 재심청구를 취하한 때에는 피고인을 대리하여 한 것이므로 변호인에게 소송비용을 부담하게 할 수 없다.

02 **소송비용부담재판의 집행에 관한 설명으로 틀린 것은?**

① 소송비용부담의 재판도 검사의 지휘에 의하여 집행한다.
② 소송비용부담의 재판을 받은 자가 빈곤으로 인하여 이를 완납할 수 없는 때에는 그 재판의 확정 후 10일 이내에 재판을 선고한 법원에 소송비용의 전부 또는 일부에 대한 재판의 집행면제를 신청할 수 있다.
③ 소송비용부담의 재판의 집행은 집행면제신청이 있어도 재판의 집행이 정지되지는 않는다.
④ 소송비용집행면제신청에 대한 법원의 결정에 즉시항고할 수 있다.

| 해설 ① 제460조 제1항
② 제487조
③ 소송비용부담의 재판의 집행은 집행면제신청기간 내와 그 신청이 있는 때에는 그 신청에 대한 재판이 확정될 때까지 정지된다(제472조).
④ 제491조

Answer 1. ④ 2. ③

03 **다음은 형사소송비용에 관한 설명이다. 그중 맞는 것은?**(판례에 의함) 04. 법원주사보

① 피고인에게 책임지울 사유로 발생된 비용이라도 피고인에게 형의 선고를 하지 않는 경우에는 부담하게 할 수 없다.
② 소송비용의 부담은 형이 아니고 실질적인 의미에서 형에 준하여 평가되는 것도 아니므로 불이익변경금지원칙의 적용이 없다.
③ 공범의 소송비용은 공범들 간에 안분해서 부담시켜야 하고 연대하여 부담시킬 수는 없다.
④ 소송비용부담의 재판에 대하여는 본안의 재판에 관하여 상소하지 않더라도 독립하여 불복할 수 있다.

| 해설 ① 피고인에게 책임을 지울 사유로 발생된 비용은 형의 선고를 하지 아니하는 경우에도 피고인에게 부담하게 할 수 있다(제186조 제2항).
② 대판 2001.4.24, 2001도872
③ 공범의 소송비용은 공범인에게 연대하여 부담하게 할 수 있다(제187조).
④ 소송비용부담의 재판에 대하여는 본안의 재판에 관하여 상소하는 경우에 한하여 불복할 수 있다(제191조).

04 **소송비용에 관한 다음 설명 중 가장 옳은 것은?** 21. 9급 법원직

① 소송비용의 부담은 피고인에게 부담을 지우는 것으로 실질적인 의미에서 형에 준하여 평가되어야 하므로 불이익변경금지원칙이 적용된다.
② 피고인의 경제적 사정으로 소송비용을 납부할 수 없는 때에도 형의 선고를 하는 때에는 피고인에게 소송비용의 전부 또는 일부를 부담하게 하여야 한다.
③ 고소 또는 고발에 의하여 공소를 제기한 사건에 관하여 피고인이 무죄 또는 면소의 판결을 받은 경우에 고소인 또는 고발인에게 고의 또는 중대한 과실이 있는 때에는 그 자에게 소송비용의 전부 또는 일부를 부담하게 할 수 있다.
④ 소송비용의 부담을 명하는 재판에 그 금액을 표시하지 아니한 때에는 검사의 신청에 따라 법원이 산정한다.

| 해설 ① 소송비용의 부담은 형이 아니고 실질적인 의미에서 형에 준하여 평가되어야 할 것도 아니므로 불이익변경금지원칙이 적용되지 않는다(대판 2001.4.24, 2001도872).
② 형의 선고를 하는 때에는 피고인에게 소송비용의 전부 또는 일부를 부담하게 하여야 한다. 다만, 피고인의 경제적 사정으로 소송비용을 납부할 수 없는 때에는 그러하지 아니하다(제186조 제1항).
③ 제188조
④ 소송비용의 부담을 명하는 재판에 그 금액을 표시하지 아니한 때에는 집행을 지휘하는 검사가 산정한다(제194조).

Answer 3.② 4.③

THEMA 18 소송비용보상

의 의	무죄판결이 확정된 경우에 국가가 당해 사건의 피고인이었던 자에 대하여 그 재판에 소요된 비용을 보상하도록 하는 제도가 2007년 개정법에 새로이 도입되었다(제194조의 2 이하). ▶ 소송비용부담(제186조 이하) 제도는 국가가 부담한 소송비용에 관한 문제인 반면, 무죄판결확정에 대한 비용보상은 피고인이 부담한 소송비용에 관한 것이라는 점에서 구별된다. 뿐만 아니라 무죄판결로 인한 비용보상제도는 무죄가 확정된 경우에 미결구금이나 형집행에 대하여 행하는 형사보상제도와도 구별된다.
요 건	국가는 무죄판결이 확정된 당해사건의 피고인이었던 자에 대하여 그 재판에 소요된 비용을 보상하여야 한다(제194조의 2 제1항).
절 차	1. 비용의 보상은 피고인이었던 자의 청구에 따라 무죄판결을 선고한 법원의 합의부에서 결정으로 한다(제194조의 3 제1항). 09. 9급 법원직 2. 비용보상 청구는 무죄판결이 확정된 사실을 안 날로부터 3년, 무죄판결이 확정된 때로부터 5년 이내에 하여야 한다(동조 제2항). 09. 9급 법원직, 13. 순경 1차 3. 비용보상결정에 대하여는 즉시항고를 할 수 있다(동조 제3항). 09. 9급 법원직
범 위	비용보상의 범위는 피고인이었던 자 또는 그 변호인이었던 자가 공판준비 및 공판기일에 출석하는 데 소요된 여비·일당·숙박료와 변호인이었던 자에 대한 보수에 한한다(제194조의 4 제1항). ▶ 사선변호인을 선임해 무죄확정판결을 받은 피고인에게 국선변호인의 보수를 기준으로 변호사 비용을 보상하도록 규정한 형사소송법 제194조의 4 제1항은 헌법에 위반되지 아니한다(헌재결 2012.3.29, 2011헌바19).

01 **비용보상에 관한 설명으로 타당하지 못한 것은 몇 개인가?**(다툼이 있으면 판례에 의함)

㉠ 비용보상제도란 무죄판결이 확정된 피고인이 구금 여부와 상관 없이 그 재판에 소요된 비용을 보상하도록 하는 제도이다.
㉡ 비용의 보상은 피고인이었던 자의 청구에 따라 무죄판결을 선고한 법원의 합의부에서 결정으로 한다.
㉢ 비용보상 청구는 무죄판결이 확정된 날부터 3년 이내에 하여야 한다.
㉣ 비용보상의 범위는 피고인이었던 자 또는 그 변호인이었던 자가 공판준비 및 공판기일에 출석하는 데 소요된 여비·일당·숙박료와 변호인이었던 자에 대한 보수에 한한다.
㉤ 재판에 소요된 비용에 관한 보상 청구는 판결주문에서 무죄가 선고된 경우에 한하고, 판결이유에서 무죄가 선고된 경우에는 해당이 없다.

① 1개 ② 2개 ③ 3개 ④ 4개

| 해설 ㉠ ○ : 제194조의 4 제1항
㉡ ○ : 제194조의 3 제1항
㉢ × : 5년 이내에 하여야 한다(동조 제2항).
㉣ ○ : 제194조의 4 제1항
㉤ × : 판결주문에서 무죄가 선고된 경우뿐만 아니라 판결이유에서 무죄가 선고된 경우에도 재판에 소요된 비용에 관해 보상을 청구할 수 있다(대결 2019.7.5, 2018모906).

02 **검사는 甲을 강도죄로 공소제기하였는데 법원이 甲에 대하여 무죄판결을 내린 경우에 국가는 甲에 대하여 그 재판에 소요된 비용을 보상하여야 하는데, 甲에 대하여 그 비용의 전부 또는 일부를 보상하지 아니할 수 있는 경우에 해당하지 않는 것은?**

① 甲이 수사 또는 재판을 그르칠 목적으로 거짓 자백을 한 경우
② 甲이 수사 또는 재판을 그르칠 목적으로 다른 유죄의 증거를 만들어 기소된 것으로 인정된 경우
③ 만약 甲에 대하여 강도죄 이외에 절도죄의 경합범으로 기소하였는데 강도죄 부분에 대하여만 무죄판결이 나고, 절도죄에 대하여는 공소기각의 판결이 내려진 경우
④ 재판에 소요된 비용이 甲에게 책임지울 사유로 발생한 경우

| 해설 ①② 제194조의 2 제2항 제1호
③ 1개의 재판으로써 경합범의 일부에 대하여 무죄판결이 확정되고 다른 부분에 대하여 유죄판결이 확정된 경우에 비용의 전부 또는 일부를 보상하지 아니할 수 있다(제194조의 2 제2항 제2호). 따라서 유죄판결이 아닌 공소기각판결의 경우에는 비용보상을 하여야 한다.
④ 제194조의 2 제2항 제4호

Answer 1.② 2.③

THEMA

PART

05

상소·비상구제절차·특별형사절차·재판의 집행과 형사보상

CHAPTER 01

상 소

제1절 상소의 의의

THEMA 19 상 소

1. **상소의 개념** : 상소라 함은 미확정재판에 대하여 상급법원에 구제를 구하는 불복신청제도를 말한다. 오판을 시정함으로써 당사자를 구제하고 법령해석의 통일을 기하기 위하여 인정한 제도이다.
2. **구별개념**

상 소	재심 · 비상상고	약식명령 · 즉결심판에 대한 정식재판청구	검찰항고 · 재정신청
미확정재판에 대한 불복신청	확정판결에 대한 비상구제절차		
상급법원에 대한 구제신청		동급법원에 대한 구제신청	
재판에 대한 불복신청			검사의 불기소처분에 대한 불복신청

3. **상소의 종류** : 상소에는 항소, 상고, 항고가 있다.
   ① 항소 : 제1심판결에 대한 상소이다. 제1심법원의 판결에 대하여 불복이 있으면 지방법원 단독판사가 선고한 것은 지방법원 본원 합의부에, 지방법원 합의부가 선고한 것은 고등법원에 항소할 수 있다(제357조).
   ② 상고 : 제2심판결에 대한 상소이다. 제2심판결에 대하여 불복이 있으면 대법원에 상고할 수 있다(제371조).
   ③ 항고 : 법원의 결정에 대한 상소이다. 항고에는 일반항고와 특별항고(재항고)로 구분되며, 일반항고에는 보통항고와 즉시항고가 있다.

01 상소에 관한 설명으로 옳은 것은?

① 재심 · 비상상고는 상소의 일종이다.
② 판결에 대한 상소는 항고이다.
③ 결정에 대한 상소는 항고이다.
④ 명령에 대한 상소는 항고이다.

02 상소에 관한 다음 설명 중 ( ) 안에 들어갈 수 있는 단어를 순서대로 나열한 것은?

12. 경찰간부

> 상소는 법원의 재판에 대한 불복방법이라는 점에서 검사의 불기소 처분에 대한 ( ), 검사 또는 사법경찰관의 구금 · 압수 또는 압수물의 환부에 관한 처분과 변호인의 접견교통 및 피의자 신문참여 등에 관한 처분에 대한 ( )와(과) 구별된다. 또한 상소는 미확정의 재판에 대한 불복방법이라는 점에서 확정판결에 대한 비상구제절차인 ( )와(과) 구별된다. 한편 상소는 상급법원에 구제를 신청하는 불복방법이라는 점에서 동급법원에 구제를 구하는 ( )와(과) 구별된다.

① 재정신청, 준항고, 재심, 이의신청
② 검찰항고, 준항고, 비상상고, 정식재판청구
③ 헌법소원, 이의신청, 재심, 항고
④ 검찰항고, 항고, 비상상고, 이의신청

| 해설 ①② 모두 옳은 지문이다. 출제기관에서도 복수정답 처리한 문제이다.

03 상소에 관한 다음 설명 중 옳지 않은 것은?(다툼이 있는 경우 판례에 의함)

15. 9급 법원직

① 즉시항고는 이를 허용하는 명문의 규정이 있는 때에만 제기할 수 있다.
② 상소의 종류에는 항소 · 상고 및 항고가 있는데, 그중에서 결정에 대한 상소는 항고이다.
③ 피고인은 공소기각의 판결에 대하여 상소할 수 있다.
④ 즉시항고의 제기기간은 7일로 한다.

| 해설 ①② 제402조, 제403조
③ 피고인에게 불이익한 재판이라 할 수 없으므로 피고인은 공소기각의 판결에 대하여 상소할 수 없다(대판 1983.5.10, 83도632).
④ 제405조

05

Answer 1. ③ 2. ①② 3. ③

제2절 상소권 · 상소포기와 취하 · 상소권회복 · 상소이익 · 상소제기방식

THEMA 20 상소권 및 상소권자

의 의	상소권이라 함은 형사재판에 대하여 상소할 수 있는 소송법상의 권리를 말한다. 상소권자에는 고유의 상소권자와 상소대리권자가 있다.
고유의 상소권자	1. 검사·피고인 : 검사와 피고인은 소송당사자로서 당연히 상소권을 가진다(제338조 제1항). 2. 항고권자 : 검사 또는 피고인이 아닌 자가 법원의 결정을 받은 때에는 항고할 수 있다(제339조). 예 • 과태료의 결정을 받은 증인 • 감정인(제151조, 제161조, 제177조) • 소송비용부담의 재판을 받은 피고인 이외의 자(제192조, 제193조)
그 이외의 상소권자	1. 피고인의 법정대리인 : 피고인의 명시한 의사에 반하여도 상소할 수 있다(제340조). 09. 9급 법원직, 10. 교정특채 2. 기타의 자 : 피고인의 배우자 · 직계친족 · 형제자매 또는 원심의 대리인(제276조, 제277조)이나 변호인은 피고인의 명시한 의사에 반하지 않는 한 상소할 수 있다(제341조). 10 · 11. 9급 국가직 ▶ 변호인 · 배우자 · 직계친족 · 형제자매 등의 상소권은 피고인의 상소권에 기초를 두고 있기 때문에 피고인의 상소권이 소멸되면 이들의 상소권도 소멸된다. 따라서 피고인이 상소포기를 하면 그 변호인도 상소를 제기할 수 없다. 04. 순경, 11. 7급 국가직, 13. 9급 검찰 · 마약 · 교정 · 보호 · 철도경찰, 14. 경찰간부, 15. 순경 2차, 16. 9급 법원직 또한 상소제기기간 내에 피고인이 사망하면 변호인이 공소기각결정을 구하기 위한 상소를 할 수 없다.

01 상소권 및 상소권자에 관한 설명으로 타당한 것은?

① 검사 또는 피고인이 아닌 자는 상소권자가 아니다.

② 피고인의 법정대리인은 피고인의 명시한 의사에 반하지 아니하는 한 상소할 수 있다.

③ 변호인 · 배우자 · 직계친족 · 형제자매 등의 상소권은 피고인의 상소권이 소멸되면 이들의 상소권도 소멸된다. 따라서 피고인이 상소포기를 하면 그 변호인도 상소를 제기할 수 없다.

④ 피고인의 배우자 · 직계친족 · 형제자매 또는 원심의 대리인이나 변호인은 피고인의 묵시적인 의사에 반하지 않는 한 상소할 수 있다.

해설 ① 검사 또는 피고인이 아닌 자가 법원의 결정을 받은 때에는 항고할 수 있다(제339조).
② 피고인의 법정대리인은 피고인의 명시한 의사에 반하여도 상소할 수 있다(제340조).
③ 변호인 · 배우자 · 직계친족 · 형제자매 등의 상소권은 피고인의 상소권에 기초를 두고 있기 때문에 타당한 내용이다. ④ 피고인의 배우자 · 직계친족 · 형제자매 또는 원심의 대리인이나 변호인은 피고인의 명시한 의사에 반하지 않는 한 상소할 수 있다(제341조).

Answer 1. ③

THEMA 21 상소의 포기 · 취하

구분		내용
의 의	상소포기	상소권자가 상소제기기간 내에 법원에 대하여 상소권을 포기한다는 의사표시를 하는 것을 말하며, 소극적으로 상소제기기간 내에 상소권을 행사하지 않는 것과 구별된다.
	상소취하	일단 제기한 상소를 철회한다는 의사표시를 법원에 하는 것을 말하며, 상소제기 이후의 소송행위라는 점에서 상소의 포기와 구별된다.
포기 및 취하권자	상소포기	1. 검사 피고인 또는 항고권자(제339조)는 상소포기를 할 수 있다(제349조). 피고인 또는 기타 상소권자(제341조)는 사형, 무기징역이나 무기금고가 선고된 판결에 대하여는 상소포기 불가(제349조 단서) 2. 법정대리인이 있는 피고인의 상소포기 ⇨ 법정대리인의 동의 필요(제350조 본문). 단, 법정대리인의 사망 또는 기타사유로 인하여 동의를 얻을 수 없는 때에는 예외로 한다(동조 단서).
	상소취하	1. 검사 피고인 또는 항고권자(제339조)는 상소취하를 할 수 있다(제349조). 2. 법정대리인이 있는 피고인의 상소취하 ⇨ 법정대리인의 동의 필요(제350조 본문). 단, 법정대리인의 사망 또는 기타사유로 인하여 동의를 얻을 수 없는 때에는 예외로 한다(동조 단서). 3. 피고인의 법정대리인 또는 기타 상소권자(제341조)는 피고인의 동의를 얻어 상소를 취하할 수 있다(제351조).
포기 · 취하의 방식		1. 상소의 포기 · 취하 ⇨ 서면, 공판정에서는 구술 가능(제352조 제1항) 08. 경찰승진 구술로써 상소의 포기 또는 취하를 한 경우 ⇨ 그 사유를 조서에 기재하여야 한다(동조 제2항). ▶ 상소취하에 대한 피고인의 구술 동의는 명시적으로 이루어져야만 한다(대판 2015.9.10, 2015도7821). 2. ┌ 상소의 포기 ⇨ 원심법원 └ 상소취하 ⇨ 상소법원(다만, 소송기록이 상소법원에 송부되기 전에는 원심법원에 할 수 있다 ; 제353조) 10. 9급 · 7급 국가직, 12. 순경, 16. 경찰간부 3. 상소의 포기는 상소제기기간 내, 취하는 상소심의 종국재판이 있기 전까지 가능하다. 4. 상소포기 · 취하가 있는 때에는 법원은 지체 없이 상대방에게 그 사유를 통지하여야 한다(제356조). 08. 경찰승진 5. 피고인이 교도소장이나 구치소장에게 상소포기 또는 취하에 관한 서면을 제출한 때 ⇨ 상소의 포기 또는 취하가 있는 것으로 간주한다(제344조, 제355조). 10. 7급 국가직
포기 · 취하의 효력		상소의 포기나 취하가 있으면 상소권은 소멸한다. 일단 포기나 취하한 사건에 대해서는 재상소가 금지된다(제354조).

05

01 소제기와 포기 · 취하에 대한 설명 중 옳지 않은 것은?(다툼이 있으면 판례에 의함) 16. 경찰간부

① 교도소 또는 구치소에 있는 피고인이 상소의 제기기간 내에 교도소장 또는 구치소장 또는 그 직무를 대리한 자에게 제출한 때에는 상소제기기간 내에 상소를 제기한 것으로 간주한다.

② 상소의 제기가 법률상의 방식에 위반하거나 상소권 소멸 후인 것이 명백한 때에는 상소심 법원은 결정으로 상소를 기각하여야 하며, 이 결정에 대하여는 즉시항고할 수 있다.

③ 피고인 또는 상소권의 대리행사자는 사형 또는 무기징역이나 무기금고가 선고된 판결에 대하여는 상소의 포기를 할 수 없다.

④ 상소의 포기는 원심법원에 상소의 취하는 상소법원에 하여야 한다. 단, 소송기록이 상소법원에 송부되지 아니한 때에는 상소취하를 원심법원에 제출할 수 있다.

해설 ① 제344조 제1항

② 상소의 제기가 법률상의 방식에 위반하거나 상소권 소멸 후인 것이 명백한 때에는 원심법원은 결정으로 상소를 기각하여야 한다(제360조 제1항, 제376조 제1항). 다만, 원심법원이 상소기각결정을 하지 아니한 때에는 상소법원은 결정으로 상소를 기각하여야 한다(제362조 제1항, 제381조).

③ 제349조

④ 제353조

02 상소 포기 · 취하에 관한 설명으로 틀린 것은 몇 개인가?

㉠ 공판정에서 징역 5년 6월을 선고받은 피고인이 징역 6월로 착각하고 항소를 포기하였다가 항소제기기간 내에 항소를 제기한 경우 피고인의 항소포기는 무효라고 보아야 한다.

㉡ 교도관이 내어 주는 상소권포기서를 항소장으로 잘못 믿은 나머지 이를 확인하여 보지도 않고 서명 · 무인한 경우에 항소포기는 유효하다.

㉢ 피고인이 적법한 상소제기를 한 후에 그 상소를 포기한 경우 이미 한 상소제기의 효력은 존속하지 않는다.

㉣ 변호인이 상소한 후에 피고인이 상소권을 포기해도 변호인이 낸 상소는 취하의 효력이 발생한다.

㉤ 보석허가에 대한 의견서에 '검찰의 상고포기, 석방지휘하였으므로 보석청구 이유 없음'이라고 기재하였다면 상고포기 의사표시라고 볼 수 있다.

㉥ 상소의 포기는 상소제기기간 안에 언제나 할 수 있고, 상소의 취하는 상소심의 종국판결 전까지 할 수 있다.

㉦ 미성년자인 피고인이 항소취하서를 제출하며 항소이유서를 제출하지 아니하였고, 피고인의 법정대리인 중 어머니가 항소취하에 동의하였으나 아버지는 항소취하 동의서를 제출하지 아니하였다면, 항소취하는 효력이 없다.

① 2개 ② 3개 ③ 4개 ④ 5개

Answer 1. ② 2. ②

| 해설 | ㉠ × : 공판정에서 징역 5년 6월을 선고받은 피고인이 징역 6월로 착각하고 항소를 포기하였다가 항소제기기간 내에 항소를 제기한 경우 피고인의 과실이 있으므로 피고인의 항소포기는 유효라고 보아야 한다.
㉡ ○ : 대결 1995.8.17, 95모49
㉢ × : 상소의 포기는 상소제기 이전에 한하여 할 수 있는 것이므로 피고인이 적법한 상소제기를 한 후에 그 상소를 포기한다 해도 상소포기의 효력은 발생할 수 없고 이미 한 상소제기의 효력이 존속되는 것이다(대결 1969.7.26, 69모35).
㉣ ○ : 변호인은 피고인을 위하여 피고인의 상소권을 대리행사할 수 있을 따름이므로 변호인이 상소한 후에 피고인이 상소권을 포기하면 변호인이 낸 상소는 취하의 효력이 발생한다(대결 1972.8.31, 72모55).
㉤ × : 보석허가에 대한 의견서에 검사가 보석청구가 이유 없다고 의견을 기재하면서 내부적으로 상고를 포기하기로 하였다는 사실을 첨가한 것에 불과한 경우 '검찰상고포기, 석방지휘하였으므로 본건 보석청구 이유 없음' 이를 법원에 대하여 상고를 포기한다는 의사표시를 명시한 서면이라고 볼 수는 없다(대판 1984.2.28, 83도3087).
㉥ ○ ㉦ ○ : 대판 2019.7.10, 2019도4221

05

03 상소의 취하 및 포기에 관한 다음 설명 중 가장 옳지 않은 것은? 19. 9급 법원직

① 상소의 취하는 상소법원에 하여야 하지만 소송기록이 상소법원에 송부되지 아니한 때에는 상소취하서를 원심법원에 제출할 수 있다.
② 구금된 피고인이 교도관이 내어 주는 상소권포기서를 항소장으로 잘못 믿고 이를 확인해 보지도 않은 채 자신의 서명무인을 하여 교도관을 통해 법원에 제출하였더라도 이는 항소포기로서 유효하다.
③ 피고인의 동의없이 이루어진 변호인의 상소취하는 효력이 발생하지 않는데 이때 피고인의 동의는 서면으로 하여야 한다.
④ 상소권을 포기한 후에 상소기간이 도과된 상태에서 상소포기의 효력을 다투려는 사람은 상소권회복청구를 할 수 있다.

| 해설 | ① 제352조
② 대결 1995.8.17, 95모49
③ 변호인의 상소취하에 대한 피고인의 동의도 공판정에서는 구술로 할 수 있다(대판 2015.9.10, 2015도7821).
④ 대결 2004.1.13, 2003모451

Answer 3. ③

04 상소에 대한 설명으로 옳지 않은 것을 모두 고른 것은?(다툼이 있는 경우 판례에 의함)

19. 경찰승진

> ㉠ 변호인은 피고인의 상소권이 소멸된 후에는 상소를 제기할 수 없는 것이고, 상소를 포기한 자는 형사소송법 제354조에 의하여 그 사건에 대하여 다시 상소를 할 수 없다.
> ㉡ 법정대리인이 있는 피고인이 상소의 포기 또는 취하를 함에는 법정대리인의 동의를 얻어야 한다. 단, 법정대리인의 사망 기타 사유로 인하여 그 동의를 얻을 수 없는 때에는 예외로 한다.
> ㉢ 변호인의 상소취하에 대한 피고인의 동의도 공판정에서 구술로써 할 수 있지만, 상소취하에 대한 피고인의 구술 동의가 명시적으로 이루어질 필요는 없다.
> ㉣ 피고인은 사형 또는 무기징역이나 무기금고가 선고된 판결에 대하여도 상소의 포기를 할 수 있다.
> ㉤ 검사는 공익의 대표자로서 법령의 정당한 적용을 청구할 임무를 가지므로 이의신청을 기각하는 등 반대당사자에게 불이익한 재판에 대하여도 그것이 위법일 때에는 위법을 시정하기 위하여 상소로써 불복할 수 있고, 재판의 이유만을 다투기 위하여도 상소할 수 있다.

① ㉠, ㉡, ㉢　② ㉡, ㉢, ㉣
③ ㉢, ㉣, ㉤　④ ㉠, ㉡, ㉤

해설 ㉠ ○ : 대결 1986.7.12, 86모24
㉡ ○ : 제350조
㉢ × : 변호인의 상소취하에 대한 피고인의 동의도 공판정에서 구술로써 할 수 있지만, 상소취하에 대한 피고인의 구술 동의는 명시적으로 이루어져야 한다(대판 2015.9.10, 2015도7821).
㉣ × : 피고인은 사형 또는 무기징역이나 무기금고가 선고된 판결에 대하여는 상소의 포기를 할 수 없다(제349조).
㉤ × : 검사는 공익의 대표자로서 법령의 정당한 적용을 청구할 임무를 가지므로 이의신청을 기각하는 등 반대당사자에게 불이익한 재판에 대하여도 그것이 위법일 때에는 위법을 시정하기 위하여 상소로써 불복할 수 있으나, 재판의 이유만을 다투기 위하여 상소하는 것은 허용되지 아니한다(대결 1993.3.4, 92모21).

Answer 4. ③

THEMA 22 상소권의 회복

<table>
<tr><td>의 의</td><td colspan="2">상소권의 회복이란 상소권자 또는 대리인이 책임질 수 없는 사유로 상소기간 내에 상소를 할 수 없었던 경우 법원의 결정에 의하여 소멸된 상소권을 회복시키는 제도를 말한다. 10. 9급 법원직
상소절차속행신청 : 상소가 제기된 후 이미 상소포기나 취하가 있었다는 이유로 재판 없이 소송절차가 종결된 경우에 그 부존재 또는 무효임을 주장하는 자가 법원에 절차속행을 신청하는 제도(규칙 제154조 제1항) – 상소제기가 없는 상태에서 상소제기기간이 경과한 경우를 대비하기 위한 상소권회복청구와 구별)</td></tr>
<tr><td>회복 사유</td><td colspan="2">상소권자(고유상소권자 · 상소대리권자) 또는 그 대리인이 책임질 수 없는 사유로 인하여 상소제기기간 내에 상소하지 못한 때(제345조)
상소를 포기 후 무효주장
┌ 상소제기기간이 남아 있는 경우 ⇨ 상소권회복청구 ×(상소를 제기하여 적법 여부를 판단받으면 됨 : 대결 2004.1.13, 2003모451) 10 · 14. 9급 법원직, 17. 순경 1차
└ 상소제기기간을 경과한 경우 ⇨ 상소권회복청구 ○(판례)</td></tr>
<tr><td rowspan="3">회복 절차</td><td>청구권자</td><td>고유의 상소권자와 상소대리권자이다.</td></tr>
<tr><td>청구방식</td><td>1. 청구는 사유가 해소된 날부터 상소 제기기간에 해당하는 기간 내에 서면으로 원심법원에 하여야 하며(제346조 제1항), 11. 경찰승진
2. 이때 제345조의 책임질 수 없는 사유를 소명하여야 하고(제346조 제2항), 상소권회복청구와 동시에 상소를 제기하여야 한다(제346조 제3항). 00. 9급 법원직
3. 상소권회복신청서를 교도소장이나 구치소장에게 제출한 때에는 그 때에 상소권회복청구서가 원심법원에 제출된 것으로 간주한다(제344조, 제355조).</td></tr>
<tr><td>법원의 조치</td><td>1. 상소권회복청구가 있는 때에는 법원은 지체 없이 상대방에게 그 사유를 통지(제356조)
2. 청구를 받은 법원은 그 허용 여부에 대한 결정을 하여야 하고, 이 결정에 대하여 즉시항고를 할 수 있다(제347조). 00. 9급 법원직, 11. 경찰승진
3. 상소권회복청구가 있는 때에는 법원은 그 결정이 있을 때까지 재판의 집행을 정지하는 결정을 할 수 있다(제348조 제1항). 00. 9급 법원직, 11. 9급 국가직 · 경찰승진
4. 집행정지결정을 한 경우에 피고인의 구금을 요하는 때에는 구속영장을 발부하여야 한다. 다만, 구속사유(제70조)가 구비될 것을 요한다(제348조 제2항). 00. 9급 법원직
5. 청구를 인용하는 결정 ⇨ 청구와 동시에 제기한 상소는 유효, 일단 발생한 재판의 확정력은 배제된다.</td></tr>
</table>

판례 정리

상소권회복사유에 해당하는 경우	상소권회복사유에 해당하지 않는 경우
1. 부적법한 공시송달의 방법으로 하고 피고인의 진술없이 공판절차를 진행하여 판결이 선고되고 동 판결 등본이 공시송달되었다면 피고인은 자기가 책임질 수 없는 사유로 인하여 동 판결에 대하여 항소제기기간 내에 항소를 하지 못한 것이라 할 것이므로 상소권회복청구를 할 수 있다(대결 1984. 9.28, 83모55). 15. 9급 검찰 · 마약수사 2. 소송촉진 등에 관한 특례법에 따라 공시송달의 방법으로 공소장부본이 송달되고 피고인이 출석하지 않은 상태에서 재판이 진행되어 유죄판결이 선고된 것을 모른 채 상소기간이 도과한 경우(대결 1986.2.12, 86모3) 14. 9급 법원직, 15. 9급 검찰 · 마약수사 3. 상소권회복신청의 요건을 규정한 형사소송법 제345조의 "대리인"이란 피고인을 대신하여 상소에 필요한 행위를 할 수 있는 지위에 있는 자를 말하는 것이고, 교도소장은 피고인을 대리하여 결정정본을 수령할 수 있을 뿐이고 상소권 행사를 돕거나 대신할 수 있는 자가 아니어서 이에 포함되지 아니하므로, 만일 교도소장이 결정정본을 송달받고 1주일이 지난 뒤에 그 사실을 피고인에게 알렸기 때문에 피고인이나 그 배우자가 소정 기간 내에 항고장을 제출할 수 없게 된 것이라면 상소권회복신청은 인용할 여지가 있을 것이다(대결 1991.5.6, 91모32) 10. 9급 법원직, 15. 9급 검찰 · 마약수사 4. **피고인이 소송이 계속 중인 사실을 알면서도** 법원에 거주지 변경 신고를 하지 않았다 하더라도, 잘못된 공시송달(피고인 주소지에 피고인이 거주하지 아니한다는 이유로 구속영장이 여러 차례에 걸쳐 집행불능)에 터 잡아 **피고인의 진술 없이 공판이 진행되고 피고인이 출석하지 않은 기일에 판결이 선고된 이상, 피고인은** 책임질 수 없는 사유에 해당한다(**대결 2014.10.16, 2014모1557**). 21. 9급 법원직, 24. 9급 검찰 · 마약 · 교정 · 보호 · 철도경찰 5. **약식명령에 대한 정식재판의 청구를 접수하는 법원공무원이 청구인의 기명날인이 없는데도**	1. **형사피고사건으로 법원에 재판이 계류 중인 자는** 공소제기 당시의 주소지나 그 후 신고한 주소지를 옮긴 때에는 자기의 새로운 주소지를 법원에 제출한다거나 기타 소송진행 상태를 알 수 있는 방법을 강구하여야 하고, 만일 이러한 조치를 취하지 않았다면 소송서류가 송달되지 아니하여 공판기일에 출석하지 못하거나 판결선고 사실을 알지 못하여 상소기간을 도과하는 등의 불이익을 받는 책임을 면할 수 없다(대결 1996.8.23, 96모56). 14. 9급 법원직, 15. 9급 검찰 · 마약수사 2. 피고인 또는 대리인이 질병으로 입원하거나 기거불능으로 상소를 하지 못하는 경우(대결 1986.9.17, 86모46) 04. 9급 법원직, 24. 9급 검찰 · 마약 · 교정 · 보호 · 철도경찰 3. 피고인이 이미 확정되어 있던 징역형의 집행유예 판결의 선고일을 잘못 안 나머지 상고포기서를 제출한 것이라 하더라도, 그와 같은 사정은 상고포기로 이미 확정된 상소권회복대상판결에 대하여 적법한 상소권회복청구의 사유가 될 수 없다(대결 1996.7.16, 96모44). 04. 9급 법원직 4. 피고인으로서는 법원에 신고한 주거지를 옮길 때에는 자기의 신주거지를 법원에 제출하거나 기타 소송진행상태를 알 수 있는 방법을 강구하여야 할 것인데도 이러한 조치를 취하지 아니한 탓으로 상소기간을 도과하였다고 할 것이고, 피고인이 미국인이어서 주민등록이 되어 있지 않으며, 피고인이 이사를 가면서 자신에게 오는 우편물이 도달될 수 있도록 우편집배인에게 부탁을 하였다고 하더라도, **피고인이 상소의 제기기간 내에 상소를 하지 못한 것이 자기 또는 대리인이 책임질 수 없는 사유로 인한 것이라고 볼 수는 없다**(대결 1991.8.27, 91모17). 5. 법정이 소란하여 판결주문을 알아들을 수 없어 **항소제기기간 내에 항소를 하지 못한 경우**(대결 1987.4.8, 87모19) 6. **교도소 담당직원이** 상소권자에게 상소권회복청구를 할 수 없다고 **하면서 형사소송규칙 제177조에 따른** 편의를 제공해 주지 않은 **경우**(대결 1986.9.27, 86모47) 24. 9급 검찰 · 마약 · 교정 · 보호 · 철도경찰

이에 대한 보정을 구하지 아니하고 적법한 청구가 있는 것으로 오인하여 청구서를 접수한 경우에도 청구를 결정으로 기각하여야 한다. 다만, 법원공무원의 위와 같은 잘못으로 인하여 적법한 정식재판청구가 제기된 것으로 신뢰한 채 정식재판청구기간을 넘긴 피고인은 자기의 '책임질 수 없는 사유'에 의하여 청구기간 내에 정식재판을 청구하지 못한 때에 해당하여 정식재판청구권의 회복을 구할 수 있을 뿐이다(대결 2008.7.11, 2008모605).

6. 제1심판결에 피고인의 주소를 잘못 기재한 결과 항소심에서 송달불능을 이유로 공시송달절차에 의해 판결이 선고되고, 그 때문에 피고인이 판결사실을 알지 못한 경우(대결 1973.10.20, 73모68)

7. 법원이나 검찰은 판결의 확정이나 또는 그로 인한 집행 등을 사전에 피고인이었던 사람에게 통지하여야 할 아무런 책임도 없는 것이므로 이와 같은 통지를 받지 못하였다는 사유가 상소의 제기기간 내에 상소를 하지 못한 상소권자 또는 대리인의 책임질 수 없는 사유에 해당한다고 할 수 없다(대결 1985.12.30, 85모43).
8. 기망에 의해 항소권을 포기하였다는 것을 항소제기기간 도과 후에 알게 된 경우(대결 1984.7.11, 84모40) 24. 9급 검찰·마약·교정·보호·철도경찰
9. 피고인의 진술에 따라 공판조서에 기재된 피고인의 주소로 판결을 송달하였으나 송달이 안 되어 공시송달한 경우에는 피고인의 책임질 수 없는 사유로 상소기간을 도과하였다고 할 수 없다(대결 1970.12.23, 70모50).
10. 와병으로 인하여 사환에게 즉시항고장을 맡겨 제출케 하였으나 사환이 그 즉시항고장을 도난당하였다 하더라도 그것만으로써 곧 즉시항고장 제출기간을 도과한 것이 불가항력에 인한 것이라고는 볼 수 없다(대결 1971.2.20, 71모12).
11. 불구속피고인이 다른 형사사건으로 구속됨으로써 종전 주소에 송달한 법원의 변론기일통지를 받지 못하여 그 기일에 출석하지 못하고 따라서 그 판결에 대한 상소제기기간을 도과한 경우에는 그와 같은 상고제기기간의 도과를 청구인 또는 대리인의 책임질 수 없는 사유에 의한 것이라고는 할 수 없다(대결 1963.11.28, 63로10).
12. 항고인에 대한 각 기일소환장이 동인의 주소가 아닌 다른 곳으로 송달되었다 하더라도 결국 항고인이 연락을 받아 그 내용을 인지하고 그에 대처하여 왔고 그 항고인의 항변인에게는 위 각 기일소환장이 적법히 송달되어온 경우에는 항고인이 상소의 제기기간 내에 상소를 하지 못하였다 하여도 이를 항고인 또는 그 대리인의 책임질 수 없는 사유로 인함이라고 할 수 없다(대판 4291형상1).

05

01 상소권회복 및 상소권취하 · 포기와 관련하여 옳은 것은?

① 상소권회복청구의 허부결정에 대하여는 즉시항고 할 수 없다.
② 상소권회복의 청구가 있는 때에는 법원은 반드시 청구의 허부에 관한 결정을 할 때까지 재판의 집행을 정지하는 결정을 하여야 한다.
③ 상소권회복청구는 그 청구와 동시에 상소장을 제출하여야 하고, 그 청구서면은 소송기록이 어디에 있든 원심법원에 제출하여야 한다.
④ 상소취하권자는 상소포기권자와 그 범위가 같다.

| 해설 ① 상소권회복청구의 허부결정에 대하여는 즉시항고 할 수 있다(제347조).
② 상소권회복청구를 받은 법원은 청구의 허부에 관한 결정을 하여야 하고(제347조 제1항), 이때 법원은 그 결정을 할 때까지 재판의 집행을 정지하는 결정을 '할 수 있다'(제348조 제1항).
③ 제346조
④ 피고인의 법정대리인 · 배우자 · 직계친족 · 형제자매 등의 상소대리행사자는 피고인의 동의를 상소를 취하할 수 있으나(제351조), 상소포기는 규정이 없다(제351조 반대해석). 따라서 상호범위가 같다고 볼 수는 없다.

02 상소권회복의 사유에 해당되지 않는 것은?(다툼이 있는 경우 판례에 의함) 15. 9급 검찰 · 마약수사

① 수감 중인 피고인을 대리하여 법원결정정본을 수령한 교도소장이 1주일이 지난 뒤에 그 사실을 피고인에게 알림으로써 항고 제기기간 내에 항고장을 제출할 수 없게 된 경우
② 부적법한 공시송달에 의해 피고인의 진술 없이 공판절차를 진행하여 판결이 선고되고, 동 판결 등본이 공시송달되었으나 피고인이 판결선고 사실을 알지 못하여 상소제기기간 내에 상소를 하지 못한 경우
③ 소송촉진 등에 관한 특례법 제23조에 따라 피고인이 불출석한 상태에서 재판이 진행되어 유죄판결이 선고된 것도 모른 채 상소제기기간이 도과된 경우
④ 공소제기 후 이사한 피고인이 신주소지를 법원에 제출하지 않아 소송서류가 송달되지 아니하여 공판기일에 출석하지 못하고 판결선고 사실을 알지 못한 채 상소제기기간이 도과된 경우

| 해설 ① 대결 1991.5.6, 91모32
② 대결 1984.9.28, 83모55
③ 대결 1986.2.12, 86모3
④ 형사피고사건으로 법원에 재판이 계류 중인 자는 공소제기 당시의 주소지나 그 후 신고한 주소지를 옮긴 때에는 자기의 새로운 주소지를 법원에 제출한다거나 기타 소송진행 상태를 알 수 있는 방법을 강구하여야 하고, 만일 이러한 조치를 취하지 않았다면 소송서류가 송달되지 아니하여 공판기일에 출석하지 못하거나 판결선고 사실을 알지 못하여 상소기간을 도과하는 등의 불이익을 받는 책임을 면할 수 없다(대결 1996.8.23, 96모56).

Answer 1. ③ 2. ④

03 상소권회복청구권에 관한 설명 중 옳지 않은 것은 몇 개인가?(다툼이 있는 경우 판례에 의함)

> ㉠ 집행정지결정으로 석방된 피고인을 구금할 경우에 구속영장을 별도로 발부할 필요는 없다.
> ㉡ 형사소송법 제338조(상소권자)의 규정에 의하여 상소할 수 있는 자가 자기 또는 대리인이 책임질 수 없는 사유로 인하여 상소의 제기기간 내에 상소를 하지 못한 때에는 상소권회복의 청구를 할 수 있다.
> ㉢ 상고를 포기한 후 그 포기가 무효라고 주장하는 경우 상고제기기간이 경과하기 전에는 상고포기의 효력을 다투면서 상고를 제기하여 그 상고의 적법 여부에 대한 판단을 받으면 되고, 별도로 상소권회복청구를 할 여지는 없다.
> ㉣ 상소제기 후 상소의 포기·취하가 없음에도 불구하고 있는 것으로 오인되거나 그 효력이 없음에도 그 효력이 있는 것으로 간과되어 사건이 종국된 경우에 그 포기·취하의 부존재나 무효를 주장하는 자는 상소권회복의 신청을 할 수 있다.
> ㉤ 불구속피고인이 다른 형사사건으로 구속됨으로써 종전 주소에 송달한 법원의 변론기일통지를 받지 못하여 그 기일에 출석하지 못하고 따라서 그 판결에 대한 상소제기기간을 도과한 경우는 상소권회복사유에 해당하지 아니한다.

① 2개 ② 3개 ③ 4개 ④ 5개

해설 ㉠ ×: 집행정지결정을 한 경우에 피고인의 구금을 요하는 때에는 구속영장을 발부하여야 한다. 다만, 구속사유(제70조)가 구비될 것을 요한다(제348조 제2항).
㉡ ○: 제345조
㉢ ○: 대결 2004.1.13, 2003모451
㉣ ×: 상소권회복청구를 하는 것이 아니라, 절차속행신청의 사유이다(규칙 제154조 제1항).
㉤ ○: 대결 1963.11.28, 63로10

04 상소권회복청구에 관한 다음 설명 중 가장 옳지 않은 것은? 18. 9급 법원직

① 상소권회복의 청구는 사유가 종지한 날로부터 상소의 제기기간에 상당한 기간 내에 서면으로 상소권회복청구를 함과 동시에 상소를 제기하여야 한다.
② 상소권회복청구에서 상소권자 또는 그 대리인이 단순히 질병으로 입원하였었기에 상소하지 못하였다는 것은 상소권회복의 사유에 해당하지 아니한다.
③ 제1심이 공시송달의 방법으로 진행되어 피고인이 공소제기 사실이나 판결선고 사실을 전혀 몰랐다면, 피고인이 제1심판결에 대한 항소를 법정기간 내에 제기하지 못한 것은 피고인이 책임질 수 없는 사유로 인한 때에 해당한다.
④ 제1심 재판 또는 항소심 재판이 소송촉진 등에 관한 특례법이나 형사소송법 등에 따라 피고인이 출석하지 않은 가운데 불출석 재판으로 진행되었다면, 제1심판결에 대하여 검사의 항소에 의한 항소심판결이 선고되었더라도 피고인은 제1심판결에 대하여 적법하게 항소권회복청구를 할 수 있다.

Answer 3. ① 4. ④

| 해설 ① 제346조 제1항 · 제3항
② 대결 1986.9.17, 86모46
③ 대결 1986.2.12, 86모3
④ 제1심판결에 대하여 검사의 항소에 의한 항소심판결이 선고되었다면 제1심판결에 대한 항소권이 소멸되어 제1심판결에 대한 항소권회복청구와 항소는 적법하다고 볼 수 없다. 이는 제1심 재판 또는 항소심 재판이 소송촉진 등에 관한 특례법이나 형사소송법 등에 따라 피고인이 출석하지 않은 가운데 불출석 재판으로 진행된 경우에도 마찬가지이다(대결 2017.3.30, 2016모2874).

05 **형사소송법 제345조에서 상소권회복의 청구요건으로 규정하고 있는 '자기 또는 대리인이 책임질 수 없는 사유'에 해당하는 경우가 아닌 것은?**(다툼이 있는 경우 판례에 의함) 18. 7급 국가직

① 피고인이 당해 사건의 공동피고인의 기망에 의하여 항소권을 포기하였음을 항소제기 기간이 도과한 뒤에야 비로소 알게된 경우

② 교도소장이 형집행유예취소결정정본을 송달받고 1주일이 지난 뒤에 그 사실을 구속된 피고인에게 알렸기 때문에 피고인이나 그 배우자가 항고제기 기간 내에 항고장을 제출할 수 없게된 경우

③ 공시송달로 피고인을 소환하였으나 피고인이 불출석한 가운데 공판절차가 진행되고 제1심판결이 선고되었지만, 피고인으로서는 공소장부본 등을 송달받지 못한 관계로 공소가 제기된 사실을 물론이고 판결선고 사실에 대하여 알지 못한 나머지 항소제기 기간 내에 항소를 제기하지 못한 경우

④ 피고인이 출석한 가운데 제1심 형사재판이 변론종결되어 판결선고기일이 고지되었지만 그 선고기일에 피고인이 불출석하자, 소송촉진 등에 관한 특례법에 의하여 공시송달로 피고인을 소환한 최초의 공판기일에 곧바로 피고인의 불출석 상태에서 판결을 선고하였으나 피고인이 그 선고 사실을 알지 못하여 항소제기 기간을 도과한 경우

| 해설 ① 공동피고인의 기망에 의하여 항소권을 포기하였음을 항소제기 기간이 도과한 뒤에야 비로소 알게 되었다 하더라도 이러한 사정은 피고인이 책임질 수 없는 사유에 해당한다고 볼 수 없다(대결 1984.7.11, 84모40).
② 대결 1991.5.6, 91모32 ③ 대결 1986.2.12, 86모3
④ 대결 1991.12.17, 91모23

06 **상소권의 회복에 관한 다음 설명 중 가장 옳지 않은 것은?** 21. 9급 법원직

① 형사소송법 제345조에 의한 상소권회복은 피고인 등이 책임질 수 없는 사유로 상소제기 기간을 준수하지 못하여 소멸한 상소권을 회복하기 위한 것일 뿐, 상소의 포기로 인하여 소멸한 상소권까지 회복하는 것이라고 볼 수는 없다.

② 형사소송법 제345조의 '책임질 수 없는 사유'란 상소제기기간 내에 상소하지 않은 것에 상소권자 또는 대리인의 고의 또는 과실이 없는 경우를 말한다.

Answer 5. ① 6. ③

③ 피고인이 소송 계속 중인 사실을 알면서도 법원에 거주지 변경 신고를 하지 않은 경우에는, 잘못된 공시송달에 터잡아 피고인의 진술 없이 공판이 진행되고 피고인이 출석하지 않은 기일에 판결이 선고되었더라도, 피고인이 자기 또는 대리인이 책임질 수 없는 사유로 상소제기기간을 준수하지 못한 것으로 볼 수 없다.

④ 형사소송법 제345조의 대리인이란 피고인을 대신하여 상소에 필요한 행위를 할 수 있는 지위에 있는 자를 말하는 것이고 교도소장은 피고인을 대리하여 결정정본을 수령할 수 있을 뿐이고 상소권행사를 돕거나 대신할 수 있는 자가 아니므로 이에 포함되지 않는다.

| 해설 ① 대결 2002.7.23, 2002모180 ② 대결 1986.9.17, 86모46
③ 피고인이 소송이 계속 중인 사실을 알면서도 법원에 거주지 변경 신고를 하지 않았다 하더라도, 잘못된 공시송달에 터 잡아 피고인의 진술 없이 공판이 진행되고 피고인이 출석하지 않은 기일에 판결이 선고된 이상, 피고인은 자기 또는 대리인이 책임질 수 없는 사유로 상소제기기간 내에 상소를 하지 못한 것으로 봄이 타당하다(대결 2014.10.16, 2014모1557).
④ 대결 1991.5.6, 91모32

05

07 상소권회복에 대한 설명으로 옳은 것만을 모두 고르면?(다툼이 있는 경우 판례에 의함)

21. 7급 국가직

> ㉠ 피고인이 상피고인의 기망에 의하여 항소권을 포기하였음을 항소제기 기간 도과 이후 비로소 알게 된 경우 이러한 사정은 형사소송법 제345조의 '책임질 수 없는 사유'에 해당한다.
> ㉡ 제1심판결에 대하여 검사의 항소에 의한 항소심판결이 선고된 후, 피고인이 동일한 제1심판결에 대하여 항소권 회복청구를 하는 경우, 이는 적법하다고 볼 수 없어 법원은 형사소송법 제347조 제1항에 따라 결정으로 이를 기각하여야 한다.
> ㉢ 상소권을 포기한 자가 상소제기기간이 도과한 다음에 상소포기의 효력을 다투는 한편, 자기 또는 대리인이 책임질 수 없는 사유로 인하여 상소제기기간 내에 상소를 하지 못하였다고 주장하는 경우, 상소를 제기함과 동시에 상소권회복청구를 할 수 있다.
> ㉣ 피고인이 소송이 계속 중인 사실을 알면서 법원에 거주지 변경 신고를 하지 아니하였더라도, 공시송달을 명하기에 앞서 피고인이 송달받을 수 있는 장소를 찾아보는 조치들을 다하지 아니한 채 공소장 기재의 주거나 주민등록부의 주소로 우송한 공판기일소환장 등이 이사불명·폐문부재 등의 이유로 송달불능되었다는 것만으로 공시송달을 하고, 이에 터 잡아 피고인의 진술없이 공판을 진행하여 피고인이 출석하지 않은 기일에 판결을 선고하였다면 이를 형사소송법 제345조의 '책임질 수 없는 사유'로 볼 수 있다.

① ㉠, ㉢ ② ㉡, ㉢ ③ ㉡, ㉣ ④ ㉡, ㉢, ㉣

| 해설 ㉠ × : 피고인이 공동피고인의 기망에 의하여 항소권을 포기하였음을 항소제기 기간 도과 이후 비로소 알게 된 경우 이러한 사정은 형사소송법 제345조의 '책임질 수 없는 사유'에 해당한다고 볼 수 없다(대결 1984.7.11, 84모40).
㉡ ○ : 대결 2017.3.30, 2016모2874
㉢ ○ : 대결 2004.1.13, 2003모451
㉣ ○ : 대결 2014.10.15, 2014모1557

Answer 7.④

08 **상소권회복에 대한 설명으로 옳지 않은 것은?** 24. 9급 검찰 · 마약 · 교정 · 보호 · 철도경찰

① 피고인이 질병으로 병원에 입원하였거나 기거불능이었기 때문에 상소를 하지 못하였다는 것은 상소권회복의 사유에 해당하지 않는다.

② 피고인이 형사소송이 계속 중인 사실을 알면서도 법원에 거주지 변경신고를 하지 않아서 공시송달절차에 의하여 재판이 진행된 경우, 비록 소송촉진 등에 관한 특례법에 위배된 공시송달에 터 잡아 피고인의 출석없이 판결의 선고가 이루어지고 상소제기 기간이 도과하였더라도 상소권회복청구가 허용될 수는 없다.

③ 교도소 담당직원이 피고인에게 상소권회복청구를 할 수 없다고 하면서 형사소송규칙 제177조에 따른 편의를 제공하지 않았다고 해도, 이것은 상소권자의 책임질 수 없는 사유로 상소하지 못한 것이라고 보기 어렵다.

④ 피고인이 공동피고인의 기망에 의하여 항소권을 포기하였음을 항소제기 기간이 도과한 뒤에야 비로소 알게 되었다 하더라도 이러한 사정은 피고인이 책임질 수 없는 사유에 해당한다고 볼 수 없다.

해설 ① 대결 1986.9.17, 86모46

② 피고인이 소송이 계속 중인 사실을 알면서도 법원에 거주지 변경 신고를 하지 않았다 하더라도, 잘못된 공시송달에 터 잡아 피고인의 진술 없이 공판이 진행되고 피고인이 출석하지 않은 기일에 판결이 선고된 이상, 피고인은 자기 또는 대리인이 책임질 수 없는 사유로 상소제기기간 내에 상소를 하지 못한 것으로 봄이 타당하다(대결 2014.10.16, 2014모1557).

③ 대결 1986.9.27, 86모47

④ 대결 1984.7.11, 84모40

최신판례

1. 제1심판결에 대하여 항소심판결이 선고된 후 당초 항소하지 않았던 자가 항소권회복청구를 하는 경우, 적법하다고 볼 수 없다. 따라서 항소심판결이 선고된 사건에 대하여 제기된 항소권회복청구는 형사소송법 제347조 제1항에 따라 결정으로 이를 기각하여야 한다(대결 2023.4.27, 2023모350).
2. 상소권회복은 상소권자가 자기 또는 대리인이 책임질 수 없는 사유로 인하여 상소의 제기기간 내에 상소를 하지 못한 경우에 한하여 청구할 수 있으므로(형사소송법 제345조), 재판에 대하여 적법하게 상소를 제기한 자는 다시 상소권회복을 청구할 수 없다(대결 2023.4.27, 2023모350).

Answer 8. ②

THEMA 23 상소의 이익

<table>
<tr><td>의 의</td><td colspan="2">상소권자가 상소를 하기 위하여는 상소의 이익이 있어야 한다. 이러한 의미에서 상소이익은 상소의 적법요건이 된다고 할 수 있다(명문의 규정은 없음).</td></tr>
<tr><td rowspan="2">상소이익의 판단기준</td><td>검사의 상소이익</td><td>검사는 피고인에게 유리한 것인가, 불리한 것인가를 불문하고 상소 이익이 있다. 07 · 11. 9급 국가직</td></tr>
<tr><td>피고인의 상소이익</td><td>피고인은 자신에게 불이익한 상소를 할 수 없다.</td></tr>
<tr><td rowspan="4">상소이익의 구체적 내용</td><td>유죄판결에 대한 피고인의 상소</td><td>1. 유죄판결 ⇨ 피고인이 무죄를 주장하거나 경한 형을 선고할 것을 주장 가능
2. 형면제 및 선고유예의 판결 ⇨ 무죄를 주장하는 상소 가능 07. 9급 국가직, 10. 7급 국가직
3. 제3자의 소유물을 몰수하는 재판 ⇨ 피고인에 대해 몰수형이 선고되는 경우 대상물건이 제3자의 소유물인 때에도 피고인은 상소이익이 있다.</td></tr>
<tr><td>무죄판결에 대한 상소</td><td>1. 무죄판결 ⇨ 피고인은 상소이익이 없다(유죄판결을 구하는 상소는 물론 면소, 공소기각 또는 관할위반을 구하는 상소도 허용되지 않는다).
2. 무죄판결 그 자체는 받아들이면서 그 이유를 다투는 상소가 허용되는가의 여부 ⇨ 부정(대결 1993.3.4, 92모21) 09. 경찰승진, 09 · 15. 7급 국가직</td></tr>
<tr><td>형식재판에 대한 피고인의 상소</td><td>형식재판(관할위반판결, 공소기각판결, 공소기각결정, 면소판결 등)이 선고된 경우 ⇨ 피고인이 무죄를 주장하는 상소를 할 수 없다(대판).
▶ 공소기각의 판결은 피고인에게 불이익한 재판이라고 할 수 없으므로 공소기각의 재판에 대하여 피고인은 상소권이 없다(대판 1983.5.10, 83도632). 10. 9급 국가직, 15. 9급 법원직 · 7급 국가직
▶ 피고인에게는 실체판결청구권이 없는 것이므로 면소판결에 대하여 무죄의 실체판결을 구하여 상소를 할 수는 없는 것이다(대판 1984.11.27, 84도2106). 07 · 11. 9급 국가직, 14 · 17. 9급 교정 · 보호 · 철도경찰, 15. 7급 국가직
▶ 법령의 폐지에 의한 면소판결이더라도 폐지된 법령이 위헌결정에 의해 소급하여 그 효력을 상실한 경우에는 무죄의 실체판결을 구하는 상소 가능(대판 2010.12.16, 2010도5986 전원합의체) 12. 순경 · 9급 법원직</td></tr>
<tr><td>항소기각판결에 대한 상고</td><td>제1심판결에 대하여 피고인이 항소를 제기하였으나 항소기각의 판결이 선고된 경우에 피고인은 상고이익이 있음은 당연하다.</td></tr>
<tr><td>상소이익이 없는 상소제기에 대한 재판</td><td colspan="2">1. 상소기각결정(제362조, 제381조, 제413조)
2. 상소기각판결(제364조 제4항, 제399조, 제414조 제1항)</td></tr>
</table>

01 **상소의 이익에 대한 설명 중 옳지 않은 것은?**(다툼이 있는 경우 판례에 의함)

11. 9급 검찰 · 마약수사

① 검사는 유죄판결에도 중한 죄나 중한 형을 구하는 상소뿐만 아니라 피고인의 이익을 위하여 상소할 수 있다.

② 피고인이 벌금의 실형에 징역형의 집행유예를 주장하는 경우에는 상소이익이 부정된다.

③ 피고인은 원심의 무죄판결에 대하여 면소, 공소기각의 재판을 구하는 상소는 제기할 수 없다.

④ 면소판결에 대하여 피고인이 무죄를 주장하여 상고할 수 있는가에 대하여 판례는 무죄판결이 확정되면 형사보상을 받을 수 있는 법률상의 이익이 있으므로 가능하다고 한다.

| 해설 | ① 검사가 피고인에게 불이익한 상소를 할 수 있다는 점은 의문의 여지가 없고, 검사는 피고인의 이익을 위한 상소도 할 수 있다는 것이 통설과 판례(대결 1993.3.4, 92모21)의 태도이다.

② 피고인의 상소의 취지가 중한 형의 선고를 요구하는 데 있는 경우의 한 예로서 상소이익이 부정되는 경우라는 것이 일반적 견해이다(헌재결 2005.3.31, 2004헌가27 및 대판 1990.9.25, 90도1534 참조).

③ 무죄판결은 피고인에게 가장 유리한 재판이므로, 피고인은 무죄판결에 대하여 다른 판결(유죄판결, 면소판결, 관할위반의 판결, 공소기각의 판결, 공소기각의 결정 등)을 구하는 상소를 할 수 없다(대판 1994.7.29, 93도1091).

④ 피고인에게는 실체판결청구권이 없는 것이므로 면소판결에 대하여 무죄의 실체판결을 구하여 상소를 할 수는 없다는 것이 판례(대판 1984.11.27, 84도2106) 입장이다. 그러나 폐지 또는 실효된 형벌 관련 법령이 당초부터 헌법에 위배되어 효력이 없는 법령에 대한 것이었던 경우 그 법령을 적용하여 공소가 제기된 피고사건에 대하여 법원이 무죄의 선고를 하여야 함에도 불구하고 면소판결을 하는 때에는 이에 대하여 상소가 가능하다(대판 2010.12.16, 2010도5986 전원합의체).

02 **상소의 이익에 대한 설명으로 옳지 않은 것은?**(다툼이 있는 경우 판례에 의함) 15. 7급 국가직

① 재판의 주문뿐만 아니라 판결의 이유만을 다투기 위하여도 피고인은 상소할 수 있다.

② 공소기각의 판결이 있으면 유죄판결의 위험으로부터 벗어나는 것이므로 피고인은 무죄를 주장하여 상소할 수 없다.

③ 면소판결이 있으면 실체판결청구권이 없는 것이므로 피고인은 무죄를 주장하여 상소할 수 없다.

④ 제1심판결에 대하여 피고인은 상소권을 포기하였는데 검사만이 양형이 가볍다는 이유로 항소하였다가 이유 없다고 기각된 항소심판결에 대하여 피고인은 상소할 수 없다.

| 해설 | ① 불복은 재판의 주문에 관한 것이어야 하고, 재판의 이유만을 다투기 위하여 상소하는 것은 허용되지 아니한다(대결 1993.3.4, 92모21).

② 대판 2008.5.15, 2007도6793

③ 대판 1984.11.27, 84도2106

④ 대판 1991.2.8, 90도2619

Answer 1.④ 2.①

03 **상소이익에 관한 설명으로 옳은 것은?**(다툼이 있으면 판례에 의함)

① 누범에 해당하는 전과가 있음에도 불구하고 누범가중을 하지 아니한 경우라도 피고인으로서 위와 같은 위법을 주장하는 것은 자기에게 불이익을 주장하는 것이 되므로 이는 적법한 상고이유가 될 수 없다.

② 제3자 소유물에 대한 몰수가 피고인의 유죄판결에 부가형으로 선고된 경우에 그 몰수재판에 대해 피고인은 상소이익이 부정된다.

③ 피고인에게 유해화학물질관리법 위반(환각물질흡입)죄 등으로 제1심에서 유죄판결과 함께 치료감호청구를 인용하는 판결이 선고되었으나, 검사만이 양형부당을 이유로 항소하였다면, 피고사건의 판결과 동시에 치료감호청구사건의 판결을 선고하여서는 아니 된다.

④ 판결주문의 형과 판결이유 중의 형이 상이하여 이유 중의 형이 중한 경우에 그의 불일치를 이유로 하는 상고는 적법하다.

05

| 해설 ① 대판 1994.8.12, 94도1591

② 제3자 소유물에 대한 몰수가 피고인의 유죄판결에 부가형으로 선고된 경우에도 그 몰수재판에 대해 피고인은 상소이익이 인정된다. 제3자 소유물에 대한 몰수재판도 피고인에 대한 부가형이고 그 몰수물에 대한 점유상실로 피고인의 사용·수익·처분이 곤란해질 수 있기 때문이다. 또한 그 제3자로부터 배상청구를 받을 위험도 존재한다는 것도 한 이유가 된다.

③ 피고인에게 유해화학물질관리법 위반(환각물질흡입)죄 등으로 제1심에서 피고사건에 대한 유죄판결과 함께 치료감호청구를 인용하는 판결이 선고되었고, 비록 검사만이 제1심판결의 피고사건에 대하여만 양형부당을 이유로 항소하였더라도, 검사는 피고인에게 불이익한 상소만이 아니라 피고인의 이익을 위한 상소도 가능하므로 위 치료감호사건에 대한 항소의 이익이 없다고 할 수 없고, 이 경우 치료감호 등에 관한 법률 제14조 제2항(상소의제)에 의하여 치료감호청구사건의 판결에 대하여도 항소가 있는 것으로 보아 피고사건의 판결과 동시에 치료감호청구사건의 판결을 선고하였어야 한다(대판 2011.8.25, 2011도6705).

④ 판결주문의 형과 판결이유 중의 형이 상이하여 이유 중의 형이 중한 경우에 그의 불일치를 이유로 하는 상고는 피고인에 불이익한 사항을 주장한 것으로서 적법한 상고이유가 되지 못한다(대판 1952.8.26, 4284형상129).

Answer 3. ①

THEMA 24 상소제기의 방식과 효과

상소제기의 방식	1. 상소의 제기는 서면으로 하여야 한다(제343조 제1항). 2. 항소와 상고의 제기기간은 7일이며(제358조, 제374조), 즉시항고기간 역시 7일(개정 전 : 3일)이다(제405조). 보통항고는 항고의 실익이 있는 한 언제든지 할 수 있다(제404조). 3. 소장은 원심법원에 제출해야 하지만(제359조, 제375조, 제406조), 교도소 또는 구치소에 있는 피고인은 상소제기기간 내에 교도소장이나 구치소장 또는 그 직무를 대리한 자에게 상소장을 제출하면 상소제기기간 내에 상소한 것으로 간주한다(제344조). 4. 상소제기가 방식에 위반한 경우에는 원심법원이 상소기각결정을 하거나(제360조 제1항, 제376조 제1항, 제407조 제1항) 상소법원이 상소기각결정을 한다(제362조 제1항, 제381조, 제413조).
상소제기의 효력	1. 정지의 효력 : 상소제기에 의하여 재판의 확정과 그 집행은 정지된다. 재판확정의 정지효력은 상소에 의해 언제나 발생하지만, 집행정지의 효력에 대해서는 일정한 예외가 있다. 즉, 항고는 즉시항고를 제외하고는 재판의 집행을 정지하는 효력이 없고, 가납재판의 집행도 상소제기에 의하여 정지되지 않는다. 2. 이심의 효력 : 상소의 제기에 의해 소송계속은 원심을 떠나 상소심으로 옮겨진다. 그러나 이심의 효력이 상소제기와 동시에 발생하는 것이 아니라 상소장과 소송기록이 원심법원으로부터 상소법원에 송부한 때 발생한다(다수설). 따라서 상소제기가 부적법한 경우 상소장과 소송기록이 상소법원에 송부되기 전에는 원심법원이 상소기각의 결정을 하게 된다.

01 **상소제기기간에 대한 설명 중 적절하지 않은 것은?**(다툼이 있는 경우 판례에 의함) 13. 순경

① 상소제기기간은 항소 및 상고의 경우에는 7일이며, 즉시항고의 경우에는 원칙적으로 3일이다.

② 상소제기기간을 재판서 송달일이 아닌 재판선고일로부터 계산하는 것은 과잉으로 국민의 재판청구권을 침해한다.

③ 상소제기기간은 기간계산의 일반원칙에 따라 초일을 산입하지 않고 익일부터 계산하여야 한다.

④ 상소제기기간의 말일이 공휴일 또는 토요일에 해당하는 날은 상소기간에 산입하지 아니한다.

| 해설 ① 제358조, 제374조, 제405조(즉시항고 제기기간이 3일에서 7일로 개정)
② 재판선고일로부터 계산하는 것은 과잉으로 국민의 재판청구권을 제한한다고 할 수 없다(헌재결 1995. 3.29, 92헌바1).
③④ 제66조

05

02 **상소제기에 관한 설명 중 적절하지 않은 것은?**(다툼이 있는 경우 판례에 의함) 20. 경찰승진

① 상소의 제기기간은 판결등본이 송달된 날부터 진행되며 항소와 상고의 제기기간은 7일이다.

② 교도소 또는 구치소에 있는 피고인이 상소의 제기기간 내에 상소장을 교도소장 또는 구치소장 또는 그 직무를 대리하는 자에게 제출한 때에는 상소의 제기기간 내에 상소한 것으로 간주한다.

③ 상소의 제기기간은 기간계산의 일반원칙에 따라 초일을 산입하지 아니하고, 기간의 말일이 공휴일 또는 토요일에 해당하는 날은 기간에 산입하지 아니한다.

④ 피고인의 배우자, 직계친족, 형제자매 또는 원심의 대리인이나 변호인은 피고인을 위하여 상소할 수 있으나 피고인의 명시한 의사에 반하여 하지 못한다.

| 해설 ① 상소의 제기기간은 재판의 선고 또는 고지한 날로부터 진행한다(제343조 제2항).
② 제344조
③ 제66조 제1항 · 제3항
④ 제341조 제1항 · 제2항

Answer 1. ①② 2. ①

제3절 일부상소 · 불이익변경금지원칙 · 파기판결의 구속력

THEMA 25 일부상소

<table>
<tr><td>의 의</td><td colspan="2">재판의 일부에 대한 상소를 말하는데 현행법에서 허용(제342조 제1항)</td></tr>
<tr><td rowspan="2">일부상소의 허용범위</td><td>허용 ○</td><td>1. 경합범관계에 있는 수개의 범죄사실에 대하여 일부는 유죄를, 다른 부분에 대하여 무죄 · 면소 · 공소기각 · 관할위반 또는 형면제판결이 선고된 때
2. 경합범이 각 부분에 관하여 일부는 징역형, 다른 일부는 벌금형이 선고된 경우와 같이 주문에서 2개 이상의 다른 형이 병과된 때
3. 수개의 공소사실이 확정판결 전후에 범한 죄이기 때문에 형법 제37조 후단에 의거 수개의 형이 선고된 때(확정판결을 기준으로 수개의 형이 서로 다른 주문으로 표시되므로)
4. 경합범 관계에 있는 공소사실의 전부에 대하여 무죄가 선고된 때(무죄판결은 각 공소사실에 대한 것이므로)</td></tr>
<tr><td>허용 ×</td><td>1. 일죄의 일부
① 과형상 일죄, 포괄일죄, 단순일죄 등 일죄의 일부에 대한 상소는 허용되지 않는다(상소불가분의 원칙에 따라 일죄의 일부에 대한 상소는 그 일부와 불가분의 관계에 있는 부분에 대하여도 효력이 미치기 때문). 10. 순경 · 9급 법원직, 11. 7급 국가직
② 예비적 공소사실에 대한 상소 ⇨ 주위적 공소사실부분도 심판대상이 된다(대판 2006.5.25, 2006도1146). 13 · 24. 9급 검찰 · 마약 · 교정 · 보호 · 철도경찰
2. 1개의 형이 선고된 경합범 10. 순경 · 9급 법원직, 11. 경찰승진
▶ 동시적 경합범에 대하여 모두 무죄가 선고된 때 ⇨ 일부상소 가능
3. 주형과 일체가 된 부가형 13. 9급 검찰 · 마약 · 교정 · 보호 · 철도경찰
▶ 소송비용부담의 재판 ⇨ 독립상소 ×(제191조 제2항)
▶ 배상명령이 선고 ⇨ 독립하여 즉시항고 ○(소송촉진 등에 관한 특례법 제33조 제5항) 10. 순경 2차, 11. 경찰승진, 14. 7급 국가직</td></tr>
<tr><td>일부상소의 방식</td><td colspan="2">일부상소를 함에는 일부상소를 한다는 취지를 명시하고 불복부분을 특정하여야 한다. 불복부분을 특정하지 아니한 상소는 전부상소로 보아야 한다.</td></tr>
<tr><td rowspan="2">일부상소의 효력</td><td>일반적인 경우</td><td>일부상소가 있으면 상소제기된 부분만 상소심에 소송계속이 발생하고 상소 없는 부분에 대해서는 재판이 확정된다. 10. 9급 법원직, 11. 경찰승진</td></tr>
<tr><td>특별한 경우</td><td>- 검사만이 유 · 무죄 전체에 대해서 상소한 경우 : 무죄부분 이유 인정 ⇨ 전부 파기(대판 2012.6.14, 2011도12571). 16. 9급 검찰 · 마약 · 교정 · 보호 · 철도경찰
▶ 검사만이 공소기각, 무죄 전체에 대해서 상소 : 공소기각 부분 이유 인정 ⇨ 공소기각 부분만 파기(무죄부분까지 파기 불가)(대판 2022.1.13, 2021도13108)
- 쌍방의 일부상소가 있는 경우 : 검사 상소한 무죄부분 이유 인정 ⇨ 전부 파기(대판 2010.12.13, 2010도9110) 12. 9급 검찰, 13. 변호사시험, 14. 7급 국가직, 16. 9급 검찰 · 마약 · 교정 · 보호 · 철도경찰
- 경합범이 일죄로 판명된 경우 : 모두 심판대상(대판 1980.12.9, 80도384 전원합의체). 10. 9급 법원직, 11. 경찰승진, 13. 9급 국가직 · 변호사시험</td></tr>
</table>

1죄의 일부상소 관련판례

원 칙 (유죄⇨무죄, 무죄⇨유죄 선고 ○)	1. 제1심이 단순일죄의 관계에 있는 공소사실의 일부에 대하여만 유죄로 인정한 경우에 피고인만이 항소하여도 그 항소는 그 일죄의 전부에 미쳐서 항소심은 무죄부분에 대하여도 심판할 수 있다 할 것이고, 그 경우 항소심이 위 무죄부분을 유죄로 판단하였다 하여 그로써 항소심판결에 불이익변경금지원칙에 위반하거나 심판범위에 대한 법리를 오해한 위법이 있다고 할 수 없다(대판 2001.2.9, 2000도5000). 10 · 13. 9급 법원직, 16. 9급 검찰 · 마약 · 교정 · 보호 · 철도경찰 2. 공소사실 중 일부에 대하여는 유죄를, 실체적 경합관계에 있는 일부에 대하여는 무죄를 각 선고하고, 그 유죄부분과 상상적 경합관계에 있는 다른 일부에 대하여는 무죄임을 판시하면서 주문에 별도의 선고를 하지 않은 항소심판결에 대하여, 검사가 무죄부분 전체에 대하여 상고를 한 경우 그 유죄부분은 형식상 검사 및 피고인 어느 쪽도 상고한 것 같아 보이지 않지만 그 부분과 상상적 경합관계에 있는 무죄부분에 대하여 검사가 상고함으로써 그 유죄부분은 그 무죄부분의 유 · 무죄 여하에 따라서 처단될 죄목과 양형을 좌우하게 되므로, 결국 그 유죄부분도 함께 상고심의 판단대상이 된다(대판 2007.6.1, 2005도7523). 3. 상상적 경합관계에 있는 두 죄에 대하여 한 죄는 무죄, 한 죄는 유죄가 선고되어 검사만이 무죄부분에 대하여 상고하였다 하여도 유죄부분도 상고심의 심판대상이 되는 것이다(대판 2005.1.27, 2004도7488). 17. 경찰간부 4. 포괄적 1죄의 관계에 있는 공소사실의 일부에 대하여만 유죄로 인정하고 나머지는 무죄가 선고되어 검사는 위 무죄부분에 대하여 불복상고하고 피고인은 유죄부분에 대하여 상고하지 않은 경우, 상소불가분의 원칙상 포괄적 1죄의 일부만에 대하여 상고할 수는 없으므로 검사의 무죄부분에 대한 상고에 의해 상고되지 않은 원심에서 유죄로 인정된 부분도 상고심에 이심되어 심판의 대상이 된다고 볼 것이다(대판 1985.11.12, 85도1998). 24. 9급 검찰 · 마약 · 교정 · 보호 · 철도경찰
예 외 (무죄⇨유죄 선고 ×)	아래 판례의 경우는 무죄부분에 대하여 다시 유죄를 선고할 수 없다는 견해를 취하여 피고인을 보호하고 있다. 1. 포괄1죄의 일부만이 유죄로 인정된 경우 그 유죄부분에 대하여 피고인만이 상고하였을 뿐 무죄부분에 대하여 검사가 상고를 하지 않았다면 상소불가분의 원칙에 의하여 무죄부분도 상고심에 이심되기는 하나, 그 무죄부분에까지 나아가 판단할 수 없는 것이고, 상고심이 위 유죄부분에 대한 항소심판결이 잘못되었다는 이유로 사건을 파기환송한 경우에 항소심은 그 무죄부분에 대하여 다시 심리판단하여 유죄를 선고할 수 없다(대판 1991.3.12, 90도2820). 13. 9급 검찰 · 마약 · 교정 · 보호 · 철도경찰 **유죄판례** : 포괄일죄의 일부만이 유죄로 인정된 경우 그 유죄부분에 대하여 피고인만이 항소하였을 뿐 공소기각으로 판단된 부분에 대하여 검사가 항소를 하지 않았다면, 항소심으로서도 그 부분에까지 판단할 수 없다(대판 2010.1.14, 2009도12934). 2. 환송 전 원심에서 상상적 경합관계에 있는 수죄에 대하여 모두 무죄가 선고되었고, 이에 검사가 무죄부분 전부에 대하여 상고하였으나 그중 일부 무죄부분(A)에 대하여는 이를 상고이유로 삼지 않은 경우, 비록 상고이유로 삼지 아니한 무죄부분(A)도 상고심에 이심되지만 상고심으로서도 그 무죄부분에까지 나아가 판단할 수 없다. 따라서 상고심으로부터 다른 무죄부분(B)에 대한 원심판결이 잘못되었다는 이유로 사건을 파기환송 받은 원심은 그 무죄부분(A)에 대하여 다시 심리 · 판단하여 유죄를 선고할 수 없다(대판 2008.12.11, 2008도8922).

▶ 상상적 경합관계에 있는 수죄에 대하여 모두 무죄가 선고되었고, 이에 검사가 무죄부분 전부에 대하여 상고하였으나 그중 일부 무죄부분에 대하여는 이를 상고이유로 삼지 않았다고 하더라도 상고심에서는 그 무죄부분까지 전부 판단하여야 한다. (×)
15. 9급 교정 · 보호 · 철도경찰

3. 제1심법원이 공소사실의 동일성이 인정되는 범위 내에서 공소가 제기된 범죄사실에 포함된 보다 가벼운 범죄사실을 유죄로 인정하면서 법정형이 보다 가벼운 다른 법조를 적용하여 피고인을 처벌하고, 유죄로 인정된 부분을 제외한 나머지 부분에 대하여는 판결 이유에서 무죄로 판단한 경우, 그에 대하여 피고인만이 유죄부분에 대하여 항소하고 검사는 무죄로 판단된 부분에 대하여 항소하지 아니하였다면, 비록 그 죄 전부가 피고인의 항소와 상소불가분의 원칙으로 인하여 항소심에 이심되었다고 하더라도 무죄부분은 심판대상이 되지 않는다(대판 2008.9.25, 2008도4740).

▶ 사례 : 피고인은 정보통신망을 통하여 공연히 허위의 사실을 적시하여 타인의 명예를 훼손하였다는 요지의 공소사실에 의해 법 제61조 제2항 위반죄로 공소제기되었는데, 제1심은 피고인이 정보통신망을 통하여 공연히 사실을 적시하여 타인의 명예를 훼손한 것으로 보아 법 제61조 제1항 위반의 점만을 유죄로 인정하여 벌금형을 선고한 경우, 피고인만이 유죄부분에 대하여 항소하고 검사는 위 무죄부분에 대하여 항소하지 아니하였으므로 결국, 무죄로 판단된 법 제61조 제2항 위반죄 부분은 항소심의 심판대상에서 벗어났다고 할 것임에도, 원심은 제1심이 위 무죄부분에 대하여 판결 이유에서 무죄 사유를 기재하지 아니한 잘못이 있다는 이유만으로 위 무죄부분을 포함한 제1심판결 전체를 직권 파기한 다음, 위 무죄부분에 대하여도 유죄로 인정함은 위법이다(대판 2008.9.25, 2008도4740).

01 **일부상소에 대한 설명으로 옳은 것은?**(다툼이 있는 경우 판례에 의함)

① 수개의 마약류 관리에 관한 법률위반으로 기소된 사안에서 선고된 일부유죄, 일부무죄의 제1심법원 판결에 대하여 검사만 무죄부분에 대해서 항소한 경우, 항소심에서 이를 파기할 때에는 유죄로 확정된 부분까지 심리하여 위 무죄부분과 함께 형을 선고하여야 한다.

② 경합범의 관계에 있는 공소사실 중 일부 공소기각, 일부무죄를 선고한 판결에 대하여 검사가 전부에 대하여 상소를 제기하였고 그중 공소기각 부분에 대한 상소가 이유가 있어 파기하는 경우에도 그 부분만 파기할 것이 아니라, 전부를 파기해야 된다.

③ 피고사건의 판결 중 몰수 또는 추징에 관한 부분만을 불복 대상으로 삼아 상소가 제기된 경우, 상소의 효력은 그 부분과 불가분의 관계에 있는 본안에 관한 판단부분에까지 미쳐 그 전부가 상소심으로 이심된다.

④ 유죄판결과 동시에 배상명령이 선고된 경우, 피고인이 유죄판결에 대해서 상소를 제기하지 않고 배상명령에 대해서만 독립적으로 상소를 제기하는 것은 허용되지 않는다.

| 해설 ① 수개의 마약류관리에 관한 법률 위반으로 기소된 피고인에 대한 제1심판결의 유죄부분에 대해서 피고인은 항소하지 아니하고 무죄부분에 대한 검사의 항소만 있는 사안에서, 위 유죄부분은 확정되고

Answer 1. ③

무죄부분만이 원심에 계속되게 되었으므로 위 무죄부분만을 심리·판단하여야 함에도, 이미 유죄로 확정된 부분까지 다시 심리하여 위 무죄부분과 함께 형을 선고한 원심판결에 심리의 범위에 관한 법리오해의 위법이 있다(대판 2010.11.25, 2010도10985).
② 경합범의 관계에 있는 공소사실이라고 하더라도 하나의 형을 선고하기 위해서 파기하는 경우와는 달리, 1개의 형으로 선고할 수 없는 경우에는 개별적으로 파기되는 부분과 불가분의 관계에 있는 부분만을 파기하여야 한다. 따라서 일부 공소기각, 일부무죄를 선고한 판결에 대하여 검사가 전부에 대하여 상소를 제기하였고 그중 공소기각 부분에 대한 상소가 이유가 있어 파기하는 경우 그 부분만 파기하여야 하고 아무 관련이 없는 무죄부분은 파기할 수 없다(대판 2022.1.13, 2021도13108).
③ 대판 2008.11.20, 2008도5596 전원합의체
④ 배상명령에 대해서만 즉시항고할 수 있다(소송촉진 등에 관한 특례법 제33조 제5항).

02 **일부상소에 대한 설명으로 옳지 않은 것은?**(다툼이 있는 경우 판례에 의함)

13. 9급 검찰·마약·교정·보호·철도경찰

① 원심이 두 개의 죄를 경합범으로 보고 한 죄는 유죄, 다른 한 죄는 무죄를 각 선고하자 검사가 무죄부분에 대하여만 불복하여 상고한 경우, 위 두 죄가 상상적 경합관계에 있다면 유죄부분도 상고심의 심판대상이 된다.
② 동일한 사실관계에 대하여 서로 양립할 수 없는 법조를 적용하여 주위적·예비적으로 공소제기된 사건에서 예비적 공소사실만 유죄로 인정되고 그 부분에 대하여 피고인만 상소한 경우, 주위적 공소사실은 상소심의 심판대상에 포함되지 않는다.
③ 형의 집행유예, 노역장유치일수 등의 부수적 주문은 주형의 주문과 일체를 이루는 것이므로, 부수적 주문에 대하여만 독립하여 상소를 할 수 없다.
④ 포괄일죄 중 유죄부분에 대하여 피고인만이 상소하였을 뿐 무죄부분에 대하여 검사가 상소를 하지 않은 경우, 상소심은 무죄부분에 대하여 심리·판단할 수 없다.

해설 ① 대판 1980.12.9, 80도384 전원합의체
② 원래 주위적·예비적 공소사실의 일부에 대한 상소제기의 효력은 나머지 공소사실 부분에 대하여도 미치는 것이고, 동일한 사실관계에 대하여 서로 양립할 수 없는 적용법조의 적용을 주위적·예비적으로 구하는 경우에는 예비적 공소사실만 유죄로 인정되고 그 부분에 대하여 피고인만 상소하였다고 하더라도 주위적 공소사실까지 함께 상소심의 심판대상에 포함된다(대판 2006.5.25, 2006도1146).
③ 대판 2008.11.20, 2008도5596 전원합의체 ④ 대판 1991.3.12, 90도2820

03 **일부상소에 대한 설명으로 가장 적절하지 않은 것은?**(다툼이 있는 경우 판례에 의함)

18. 순경 3차

① 종국판결에 대한 상고 없이 추징의 선고부분에 한하여 독립상고는 할 수 없다.
② 1개의 형이 선고된 경합범에서 일부의 죄에 대한 상소의 효력은 상소불가분의 원칙상 피고사건 전부에 미쳐 그 전부가 상소심에 이심된다.
③ 원심이 두개의 죄를 경합범으로 보고 한 죄는 유죄, 다른 한 죄는 무죄를 각 선고하자 검사가 무죄부분만에 대하여 불복상고 하였다면, 설령 위 두죄가 상상적 경합관계에 있다 하더라도 유죄부분은 상고심의 심판대상이 되지 않는다.

Answer 2.② 3.③

05

④ 포괄일죄의 일부만이 유죄로 인정된 경우 그 유죄부분에 대하여 피고인만이 상고하였을 뿐 무죄로 판단된 부분에 대하여 검사가 상고를 하지 않았다면, 무죄부분도 상고심에 이심되기는 하나 그 부분은 상고심으로서도 판단할 수 없다.

| 해설 | ① 피고사건의 재판 가운데 몰수 또는 추징에 관한 부분만을 불복대상으로 삼아 상소가 제기되었다 하더라도, 상소심으로서는 이를 적법한 상소제기로 다루어야 하는 것이지 몰수 또는 추징에 관한 부분만을 불복대상으로 삼았다는 이유로 그 상소의 제기가 부적법하다고 보아서는 아니 되고, 그 부분에 대한 상소의 효력은 그 부분과 불가분의 관계에 있는 본안에 관한 판단 부분에까지 미쳐 그 전부가 상소심으로 이심되는 것이다(대판 2008.11.20, 2008도5596 전원합의체). '종국판결에 대한 상고 없이 추징의 선고부분에 한하여 독립상고는 할 수 없다.'는 판례(대판 1984.12.11, 84도1502)는 위 전원합의체 판결에 의해 폐기된 바 있다. 따라서 '추징의 선고부분에 한하여 독립상고할 수 없다.'는 지문은 판례에 의할 때 적절한 내용으로 볼 수는 없겠으나, 추징부분만을 독립해서 상고하였더라도 이 부분만 상고심으로 이심되는 것이 아니라 전체가 이심되어야 한다는 의미로 새긴다면 상대적으로 맞는 지문으로 처리될 수도 있지 않을까 싶다(출제기관은 확정정답을 ③으로 하고 있으나, 논란의 여지는 있어 보인다).
② 대판 2008.11.20, 2008도5596 전원합의체
③ 두개의 죄를 경합범으로 보고 한 죄는 유죄, 다른 한 죄는 무죄를 각 선고하자 검사가 무죄부분만에 대하여 불복상고 하였다고 하더라도 위 두죄가 상상적 경합관계에 있다면 유죄부분도 상고심의 심판대상이 된다(대판 1980.12.9, 80도384).
④ 대판 1991.3.12, 90도2820

04 일부상소에 대한 설명으로 옳은 것(○)과 옳지 않은 것(×)을 바르게 연결한 것은?(다툼이 있으면 판례에 의함)

㉠ 확정판결 전의 공소사실과 확정판결 후의 공소사실에 대하여 따로 유죄를 선고하여 두 개의 형을 정한 제1심판결에 대하여 피고인만이 확정판결 전의 유죄판결 부분에 대하여 항소한 경우, 항소심에 계속된 사건은 확정판결 전이 유죄판결 부분뿐이므로 항소심이 심리·판단하여야 할 범위는 확정판결 전의 유죄판결 부분에 한정된다.
㉡ 형법 제37조 전단 경합범관계에 있는 공소사실 중 일부에 대하여 유죄, 나머지 부분에 대하여 무죄를 선고한 제1심판결에 대하여 검사만이 항소하면서 무죄부분에 대하여는 항소이유를 기재하고 유죄부분에 대하여는 이를 기재하지 않았으나 항소범위는 '전부'로 표시한 경우, 항소심이 제1심판결의 무죄부분을 유죄로 인정하는 때에는 제1심판결 전부를 파기하고 경합범 관계에 있는 공소사실 전부에 대하여 하나의 형을 선고하여야 한다.
㉢ 환송 전 항소심판결에서 경합범관계에 있는 A죄에 대해서는 무죄를 선고하고 B죄에 대해서는 유죄로 인정하여 형을 선고하였는데, 검사만 무죄로 선고된 A죄에 대하여 상고를 하자 대법원이 원심판결 중 A죄에 대해서만 파기하고 이를 원심법원에 환송한 경우, 환송 후의 원심에는 파기환송된 A죄 부분만이 계속된 것이므로 환송 후의 원심으로서는 이 부분만을 심리하여야 한다.
㉣ 환송 전 원심에서 상상적 경합관계에 있는 수죄에 대하여 모두 무죄가 선고되었고, 이에 검사가 무죄부분 전부에 대하여 상고하였으나 그중 일부 무죄부분에 대하여는 이를 상고이유로 삼지 않은 경우, 상고이유로 삼지 아니한 무죄부분도 상고심에 이심되므로 상고심은 그 무죄부분까지 판단할 수 있다.

Answer 4.④

① ㉠ ×, ㉡ ×, ㉢ ○, ㉣ ○
② ㉠ ○, ㉡ ×, ㉢ ○, ㉣ ○
③ ㉠ ○, ㉡ ○, ㉢ ×, ㉣ ×
④ ㉠ ○, ㉡ ○, ㉢ ○, ㉣ ×

| 해설 ㉠ ○ : 대판 2018.3.29, 2016도18553
㉡ ○ : 대판 2011.3.10, 2010도17779
㉢ ○ : 대판 1974.10.8, 74도1301
㉣ × : 환송 전 원심에서 상상적 경합관계에 있는 수죄에 대하여 모두 무죄가 선고되었고, 이에 검사가 무죄부분 전부에 대하여 상고하였으나 그중 일부 무죄부분에 대하여는 이를 상고이유로 삼지 아니하였다면, 비록 상고이유로 삼지 아니한 무죄부분도 상고심에 이심된다고는 하나 그 부분은 이미 당사자 간의 공격방어의 대상으로부터 벗어나 사실상 심판대상에서부터도 이탈하게 되는 것이므로, 상고심으로서도 그 무죄부분에까지 나아가 판단할 수 없는 것이고, 따라서 상고심으로부터 다른 무죄부분에 대한 원심판결이 잘못되었다는 이유로 사건을 파기환송 받은 원심은 그 무죄부분에 대하여 다시 심리 · 판단하여 유죄를 선고할 수 없다(대판 2008.12.11, 2008도8922).

05 **다음 중 [ ] 부분이 상소심의 심판대상이 되지 않는 것은 모두 몇 개인가?**(다툼이 있는 경우 판례에 의함)

20. 해경간부

05

㉠ 단순일죄의 관계에 있는 공소사실의 일부에 대하여만 유죄로 인정한 재판에 대하여 피고인만이 항소한 경우 [무죄부분]
㉡ 형법 제37조 전단의 경합범(판결이 확정되지 아니한 수개의 죄)에 대하여 항소심이 일부유죄, 일부무죄의 판결을 하고 그 판결에 대하여 피고인과 검사 모두 상고하였으나, 무죄부분에 대한 검사의 상고만 이유있는 경우 [유죄부분]
㉢ 포괄일죄의 관계에 있는 공소사실의 일부에 대하여만 유죄로 인정하고 나머지는 무죄가 선고된 재판에 대하여, 검사는 무죄부분에 대하여 불복상고하고 피고인은 유죄부분에 대하여 상고하지 않은 경우 [유죄부분]
㉣ 포괄일죄의 일부만이 유죄로 인정된 재판에 대하여 그 유죄부분에 대하여 피고인만이 상고하였을 뿐 무죄나 공소기각으로 판단된 부분에 대하여 검사가 상고를 하지 않은 경우 [무죄나 공소기각 부분]
㉤ 공소제기된 범죄사실에 포함된 보다 가벼운 범죄사실을 유죄로 인정하고, 유죄로 인정된 부분을 제외한 나머지 부분에 대하여는 판결 이유에서 무죄로 판단한 재판에 대하여 항소하지 않은 경우 [무죄부분]
㉥ 상상적 경합관계에 있는 수죄에 대하여 모두 무죄가 선고된 재판에 대하여 검사가 무죄부분 전부에 대하여 상고하였으나 그중 일부 무죄부분에 대하여는 이를 상고이유로 삼지 아니한 경우 [상고이유로 삼지 않은 무죄부분]

① 1개 ② 2개 ③ 3개 ④ 4개

| 해설 ㉠ 심판대상 ○ : 대판 2001.2.9, 2000도5000
㉡ 심판대상 ○ : 경합범 중 검사와 피고인이 각각 무죄부분과 유죄부분에 대하여 일부상소를 제기한 경우 유죄부분의 피고인 상고는 이유가 없고, 무죄부분의 검사 상고만 이유가 있는 경우, 항소심이 유죄로 인정한 죄와 무죄로 인정한 죄가 형법 제37조 전단의 경합범 관계에 있다면 항소심판결의 유죄부분도 무죄부분과 함께 파기되어야 한다(대판 2010.12.13, 2010도9110). 따라서 유죄부분도 심판의 대상이 된다.

Answer 5. ③

㉢ 심판대상 ○ : 대판 1985.11.12, 85도1998
㉣ 심판대상 × : 대판 1991.3.12, 90도2820 ; 대판 2010.1.14, 2009도12934
㉤ 심판대상 × : 대판 2008.9.25, 2008도4740
㉥ 심판대상 × : 대판 2008.12.11, 2008도8922

06 일부상소에 관한 설명 중 가장 옳은 것은?(다툼이 있는 경우 판례에 의함) 20. 경찰간부

① 상상적 경합관계에 있는 수죄에 대하여 모두 무죄가 선고되었고, 검사가 그 전부에 대하여 상고하였으나, 그중 일부에 대하여는 상고이유로 삼지 않았다고 하더라도 상고심에 전부 이심되며 상고심으로서는 그 무죄부분까지 나아가 판단하여야 한다.

② 수개의 마약류 관리에 관한 법률 위반의 경합범으로 기소된 사안에서 선고된 일부유죄, 일부무죄의 제1심법원 판결에 대하여 검사만 무죄부분에 대해서 항소한 경우, 항소심에서 이를 파기할 때에는 유죄로 확정된 부분까지 심리하여 위 무죄부분과 함께 형을 선고하여야 한다.

③ 피고사건의 판결 중 몰수 또는 추징에 관한 부분만을 불복 대상으로 삼아 상소가 제기된 경우, 상소의 효력은 그 부분과 불가분의 관계에 있는 본안에 관한 판단부분에까지 미쳐 그 전부가 상소심으로 이심된다.

④ 포괄일죄의 일부만이 유죄로 인정된 경우 그 유죄부분에 대하여 피고인만이 항소하였을 뿐 공소기각으로 판단된 부분에 대하여 검사가 항소를 하지 않은 때에는, 유죄 이외의 부분도 이심되므로 항소심은 공소기각 부분도 판단할 수 있다.

| 해설 ① 상상적 경합관계에 있는 수죄에 대하여 모두 무죄가 선고되었고, 검사가 그 전부에 대하여 상고하였으나, 그중 일부에 대하여는 상고이유로 삼지 않은 경우, 비록 상고이유로 삼지 아니한 무죄부분도 상고심에 이심되지만 그 부분은 이미 당사자 간의 공격방어의 대상으로부터 벗어나 심판대상에서 이탈하게 되므로, 상고심으로서는 그 무죄부분까지 나아가 판단할 수 없다(대판 2008.12.11, 2008도8922).
② 수개의 마약류관리에 관한 법률 위반(향정)으로 기소된 피고인에 대한 제1심판결의 유죄부분에 대해서 피고인은 항소하지 아니하고 무죄부분에 대한 검사의 항소만 있는 사안에서, 위 유죄부분은 확정되고 무죄부분만이 원심에 계속되게 되었으므로 위 무죄부분만을 심리 · 판단하여야 한다(대판 2010.11.25, 2010도10985).
③ 대판 2008.11.20, 2008도5596 전원합의체
④ 포괄일죄의 일부만이 유죄로 인정된 경우 그 유죄부분에 대하여 피고인만이 항소하였을 뿐 공소기각으로 판단된 부분에 대하여 검사가 항소를 하지 않은 때에는, 유죄 이외의 부분도 이심되기는 하나, 그 부분은 이미 당사자 간의 공격방어의 대상으로부터 벗어나 심판대상에서 이탈하게 되므로, 상고심으로서는 그 부분까지 판단할 수 없다(대판 2010.1.14, 2009도12934).

07 일부상소에 관한 설명 중 가장 옳지 않은 것은?(다툼이 있는 경우 판례에 의함) 20. 9급 법원직

① 제1심이 단순일죄의 관계에 있는 공소사실의 일부에 대하여만 유죄로 인정한 경우에 피고인만이 항소하여도 그 항소는 그 일죄의 전부에 미쳐서 항소심은 무죄부분에 대하여도 심판할 수 있다.

Answer 6.③ 7.③

② 포괄일죄의 일부만이 유죄로 인정된 경우 그 유죄부분에 대하여 피고인만이 상고하였을 뿐 무죄나 공소기각으로 판단된 부분에 대하여 검사가 상고를 하지 않았다면, 상소불가분의 원칙에 의해 유죄 이외의 부분도 상고심에 이심되기는 하나 사실상 심판대상에서 이탈하게 되므로 상고심으로서도 무죄나 공소기각 부분에 대하여 판단할 수는 없다.

③ 필수적 몰수 또는 추징 요건에 해당하는 사건에서 몰수 또는 추정에 관한 부분만을 불복대상으로 삼아 상소가 제기되었다 하더라도, 상소심으로서는 이를 적법한 상소제기로 다루어야 하나, 상소의 효력은 그 불복대상인 몰수 또는 추징에 관한 부분에 한정된다.

④ 포괄일죄의 관계에 있는 공소사실의 일부에 대하여만 유죄로 인정하고 나머지는 무죄가 선고되어 검사는 위 무죄부분에 대하여 불복상고하고 피고인은 유죄부분에 대하여 상고하지 않은 경우, 원심에서 유죄로 인정된 부분도 상고심에 이심되어 심판의 대상이 된다.

| 해설 ① 대판 2001.2.9, 2000도5000
② 대판 1991.3.12, 90도2820 ; 대판 2010.1.14, 2009도12934
③ 피고사건의 재판 가운데 몰수 또는 추징에 관한 부분만을 불복대상으로 삼아 상소가 제기되었다 하더라도, 상소심으로서는 이를 적법한 상소제기로 다루어야 하고, 그 부분에 대한 상소의 효력은 그 부분과 불가분의 관계에 있는 본안에 관한 판단 부분에까지 미쳐 그 전부가 상소심으로 이심된다(대판 2008.11.20, 2008도5596 전원합의체). ④ 대판 1989.4.11, 86도1629

05

08 일부상소에 대한 설명으로 옳지 않은 것은?

24. 9급 검찰·마약·교정·보호·철도경찰

① 상소는 재판의 일부에 대하여 할 수 있으며, 일부에 대한 상소는 그 일부와 불가분의 관계에 있는 부분에 대하여도 효력이 미친다.

② 포괄일죄에 대하여 일부유죄, 일부무죄의 판결이 선고된 경우에 검사만이 무죄부분에 대하여 상고를 하고 피고인은 상고하지 않은 경우, 유죄부분도 상고심에 이전되어 심판의 대상이 된다.

③ 포괄일죄의 일부만이 유죄로 된 경우 그 유죄부분에 대하여 피고인만이 항소하고 공소기각으로 판단된 부분에 대하여 검사는 항소하지 않은 경우, 공소기각으로 판단된 부분도 항소심의 심판 대상이 되므로 항소심은 그 부분에까지 나아가 판단해야 한다.

④ 제1심이 경합범에 대하여 일부무죄·일부유죄로 판결한 것에 대하여 검사만이 무죄부분에 대하여 항소한 경우, 피고인과 검사가 항소하지 아니한 유죄부분은 항소기간이 지남에 따라 확정되어 무죄부분만이 항소심의 심판대상이 되므로 항소심에서 파기할 때에는 무죄부분만을 파기하여야 한다.

| 해설 ① 제342조 제1항·제2항 ② 대판 1985.11.12, 85도1998
③ 포괄일죄의 일부만이 유죄로 인정된 경우 그 유죄부분에 대하여 피고인만이 항소하였을 뿐 공소기각으로 판단된 부분에 대하여 검사가 항소를 하지 않았다면, 상소불가분의 원칙에 의하여 유죄 이외의 부분도 항소심에 이심되기는 하나 그 부분은 이미 당사자 간의 공격·방어의 대상으로부터 벗어나 사실상 심판대상에서부터도 이탈하게 되므로 항소심으로서도 그 부분에까지 나아가 판단할 수 없다(대판 2010.1.14, 2009도12934). ④ 대판 2010.11.25, 2010도10985

Answer 8. ③

THEMA 26 불이익변경금지의 원칙

의의 및 법적 근거

1. 의의 : 불이익변경금지의 원칙이란 피고인이 항소 또는 상고한 사건이나 피고인을 위하여 항소 또는 상고한 사건에 관하여 상소심은 원판결의 형보다 중한 형을 선고하지 못한다는 원칙을 말한다(제368조, 제396조).
2. 법적 근거 : 우리 형사소송법은 항소심절차에서 불이익변경금지원칙을 명시하고 있고(제368조), 상고심절차에서는 상고법원이 피고사건에 대하여 직접 판결하는 파기자판의 경우에 이를 준용하고 있다(제396조).

적용 범위

1. 피고인이 상소한 사건 : 불이익변경금지의 원칙은 피고인이 상소한 사건에 대하여 적용된다(제368조, 제396조 제2항). 이때 피고인이 상소한 사건이란 피고인만이 상소한 사건을 의미하므로 검사만이 상소한 사건이나 검사와 피고인이 모두 상소한 사건에 대해서는 이 원칙이 적용되지 않는다.
   ▶ 검사와 피고인 쌍방이 상소하였으나, 검사의 상소를 기각한 경우에는 실질적으로 피고인만 상소한 경우와 같게 되므로 불이익변경금지원칙이 적용된다(대판 1976.10.12, 74도1785).
   ▶ 한미행정협정사건에 있어서는 검사가 상소한 사건이나 검사와 피고인이 상소한 사건에도 적용됨.
2. 피고인을 위하여 상소한 사건 : 불이익변경금지원칙은 피고인을 위하여 상소한 사건에도 적용된다(제368조, 제396조 제2항). 피고인을 위하여 상소한 경우란 피고인 이외의 상소권자가 피고인을 위하여 상소한 경우를 말한다.
   ▶ 검사가 피고인의 이익을 위하여 상소한 경우에도 불이익변경금지원칙을 적용할 것인가에 대하여 대립이 있으나 적용된다는 견해가 타당하다(다수설 · 판례).
3. 상소한 사건 : 불이익변경금지의 원칙은 상소사건에 대해서만 적용된다. 상소사건의 범위와 관련하여 문제되는 것은 다음과 같다.
   ① 항고사건 : 항고사건에도 불이익변경금지원칙이 적용되는가에 대하여 불이익변경금지원칙은 형을 선고하는 항소나 상고의 경우에 제한되어 있으므로, 형을 선고하는 것이 아닌 항고심에서는 적용되지 않는다는 견해와 집행유예취소 및 실효결정에 대한 항고(제335조 제3항)와 같이 형의 선고에 준하는 경우에는 적용해야 한다는 견해가 대립한다.
   ② 정식재판의 청구 : '피고인이 정식재판을 청구한 사건에 대하여는 약식명령의 형보다 중한 형을 선고하지 못한다.'는 불이익변경금지원칙 규정(제472조의 2 제1항)은 '정식재판에서 약식명령의 형보다 중한 종류의 형을 선고하지 못한다.'는 형종상향금지 규정으로 개정되었다(2017.12.19). 따라서 이제는 약식명령에 대한 정식재판에서 불이익변경금지원칙은 적용되지 않는다.
      예 1. 개정법에 의하면, 약식명령에 의한 벌금 50만원을 정식재판절차에서 벌금 100만원 선고도 가능하다. 다만, 법원은 판결서에 그 양형의 이유를 적어야 하도록 하였다(제457조의 2 제2항).
      2. 불이익변경은 가능하나 형종상향은 금지되므로, 법원은 약식명령의 벌금보다 중한 형에 해당하는 자격정지, 자격상실, 금고, 징역 등은 선고할 수 없다.
   ▶ 약식명령에 대한 불이익변경금지원칙 규정과 관련한 기존의 판례내용은 개정법에 의하면 틀린 내용이 되겠으나, 새로운 판례가 나오기 전까지는 그대로 숙지하고 있을 필요가 있다. 왜냐하면, 비록 개정법에 의하면 적절한 내용은 아닐지라도 그 원리만은

	의미가 있는 내용이라면 개정 이후에도 판례문제로 출제될 가능성은 있으며, 희박하기는 하지만 법령의 개정으로 출제하기에 부적절한 과거의 판례인데도 간혹 출제되는 경우가 있기 때문이다. ▶ 즉결심판절차에 있어서 특별한 규정이 없는 한 그 성질에 반하지 아니한 것은 형사소송법의 규정을 적용한다는 즉결심판에 관한 절차법 제19조의 규정에 따라 대법원은 "즉결심판에서도 약식명령의 제457조의 2 규정을 준용하여 즉결심판에서의 형보다도 정식재판절차에서 무거운 형을 선고하지 못한다."는 입장이나(대판 1999.1.15, 98도2550), 이 역시 앞으로 변경될 것으로 보인다. 다만, 새로운 판례가 나오기 전까지는 기존판례를 그대로 숙지하고 있어야 한다. ③ 파기환송 또는 파기이송사건 : 상소법원이 피고인의 상소를 이유 있다고 하여 원심판결을 파기하고 피고사건을 원심법원에 환송하거나 그와 동등한 다른 법원에 이송할 경우 환송 또는 이송받은 법원의 심판절차에서도 불이익변경금지의 원칙이 적용되는가에 대하여 피고인의 상소권 보장이라는 취지에 비추어 볼 때 이러한 경우에도 이 원칙의 적용을 인정함이 타당하며, 학설의 일치된 견해인 동시에 판례의 입장이기도 하다. ④ 재심절차 : 재심절차에서도 불이익변경금지원칙이 적용된다(제439조).
대 상	불이익변경이 금지되는 것은 형의 선고에 한한다. 따라서 선고한 형이 중하게 변경되지 않는 한 사실인정, 법령적용, 죄명선택 등 판결의 내용이 원 재판보다 중하게 변경되었다 할지라도 불이익변경금지원칙에 반하지 아니한다. ▶ 절도죄로 벌금 600만원을 선고한 원심판결에 대하여 피고인만 항소한 경우에 항소심이 강도죄를 인정하여 벌금 600만원을 선고하여도 불이익변경 ×

01 다음 중 불이익변경금지원칙이 적용되는 것은?(판례에 의함)

① 제1심판결의 양형이 부당하다고 하여 검사가 상소한 경우
② 한미행정협정사건에 있어서 검사와 피고인 쌍방이 상소한 경우
③ 항소심에서 다른 사건이 병합되어 경합범으로 처벌되는 경우
④ 피고인 및 검사가 항소한 사건에 있어서 검사가 명예훼손죄를 모욕죄로 공소장변경을 한 경우

| 해설 ① 검사가 피고인의 이익을 위하여 상소한 경우에도 불이익변경금지원칙이 적용된다는 견해가 다수설 · 판례이므로, 양형부당(양형이 경하다는 취지)을 이유로 검사가 항소한 경우는 이 원칙적용이 배제된다(대판 1964.9.30, 64도420).
② 검사만이 상소한 사건이나 검사와 피고인 쌍방이 상소한 사건에 대하여는 이 원칙이 적용되지 않지만, 한미행정협정사건에 있어서는 예외적으로 이 원칙적용이 인정된다(합의의사록 제22조 : 대판 1973.1.30, 72도1684).
③ 항소심에서 2개의 사건이 병합심판되어 경합범으로 처단되는 경우에는 제1심의 각 형량보다 중한 형이 선고되었다고 하여 위법이라 할 수 없다(대판 1980.5.27, 80도981).
④ 피고인 및 검사가 항소한 사건이므로 이 원칙이 적용될 여지가 없다(대판 1970.3.10, 70도75).

02 불이익변경금지의 원칙에 관한 설명 중 가장 옳지 않은 것은?(다툼이 있는 경우 판례에 의함)

① 재심사건에서도 불이익변경금지의 원칙이 적용된다.
② 약식명령에 의한 벌금 50만원을 정식재판절차에서 벌금 100만원 선고도 가능하다.
③ 원심이 유기징역형을 선택한 1심보다 중하게 무기징역형을 선택하였다 하더라도 결과적으로 선고한 형이 중하게 변경되지 아니한 이상 불이익변경금지원칙에 반하지 않는다.
④ 피고인만이 항소한 사건에서 항소심이 피고인에 대하여 제1심이 인정한 범죄사실의 일부를 무죄로 인정하면서도 제1심과 동일한 형을 선고하였다면 불이익변경금지원칙에 위배된다고 볼 수 있다.

| 해설 ① 제439조
② 제457조의 2
③ 대판 1999.2.5, 98도4534
④ 피고인만이 항소한 사건에서 항소심이 피고인에 대하여 제1심이 인정한 범죄사실의 일부를 무죄로 인정하면서도 제1심과 동일한 형을 선고하였다 하여 그것이 형사소송법 제368조 소정의 불이익변경금지원칙에 위배된다고 볼 수 없다(대판 2003.2.11, 2002도5679).

Answer 1.② 2.④

THEMA 27 형의 경·중 비교

형의 추가와 변경	징역형과 금고형	• 징역형을 금고형으로 변경하면서 형기 단축 ⇨ 불이익변경 × • 징역형을 금고형으로 변경하면서 형기 인상 ⇨ 불이익변경 ○ • 형기가 같은 금고형을 징역형으로 변경 ⇨ 불이익변경 ○
	자유형과 벌금형	• 자유형을 벌금형으로 변경 ⇨ 불이익변경 × • 벌금의 액수는 같고 노역장유치기간이 길어진 경우 ⇨ 불이익변경 ○ (대판) • 벌금액이 감경되면서 노역장유치기간이 길어진 경우 ⇨ 불이익변경 × (대판) 08. 순경, 10. 경찰승진, 12. 9급 법원직, 14. 경찰간부·9급 검찰·마약수사 • 자유형을 단축하면서 벌금액수는 같고 벌금형에 대한 환형유치기간이 길어진 경우 ⇨ 불이익변경 ×(대판) 10. 순경, 13. 9급 법원직 • 자유형을 벌금형으로 변경하면서 벌금에 대한 노역장유치기간이 자유형을 초과 ⇨ 불이익변경 ×(대판) 08. 순경, 10. 경찰승진 • 벌금형이 감경되고 그 벌금형에 대한 노역장유치기간도 줄었으나 노역장유치 환산기준 금액이 낮아진 경우 ⇨ 불이익변경 ×(대판) • 자유형을 단축하면서 벌금액수는 같고 벌금형에 대한 노역장유치 환산기준 금액이 낮아진 경우 ⇨ 불이익변경 ×(대판) 예 징역 1년 및 벌금 5,000,000원, 노역장 환형유치 1일 20,000원 ⇨ 징역 10월 및 벌금 5,000,000원, 노역장 환형유치 1일 금 10,000원 선고
	부정기형과 정기형	부정기형을 정기형으로 변경할 때 불이익변경금지원칙의 위반 여부는 부정기형의 장기와 단기의 중간형을 기준으로 삼아야 한다(대판 2020.10.22, 2020도4140 전원합의체). 21. 9급 검찰·마약·교정·보호·철도경찰, 23. 9급 법원직, 24. 경찰승진
집행유예와 선고유예	집행유예와 형의 경중	• 집행유예를 붙인 자유형 판결에 대하여 집행유예만 없애거나 유예기간을 연장 ⇨ 불이익변경 ○(대판) 10. 순경·9급 법원직 예 ┌ 징역 10월에 집행유예 2년 ⇨ 징역 10월 └ 징역 10월에 집행유예 2년 ⇨ 징역 10월에 집행유예 3년 • 자유형을 늘리면서 집행유예를 붙임 ⇨ 불이익변경 ○(대판) 예 징역 6월을 징역 8월에 집행유예 1년 • 자유형을 줄이면서 집행유예를 박탈 ⇨ 불이익변경 ○(대판) 11. 9급 법원직 예 징역 1년 6월에 집행유예 3년 ⇨ 징역 1년 선고 • 징역형에 집행유예를 붙이면서 벌금형을 병과 ⇨ 불이익변경 ○(대판) 예 제1심의 징역 6월 선고를 징역 6월에 집행유예 2년 + 벌금 2만원 03. 경찰승진, 09. 전의경 • 형기의 변경 없이 금고형을 징역형으로 바꾸면서 집행유예를 선고 ⇨ 불이익변경 ×(대판) 예 금고 6월을 징역 6월에 집행유예 1년 • 집행유예를 붙인 자유형에 대하여 형을 가볍게 하면서 유예기간을 길게 한 경우 ⇨ 불이익변경 ×(다수설) 예 징역 1년에 집행유예 2년을 금고 6월에 집행유예 3년

05

	집행유예, 선고유예, 벌금형의 경중	• 자유형에 대한 집행유예판결을 벌금형으로 변경 ⇨ 불이익변경 ×(대판) 10. 9급 법원직, 13. 9급 검찰 · 마약수사 • 자유형에 대한 선고유예를 벌금형으로 변경 ⇨ 불이익변경 ○(대판) 09. 전의경, 11. 순경, 12. 경찰간부 · 교정특채, 13. 9급 법원직
	형의 집행유예와 집행면제	형집행면제를 집행유예로 변경하는 것은 불이익변경에 해당하지 않는다(형집행면제는 형의 집행만을 면제하는 것이나, 집행유예는 유예기간 경과로 형 선고의 효력이 상실됨). 10. 경찰승진, 16. 순경 2차
몰수 · 추징, 미결구금 일수산입	주형과 몰수 · 추징	• 원심의 주형은 그대로 두면서 몰수 또는 추징을 추가하거나 원심보다 무거운 추징을 병과 ⇨ 불이익변경 ○(대판) ▶ 추징 : 불이익변경금지원칙 적용(대판 2006.11.9, 2006도4888) 10. 경찰승진, 12. 순경, 16. 경찰간부 • 추징을 몰수로 변경 ⇨ 불이익변경 ×(대판) 09. 순경 · 9급 국가직 · 경찰승진, 11. 경찰승진 • 주형은 가볍게 하고 몰수나 추징을 추가 또는 증가하게 한 경우 ⇨ 견해의 대립은 있으나 피고인에게 실질적 불이익을 초래하느냐의 여부로 결정함이 타당(대판)
	미결구금일수의 산입	본형은 그대로 두고 미결구금일수의 산입을 박탈하거나 감소 ⇨ 불이익변경 ○(대판 1996.1.23, 95도2500) 04. 행시, 10. 순경
형과 치료감호	제1심판결에서 치료감호만 선고되고 피고인만 항소한 경우 치료감호를 징역형으로 바꾸는 것은 불이익변경이 된다(대판 1983.6.14, 83도765). 09. 순경	
소송비용 부담 · 압수장물 피해자환부	• 소송비용의 부담은 형이 아니고 실질적인 의미에서 형에 준하여 평가되어야 할 것도 아니므로 불이익변경금지원칙의 적용이 없다(대판 2001.4.24, 2001도872). 12 · 13. 순경, 14. 경찰간부, 19 · 21. 순경 1차, 09 · 23. 9급 법원직 • 형기를 감축하고 압수장물을 피해자에게 환부하는 선고(형벌 ×)를 추가하였더라도 불이익하게 변경되었다고 할 수 없다(대판 1990.4.10, 90도16). 16. 9급 검찰 · 마약 · 교정 · 보호 · 철도경찰, 18. 경찰간부 · 순경 1차	
병합심리와 형의 경중	동종의 형이 병합된 경우	제1심의 각 형량보다 중할 수는 있으나, 11. 7급 국가직 중한 죄의 장기 2분의 1까지 가중한 형기를 초과해서는 안 된다.
	실형과 집행유예가 병합된 경우	징역 1년 6개월의 실형과 징역 1년에 집행유예 2년을 선고 ⇨ 항소심에서 병합한 경우 징역 2년을 선고 가능(대판)

01 **불이익변경금지원칙에 대한 설명으로 가장 적절한 것은?**(다툼이 있는 경우 판례에 의함)

19. 순경 1차

① 피고인만이 상고한 상고심에서 원심판결을 파기하고 사건을 항소심에 환송한 경우 환송 후 원심판결은 환송 전 원심판결과의 관계에서 불이익변경금지의 원칙이 적용되지 않으므로, 환송 후 원심판결이 환송 전 원심판결에서 선고하지 아니한 몰수를 새로이 선고하는 것은 불이익변경금지원칙에 위배되지 아니한다.

② 피고인에 대한 벌금형이 제1심보다 감경되었더라도 그 벌금형에 대한 노역장유치기간이 제1심보다 길어졌다면, 전체적으로 보아 형이 불이익하게 변경되었다고 할 수 있다.

③ 형사소송법 제186조 제1항의 피고인의 소송비용 부담은 형은 아니지만 실질적인 의미에서 형에 준하여 평가할 수 있는 것이어서 불이익변경금지원칙이 적용된다.

④ 징역 10월에 집행유예 2년을 선고한 제1심판결을 파기하고 벌금 1천만원을 선고한 항소심판결은 불이익변경금지원칙에 위반되지 아니한다.

해설 ① 환송 후 원심판결이 환송 전 원심판결에서 선고하지 아니한 몰수를 새로이 선고하는 것은 불이익변경금지의 원칙에 위배된다(대판 1992.12.8, 92도2020).
② 피고인만이 항소한 경우에 벌금형은 감경되었으나 그 환형유치기간만이 길어졌다고 하더라도 형이 불이익하게 변경되었다고 할 수 없다(대판 1981.10.24, 80도2325).
③ 불이익변경금지원칙의 적용이 없다(대판 2001.4.24, 2001도872)
④ 대판 1990.9.25, 90도1534

02 **대법원판례에 의할 때 불이익변경금지원칙에 위반되지 아니한 것은 몇 개인가?**

㉠ 제1심에서 금고 6월을 선고 ⇨ 항소심에서 징역 6월에 집행유예 1년을 선고 ㉡ 제1심에서 금고 1년 6월에 2년간 집행유예의 형을 선고 ⇨ 제2심이 금고 8월의 실형을 선고 ㉢ 제1심에서 징역 6월에 1년간 그 형의 집행을 유예 ⇨ 제2심에서 벌금 5,000원을 선고 ㉣ 제1심의 징역 1년의 형의 선고유예판결 ⇨ 제2심에서 벌금 30만원을 선고 ㉤ 제1심에서 집행유예 선고 ⇨ 제2심에서 형의 집행면제 ㉥ 제1심의 추징액 7억원 선고 ⇨ 제2심에서 추징액 8억원 선고

① 1개　　② 2개　　③ 3개　　④ 4개

해설 ㉠ 불이익변경금지원칙에 위반 × : 대판 2013.12.12, 2013도6608
㉡ 불이익변경금지원칙에 위반 ○ : 대판 1970.3.24, 70도33
㉢ 불이익변경금지원칙에 위반 ×(징역 6월에 1년간 그 형의 집행을 유예한 제1심판결에 대하여 피고인만이 항소한 사건에 있어서 항소심이 위 판결을 파기하고 벌금 5,000원을 선고한 경우에는 제1심의 선고형보다 무겁다고 볼 수 없다 : 대판 1966.9.27, 66도1026)
㉣ 불이익변경금지원칙에 위반 ○(제1심의 징역 1년의 형의 선고유예판결에 대하여 피고인만이 불복 항소한 경우에 제2심이 벌금 30만원을 선고한 것은 제1심판결의 형보다 중한 형을 선고한 것에 해당한다 : 대판 1984.10.10, 84도1489)

Answer 1. ④ 2. ②

㉤ 불이익변경금지원칙에 위반 ○(형의 집행유예의 판결은 유예기간을 특별한 사유없이 경과한 때에는 그 형의 선고의 효력이 상실되나 형의 집행면제는 그 형의 집행만을 면제하는데 불과하여, 전자가 후자보다 피고인에게 불이익한 것이라 할 수 없다 : 대판 1985.9.24, 84도2972)
㉥ 불이익변경금지원칙에 위반 ○(추징도 몰수에 대신하는 처분으로서 몰수와 마찬가지로 형에 준하여 평가하여야 할 것이므로 그에 관하여도 형사소송법 제368조의 불이익변경금지의 원칙이 적용된다 : 대판 2006.11.9, 2006도4888)

03 불이익변경금지의 원칙에 대한 설명으로 옳지 않은 것은?(다툼이 있는 경우 판례에 의함)

18. 9급 검찰 · 마약 · 교정 · 보호 · 철도경찰

① 피고인만 상고한 상고심에서 항소심판결을 파기하고 사건을 항소심에 환송한 경우에 그 항소심에서는 파기된 항소심판결보다 중한 형을 선고할 수 없다.
② 피고인만 항소한 항소심판결에 대해 검사만 상고한 경우 상고심에서도 불이익변경금지의 원칙이 적용된다.
③ 제1심에서 사문서위조죄로 벌금형의 선고를 받은 피고인만 항소한 항소심에서 동일한 공소사실에 대해 법정형에 벌금형이 없는 사서명위조죄가 인정되었다면 항소심법원은 불이익변경금지의 원칙에도 불구하고 벌금형을 선고할 수는 없다.
④ 징역형의 집행유예가 확정된 사건에 대한 재심에서 원판결보다 주형을 경하게 하면서 집행유예를 없앤 경우에는 불이익변경금지의 원칙에 위배된다.

| 해설 ① 대판 2014.8.20, 2014도6472
② 대판 1957.10.4, 4290형비상1
③ 제1심에서 사문서위조죄로 벌금형의 선고를 받은 피고인만 항소한 항소심에서 동일한 공소사실에 대해 법정형에 벌금형이 없는 사서명위조죄가 인정되었다면 항소심법원은 불이익변경금지의 원칙이 적용되어 벌금형을 선고할 수 있다.
▶ 사문서위조와 위조사문서행사의 약식명령에 대하여 정식재판에서 사서명위조와 위조사서명행사의 범죄사실이 인정되는 경우에는 비록 사서명위조죄와 위조사서명행사죄의 법정형에 유기징역형만 있다 하더라도 형사소송법 제457조의 2에서 규정한 불이익변경금지원칙이 적용되어 벌금형을 선고할 수 있다는 개정 전 판례(대판 2013.2.28, 2011도14986)의 원리를 적용한 내용이다.
④ 대판 2016.3.24, 2016도1131

04 불이익변경금지원칙에 대한 다음 설명 중 가장 옳지 않은 것은?

19. 9급 법원직

① 판결을 선고한 법원이 판결서의 경정을 통하여 당해 판결서의 명백한 오류를 시정하는 것도 피고인에게 유리 또는 불리한 결과를 발생시키거나 피고인의 상소권 행사에 영향을 미칠 수 있으므로 불이익변경금지원칙이 적용된다.
② 소송비용의 부담은 형이 아니고 실질적인 의미에서 형에 준하여 평가되어야 할 것도 아니므로 불이익변경금지원칙의 적용이 없다.

Answer 3. ③ 4. ①

③ 불이익변경금지원칙은 이익변경까지 금하는 것은 아니므로 검사만이 양형부당을 이유로 항소한 경우에도 항소심 법원은 직권으로 심판하여 제1심의 양형보다 가벼운 형을 선고할 수 있다.

④ 불이익변경금지원칙은 피고인의 상고로 항소심판결이 상고심에서 파기되어 환송한 경우에서도 적용되므로 파기환송 후의 항소심에서 공소장변경에 의해 새로운 범죄사실이 추가됨으로써 피고인의 책임이 무거워졌더라도 파기된 항소심판결에 비하여 중한 형을 선고할 수는 없다.

해설 ① 판결을 선고한 법원이 판결서의 경정을 통하여 당해 판결서의 명백한 오류를 시정하는 것은 피고인에게 유리 또는 불리한 결과를 발생시키거나 피고인의 상소권 행사에 영향을 미칠 수 있는 것이 아니므로,불이익변경금지원칙이 적용될 여지는 없다(대판 2007.7.13, 2007도3448).
② 소송비용의 부담은 형이 아니고 실질적인 의미에서 형에 준하여 평가되어야 할 것도 아니므로 불이익변경금지원칙의 적용이 없다. 따라서, 제1심법원이 소송비용의 부담을 명하는 재판을 하지 않았음에도 항소심 법원이 제1심의 소송비용에 관하여 피고인에게 부담하도록 재판을 한 경우, 불이익변경금지원칙에 위배되지 않는다(대판 2001.4.24, 2001도872).
③ 대판 2010.12.9, 2008도1092 ④ 대판 1980.3.25, 79도2105

05

05 불이익변경금지원칙에 대한 설명으로 옳지 않은 것은?(다툼이 있는 경우 판례에 의함)

19. 5급 검찰 · 교정승진

① 제1심에서 징역 1년 6월, 집행유예 3년을 선고한 데 대하여, 피고인만 항소하자 항소심이 징역 1년의 실형을 선고한 것은 불이익변경금지원칙에 위배된다.

② 특별사면으로 형선고의 효력이 상실된 유죄의 확정판결에 대한 재심청구가 받아들여져 재심심판법원이 다시 심판한 결과 유죄로 인정된 경우, 재심피고인에 대하여 종래의 형보다 낮은 형을 선고하는 것은 불이익변경금지원칙에 위배되지 않는다.

③ 피고인만 항소한 사건에서 항소심이 제1심에서 유죄로 인정한 범죄사실 중 일부를 무죄로 판단하면서도 제1심과 동일한 형을 선고한 것은 불이익변경금지원칙에 위배되지 않는다.

④ 피고인만 상고한 사건의 상고심에서 원심판결을 파기하고 사건을 항소심에서 환송한 경우 그 항소심에서 공소장이 변경되어 새로운 범죄사실을 유죄로 인정하는 때에도 파기된 항소심판결의 형보다 더 중한 형을 선고하는 것은 불이익변경금지원칙에 위배된다.

⑤ 제1심의 징역형의 선고유예 판결에 대하여 피고인만 항소한 경우에 항소심이 벌금형을 선고한 것은 불이익변경금지원칙에 위배된다.

해설 ① 대판 2016.3.24, 2016도1131
② 특별사면으로 형 선고의 효력이 상실된 유죄의 확정판결에 대하여 재심개시결정이 이루어져 재심법원이 다시 심판한 결과 유죄로 인정되는 경우에는, 재심심판법원으로서는 '피고인에 대하여 형을 선고하지 아니한다.'는 주문을 선고할 수밖에 없다(대판 2015.10.29, 2012도2938). 따라서 재심피고인에 대하여 종래의 형보다 낮은 형을 선고하는 것은 불이익변경금지원칙에 위배된다.
③ 대판 2003.2.11, 2002도5679 ④ 대판 1980.3.25, 79도2105 ⑤ 대판 1999.11.26, 99도3776

Answer 5.②

06 **불이익변경금지원칙에 대한 설명 중 옳고 그름의 표시(○, ×)가 바르게 된 것은?**(다툼이 있는 경우 판례에 의함)

18. 순경 1차

㉠ 제1심에서 징역형의 집행유예를 선고한 데 대하여 제2심이 그 징역형의 형기를 단축하여 실형을 선고하는 것도 불이익변경금지원칙에 위배된다.
㉡ 아동 · 청소년 대상 성폭력범죄의 피고인에게 '징역 15년 및 5년 동안의 위치추적 전자장치 부착명령'을 선고한 제1심판결을 파기한 후 '징역 9년, 5년 동안의 공개명령 및 6년 동안의 위치추적 전자장치 부착명령'을 선고한 원심의 조치는 불이익변경금지원칙에 위배된다.
㉢ 피고인만이 항소한 사건에서 항소심법원이 제1심판결을 파기하고 새로운 형을 선고함에 있어 피고인에 대한 주형에서 그 형기를 감축하고 제1심판결이 선고하지 아니한 압수장물을 피해자에게 환부하는 선고를 추가하였더라도 그것만으로는 불이익변경금지원칙에 위배되지 않는다.
㉣ 원심이 유기징역형을 선택한 1심보다 중하게 무기징역형을 선택한 경우에는 결과적으로 선고형이 중하게 변경되지 않았더라도 불이익변경금지원칙에 위배된다.

① ㉠(○), ㉡(×), ㉢(○), ㉣(○)
② ㉠(○), ㉡(×), ㉢(○), ㉣(×)
③ ㉠(×), ㉡(○), ㉢(×), ㉣(×)
④ ㉠(○), ㉡(○), ㉢(○), ㉣(○)

| 해설 ㉠ ○ : 대판 2016.3.24, 2016도1131
㉡ × : '특정 성폭력범죄자에 대한 위치추적 전자장치 부착에 관한 법률'에 의한 전자감시제도는 일종의 보안처분으로서 형벌과 구별되므로, 피부착명령청구자에게 징역 15년 및 5년 동안의 위치추적 전자장치 부착명령을 선고한 제1심판결을 파기한 후 피고인에 대하여 징역 9년, 5년 동안의 공개명령 및 6년 동안의 위치추적 전자장치 부착명령을 선고한 조치가 불이익변경금지의 원칙에 어긋나는 것이라고 할 수 없다(대판 2011.4.14, 2010도16939 · 2010전도159).
㉢ ○ : 대판 1990.4.10, 90도16
㉣ × : 원심이 유기징역형을 선택한 1심보다 중하게 무기징역형을 선택하였다 하더라도 결과적으로 선고한 형이 중하게 변경되지 아니한 이상 중한 형을 선고하였다고 할 수 없다(대판 1999.2.5, 98도4534).

07 **불이익변경금지에 관한 다음 설명 중 가장 옳지 않은 것은?**(다툼이 있는 경우 판례에 의하고, 전원합의체 판결의 경우 다수의견에 의함)

21. 9급 법원직

① 제1심이 뇌물수수죄를 인정하여 피고인에게 징역 1년 6월 및 추징 26,150,000원을 선고한 데 대해 피고인만이 항소하였는데, 항소심이 제1심이 누락한 필요적 벌금형 병과규정을 적용하여 피고인에게 징역 1년 6월에 집행유예 3년, 추징 26,150,000원 및 벌금 50,000,000원(미납시 1일 50,000원으로 환산한 기간 노역장 유치)을 선고한 것은 피고인에게 불이익하게 변경한 것이 아니다.
② 성폭력범죄의 처벌 등에 관한 특례법에 따라 병과하는 수강명령 또는 이수명령은 이른바 범죄인에 대한 사회내 처우의 한 유형으로서 형벌 자체가 아니라 보안처분의 성격을 가지는 것이지만, 실질적으로는 신체적 자유를 제한하는 것이 되므로, 항소심이 제1심판결에서 정한 형과 동일한 형을 선고하면서 새로 수강명령 또는 이수명령을 병과하는 것은 피고인에게 불이익하게 변경한 것이다.

Answer 6. ② 7. ①

③ 피고인만의 상고에 의하여 상고심에서 원심판결을 파기하고 사건을 항소심에 환송한 경우에는 환송 전 원심판결과의 관계에서도 불이익변경금지의 원칙이 적용되어 그 파기된 항소심판결보다 중한 형을 선고할 수 없으므로, 환송 후 원심판결이 환송 전 원심판결에서 선고하지 아니한 몰수를 새로이 선고하는 것은 불이익변경금지의 원칙에 위배된다.

④ 재심대상사건에서 징역형의 집행유예를 선고하였음에도 재심사건에서 원판결보다 주형을 경하게 하고 집행유예를 없앤 경우, 불이익변경금지원칙에 위배된다.

| 해설 ① 제1심이 뇌물수수죄를 인정하여 피고인에게 징역 1년 6월 및 추징 26,150,000원을 선고한 데 대해 피고인만이 항소하였는데, 원심이 제1심이 누락한 필요적 벌금형 병과규정인 특정범죄 가중처벌 등에 관한 법률 제2조 제2항을 적용하여 피고인에게 징역 1년 6월에 집행유예 3년, 추징 26,150,000원 및 벌금 50,000,000원을 선고한 사안에서, 집행유예의 실효나 취소가능성, 벌금 미납시 노역장 유치 가능성과 그 기간 등을 전체적·실질적으로 고찰할 때 원심이 선고한 형은 제1심이 선고한 형보다 무거워 피고인에게 불이익하다(대판 2013.12.12, 2012도7198).
② 대판 2018.10.4, 2016도15961
③ 대판 1992.12.8, 92도2020
④ 대판 2016.3.24, 2016도1131

08 **불이익변경금지의 원칙에 대한 설명으로 가장 적절하지 않은 것은?**(다툼이 있는 경우 판례에 의함)

21. 순경 1차

① 피고인만이 항소한 항소심이 제1심판결에서 정한 형과 동일한 형을 선고하면서 제1심에서 정한 취업제한기간보다 더 긴 취업제한명령을 부가하는 것은 허용되지 않는다.

② 피고인의 상고에 의하여 상고심에서 원심판결을 파기하고 사건을 항소심에 환송한 경우에 그 항소심에서는 환송 전 원심판결과의 관계에서도 불이익변경금지의 원칙이 적용되지만, 환송 후에 원심에서 이루어진 공소장변경에 따라 그 항소심이 새로운 범죄 사실을 유죄로 인정하는 경우에는 그러하지 아니한다.

③ 소송비용의 부담은 불이익변경금지의 원칙이 적용되지 않는다.

④ 재심판결의 확정에 따라 원판결이 효력을 잃게 되는 결과, 원판결에서 선고된 집행유예의 법률적 효과까지 없어진다 하더라도 재심판결의 형이 원판결의 형보다 중하지 않다면 불이익변경금지의 원칙에 반한다고 볼 수 없다.

| 해설 ① 대판 2019.10.17, 2019도11540
② 피고인의 상고에 의하여 상고심에서 원심판결을 파기하고 사건을 항소심에 환송한 경우에 그 항소심에서는 그 파기된 항소심판결의 형보다 더 중한 형을 선고할 수 없으며 환송 후에 공소장 변경이 있어 이에 따라 항소심이 새로운 범죄사실을 유죄로 인정하는 경우에도 그 법리를 같이 한다(대판 1980.3.25, 79도2105).
③ 대판 2001.4.24, 2001도872
④ 대판 2018.10.25, 2018도13150

Answer 8. ②

09 **불이익변경금지원칙에 대한 설명으로 옳지 않은 것은?**(다툼이 있는 경우 판례에 의함)

21. 9급 검찰 · 마약 · 교정 · 보호 · 철도경찰

① 피고인만 항소한 경우 제1심법원이 소송비용의 부담을 명하는 재판을 하지 않았음에도 항소심법원이 제1심의 소송비용에 관하여 피고인에게 부담하도록 재판을 하였다면 불이익변경금지원칙에 위배된다.

② 경합범 관계에 있는 수 개의 범죄사실을 유죄로 인정하여 한 개의 형을 선고한 불가분의 확정판결에서 그중 일부의 범죄사실에 대하여만 재심청구의 이유가 있는 것으로 인정되었으나 그 판결 전부에 대하여 재심개시의 결정을 한 경우, 불이익변경금지원칙이 적용되어 원판결의 형보다 중한 형을 선고하지 못한다.

③ 피고인이 항소심 선고 이전에 19세에 도달하여 제1심에서 선고한 부정기형을 파기하고 정기형을 선고함에 있어 불이익변경금지원칙 위반 여부를 판단하는 기준은 부정기형의 장기와 단기의 중간형이 되어야 한다.

④ 벌금형의 환형유치기간이 징역형의 기간을 초과한다고 하더라도, 벌금형이 징역형보다 경한 형이라고 보아야 한다.

| 해설 | ① 제1심법원이 소송비용의 부담을 명하는 재판을 하지 않았음에도 항소심법원이 제1심의 소송비용에 관하여 피고인에게 부담하도록 재판을 한 경우, 불이익변경금지원칙에 위배되지 않는다(대판 2001.4.24, 2001도872).

② 대판 2018.2.28, 2015도15782

③ 대판 2020.10.22, 2020도4140 전원합의체

④ 대판 1980.5.13, 80도765

10 **불이익변경금지의 원칙에 대한 설명으로 가장 적절하지 않은 것은?**(다툼이 있는 경우 판례에 의함)

22. 경찰승진

① 불이익변경금지의 원칙은 피고인과 검사 쌍방이 상소한 결과 검사의 상소가 받아들여져 원심판결 전부가 파기됨으로써 피고인에 대한 형량 전체를 다시 정해야 하는 경우에는 적용되지 아니하는 것이며, 사건이 경합범에 해당한다고 하여 개개 범죄별로 불이익변경의 여부를 판단할 것은 아니다.

② 피고인만이 항소한 사건에서 제1심이 인정한 범죄사실의 일부가 제2심에서 무죄로 되었음에도 제2심이 제1심과 동일한 형을 선고한 것은 불이익변경금지의 원칙에 위배된다.

③ 항소심이 제1심에서 별개의 사건으로 따로 두 개의 형을 선고받고 항소한 피고인에 대하여 사건을 병합심리한 후 경합범으로 처단하면서 제1심의 각 형량보다 중한 형을 선고한 것은 불이익변경금지의 원칙에 어긋나지 아니한다.

④ 피고인의 상고에 의하여 상고심에서 원심판결을 파기하고, 사건을 항소심에 환송한 경우에는 환송 전 원심판결과의 관계에서도 불이익변경금지의 원칙이 적용되어 그 파기된 항소심판결보다 중한 형을 선고할 수 없다.

Answer 9. ① 10. ②

해설 ① 대판 2007.6.28, 2005도7473
② 피고인만이 항소한 사건에서 항소심이 피고인에 대하여 제1심이 인정한 범죄사실의 일부를 무죄로 인정하면서도 제1심과 동일한 형을 선고하였다 하여 그것이 불이익변경금지원칙에 위배된다고 볼 수 없다(대판 2003.2.11, 2002도5679).
③ 대판 2001.9.18, 2001도3448
④ 대판 2014.8.20, 2014도6472

11 불이익변경금지에 대한 설명으로 옳지 않은 것은?(다툼이 있는 경우 판례에 의함)

22. 9급 검찰·마약수사

① 자유형을 벌금형으로 변경하는 경우에는 비록 벌금형에 대한 노역장유치기간이 자유형의 기간을 초과하는 경우라도 불이익변경에 해당하지 않는다.
② 피고인이 정식재판을 청구한 사건에 대하여는 정식재판절차에서 약식명령의 형보다 중한 종류의 형을 선고하지 못한다.
③ 검사가 공익적 지위 내지 피고인에 대한 후견적 지위에서 피고인의 이익을 위하여 상소한 경우에도 불이익변경금지가 적용된다.
④ 검사와 피고인 쌍방이 항소하였으나 검사의 항소가 항소이유서 미제출로 인하여 기각되더라도 불이익변경금지는 적용되지 않는다.

해설 ① 대판 1980.5.13, 80도768
② 제457조의 2 제1항
③ 대판 1971.5.24, 71도574
④ 검사와 피고인 쌍방이 항소하였으나 검사의 항소가 항소이유서 미제출로 인하여 기각하여야 하는 경우는 항소심은 제1심판결의 형보다 중한 형을 선고하지 못한다(대판 1998.9.25, 98도2111).

12 불이익변경금지원칙에 대한 설명으로 옳은 것만을 모두 고르면?(다툼이 있는 경우 판례에 의함)

22. 국가직 7급

㉠ 제1심이 징역형을 선고하고 피고인만이 항소하였는데, 항소심에서는 범죄사실 중 일부를 무죄로 판단하면서 제1심과 동일한 형을 선고하면 불이익변경금지원칙에 위배된다.
㉡ 제1심이 금고형의 실형을 선고하고 피고인만이 항소하였는데, 항소심에서는 형기의 변경 없이 금고형을 징역형으로 바꾸어 집행유예를 선고하면 불이익변경금지원칙에 위배된다.
㉢ 제1심이 소송비용의 부담을 명하는 재판을 하지 아니하고 피고인만이 항소하였는데, 항소심에서 제1심 및 항소심 소송비용의 부담을 명한 조치는 불이익변경금지원칙에 위배되지 않는다.
㉣ 제1심은 소년인 피고인에게 징역 장기 15년, 단기 7년의 부정기형을 선고하고 피고인만이 항소하였는데, 항소심에서 피고인이 성년에 이르러 정기형을 선고하여야 하는 경우, 부정기형의 단기인 징역 7년을 초과한 징역 10년을 선고하더라도 불이익변경금지원칙에 위배되지 않는다.

① ㉠, ㉡ ② ㉠, ㉢ ③ ㉡, ㉣ ④ ㉢, ㉣

Answer 11. ④ 12. ④

| 해설 ㉠ ×: 피고인만이 항소한 사건에서 항소심이 피고인에 대하여 제1심이 인정한 범죄사실의 일부를 무죄로 인정하면서도 제1심과 동일한 형을 선고하였다 하여 그것이 불이익변경금지원칙에 위배된다고 볼 수 없다(대판 2003.2.11, 2002도5679).
㉡ ×: 형기의 변경 없이 금고형을 징역형으로 바꾸어 집행유예를 선고하더라도 불이익변경금지원칙에 위배되지 않는다(대판 2013.12.12, 2013도6608).
㉢ ○: 대판 2001.4.24, 2001도872
㉣ ○: 1심에서 선고한 부정기형 대신 정기형을 선고함에 있어 불이익변경금지원칙 위반 여부를 판단하는 기준은 부정기형의 장기와 단기의 중간형, 즉 징역 11년이 되어야 한다(대판 2020.10.22, 2020도4140 전원합의체).

13 **불이익변경금지의 원칙에 관한 다음 설명 중 옳은 것은 모두 몇 개인가?**(다툼이 있는 경우 판례에 의함)

㉠ 피고인만이 항소한 사건에서 항소심이 피고인에 대해 제1심이 인정한 범죄사실의 일부를 무죄로 인정하면서도 제1심과 동일한 형을 선고하였다 하여 그것이 불이익변경금지원칙에 위배된다고 볼 수 없다.
㉡ 제1심에서 별개사건으로 징역 1년에 집행유예 2년과 징역 1년 6월의 형을 선고받은 두 사건을 항소심이 병합심리하여 경합범으로 처단하면서 징역 2년을 선고한 것은 이 원칙에 반한다.
㉢ 벌금 150만원의 약식명령을 고지받고 정식재판을 청구한 '당해 사건'과 정식 기소된 '다른 사건'을 병합·심리한 후 두 사건을 경합범으로 처단하여 벌금 900만원을 선고한 제1심판결에 대해, 피고인만이 항소한 원심에서 다른 사건의 공소사실 전부와 당해 사건의 공소사실 일부에 대하여 무죄를 선고하고 '당해 사건'의 나머지 공소사실은 유죄로 인정하면서 그에 대하여 벌금 300만원을 선고한 경우 불이익변경금지의 원칙을 위반한 위법이 있다.
㉣ 벌금 300만원의 약식명령을 고지받고 정식재판을 청구하였는데 제1심에서 다른 사건과 병합심리 후 하나의 형인 벌금 400만원을 선고하였고, 제1심에서 4년이 선고된 다른 사건과 위 벌금 400만원 선고 사건을 항소심에서 병합하여 징역 3년이 선고된 경우 불이익변경금지원칙을 위반한 위법이 있다.

① 1개 ② 2개 ③ 3개 ④ 없다.

| 해설 ㉠ ○: 대판 2003.2.11, 2002도5679
㉡ ×: 1심에서 별개의 사건으로 징역 1년에 집행유예 2년과 추징금 1천만원 및 징역 1년 6월과 추징금 1백만원의 형을 선고받고 항소한 피고인에 대하여 사건을 병합심리한 후 경합범으로 처단하면서 제1심의 각 형량보다 중한 형인 징역 2년과 추징금 1,100만원을 선고한 것이 불이익변경금지의 원칙에 어긋나지 아니한다(대판 2001.9.18, 2001도3448).
㉢ ○: 대판 2009.12.24, 2009도10754(다만, 2017. 12. 9. 형사소송법 제457조의 2 개정으로 약식명령에 대한 정식재판에서 동종의 형인 때에는 불이익하게 변경해도 무방하기 때문에 본 판례는 의미를 잃었다고 볼 수 있다.)
㉣ ×: 불이익변경금지원칙을 적용함에 있어서는 주문을 개별적·형식적으로 고찰할 것이 아니라 전체적·실질적으로 고찰하여 그 형의 경중을 판단하여야 한다. 벌금 300만원의 약식명령을 고지받고 정식재판을 청구하였는데 제1심에서 다른 사건과 병합심리 후 하나의 형인 벌금 400만원을 선고하였고, 제1심에서 4년이 선고된 다른 사건과 위 벌금 400만원 선고 사건을 항소심에서 병합하여 징역 3년이 선고된 경우 불이익변경금지원칙에 위반이 아니다(대판 2016.5.12, 2016도2136).

Answer 13. ②

14 **불이익변경금지의 원칙에 대한 설명으로 옳지 않은 것은 모두 몇 개인가?**(다툼이 있는 경우 판례에 의함)

㉠ 피고인과 검사 쌍방이 항소하였으나 검사가 부착명령 청구사건에 대한 항소이유서를 제출하지 아니하여 부착명령 청구사건에 대한 검사의 항소를 기각하여야 하는 경우에 항소심은 부착명령 청구사건에 관하여 제1심판결의 형보다 중한 형을 선고할 수 있다.
㉡ 개정된 장애인복지법의 시행 전에 성범죄를 범한 피고인에 대하여, 제1심이 개정법 시행일 이전에 유죄를 인정하여 징역 1년과 120시간의 성폭력 치료프로그램 이수명령, 아동・청소년 관련기관 등에 5년간의 취업제한명령을 선고하였다. 이에 대하여 피고인만 항소하였는데, 항소심에서 피고인에게 제1심과 동일한 형 등과 함께 장애인복지시설에 5년간의 취업제한명령을 선고한 경우는 피고인에게 불리하게 제1심판결을 변경한 것이 아니다.
㉢ 성폭력범죄를 범한 피고인에게 '징역 장기 7년, 단기 5년 및 5년 동안의 위치추적 전자장치 부착명령'을 선고한 제1심판결을 파기한 후 '징역 장기 5년, 단기 3년 및 20년 동안의 위치추적 전자장치 부착명령'을 선고한 항소심판결이 불이익변경금지원칙에 위배되지 않는다.
㉣ 두 개의 벌금형을 선고한 환송 전 원심판결에 대하여 피고인만이 상고하여 파기 환송되었는데, 환송 후 원심이 징역형의 집행유예와 사회봉사명령을 선고한 것은 불이익변경금지의 원칙에 위배되지 아니한다.
㉤ 피고인만이 항소한 경우라도 법원이 항소심에서 처음 청구된 검사의 부착명령 청구에 기하여 부착명령을 선고하는 것이 불이익변경금지의 원칙에 저촉된다.

① 1개 ② 2개 ③ 3개 ④ 4개

| 해설 ㉠ × : 피고인과 검사 쌍방이 항소하였으나 검사가 부착명령 청구사건에 대한 항소이유서를 제출하지 아니하여 부착명령 청구사건에 대한 검사의 항소를 기각하여야 하는 경우에는 실질적으로 부착명령 청구사건에 대해서는 피고인만이 항소한 경우와 같게 되므로 항소심은 불이익변경금지의 원칙에 따라 부착명령 청구사건에 관하여 제1심판결의 형보다 중한 형을 선고하지는 못한다고 할 것이다(대판 2014.3.27, 2013도9666).

㉡ × : 개정된 장애인복지법의 시행 전에 성범죄를 범한 피고인에 대하여, 제1심이 개정법 시행일 이전에 유죄를 인정하여 징역 1년과 120시간의 성폭력 치료프로그램 이수명령, 아동・청소년 관련기관 등에 5년간의 취업제한명령을 선고하였다. 이에 대하여 피고인만 양형부당을 이유로 항소하였는데, 항소심에서 피고인에게 제1심과 동일한 형 등과 함께 장애인복지시설에 5년간의 취업제한명령을 선고하였다. 개정법 시행 전에 선고한 제1심판결에 대하여 검사와 피고인이 항소하지 않아 확정되었다면, 별도의 취업제한명령의 선고가 없더라도 개정법 부칙 제3조 제1항 제1호에 따라 장애인복지시설에 취업이 제한되는 기간은 3년이 되었을 것이다. 따라서 항소심이 개정법 부칙에서 정한 취업제한기간(3년)보다 더 긴 5년간의 취업제한명령을 선고함으로써 피고인에게 불리하게 제1심판결을 변경한 것이어서 허용되지 않는다(대판 2019.10.17, 2019도11540).

㉢ ○ : 대판 2010.11.11, 2010도7955

㉣ × : 두 개의 벌금형을 선고한 환송 전 원심판결에 대하여 피고인만이 상고하여 파기 환송되었는데, 환송 후 원심이 징역형의 집행유예와 사회봉사명령을 선고한 것은 불이익변경금지의 원칙에 위배된다(대판 2006.5.26, 2005도8607).

㉤ × : 피고인만이 항소한 경우라도 법원이 항소심에서 처음 청구된 검사의 부착명령 청구에 기하여 부착명령을 선고하는 것이 불이익변경금지의 원칙에 저촉되지 아니한다(대판 2010.11.25, 2010도9013).

Answer 14. ④

15 **불이익변경금지원칙에 관한 다음 설명 중 옳은 것은 모두 몇 개인가?**(판례에 의함)

㉠ 제1심이 실체적 경합범 관계에 있는 공소사실 중 일부에 대하여 재판을 누락한 경우, 항소심으로서는 당사자의 주장이 없더라도 직권으로 제1심의 누락부분을 파기하고 그 부분에 대하여 재판하여야 한다. 이 경우는 비록 피고인만이 항소한 경우라도 제1심의 형보다 중한 형을 선고할 수 있다.

㉡ 피고인 등을 각 징역 2년 6월 및 각 벌금형에 대한 선고유예와 각 금 11,461,400원을 추징한 제1심판결에 대하여 피고인 등을 각 징역 2년 6월과 벌금 10,000,000원에 처하고 피고인 등으로부터 각 금 11,461,400원을 추징하고 위 각 징역형에 대하여는 4년간 형의 집행을 유예하는 판결선고는 제1심의 형보다 중하다 할 수 있으므로 불이익변경금지원칙에 위배된다.

㉢ 피고인에 대하여 제1심이 징역 1년 6월에 집행유예 3년의 형을 선고하고, 항소심에서는 징역 1년 형의 선고를 유예하였으며, 이에 대하여 대법원에서 원심판결을 파기하고 사건을 원심에 환송하자, 환송 후 원심은 제1심판결을 파기하고, 벌금 40,000,000원 형과 금 16,485,250원 추징의 선고를 모두 유예하였다면, 추징을 새로이 추가하였다고 하더라도 전체적 · 실질적으로 볼 때 피고인에 대한 형이 제1심판결이나 환송 전 원심판결보다 불이익하게 변경되었다고 볼 수는 없다.

㉣ 제1심이 피고인에게 징역 2년에 집행유예 3년과 금 536,240,000원을 추징하는 판결을 선고하였는데, 피고인만이 항소한 사건에서 제1심판결을 파기하고 피고인에 대하여 징역 1년에 집행유예 2년과 금 667,275,000원을 추징하는 판결을 선고한 경우 불이익변경금지원칙에 위배되지 않는다.

㉤ 금고형과 징역형을 선택하여 경합범 가중을 하는 경우에는 형법 제38조 제2항에 따라 금고형과 징역형을 동종의 형으로 간주하여 징역형으로 처벌하여야 하고, 형기의 변경 없이 금고형을 징역형으로 바꾸어 집행유예를 선고하더라도 불이익변경금지원칙에 위배되지 않는다.

① 1개 ② 2개 ③ 3개 ④ 4개

해설 ㉠ × : 제1심이 실체적 경합범 관계에 있는 공소사실 중 일부에 대하여 재판을 누락한 경우, 항소심으로서는 당사자의 주장이 없더라도 직권으로 제1심의 누락부분을 파기하고 그 부분에 대하여 재판하여야 한다. 다만, 피고인만이 항소한 경우라면 불이익변경금지의 원칙에 따라 제1심의 형보다 중한 형을 선고하지 못한다(대판 2009.2.12, 2008도7848).

㉡ × : 피고인 등을 각 징역 2년 6월 및 각 벌금형(각 15,000,000원, 각 50,000원을 1일로 환산)에 대한 선고유예와 피고인 등으로부터 각 금 11,461,400원을 추징한 제1심판결에 대하여 양형부당을 이유로 한 검사 및 피고인 등의 항소에 있어서 항소심이 검사의 항소를 배척하고 피고인 등의 각 항소는 이유 있다고 하여 제1심판결을 파기하여 피고인 등을 각 징역 2년 6월과 벌금 10,000,000원(각 금 50,000원을 1일로 환산)에 처하고 피고인 등으로부터 각 금 11,461,400원을 추징하고 위 각 징역형에 대하여는 4년간 형의 집행을 유예하는 판결선고는 1심의 형보다 중하다 할 수 없으므로 피고인 등에 대하여 불이익하다 할 수 없다(대판 1976.10.12, 74도1785).

㉢ ○ : 피고인에 대하여 제1심이 징역 1년 6월에 집행유예 3년의 형을 선고하고, 이에 대하여 피고인만이 항소하였는데, 환송 전 원심은 제1심판결을 파기하고 징역 1년 형의 선고를 유예하였으며, 이에 대하여 피고인만이 상고하여 당원이 원심판결을 파기하고 사건을 원심에 환송하자, 환송 후 원심은 제1심판결을 파기하고, 벌금 40,000,000원 형과 금 16,485,250원 추징의 선고를 모두 유예하였다면, 환송 후 원심이 제1심이나 환송 전 원심보다 가볍게 그 주형을 징역 1년 6월 형의 집행유예 또는 징역 1년 형의 선고유예에서 벌금 40,000,000원 형의 선고유예로 감경한 점에 비추어, 그 선고를 유예한 금 16,485,250원의 추징을 새로이 추가하였다고 하더라도, 전체적 · 실질적으로 볼 때 피고인에 대한 형이 제1심판결이나 환송 전 원심판결보다 불이익하게 변경되었다고 볼 수는 없다(대판 1998.3.26, 97도1716 전원합의체).

Answer 15. ③

㉣ ○ : 불이익변경금지원칙의 적용에 있어서는 이를 개별적 · 형식적으로 고찰할 것이 아니라, 전체적 · 질적으로 고찰하여 결정하여야 할 것인바, 항소심에서 주형을 감형하면서 추징액을 증액한 경우(제1심의 형량인 징역 2년에 집행유예 3년 및 금 5억여 원 추징을 항소심에서 징역 1년에 집행유예 2년 및 금 6억여 원 추징으로 변경), 불이익변경금지원칙에 반하지 않는다(대판 1998.5.12, 96도2850).
㉤ ○ : 대판 2013.12.12, 2013도6608

16 **불이익변경금지원칙에 대한 설명으로 옳지 않은 것은 몇 개인가?**(다툼이 있는 경우 판례에 의함)

㉠ 피고인이 보통군사법원(제1심)에서 징역 2년에 집행유예 3년의 유죄판결을 선고받고 피고인만이 항소하였는데, 항소심인 고등군사법원은 피고인의 전역을 이유로 군용물손괴 부분만 징역 1년에 집행유예 2년의 판결을 선고하였고, 나머지는 항소심 법원으로 이송하였는데 항소심 법원은 징역 1년에 집행유예 2년을 선고하면서 40시간의 성폭력 치료강의 수강명령을 병과한 경우, 피고인에게 불이익하게 변경한 것이어서 허용되지 않는다.
㉡ 아동 · 청소년 대상 성범죄 사건에서 제1심이 징역 5년과 성폭력치료프로그램 이수명령(40시간), 추징(18만원)을 선고하였고, 이에 대하여 항소심에서 제1심과 동일한 형(징역 5년, 40시간의 성폭력치료프로그램 이수명령, 18만원의 추징)과 함께 5년간의 취업제한 명령을 선고한 경우, 불이익변경금지원칙에 위반이 있다.
㉢ 법원이 유죄판결을 선고하면서 고지를 누락한 잘못으로 상급심 법원에서 이와 같이 신상정보 제출의무 등을 새로 고지하였다면 피고인에게 불리하게 변경하는 경우에 해당된다.
㉣ 제1심 유죄판결에 대하여 검사의 항소가 없고 피고인만의 항소가 있는 제2심 유죄판결에 대하여 검사 상고가 있는 경우에 상고심은 검사의 불복없는 제1심판결의 형보다 중한 형을 과할 수 없다.
㉤ 피고인 및 검사가 항소한 사건에서 검사가 명예훼손죄를 그보다 법정형이 가벼운 모욕죄로 공소장변경을 하였다 하더라도 제1심판결의 형에 구애됨이 없이 변경된 법조의 법정형의 범위 내에서 양형하여 선고될 수 있는 것이며 불이익변경금지원칙이 적용될 여지가 없다.
㉥ 부정기형과 정기형 사이에 그 경중을 가리는 경우에는 부정기형 중 최단기형과 정기형을 비교하여야 한다.

① 1개 ② 2개 ③ 3개 ④ 4개

해설 ㉠ ○ : 대판 2018.10.4, 2016도15961
㉡ × : 제1심이 징역 5년과 성폭력치료프로그램 이수명령(40시간), 추징(18만원)을 선고하였고, 이에 대하여 항소심에서 제1심과 동일한 형(징역 5년, 40시간의 성폭력치료프로그램 이수명령, 18만원의 추징)과 함께 5년간의 취업제한 명령을 선고한 사안에서, 아동 · 청소년의 성보호에 관한 법률 개정법 부칙 제4조 또는 제5조의 특례 규정에 따라 별도의 취업제한 명령의 선고가 없더라도 아동 · 청소년 관련기관 등에 5년간 취업이 제한되므로 이는 피고인에게 특별히 불이익이 없어 불이익변경금지원칙에 반하지 않는다(대판 2018.10.25, 2018도13367).
㉢ × : 신상정보 제출의무는 법원이 별도로 부과하는 것이 아니라 등록대상 성범죄로 유죄판결이 확정되면 성폭력처벌법의 규정에 따라 당연히 발생하는 것이므로, 법원이 유죄판결을 선고하면서 고지를 누락한 잘못이 있더라도 상급심 법원에서 이와 같이 신상정보 제출의무 등을 새로 고지하더라도 형을 피고인에게 불리하게 변경하는 경우에 해당되지 아니한다(대판 2014.12.24, 2014도13529).
㉣ ○ : 대판 1957.10.4, 57오1 ㉤ ○ : 대판 1970.3.10, 70도75
㉥ × : 부정기형의 장기와 단기의 중간형을 기준으로 하여야 한다(대판 2020.10.22, 2020도4140 전원합의체).

Answer 16. ③

17 **불이익변경금지원칙에 관한 다음 설명 중 가장 옳지 않은 것은?**(다툼이 있는 경우 판례에 의하고, 전원합의체 판결의 경우 다수의견에 의함) 23. 9급 법원직

① 피고인이 제1심판결 선고시 소년에 해당하여 부정기형을 선고받았고, 피고인만이 항소한 항소심에서 피고인이 성년에 이르러 항소심이 제1심의 부정기형을 정기형으로 변경해야 할 경우, 불이익변경금지 규정을 적용함에 있어 부정기형과 정기형 사이에 그 경중을 가리는 경우에는 부정기형 중 최단기형과 정기형을 비교하여야 한다.

② 항소심에서 주형을 감형하면서 추징액을 증액한 경우(제1심의 형량인 징역 2년에 집행유예 3년 및 금 5억여 원 추징을 항소심에서 징역 1년에 집행유예 2년 및 금 6억여 원 추징으로 변경), 불이익변경금지원칙에 반하지 않는다.

③ 항소심이 제1심판결에서 정한 형과 동일한 형을 선고하면서 제1심에서 정한 취업제한기간보다 더 긴 취업제한명령을 부가하는 것은 전체적 · 실질적으로 피고인에게 불리하게 변경한 것이므로, 피고인만이 항소한 경우에는 허용되지 않는다.

④ 제1심법원이 소송비용의 부담을 명하는 재판을 하지 않았음에도 항소심법원이 제1심의 소송비용에 관하여 피고인에게 부담하도록 재판을 한 경우, 불이익변경금지원칙에 위배되지 않는다.

| 해설 ① 피고인이 항소심 선고 이전에 19세에 도달하여 제1심에서 선고한 부정기형을 파기하고 정기형을 선고함에 있어 불이익변경금지원칙 위반 여부를 판단하는 기준은 부정기형의 장기와 단기의 중간형이 되어야 한다(대판 2020.10.22, 2020도4140 전원합의체).

② 대판 1998.5.12, 96도2850

③ 대판 2019.10.17, 2019도11540

④ 대판 2018.4.10, 2018도1736

Answer 17. ①

THEMA 28 파기판결의 구속력

구분	내용
구속력의 의의	상소심에서 원판결을 파기환송 또는 이송한 경우에 상급심의 판단이 당해 사건에 관하여 환송 또는 이송받은 하급심을 구속하는 효력을 파기판결의 구속력이라 한다.
구속력의 범위	1. 구속력이 미치는 범위 ① 하급법원 : 당해 사건의 하급심이 파기판결에 구속되는 것은 당연하다. 또한 상고법원이 제2심판결을 파기하여 제1심에 환송하고 제1심법원이 환송된 사건을 재판하였으나 이에 불복하여 항소한 경우에도 항소법원은 상고심의 판단에 마찬가지로 구속된다. ② 파기한 상급심 : 파기판결의 구속력은 하급법원뿐만 아니라 파기판결한 상급법원 자신까지도 구속한다. 12. 순경, 13. 9급 법원직, 15. 9급 검찰·마약·교정·보호·철도경찰 ③ 상급법원 : 항소심의 파기판결의 구속력은 상급법원인 상고심에 미치지 않는다. 2. 구속력이 미치는 판단 : 법률판단(법령해석·적용)뿐 아니라 사실판단에도 구속력이 미친다(대판 2004.9.24, 2003도4781).
구속력의 배제	환송 후의 심리과정에서 새로운 사실과 증거가 제시되어 기속적 판단의 기초가 된 사실관계에 변동이 있었다면 그 구속력은 이에 미치지 아니한다(대판 1983.2.8, 82도2672). 12. 순경 1차, 15. 9급 검찰·마약·교정·보호·철도경찰 ▶ 파기판결 이후에 법령의 변경, 판례의 변경, 공소사실이 변경된 경우(대판 2004.4.9, 2004도340)에 구속력은 배제된다.

01 파기판결이 선고된 경우의 효력에 대한 내용으로 옳지 않은 것은?

① 파기판결의 구속력은 하급심에만 미치므로 파기판결을 한 상급심에는 구속력이 미치지 않는다.

② 파기환송 후 새로운 사실과 증거에 의하여 사실관계가 변경된 경우에는 파기판결의 구속력이 배제된다.

③ 파기판결 이후 법령이 변경되거나 판례가 변경된 경우에는 구속력이 배제된다.

④ 상급심에서 파기판결이 선고된 경우에는 하급심을 기속한다.

| 해설 ① 파기판결의 구속력은 하급법원뿐만 아니라 파기판결한 상급법원 자신까지도 구속한다(대판 2008.2.28, 2007도5987).
② 환송 후에 새로운 사실과 증거에 의해 사실관계가 변경되면 파기판결의 구속력은 배제된다.
③ 파기판결 이후에 법령이 변경된 경우나 판례가 변경된 경우에도 구속력은 배제된다고 해야 한다.

Answer 1. ①

02 **파기판결의 기속력**(구속력)**에 관한 다음 설명 중 가장 적절하지 않은 것은?**(다툼이 있는 경우 판례에 의함) 12. 순경

① 파기판결의 기속력은 하급심뿐 아니라 파기판결을 한 상급심에도 미친다고 해석된다.
② 상고심으로부터 사건을 환송받은 법원은 그 사건을 재판함에 있어서 상고법원이 파기이유로 한 사실상 및 법률상의 판단에 대하여 환송 후의 심리과정에서 새로운 증거가 제시되어 기속적 판단의 기초가 된 증거관계에 변동이 생기지 않는 한 이에 기속된다.
③ 몰수형 부분의 위법을 이유로 원심판결 전부가 파기환송되었다면 환송 후 원심이 주형을 변경하는 것은 환송판결의 기속력에 저촉된다.
④ 파기판결의 구속력은 파기의 직접적 이유가 된 원심판결에 대한 소극적인 부정판단에 한하여 생긴다.

| 해설 ① 대판 2008.2.28, 2007도5987
② 대판 2004.9.24, 2003도4781
③ 몰수형 부분의 위법을 이유로 원심판결 전부가 파기환송된 후, 환송 후 원심이 주형을 변경한 조치가 환송판결의 기속력에 저촉된다고 볼 수는 없다(대판 2004.9.24, 2003도4781).
④ 상고심도 형사소송법 제383조 또는 제384조에 의하여 사실인정에 관한 원심판결의 당부에 관하여 제한적으로 개입할 수 있는 것이므로, 조리상 상고심판결의 파기이유가 된 사실상의 판단도 기속력을 가지는 것이며, 이 경우에 파기판결의 기속력은 파기의 직접 이유가 된 원심판결에 대한 소극적인 부정판단에 한하여 생긴다고 할 것이다(대판 2004.4.9, 2004도340).

03 **파기환송에 관한 다음 기술 중 가장 옳지 않은 것은?**(다툼이 있는 경우 판례에 의함) 13. 9급 법원직

① 파기환송 전의 원심에 관여한 법관이 환송 후의 재판에 관여한 경우 법관이 사건에 관하여 전심재판에 관여한 때에 해당하지 않는다.
② 상고심의 환송 전 원심에서 선임된 변호인의 변호권은 사건이 환송된 뒤에는 항소심에서 다시 생긴다.
③ 파기환송을 받은 법원은 그 파기이유로 한 사실상 및 법률상의 판단에 기속되는 것이지만, 그에 따라 판단한 판결에 대하여 다시 상고를 한 경우에 그 상고사건을 재판하는 상고법원은 앞서의 파기이유로 한 판단에 기속되지 않는다.
④ 대법원은 파기환송 판결에 의하여 사건을 환송받은 법원은 형사소송법 제92조 제1항에 따라 2월의 구속기간이 만료되면 특히 계속할 필요가 있는 경우에는 2차(대법원이 형사소송규칙 제57조 제2항에 의하여 구속기간을 갱신한 경우에는 1차)에 한하여 결정으로 구속기간을 갱신할 수 있다.

| 해설 ① 대판 1979.2.27, 78도3204 ② 대판 1968.2.27, 68도64
③ 그 상고사건을 재판하는 상고법원도 앞서의 파기이유로 한 판단에 기속된다(대판 1983.4.18, 83도383).
④ 대판 2001.11.30, 2001도5225

Answer 2. ③ 3. ③

04 **상고심의 파기판결의 기속력**(구속력)**에 대한 설명으로 옳지 않은 것은?**(다툼이 있는 경우 판례에 의함)

15. 9급 검찰 · 마약 · 교정 · 보호 · 철도경찰

① 파기판결의 기속력은 파기판결을 행한 상고법원에 대하여서는 미치지 아니한다.

② 환송받은 법원은 환송 후의 심리과정에서 새로운 증거가 제시되어 기속적 판단의 기초가 된 증거관계에 변동이 생긴 때에는 상고법원이 파기이유로 한 사실상 및 법률상의 판단에 기속되지 않는다.

③ 몰수형 부분의 위법을 이유로 원심판결 전부가 파기환송된 경우 환송받은 법원은 환송 전 원심이 피고인의 항소를 기각한 것과 달리 피고인의 양형부당의 항소이유를 받아들여 주형을 변경하여 선고할 수 있다.

④ 환송받은 법원에서 공소사실이 변경된 경우 환송받은 법원은 파기판결이 한 사실판단에 기속될 필요가 없다.

| 해설 ① 파기환송을 받은 법원은 환송판결이 파기이유로 삼은 사실상 및 법률상의 판단에 기속되는 것이고, 그에 따라 판단한 판결에 대하여 다시 상고를 한 경우에 그 상고사건을 재판하는 상고법원도 앞서의 파기이유로 한 판단에 기속되므로 이를 변경하지 못하는 것이다(대판 2008.2.28, 2007도5987).

② 대판 1983.2.8, 82도2672

③ 대판 2004.9.24, 2003도4781

④ 대판 2004.4.9, 2004도340

05

Answer 4. ①

제4절 항 소

THEMA 29 항소심의 구조

유 형	항소심의 구조에는 복심, 속심, 사후심의 세 가지 유형이 있다. 1. 복 심 • 의의 : 항소심이 원심의 심리 · 판결을 무효로 하고 처음부터 다시 심리하는 구조를 복심이라고 한다. • 장 · 단점 : 복심은 항소심의 심리를 철저히 하여 진실발견과 피고인의 이익보호에 기여하는 장점은 있으나, 소송경제에 반하고 제1심을 경시하게 될 뿐 아니라 남상소로 인한 소송지연을 초래할 위험이 있다. 2. 속 심 • 의의 : 속심이란 제1심의 심리를 토대로 항소심의 심리를 속행하는 구조를 말한다. 즉, 항소심에서 원심의 심리절차를 인수하고 새로운 심리와 증거를 보충하여 심판하는 방식으로 마치 제1심법원의 변론이 재개된 것과 같은 형태로 항소심절차가 진행된다. • 장 · 단점 : 소송경제에 기여하는 장점은 있지만, 전심의 소송자료에 대한 심증을 이어받는 것은 구두변론주의와 직접주의에 반한다는 단점이 있다. 3. 사후심 • 의의 : 원심법원의 소송자료만을 토대로 하여 원판결의 당부를 사후적으로 심사하는 구조를 사후심이라 한다. • 장 · 단점 : 원판결의 당부만을 심사하므로 소송경제와 신속한 재판의 이념에 부합하는 장점은 있으나, 제1심에서 철저한 심리가 이루어지지 못하면 실체적 진실발견과 피고인의 구제에 취약한 단점이 있다.
현행법상 항소심 구조	현행법상 항소심은 원칙적으로 속심이고, 사후심제도를 보충적으로 취하고 있다(다수설 · 판례). ▶ 상고심의 구조 ⇨ 사후심이라는 점에 견해 일치

01 **항소심의 구조에 관한 설명 중 옳지 않은 것은?**

① 사후심제는 원심에 나타난 자료에 따라 원심판결시를 기준으로 하여 원판결의 당부를 사후적으로 심사하는 구조를 말한다.

② 속심제는 제1심의 심리를 토대로 항소심의 심리를 속행하는 구조를 말한다.

③ 현행 형사소송법은 속심제적 요소와 사후심제적 요소를 모두 가지고 있는데 그중 어느 것이 원칙적인가에 관하여는 학설상 다툼이 있다.

④ 판례는 현행 형사소송법은 원칙적으로 사후심이고 속심적 요소를 가진 조문들은 남상소의 폐해를 억제하고, 소송경제상의 필요에서 항소심의 사후심적 성격에 제한을 가한 것에 불과하다고 본다.

해설 ④ 판례는 원칙적으로 속심으로 보고 사후심적 요소가 가미된 것으로 본다(대판 1983.4.26, 82도2829).

02 **현행 형사소송법상 항소심의 사후심적 성격을 보여주는 것으로 가장 적절하지 않은 것은?**(다툼이 있으면 판례에 의함) 12. 경찰승진

① 항소이유의 제한
② 항소이유서 제출의무
③ 무변론 항소기각의 인정
④ 재심청구사유를 항소이유로 인정

해설 ④는 속심적 요소, ①②③은 사후심적 요소

속심제적 요소	사후심적 요소
• 판결 후 형의 폐지나 사면이 있을 때를 항소이유로 하고 있는 점(제361조의 5 제2호) • 재심청구사유가 있을 때를 항소이유로 하고 있다는 점(제361조의 5 제13호) 12. 경찰승진 • 항소이유서에 포함되지 않은 경우에도 항소법원은 일정한 경우 직권으로 심판이 가능하다는 점(제364조 제2항) • 제1심에서 증거로 할 수 있었던 증거는 항소법원에서도 증거로 할 수 있다는 점(제364조 제3항) • 원칙적으로 항소심절차는 제1심공판절차가 준용된다는 점(제370조)	• 항소이유서를 제출해야 한다는 점(제361조의 3) 12. 경찰승진 • 모든 것을 항소이유로 하지 않고, 항소이유를 원칙적으로 원판결의 법령위반 등에 제한하고 있다는 점(제361조의 5) 12. 경찰승진 • 항소이유에 포함된 사유에 관해서만 심판해야 한다는 점(제364조 제1항) • 항소이유가 없음이 명백한 때에는 변론 없이 항소를 기각할 수 있다는 점(제364조 제5항) 12. 경찰승진 • 원판결이유에 모순이 있는 때를 항소이유로 하고 있는 점(제361조의 5 제11호)

Answer 1.④ 2.④

THEMA 30 항소이유

의 의	항소이유란 항소권자가 적법하게 항소를 제기할 수 있는 법률상의 이유를 말한다. 형사소송법은 항소인 또는 변호인에게 항소이유서를 항소법원에 제출하도록 요구하고 있고(제361조의 3 제1항), 항소이유서를 제출하지 않으면 항소기각결정사유가 된다(제361조의 4 제1항). 그리고 제361조의 5에 항소이유를 11가지로 제한하여 열거하고 있다.
항소이유	제361조의 5【항소이유】 다음의 사유가 있을 경우에는 원심판결에 대한 항소이유로 할 수 있다. 1. 판결에 영향을 미친 헌법·법률·명령 또는 규칙의 위반이 있는 때 2. 판결 후 형의 폐지나 변경 또는 사면이 있는 때 3. 관할 또는 관할위반의 인정이 법률에 위반한 때 4. 판결법원의 구성이 법률에 위반한 때 5. 삭제 <1963.12.13> 6. 삭제 <1963.12.13> 7. 법률상 그 재판에 관여하지 못할 판사가 그 사건의 심판에 관여한 때 8. 사건의 심리에 관여하지 아니한 판사가 그 사건의 판결에 관여한 때 9. 공판의 공개에 관한 규정에 위반한 때 10. 삭제 <1963.12.13> 11. 판결에 이유를 붙이지 아니하거나 이유에 모순이 있는 때 12. 삭제 <1963.12.13> 13. 재심청구의 사유가 있는 때 14. 사실의 오인이 있어 판결에 영향을 미친 때 15. 형의 양정이 부당하다고 인정할 사유가 있는 때
제도의 취지	남상소의 방지와 소송경제를 위하여 사후심적 요소를 가미한 것이다.
분 류	현행법에 규정된 항소이유는 법령위반을 이유로 하는 것(제1호, 제3호 내지 제11호)과 법령위반 이외의 사유를 이유로 하는 것(제2호, 제13호 내지 제15호)으로 구분할 수 있고, 각각에 대하여 절대적 항소이유와 상대적 항소이유가 있다. 절대적 항소이유란 일정한 객관적 사유만 있으면 바로 항소이유가 되는 경우를 말하고(제2호 내지 제13호, 제15호), 상대적 항소이유란 당해사유가 판결에 영향을 미친 경우에 한하여 항소이유가 되는 경우(제1호, 제14호)를 말한다.

01 **다음 중 절대적 항소이유가 아닌 것은 모두 몇 개인가?** 07. 순경

㉠ 판결법원의 구성이 법률에 위반한 때
㉡ 판결 후 형의 폐지나 변경 또는 사면이 있는 때
㉢ 재심청구의 사유가 있는 때
㉣ 판결에 영향을 미친 헌법 · 법률 · 명령 또는 규칙의 위반이 있는 때
㉤ 공판의 공개에 관한 규정에 위반한 때
㉥ 사건의 심리에 관여하지 아니한 판사가 그 사건의 판결에 관여한 때

① 없 음　② 1개　③ 2개　④ 3개

| 해설 절대적 항소이유란 일정한 객관적 사유만 있으면 바로 항소이유가 되는 경우를 말하고(제361조의 5 제2호 내지 제13호, 제15호), 상대적 항소이유란 당해 사유가 판결에 영향을 미친 경우에 한하여 항소이유가 되는 경우(동조 제1호, 제14호)를 말한다.
㉣은 상대적 항소이유, 나머지는 모두 절대적 항소이유이다.

02 **다음 중 법령위반 이외의 항소이유에 해당하는 것을 모두 고른 것은?**

㉠ 판결에 영향을 미친 헌법 · 법률 · 명령 또는 규칙의 위반이 있는 때
㉡ 판결 후 형의 폐지나 변경 또는 사면이 있는 때
㉢ 관할 또는 관할위반의 인정이 법률에 위반한 때
㉣ 판결법원의 구성이 법률에 위반한 때
㉤ 재심청구의 사유가 있는 때

① ㉠, ㉢, ㉣　② ㉡, ㉤　③ ㉡, ㉤, ㉣　④ ㉠, ㉤

| 해설 • **법령위반을 이유로 하는 항소이유** : ㉠㉢㉣
• **법령위반 이외의 항소이유** : ㉡㉤

Answer 1. ② 2. ②

THEMA 31 항소심의 절차

항소의 제기	항소제기 방식	1. 항소를 함에는 7일의 항소제기기간 이내에 항소장을 항소법원에 제출하지 않고 원심법원에 제출하여야 한다. 11. 순경 · 경찰승진, 12. 순경 2차, 14. 경찰간부, 11 · 12 · 14 · 15. 9급 법원직, 16. 7급 국가직 2. 교도소나 구치소에 있는 피고인이 상소제기기간 안에 상소장을 교도소장이나 구치소장에게 제출한 때에는 상소제기기간 내에 상소한 것으로 간주한다(제344조). 16. 경찰간부
	원심법원과 항소법원의 조치	1. 원심법원의 조치 ① 항소제기가 법률상 방식에 위반하거나 항소권이 소멸된 후인 것이 명백한 때 ⇨ 항소기각결정 11. 경찰승진, 12. 순경 2차 이 결정에 대하여 즉시항고할 수 있다(제360조). 11. 경찰승진 · 9급 법원직, 12. 순경 2차, 16. 경찰간부 ② 항소기각결정을 하는 경우 이외에는 원심법원은 항소장을 받은 날로부터 14일 이내에 소송기록과 증거물을 항소법원에 송부하여야 한다(제361조). 11. 7급 국가직 · 순경, 12. 9급 법원직, 14. 경찰간부 2. 항소법원의 조치 ① 기록의 송부를 받은 때에는 즉시 항소인과 상대방에게 그 사유를 통지하여야 한다. 11. 경찰승진, 12. 순경 2차 ▶ ┌ 통지 전 변호인선임이 있는 경우 ⇨ 변호인에게 통지(제361조의 2) └ 통지 후 변호인선임이 있는 경우 ⇨ 변호인에게 통지 ×(대판 1996. 9.6, 96도166) ▶ 법원의 소송기록접수통지는 서면 이외에 구술 · 전화 · 모사전송 · 전자우편 · 휴대전화 문자전송 그 밖에 적당한 방법으로도 할 수 있고, 통지의 대상자에게 도달됨으로써 효력이 발생한다(대결 2017.9.22, 2017모1680). ▶ 그 도달은 항소법원의 지배권 안에 들어가 사회통념상 일반적으로 알 수 있는 상태에 있으면 되고 나아가 항소법원의 내부적인 업무처리에 따른 문서의 접수, 결재과정 등을 필요로 하는 것은 아니다(대판 1997. 4.25, 96도3325). ② 피고인이 교도소 또는 구치소에 있는 경우 ⇨ 원심법원에 대응한 검찰청 검사는 위 통지를 받은 날로부터 14일 이내에 피고인을 항소법원 소재지 교도소 또는 구치소에 이송하여야 한다(동조 제3항).
	항소 이유서와 답변서의 제출	1. 항소이유서 제출 : 항소인 또는 변호인은 항소법원으로부터 소송기록의 접수통지를 받은 날로부터 20일 이내에 항소이유서를 항소법원에 제출하여야 한다(제361조의 3 제1항). 11. 경찰승진 · 순경, 11 · 15. 9급 법원직 2. 항소기각결정 ① 소송기록접수통지를 받은 날로부터 20일 이내에 항소이유서를 미제출 ⇨ 항소기각결정(제361조의 4 제1항) ▶ 다만, 필요적 변호사건의 경우에는 피고인에게 변호인이 없는 때에는 항소이유서 제출이 없다고 하여 바로 항소기각결정을 하여서는 안 된다(판례).

		② 직권조사사유가 있거나 항소장에 항소이유의 기재가 있는 경우에는 항소이유서의 제출이 없더라도 항소기각결정을 하여서는 아니 된다(제361조의 4 제1항 단서). ③ 항소기각결정에 대해서는 즉시항고 할 수 있다(제361조의 4 제2항). 3. 항소이유서 기재방식 : 항소이유서에는 항소이유를 구체적으로 간결하게 명시하여야 한다(규칙 제155조). • 제1심의 변론요지서를 원용(허용 ×) • 사실오인 또는 법리오해라고 기재(허용 ×) 4. 항소이유서 부본송달 : 항소이유서의 제출을 받은 항소법원은 지체 없이 그 부본 또는 등본을 상대방에게 송달하여야 한다(제361조의 3 제2항). 12. 순경 2차 5. 상대방의 답변서제출 : 상대방은 송달받은 날로부터 10일 이내에 답변서를 항소법원에 제출하여야 한다(동조 제3항). 11. 순경, 12. 순경 2차, 15. 9급 법원직
항소심의 심리	항소법원의 심판범위	1. 항소법원은 항소이유에 포함된 사유에 관하여 심판하여야 한다(제364조 제1항). 2. 판결에 영향을 미친 사유에 관하여는 항소이유서에 포함되지 아니한 경우에도 직권으로 심판할 수 있다(동조 제2항). 항소심의 직권심판사유는 상고심의 직권심판사유(제384조)와는 달리 법령위반과 사실오인이 포함된다. ▶ 양형부당 ⇨ 직권심판사항 ×(대판 2015.12.10, 2015도11696)
	심리의 특칙	1. 항소심에서도 진술거부권고지와 인정신문 등 진행 순서가 제1심공판절차와 같으나, 검사의 모두진술과 피고인 모두진술은 항소인의 '항소이유 진술'과 상대방에 의한 '답변진술'의 형태로 전환된다. 2. 피고인이 공판정에 출정하지 않은 때에는 다시 기일을 지정해야 한다(제365조 제1항). 피고인이 정당한 사유 없이 다시 정한 기일에 출정하지 아니한 때에는 피고인의 진술 없이 판결할 수 있다(동조 제2항). 15. 9급 교정·보호·철도경찰 3. 제1심법원에서 증거로 할 수 있었던 증거는 항소법원에서도 증거로 할 수 있다(제364조 제3항). 즉, 다시 증거조사를 할 필요가 없다.
항소심의 재판	공소기각 결정	공소기각결정사유(제328조 제1항)가 있는 경우 ⇨ 공소기각결정(제363조 제1항). 이 결정에 대하여 즉시항고할 수 있다(동조 제2항).
	항소기각 재판	1. 항소기각결정 ① 항소제기가 법률상 방식에 위반하거나, 항소권 소멸 후인 것이 명백한 경우 ⇨ 항소기각결정(제362조 제1항). 이 결정에 대하여 즉시항고할 수 있다(동조 제2항). ② 기간 내에 항소이유서를 제출하지 아니한 때 ⇨ 항소기각결정(단, 직권조사사유가 있거나 항소장에 항소이유의 기재가 있는 때에는 예외 : 제361조의 4 제1항). 이 결정에 대하여 즉시항고할 수 있다(동조 제2항). 2. 항소기각판결 : 항소가 이유 없는 경우 ⇨ 항소기각판결(제364조 제4항).항소가 이유 없음이 명백한 때에는 변론 없이 판결로써 항소를 기각할 수 있다(제364조 제5항).
	원심파기 판결	1. 항소법원은 항소이유가 있다고 인정한 때에는 원심판결을 파기하여야 한다(제364조 제6항). 판결에 영향을 미친 사유에 관하여는 항소이유서에 기재하지 아니한 경우에도 직권으로 원판결을 파기할 수 있다(제364조 제2항).

		2. 피고인을 위하여 원판결을 파기한 경우에 파기의 이유가 항소한 공동피고인에게 공통된 때에는 직권으로 그 공동피고인에 대하여도 원심판결을 파기하여야 한다(제364조의 2). 09. 7급 국가직, 12. 경찰승진, 17. 순경 1차 ▶ 여기서 공동피고인이란 원심에서의 공동피고인으로서 항소한 자를 말하며, 항소심에서 병합심리될 것을 요하지 아니한다. ▶ 형사소송법 제364조의 2 조항에서 정한 '항소한 공동피고인'은 제1심의 공동피고인으로서 자신이 항소한 경우는 물론 그에 대하여 검사만 항소한 경우까지도 포함한다(대판 2022.7.28, 2021도10579). 3. 상소심에서 원심의 주형 부분을 파기하는 경우 부가형인 몰수 또는 추징 부분도 함께 파기하여야 하고, 몰수 또는 추징을 제외한 나머지 주형 부분만을 파기할 수는 없다(대판 2009.6.25, 2009도2807). 4. 원심판결이 파기되면 항소심은 파기자판(제364조 제6항) · 파기환송(제366조) · 파기이송(367조)의 판결을 하지 않으면 안 되며, 형사소송법은 파기자판을 원칙으로 하고 있다. 17. 경찰간부
재판서 기재방식	항소법원의 재판서에는 재판서의 일반적인 방식(제38조 이하)에 의하는 이외에 항소이유의 판단을 기재하여야 하며 원심판결에 기재한 사실과 증거를 인용할 수 있다(제369조).	
구속 등 결정	피고인의 구속, 구속기간갱신, 구속취소, 보석, 보석취소, 구속집행정지와 그 정지의 취소결정은 소송기록이 상소법원에 도달하기까지는 원심법원이 하여야 한다(규칙 제57조 제1항). 이송 · 파기환송 또는 파기이송 중의 사건에 관한 제1항의 결정은 소송기록이 이송 또는 환송법원에 도달하기까지는 이송 또는 환송한 법원이 이를 하여야 한다(동조 제2항).	

01 다음 설명 중 틀린 것은?

① 항소장은 재판이 선고된 날로부터 7일 이내에 원심법원에 제출하여야 한다.

② 원심법원은 항소장을 받은 날로부터 14일 이내에 소송기록과 증거물을 그 법원에 대응한 검찰청 검사에게 송부하여야 한다.

③ 항소인 또는 변호인은 항소법원으로부터 기록송부의 통지를 받은 날로부터 20일 이내에 항소이유서를 항소법원에 제출하여야 한다.

④ 항소제기가 법률상 방식에 위반하거나, 항소권 소멸 후인 것이 명백한 경우에는 항소법원은 항소기각결정을 하여야 하며, 이 결정에 대하여 즉시항고할 수 있다.

해설 ① 항소를 함에는 7일의 항소기간 내에 항소장을 원심법원에 제출하여야 한다.
② 1995년 개정법에서는 검찰청에의 기록송부 경유제도를 폐지하고, 원심법원은 항소장을 받은 날로부터 14일 이내에 소송기록과 증거물을 바로 항소법원에 송부하도록 하고 있다(제361조).
③ 제361조의 3 제1항
④ 제362조 제1항 · 제2항

Answer 1. ②

02 항소심에 대한 다음 설명으로 옳지 않은 것은?(다툼이 있는 경우 판례에 의함)

15. 9급 교정·보호·철도경찰

① 항소심이 항소이유에 포함되지 아니한 사유를 직권으로 심리하여 제1심판결을 파기하고 자판할 경우 항소이유의 당부에 대한 판단도 명시하여야 한다.

② 피고인이 항소심 공판기일에 출정하지 않아서 다시 정해진 기일에도 정당한 사유 없이 출정하지 않은 경우 피고인의 진술 없이 판결할 수 있다.

③ 항소심이 피고인의 항소에 대하여 양형부당을 이유로 제1심판결을 파기·자판하면서 피고인에 대한 범죄사실을 모두 유죄로 인정한 경우 사실오인의 항소이유에 대해서는 배척한 것으로 볼 수 있다.

④ 항소법원은 제1심의 공소기각판결이 위법한 경우 제1심판결을 파기하고 사건을 제1심법원에 환송하여야 한다.

| 해설 ① 항소심이 항소이유에 포함되지 아니한 사유를 직권으로 심리하여 제1심판결을 파기하고 다시 판결하는 경우에는 항소인이 들고 있는 항소이유의 당부에 관하여 따로 판단한 바가 없다고 하더라도, 항소심이 자판을 함에 있어서 이미 항소이유의 당부는 판단되었다고 보아야 하므로, 항소심이 그 판결에서 피고인의 항소이유에 대한 판단을 따로 설시하지 않았다고 하여 위법이라고 할 수 없다(대판 2008.7.24, 2007도6721).
② 제365조
③ 대판 2000.5.16, 2000도123
④ 제366조

03 다음 중 재소자에 대한 특칙이 적용되지 아니하는 경우는?

① 항소이유서 제출
② 재정신청
③ 상소권회복청구
④ 재심청구

| 해설 **재소자특칙 적용 여부**

적용(○)	적용(×)
• 상소제기(제344조) • 상소권회복청구(제355조) • 상소의 포기·취하(제355조) • 재심청구 및 취하(제430조) • 항소이유서 제출(제361조의 3 제1항, 제379조) • 국민참여재판의사확인서 제출(국민의 형사재판참여에 관한 법률 제8조 제2항) ▶ 약식명령에 대한 정식재판청구(대결 2006.10.13, 2005모552) ▶ 집행유예 취소 결정에 대한 즉시항고 회복청구서 제출(대결 2022.10.27, 2022모1004)	• 재정신청(제260조)

Answer 2. ① 3. ②

05

04 **국선변호사건에서 항소이유서 제출과 관련한 판례의 내용으로 옳은 것은?**(다툼이 있으면 판례에 의함)

① 항소심에서 국선변호인이 선정된 이후 변호인이 없는 다른 사건이 병합된 경우에는 항소법원은 국선변호인에게 병합된 사건에 관한 소송기록 접수통지를 할 필요는 없다.

② 미성년자인 피고인을 위하여 국선변호인을 선정한 후 국선변호인에게 소송기록수리통지서를 송달치 아니한 채 선정된 날로부터 20일 전에 항소심판결을 선고한 것은 위법이 아니다.

③ 국선변호인에게 국선변호인 선정 결정등본만 송달하고 소송기록접수통지서를 송달하지 아니함으로써 항소이유서를 제출할 수 있는 기회를 주지 아니하고 판결을 선고하였음은 위법이라 할 수 없다.

④ 필요적 변호사건에서 법원이 정당한 이유 없이 국선변호인을 선정하지 않고 있는 사이에 피고인 스스로 변호인을 선임하였으나 그때는 이미 피고인에 대한 항소이유서 제출기간이 도과해 버린 후이어서 그 변호인이 피고인을 위하여 항소이유서를 작성 · 제출할 시간적 여유가 없는 경우에도 마찬가지로 보호되어야 한다고 할 것이므로, 그 경우에는 법원은 사선변호인에게도 소송기록접수통지를 하여야 한다.

| 해설 | ① 국선변호인 선정의 효력은 선정 이후 병합된 다른 사건에도 미치는 것이므로, 항소심에서 국선변호인이 선정된 이후 변호인이 없는 다른 사건이 병합된 경우에는 형사소송법 제361조의 2, 형사소송규칙 제156조의 2의 규정에 따라 항소법원은 지체 없이 국선변호인에게 병합된 사건에 관한 소송기록 접수통지를 함으로써 국선변호인이 통지를 받은 날로부터 기산한 소정의 기간 내에 피고인을 위하여 항소이유서를 작성 · 제출할 수 있도록 하여 변호인의 조력을 받을 피고인의 권리를 보호하여야 한다(대판 2010.5.27, 2010도3377).
② 미성년자인 피고인을 위하여 국선변호인을 선정한 후 국선변호인에게 소송기록수리통지서를 송달치 아니한 채 선정된 날로부터 20일 전에 항소심판결을 선고한 것은 위법이다(대판 1973.10.10, 73도2142).
③ 국선변호인에게 국선변호인 선정 결정등본만 송달하고 소송기록접수통지서를 송달하지 아니함으로써 항소이유서를 제출할 수 있는 기회를 주지 아니하고 판결을 선고하였음은 위법이다(대판 1973.9.25, 73도1922).
④ 대판 2000.12.22, 2000도4694

05 **항소심절차에 대한 설명으로 가장 적절하지 않은 것은?**(다툼이 있는 경우 판례에 의함)

18. 순경 3차

① 피고인이 제1심판결 선고 당시 소년법상 소년이어서 부정기형이 선고되었으나 그 후 항소심판결 선고일에 피고인이 성년이 되었다 하더라도 항소심은 부정기형을 선고한 제1심판결을 유지하여야 한다.

② 교도소 또는 구치소에 있는 피고인이 항소이유서의 제출기간 내에 항소이유서를 교도소장 또는 구치소장 또는 그 직무를 대리하는 자에게 제출한 때에는 항소이유서의 제출기간 내에 제출한 것으로 간주한다.

③ 현행법상 형사항소심의 구조가 오로지 사후심으로서의 성격만을 가지고 있는 것은 아니므로 항소심에서도 공소장의 변경을 할 수 있다.

Answer 4.④ 5.①

④ 일부 유죄, 일부 무죄가 선고된 제1심판결 전부에 대하여 검사가 항소하였더라도 검사가 유죄부분에 대하여는 아무런 항소이유도 주장하지 아니하였다면, 유죄부분에 대하여는 법정기간 내에 항소이유서를 제출하지 아니한 경우에 해당한다.

| 해설 ① 원심판결을 파기하고 정기형을 선고하여야 한다(대판 1990.4.24, 90도539).
② 제361조의 3 제1항 ③ 대판 1995.2.17, 94도3297 ④ 대판 2015.12.10, 2015도11696

06 **공동피고인을 위한 파기와 관련한 내용으로 옳은 것은?**(다툼이 있으면 판례에 의함)

① 형사소송법 제364조의 2 조항에서 정한 '항소한 공동피고인'은 제1심의 공동피고인으로서 자신이 항소한 경우만을 의미하며, 검사만 항소한 경우까지 포함하지 않는다.
② 항소를 적법하게 제기한 이상 항소이유서를 제출하지 않거나 항소이유가 부적법한 경우에는 공동피고인을 위한 파기가 허용되지 않는다.
③ 항소법원이 피고인을 위하여 원심판결을 파기하는 경우에 파기의 이유가 항소한 공동피고인에게 공통되는 때에는 그 공동피고인에 대하여도 원심판결을 파기하여야 한다.
④ 공동피고인을 위한 파기의 경우 원심에서 공동피고인일 필요는 없으며, 항소심에서 병합심리되고 있어야 한다.

| 해설 ① 형사소송법 제364조의 2 조항에서 정한 '항소한 공동피고인'은 제1심의 공동피고인으로서 자신이 항소한 경우는 물론 그에 대하여 검사만 항소한 경우까지도 포함한다(대판 2022.7.28, 2021도10579).
② 항소를 적법하게 제기한 이상 항소이유서를 제출하지 않거나 항소이유가 부적법한 경우에는 공동피고인을 위한 파기가 허용된다.
③ 제364조의 2, 제392조
④ 공동피고인을 위한 파기의 경우 원심에서 공동피고인을 말하고, 항소심에서 병합심리되었는가는 묻지 않으며, 원심공동피고인이 항소하지 아니하여 원심판결이 이미 확정되어 있다면 파기의 효력이 미치지 아니함은 당연하다.

07 **항소심에 관한 다음 설명 중 옳은 것은?**(다툼이 있는 경우 판례에 의함)

① 검사와 피고인 양쪽이 상소를 제기한 경우, 어느 일방의 상소는 이유 없으나 다른 일방의 상소가 이유 있어 원판결을 파기하고 다시 판결하는 때에는 이유 없는 상소에 대해서도 판결이유 중에서 그 이유가 없다는 점을 적는 것만으로는 부족하고 주문에서 그 상소를 기각해야 한다.
② 판결에 영향을 미친 사유에 관하여는 항소이유서에 포함되지 아니한 경우에도 직권으로 심판할 수 있으나, 피고인이 양형부당만을 항소이유로 삼아 항소한 후 항소심 공판에서 새로 사실오인 등을 주장하였다고 하더라도 그 주장이 이유 없어 판결에 영향을 미치지 아니한 경우라면 항소심이 이 점에 대하여 따로 판단하지 아니하고 양형부당에 관하여만 판단한 것은 정당하다.

Answer 6.③ 7.②

③ 피고인이나 변호인이 항소이유서에 포함시키지 아니한 사항을 항소심 공판정에서 진술하였다면, 그 진술에 포함된 주장과 같은 항소이유가 있다고 볼 수 있다.

④ 항소심이 항소이유에 포함되지 아니한 사유를 직권으로 심리하여 제1심판결을 파기하고 다시 판결하는 경우에 항소인이 들고 있는 항소이유의 당부에 관하여 따로 판단한 바가 없다면 위법이라고 할 수 있다.

| 해설 ① 검사와 피고인 양쪽이 상소를 제기한 경우, 어느 일방의 상소는 이유 없으나 다른 일방의 상소가 이유 있어 원판결을 파기하고 다시 판결하는 때에는 이유 없는 상소에 대해서는 판결이유 중에서 그 이유가 없다는 점을 적으면 충분하고 주문에서 그 상소를 기각해야 하는 것은 아니다(대판 2020.6.25, 2019도17995).
② 대판 2007.1.25, 2006도7242
③ 피고인이나 변호인이 항소이유서에 포함시키지 아니한 사항을 항소심 공판정에서 진술한다 하더라도 그 진술에 포함된 주장과 같은 항소이유가 있다고 볼 수 없다(대판 1998.9.22, 98도123).
④ 항소심이 항소이유에 포함되지 아니한 사유를 직권으로 심리하여 제1심판결을 파기하고 다시 판결하는 경우에는 항소인이 들고 있는 항소이유의 당부에 관하여 따로 판단한 바가 없다고 하더라도, 항소심이 자판을 함에 있어서 이미 항소이유의 당부는 판단되었다고 보아야 하므로, 항소심이 그 판결에서 피고인의 항소이유에 대한 판단을 따로 설시하지 않았다고 하여 위법이라고 할 수 없다(대판 2008.7.24, 2007도6721).

08 항소심 재판에 관한 설명 중 가장 옳지 않은 것은?(다툼이 있는 경우 판례에 의함) 20. 9급 법원직

① 피고인이 항소이유서를 제출하지 않았다고 하더라도 항소장에 '양형부당'이라고 기재되어 있는 경우에는, 항소심법원은 항소이유서 미제출을 이유로 항소기각결정을 할 수 없다.

② 당사자의 재판받을 권리는 보장되어야 하므로, 항소이유 없음이 명백하다고 하더라도 변론 없이 판결로써 항소를 기각할 수 없다.

③ 항소이유가 있다고 인정한 때에는 원심판결을 파기하고 다시 판결을 하여야 한다.

④ 형사소송법 제364조의 2는 '피고인을 위하여 원심판결을 파기하는 경우에 파기의 이유가 항소한 공동피고인에게 공통되는 때에는 그 공동피고인에게 대하여도 원심판결을 파기하여야 한다.'라고 규정하고 있는데, 위 규정은 공동피고인 사이에서 파기의 이유가 공통되는 해당 범죄사실이 동일한 소송절차에서 병합심리된 경우에만 적용되어야 한다.

| 해설 ① 형사소송법 제361조의 5 제15호가 "형의 양정이 부당하다고 인정할 사유가 있는 때"를 항소이유로 규정하고 있고, 형사소송규칙 제155조가 "항소이유서 또는 답변서에는 항소이유 또는 답변내용을 구체적으로 간결하게 명시하여야 한다"고 규정하고 있는 점 등에 비추어, 다른 구체적인 이유의 기재 없이 단순히 항소장의 '항소의 범위'란에 '양형부당'이라는 문구가 기재되어 있다고 하여 이를 적법한 항소이유의 기재라고 볼 수는 없으나(대판 2008.1.31, 2007도8117), 형사소송법 제361조의 4 제1항은 항소인 또는 변호인이 그 법 제361조의 3 제1항의 기간 내에 항소이유서를 제출하지 아니한 때에는 직권조사사유가 있거나 항소장에 항소이유의 기재가 있는 경우를 제외하고 결정으로 항소를 기각하여야 한다고 규정하고 있으므로 항소인 또는 변호인이 항소이유서에 추상적으로 제1심판결이 부당하다고만 기재함으로써 항소이유를 특정하여 구체적으로 명시하지 아니하였다고 하더라도 항소이유서가 법정의 기간 내에 적법하게 제출된 경우에는 이를 항소이유서가 법정의 기간 내에 제출되지 아니한 것과 같이 보아 형사소송법 제361조의 4 제1항에 의하여 결정으로 항소를 기각할 수는 없다(대결 2002.12.3, 2002모265).
② 항소이유 없음이 명백한 때에는 항소장, 항소이유서 기타의 소송기록에 의하여 변론 없이 판결로써 항소를 기각할 수 있다(제364조 제5항). ③ 제364조 제6항 ④ 대판 2019.8.29, 2018도14303 전원합의체

Answer 8. ②

09 **항소심의 절차에 대한 설명으로 가장 적절하지 않은 것은?**(다툼이 있는 경우 판례에 의함)

22. 경찰승진

① 피고인에게 소송기록접수통지가 되기 전에 변호인의 선임이 있는 때에는 변호인에게도 소송기록접수통지를 하여야 하고, 변호인의 항소이유서 제출기간은 변호인이 이 통지를 받은 날로부터 계산하여야 할 것이다.

② 필요적 변호사건에서 항소법원이 피고인과 국선변호인에게 소송기록접수통지를 하였으나 피고인과 국선변호인이 항소이유서를 제출하지 않고 있는 사이에 항소이유서 제출기간 내에 피고인이 사선변호인을 선임함에 따라 항소법원이 직권으로 기존 국선변호인 선정결정을 취소하였다면, 특별한 사정이 없는 한 새로 선임된 사선변호인에게 소송기록접수통지를 하여 그 변호인에게 항소이유서 작성·제출을 위한 기간을 보장해 주어야 한다.

③ 항소인 또는 변호인이 항소이유서에 추상적으로 제1심판결이 부당하다고만 기재함으로써 항소이유를 특정하여 구체적으로 명시하지 아니하였다고 하더라도 항소이유서가 법정의 기간 내에 적법하게 제출된 경우에는 이를 항소이유서가 법정의 기간 내에 제출되지 아니한 것과 같이 보아 형사소송법 제361조의 4 제1항에 의하여 결정으로 항소를 기각할 수는 없다.

④ 이미 항소이유서를 제출하였더라도 항소이유를 추가·변경·철회할 수 있으므로, 항소이유서 제출기간의 경과를 기다리지 않고는 항소사건을 심판할 수 없다고 보아야 한다.

해설 ① 대결 2011.5.13, 2010모1741

② 필요적 변호사건에서 항소법원이 국선변호인을 선정하고 피고인과 국선변호인에게 소송기록접수통지를 한 다음 피고인이 사선변호인을 선임함에 따라 국선변호인의 선정을 취소한 경우 항소법원은 사선변호인에게 다시 소송기록접수통지를 할 의무가 없다고 보아야 한다(대결 2018.11.22, 2015도10651 전원합의체).

③ 대결 2002.12.3, 2002모265

④ 대판 2018.11.29, 2018도12896

10 **항소심 절차와 관련한 판례의 내용으로 틀린 것은 몇 개인가?**

㉠ 항소심에 이르러 범행을 부인하였다고 하더라도 제1심법원에서 증거로 할 수 있었던 증거는 항소법원에서도 증거로 할 수 있는 것이므로 제1심법원에서 이미 증거능력이 있었던 증거는 항소심에서도 증거능력이 그대로 유지되어 심판의 기초가 될 수 있고 다시 증거조사를 할 필요가 없다.

㉡ 제1심판결을 파기하여 유죄의 판결을 하는 경우 외에는 판결이유에 범죄사실이나 증거의 요지는 물론이고 그에 관한 법령의 적용을 따로이 기재할 필요가 없다. 양형이 과중하다는 항소이유에 대하여 "이유없다."고만 판시하여 항소를 기각한 항소심의 판단은 정당하다.

㉢ 제1심판결을 파기하여 피고인을 유죄로 인정하면서 그 이유에 범죄사실과 적용법령의 기재만 있을 뿐 그 범죄사실을 증명하는 증거의 요지를 누락시킨 경우라면 잘못이다.

㉣ 항소심판결에서 제1심판결에 기재한 범죄될 사실, 증거의 요지, 법령의 적용을 인용할 수 있다.

Answer 9. ② 10. ①

ⓜ 소송기록 통지는 법령에 다른 정함이 있다는 등의 특별한 사정이 없는 한 서면 이외에 구술 · 전화 · 모사전송 · 전자우편 · 휴대전화 문자전송 그 밖에 적당한 방법으로도 할 수 있고, 통지의 대상자에게 도달됨으로써 효력이 발생한다.
ⓑ 항소심이 제1심의 양형이 과중하다고 인정하여 피고인의 항소이유를 받아들여 제1심판결을 파기하면서 제1심 그대로의 형을 선고하면, 위법이다.
ⓢ 항소이유서 제출기간 내에 변론이 종결되었는데 그 후 위 제출기간 내에 항소이유서가 제출된 경우, 항소심법원은 변론을 재개하여 항소이유 주장에 대해 심리를 하여야 한다.

① 1개 ② 2개 ③ 3개 ④ 없 음

해설 ㉠ ○ : 대판 1998.2.27, 97도3421
㉡ ○ : 대판 1982.12.28, 82도2642
㉢ ○ : 대판 1987.2.24, 86도2660
㉣ × : 제369조는 "항소법원의 재판서에는 항소이유에 대한 판단을 기재하여야 하며 원심판결에 기재한 사실과 증거를 인용할 수 있다."고 하고 있으므로, 항소심판결에서 제1심판결에 기재한 범죄될 사실과 증거의 요지는 인용할 수 있으나 법령의 적용은 인용할 수 없다(대판 2000.6.23, 2000도1660).
ⓜ ○ : 대결 2017.9.22, 2017모1680
ⓑ ○ : 대판 2009.4.9, 2008도11718
ⓢ ○ : 대판 2018.4.12, 2017도13748

11 항소심 절차와 관련한 판례의 내용으로 틀린 것은 몇 개인가?(다툼이 있으면 판례에 의함)

㉠ 피고인에게 소송기록접수통지를 함에 있어 제1심판결 등에 나타난 주소로 송달하였으나 수취인 불명으로 송달불능이 되어 공시송달을 한 후, 피고인이 주소를 보정하자 다시 피고인에게 소송기록접수통지서를 교부한 일이 있다 하더라도 항소이유서 제출기간의 기산일은 위 공시송달의 효력이 발생한 날로부터라고 보아야 한다.
㉡ 항소이유서 제출기간 내에 변론이 종결되었는데 그 후 위 제출기간 내에 항소이유서가 제출되었다면, 특별한 사정이 없는 한 항소심법원으로서는 변론을 재개하여 항소이유의 주장에 대해서도 심리를 해보아야 한다.
㉢ 항소심이 자신의 양형판단과 일치하지 아니한다고 하여 양형부당을 이유로 제1심판결을 파기하는 것이 바람직하지 아니한 점이 있다면, 양형심리 및 양형판단 방법이 위법하다고 할 수 있다.
㉣ 검사가 항소장이나 법정기간 내에 제출된 항소이유서에서 유죄부분에 대하여 양형부당 주장을 하였으나, 항소이유 주장이 실질적으로 구두변론을 거쳐 심리되지 아니한 경우에 항소심법원이 검사의 항소이유 주장을 받아들여 피고인에게 불리하게 제1심판결을 변경할 수 없다.
ⓜ 피고인이 양형부당과 함께 사실오인도 항소이유로 주장하였음에도 항소심이 양형부당의 항소이유만 있는 것으로 판단하면서 양형부당을 이유로 제1심판결을 파기 · 자판한 경우, 항소심은 사실오인의 항소이유에 대하여서는 이를 배척하였다고 할 것이다.
ⓑ 항소법원은 항소피고사건의 심리 중 또는 판결선고 후 상고제기 또는 판결확정에 이르기까지 수소법원으로서 형사소송법 제70조 제1항 각 호의 사유 있는 불구속피고인을 구속할 수 있다.

Answer 11. ②

㉦ 검사 또는 변호인이 항소심에서 피고인신문을 실시하는 경우 재판장은 제1심의 피고인신문과 중복되거나 항소이유의 당부를 판단하는 데 필요 없다고 인정하는 때에는 그 신문의 전부 또는 일부를 제한할 수 있으므로, 변호인이 피고인을 신문하겠다는 의사를 표시하였음에도 변호인에게 일체의 피고인신문을 허용하지 않았다고 하여 소송절차의 법령위반이 있다고 할 수 없다.

① 1개 ② 2개 ③ 3개 ④ 4개

해설 ㉠ ○ : 대결 1985.4.16, 84모72
㉡ ○ : 대판 2015.4.9, 2015도1466
㉢ × : 항소심이 자신의 양형판단과 일치하지 아니한다고 하여 양형부당을 이유로 제1심판결을 파기하는 것이 바람직하지 아니한 점이 있다고 하더라도 이를 두고 양형심리 및 양형판단 방법이 위법하다고까지 할 수는 없다. 그리고 원심의 판단에 근거가 된 양형자료와 그에 관한 판단 내용이 모순 없이 설시되어 있는 경우에는 양형의 조건이 되는 사유에 관하여 일일이 명시하지 아니하여도 위법하다고 할 수 없다(대판 2015.7.23, 2015도3260 전원합의체).
㉣ ○ : 대판 2015.12.10, 2015도11696
㉤ ○ : 대판 2000.5.16, 2000도123
㉥ ○ : 대결 1985.7.23, 85모12
㉦ × : 재판장은 변호인이 피고인을 신문하겠다는 의사를 표시한 때에는 피고인을 신문할 수 있도록 조치하여야 하고, 변호인이 피고인을 신문하겠다는 의사를 표시하였음에도 변호인에게 일체의 피고인신문을 허용하지 않은 것은 변호인의 피고인신문권에 관한 본질적 권리를 해하는 것으로서 소송절차의 법령위반에 해당한다(대판 2020.12.24, 2020도10778).

12 **항소이유서 제출기간에 관한 다음 설명 중 가장 옳지 않은 것은?**(다툼이 있는 경우 판례에 의하고, 전원합의체 판결의 경우 다수의견에 의함) 22. 9급 법원직

① 항소인이나 변호인이 항소이유서에 항소이유를 특정하여 구체적으로 명시하지 아니하였다고 하더라도 항소이유서가 법정기간 내에 적법하게 제출된 경우에는 결정으로 항소를 기각할 수 없다.

② 관공서의 공휴일에 관한 규정 제2조 제11호에 따라 정부에서 수시로 지정하는 임시공휴일은 형사소송법 제66조 제3항에서 정한 공휴일에 해당하지 않으므로 항소이유서 제출기간의 말일이 임시공휴일이더라도 피고인이 그 날까지 항소이유서를 제출하지 아니하였다면 항소이유서가 제출기간 내에 적법하게 제출되었다고 볼 수 없다.

③ 피고인과 국선변호인이 모두 법정기간 내에 항소이유서를 제출하지 아니하였다고 하더라도, 국선변호인이 항소이유서를 제출하지 아니한 데 대하여 피고인에게 귀책사유가 있음이 특별히 밝혀지지 않는 한, 항소법원은 종전 국선변호인의 선정을 취소하고 새로운 국선변호인을 선정하여 다시 소송기록접수통지를 함으로써 새로운 변호인으로 하여금 항소이유서 제출기간 내에 피고인을 위하여 항소이유서를 제출하도록 하여야 한다.

Answer 12. ②

④ 항소이유서는 적법한 기간 내에 항소법원의 지배권 안에 들어가 사회통념상 일반적으로 알 수 있는 상태에 있으면 도달한 것이고, 항소법원의 내부적인 업무처리에 따른 문서의 접수, 결재과정 등까지 이루어져야 하는 것은 아니다.

| 해설 ① ○ : 대결 2006.3.30, 2005모564(∵ 형사소송법 제361조의 4 제1항은 항소인이나 변호인이 같은 법 제361조의 3 제1항의 기간 내에 항소이유서를 제출하지 아니한 때에는 직권조사사유가 있거나 항소장에 항소이유의 기재가 있는 경우를 제외하고 결정으로 항소를 기각하여야 한다고 규정하고 있으므로)
② × : 기간의 말일이 공휴일인지 여부는 '공휴일'에 관하여 규정하고 있는 '관공서의 공휴일에 관한 규정' 제2조 각호에 해당하는지에 따라 결정되고, 같은 조 제11호가 정한 '기타 정부에서 수시 지정하는 날'인 임시공휴일 역시 공휴일에 해당한다(대결 2021.1.14, 2020모3694).
③ ○ : 대결 2012.2.16, 2009모1044 전원합의체
④ ○ : 대판 1997.4.25, 96도3325

13 항소에 대한 설명으로 적절하지 않은 것은 모두 몇 개인가?(다툼이 있는 경우 판례에 의함)

23. 경찰승진

> ㉠ 항소를 함에는 항소장을 항소법원에 제출하여야 한다.
> ㉡ 항소한 피고인이 교도소 또는 구치소에 있는 경우에는 원심 법원에 대응한 검찰청 검사는 항소법원으로부터 그 사유를 통지받은 날부터 14일 이내에 피고인을 항소법원 소재지의 교도소 또는 구치소로 이송하여야 한다.
> ㉢ 필요적 변호사건에서 항소법원이 국선변호인을 선정하고 피고인과 국선변호인에게 소송기록 접수통지를 한 다음 피고인이 사선변호인을 선임함에 따라 국선변호인의 선정을 취소한 경우, 항소법원은 사선변호인에게 다시 소송기록접수 통지를 할 의무가 있다.
> ㉣ 항소법원이 피고인에게 소송기록 접수통지를 함에 있어 2회에 걸쳐 그 통지서를 송달한 경우, 항소이유서 제출기간의 기산일은 최후 송달의 효력이 발생한 날의 다음 날부터이다.

① 1개 ② 2개 ③ 3개 ④ 4개

| 해설 ㉠ × : 항소를 함에는 항소장을 원심법원(제1심법원)에 제출하여야 한다(제359조).
㉡ ○ : 제361조의 2 제3항
㉢ × : 형사소송법은 항소법원이 항소인인 피고인에게 소송기록접수통지를 하기 전에 변호인의 선임이 있는 때에는 변호인에게도 소송기록접수통지를 하도록 정하고 있으므로(제361조의 2 제2항), 피고인에게 소송기록접수통지를 한 다음에 변호인이 선임된 경우에는 변호인에게 다시 같은 통지를 할 필요가 없다. 이는 필요적 변호사건에서 항소법원이 국선변호인을 선정하고 피고인과 그 변호인에게 소송기록접수통지를 한 다음 피고인이 사선변호인을 선임함에 따라 항소법원이 국선변호인의 선정을 취소한 경우에도 마찬가지이다. 이러한 경우 항소이유서 제출기간은 국선변호인 또는 피고인이 소송기록접수통지를 받은 날부터 계산하여야 한다(대판 2018.11.22, 2015도10651 전원합의체).
㉣ × : 항소법원이 피고인에게 소송기록 접수통지를 함에 있어 2회에 걸쳐 그 통지서를 송달하였다고 하더라도 항소이유서 제출기간의 기산일은 최초 송달의 효력이 발생한 날의 다음 날부터이다(대판 2010.5.27, 2010도3377).

Answer 13. ③

14 항소이유서 등에 관한 판례의 다음 설명 중 틀린 것은 몇 개인가?

㉠ 양형부당과 사실오인을 이유로 항소한 경우에 항소인이 법원의 석명에 대하여 양형부당의 취지라고 답변하였다면 사실오인의 항소이유를 철회한 것으로 볼 수 있다.
㉡ 피고인이 제1심판결에 대하여 양형부당만을 항소이유로 내세워 항소하였다가 그 항소가 기각된 경우, 피고인은 원심판결에 대하여 사실오인 또는 법리오해의 위법이 있다는 것을 상고이유로 삼을 수는 있다.
㉢ 제1심 무죄판결에 대한 검사의 항소장에는 '항소의 이유'란에 '사실오인 및 법리오해'라는 문구만 기재되어 있을 뿐, 다른 구체적인 항소이유가 명시되어 있지 않았다면, 위와 같은 항소장의 기재는 적법한 항소이유의 기재에 해당하지 않는다고 봄이 상당하다.
㉣ "도저히 납득할 수 없는 억울한 판결이므로 항소를 한 것입니다."라고 기재하였다고 하더라도 항소심으로서는 이를 제1심판결에 사실의 오인이 있거나 양형부당의 위법이 있다는 항소이유를 기재한 것으로 이해하여 그 항소이유에 대하여 심리를 하여야 한다.
㉤ 피고인의 항소이유서 제출기간이 경과되기 이전에 변호인이 제출한 항소이유에 대한 심리만을 마친 채 판결을 선고한 원심의 조치는 위법하다.
㉥ 형사소송법 제361조의 2 제1항에 따라 항소법원이 피고인에게 소송기록 접수통지를 함에 있어 2회에 걸쳐 그 통지서를 송달하였다고 하더라도, 항소이유서 제출기간의 기산일은 최초 송달의 효력이 발생한 날의 다음 날부터라고 보아야 한다.
㉦ 항소이유서 제출기간 경과 여부와 상관없이 일단 변론이 종결되었다면, 그 후 위 제출기간 내에 항소이유서가 제출되었더라도, 특별한 사정이 없는 한 항소심법원으로서는 변론을 재개하여 항소이유의 주장에 대해서 심리를 해 보아야 할 필요는 없다.
㉧ 일부 유죄, 일부 무죄가 선고된 제1심판결 전부에 대하여 검사가 항소하였더라도 검사가 유죄부분에 대하여는 아무런 항소이유도 주장하지 아니하였다면, 제1심의 양형에 잘못이 있더라도 그러한 사유는 형사소송법 제361조의 4 제1항 단서의 직권조사사유나, 같은 법 제364조 제2항의 직권심판사항에 해당한다고 볼 수 없다.
㉨ 검사의 항소이유가 실질적으로 구두변론을 거쳐 심리되지 않았다고 평가될 경우, 항소심법원이 검사의 항소이유 주장을 받아들여 피고인에게 불리하게 제1심판결을 변경할 수 없다.

① 1개 ② 2개 ③ 3개 ④ 없 음

| 해설 ㉠ × : 양형부당과 사실오인을 이유로 항소한 경우에 항소인이 법원의 석명에 대하여 양형부당의 취지라고 답변한 것만으로는 사실오인의 항소이유를 철회한 것으로 볼 수 없다(대판 1999.6.11, 99도1238).
㉡ × : 피고인이 제1심판결에 대하여 양형부당만을 항소이유로 내세워 항소하였다가 그 항소가 기각된 경우, 피고인은 원심판결에 대하여 사실오인 또는 법리오해의 위법이 있다는 것을 상고이유로 삼을 수는 없다(대판 2005.9.30, 2005도3345).
㉢ ○ : 항소이유서 또는 답변서에는 항소이유 또는 답변내용을 구체적으로 간결하게 명시하여야 한다고 규정하고 있는바(규칙 제155조), 제1심 무죄판결에 대한 검사의 항소장에는 '항소의 이유'란에 '사실오인 및 법리오해'라는 문구만 기재되어 있을 뿐, 다른 구체적인 항소이유가 명시되어 있지 않음을 알 수 있는바, 위와 같은 항소장의 기재는 적법한 항소이유의 기재에 해당하지 않는다고 봄이 상당하다(대판 2003.12.12, 2003도2219).

Answer 14. ③

ⓡ ○ : "도저히 납득할 수 없는 억울한 판결이므로 항소를 한 것입니다."라고 기재하였다고 하더라도 항소심으로서는 이를 제1심판결에 사실의 오인이 있거나 양형부당의 위법이 있다는 항소이유를 기재한 것으로 이해하여 그 항소이유에 대하여 심리를 하여야 한다(대결 2002.12.3, 2002모265).
ⓜ ○ : 피고인의 항소이유서 제출기간이 경과되기 이전에 변호인이 제출한 항소이유에 대한 심리만을 마친 채 판결을 선고한 원심의 조치는 위법하다(대판 2004.6.25, 2004도2611).
ⓑ ○ : 형사소송법 제361조의 2 제1항에 따라 항소법원이 피고인에게 소송기록 접수통지를 함에 있어 2회에 걸쳐 그 통지서를 송달하였다고 하더라도, 항소이유서 제출기간의 기산일은 최초 송달의 효력이 발생한 날의 다음 날부터라고 보아야 한다(대판 2010.5.27, 2010도3377).
ⓢ × : 형사소송법 제361조의 3, 제364조 등의 규정에 의하면 항소심의 구조는 피고인 또는 변호인이 법정기간 내에 제출한 항소이유서에 의하여 심판되는 것이고, 이미 항소이유서를 제출하였더라도 항소이유를 추가 · 변경 · 철회할 수 있으므로, 항소이유서 제출기간의 경과를 기다리지 않고는 항소사건을 심판할 수 없다. 따라서 항소이유서 제출기간 내에 변론이 종결되었는데 그 후 위 제출기간 내에 항소이유서가 제출되었다면, 특별한 사정이 없는 한 항소심법원으로서는 변론을 재개하여 항소이유의 주장에 대해서도 심리를 해 보아야 한다(대판 2015.4.9, 2015도1466).
ⓞ ○ : 대판 2008.1.31, 2007도8117
ⓙ ○ : 대판 2015.12.10, 2015도11696

15 **항소심에 관한 다음 설명 중 가장 옳은 것은?**(다툼이 있는 경우 판례에 의하고, 전원합의체 판결의 경우 다수의견에 의함)

23. 9급 법원직

① 피고인을 위하여 제1심판결을 파기하는 경우에 파기의 이유가 '항소한 공동피고인'에게 공통되는 때에는 그 공동피고인에 대하여도 제1심판결을 파기하여야 하는데, 이때 '항소한 공동피고인'에는 제1심의 공동피고인으로서 자신이 항소한 경우만 해당되고, 제1심의 공동피고인에 대하여 검사만 항소한 경우는 이에 포함되지 않는다.
② 피고인의 항소대리권자인 배우자가 피고인을 위하여 항소한 경우에도 소송기록접수통지는 항소인인 피고인에게 하여야 하는데, 피고인이 적법하게 소송기록접수통지서를 받지 못하였다면 항소이유서 제출기간이 지났다는 이유로 항소기각결정을 하는 것은 위법하다.
③ 항소심에서도 피고인이 불출석한 상태에서 그 진술 없이 판결하기 위해서는 피고인이 적법한 공판기일 통지를 받고서도 2회 연속으로 정당한 이유 없이 출정하지 않은 경우에 해당하여야 하는데, 이때 '적법한 공판기일 통지'란 소환장의 송달(형사소송법 제76조) 및 소환장 송달의 의제(형사소송법 제268조)의 경우에 한정된다.
④ 제1심법원이 공소사실의 동일성이 인정되는 범위 내에서 공소가 제기된 범죄사실에 포함된 보다 가벼운 범죄사실을 유죄로 인정하면서 법정형이 보다 가벼운 다른 법조를 적용하여 피고인을 처벌하고, 유죄로 인정된 부분을 제외한 나머지 부분에 대하여는 범죄의 증명이 없다는 이유로 판결 이유에서 무죄로 판단한 경우, 피고인만이 유죄부분에 대하여 항소하고 검사는 무죄로 판단된 부분에 대하여 항소하지 아니한 경우에도, 그 죄 전부가 피고인의 항소와 상소불가분의 원칙으로 인하여 항소심에 이심되었으므로 무죄부분도 항소심의 심판대상이 된다.

Answer 15. ②

| 해설 ① '항소한 공동피고인'은 제1심의 공동피고인으로서 자신이 항소한 경우는 물론 그에 대하여 검사만 항소한 경우까지도 포함한다(대판 2022.7.28, 2021도10579).
② 대결 2018.3.29, 2018모642
③ '적법한 공판기일 통지'란 소환장의 송달(형사소송법 제76조) 및 소환장 송달의 의제(형사소송법 제268조)의 경우에 한정되는 것이 아니라 적어도 피고인의 이름·죄명·출석 일시·출석 장소가 명시된 공판기일 변경명령을 송달받은 경우(형사소송법 제270조)도 포함된다(대판 2022.11.10, 2022도7940).
④ 피고인만이 유죄부분에 대하여 항소하고 검사는 무죄로 판단된 부분에 대하여 항소하지 아니하였다면, 비록 그 죄 전부가 피고인의 항소와 상소불가분의 원칙으로 인하여 항소심에 이심되었다고 하더라도 무죄부분은 심판대상이 되지 않는다(대판 2008.9.25, 2008도4740).

16 **피고인은 A사건으로 구속영장이 집행되어 서울구치소에 구금되었다. 그 후 피고인은 2023. 4. 20. 서울중앙지방법원에서 A사건으로 징역형을 선고받고 항소하였다. 항소심법원인 서울고등법원은 2023. 5. 6. 소송기록접수통지서 등을 발송하였고, 서울구치소장은 2023. 5. 7. 이를 송달받았으며, 피고인은 2023. 5. 8. 이를 수령하였다**(2023. 5. 28.은 일요일, 2023. 5. 29.은 임시공휴일이며, 변호인의 존재여부 및 변호인의 기간준수는 고려하지 아니함). **이 사실관계를 바탕으로 한 다음 설명 중 가장 옳지 않은 것은?**(다툼이 있는 경우 판례에 의하고, 전원합의체 판결의 경우 다수의견에 의함)

23. 9급 법원직

① 만일 피고인이 2023. 4. 27. 서울구치소장에게 항소장을 제출하였다면, 그 항소장이 2023. 4. 28. 제1심법원에 도착하였더라도 피고인의 항소는 항소기간(7일) 내에 적법하게 제기된 것이다.
② 구속피고인에 대한 송달은 그 수용 중인 교도소 또는 구치소의 장에게 하여야 하므로, 서울구치소장이 피고인보다 먼저 서울고등법원으로부터 2023. 5. 7. 소송기록접수통지서를 받은 것은 적법하다.
③ 만일 피고인이 2023. 5. 28. 항소이유서를 서울구치소장에게 제출하였으나, 그 날은 일요일이고, 다음 날인 2023. 5. 29.은 임시공휴일인 관계로 2023. 5. 30.에 이르러서야 법원에 항소이유서가 도착되었더라도 항소이유서는 기간(20일) 내에 적법하게 제출된 것이다.
④ 만일 피고인이 제1심판결 선고 이후인 2023. 4. 30. 보석허가결정을 받아 출소하였고 2023. 5. 8. 피고인의 주거지에서 직접 서울고등법원의 소송기록접수통지서를 송달받았는데, 2023. 5. 28. 항소이유서를 발송하였으나 그 날은 일요일이고, 다음 날인 2023. 5. 29.은 임시공휴일인 관계로 2023. 5. 30.에 이르러서야 법원에 항소이유서가 도착되었다면, 항소이유서는 기간(20일)을 도과하여 부적법하게 제출된 것이다.

| 해설 ① 피고인이 선고일로부터 7일 이내에 항소장을 제출하면 되는데(제358조), 기간의 계산에 관하여는 시(時)로 계산하는 것은 즉시(卽時)부터 기산하고 일(日), 월(月) 또는 연(年)으로 계산하는 것은 초일을 산입하지 아니하므로(제66조 제1항), 2023. 4. 27.까지 항소장을 제출하면 된다. 교도소 또는 구치소에 있는 피고인이 상소의 제기기간 내에 상소장을 교도소장 또는 구치소장 또는 그 직무를 대리하는 자에게 제출한 때에는 상소의 제기기간 내에 상소한 것으로 간주하므로(제344조 제1항), 피고인이 2023. 4. 27. 서울구치소장에게 항소장을 제출하였다면 적법하다.

Answer 16. ④

② 구속피고인에 대한 송달은 그 수용 중인 교도소 또는 구치소의 장에게 하여야 하며 제65조, 민사소송법 제182조), 그 소장에게 송달하면 구속된 자에게 전달된 여부와 관계없이 효력이 생기는 것이다(대판 1995.1.12, 94도2687). 따라서 서울구치소장이 피고인보다 먼저 서울고등법원으로부터 2023. 5. 7. 소송기록접수통지서를 받았더라도 이는 적법하다.
③ 항소인 또는 변호인은 소송기록접수통지를 받은 날로부터 20일 이내에 항소이유서를 항소법원에 제출하여야 한다(제361조의 3 제1항). 교도소 또는 구치소에 있는 피고인이 상소의 제기기간 내에 상소장을 교도소장 또는 구치소장 또는 그 직무를 대리하는 자에게 제출한 때에는 상소의 제기기간 내에 상소한 것으로 간주된다(제344조 제1항, 제361조의 3 제1항). 따라서, 초일 불산입의 원칙에 따라 2023. 5. 28.까지 항소이유서를 제출하면 되는데 기간의 말일이 공휴일(임시공휴일 포함)이거나 토요일이면 그 날은 기간에 산입하지 아니하므로(제66조 제3항), 2023. 5. 30.까지 항소이유서를 제출하였다면 적법하다.
④ 항소이유서는 기간(20일) 내에 적법하게 제출된 것이다.

17 항소심 절차에 관한 설명으로 옳지 않은 것은?(다툼이 있는 경우 판례에 의함) 24. 소방간부

① 제1심판결 선고 당시 미성년자였던 피고인이 항소심 선고 당시 성년으로 된 경우 부정기형을 선고한 원판결을 파기하고 정기형을 선고하여야 한다.
② 이미 항소이유서를 제출하였더라도 항소이유를 추가 · 변경 · 철회할 수 있으므로, 항소이유서 제출기간의 경과를 기다리지 않고는 항소사건을 심판할 수 없다.
③ 현행법상 형사항소심의 구조가 오로지 사후심으로서의 성격만을 가지고 있는 것은 아니어서 공소장의 변경은 항소심에서도 할 수 있다.
④ 교도소 또는 구치소에 있는 피고인이 항소이유서의 제출기간 내에 항소이유서를 교도소장 또는 구치소장 또는 그 직무를 대리하는 자에게 제출한 때에는 항소이유서의 제출기간 내에 제출한 것으로 간주한다.
⑤ 필요적 변호사건에서 항소법원이 국선변호인을 선정하고 피고인과 국선변호인에게 소송기록접수통지를 한 다음 피고인이 사선변호인을 선임함에 따라 국선변호인의 선정을 취소한 경우 항소법원은 사선변호인에게 다시 소송기록접수통지를 할 의무가 있다.

해설 ① 대판 1990.4.24, 90도539
② 대판 2018.11.29, 2018도12896
③ 대판 1995.2.17, 94도3297
④ 제361조의 3 제1항
⑤ 필요적 변호사건에서 항소법원이 국선변호인을 선정하고 피고인과 국선변호인에게 소송기록접수통지를 한 다음 피고인이 사선변호인을 선임함에 따라 국선변호인의 선정을 취소한 경우 항소법원은 사선변호인에게 다시 같은 통지를 할 필요가 없다(대판 2018.11.22, 2015도10651 전원합의체).

Answer 17. ⑤

최신판례

1. 항소심 심리과정에서 심증 형성에 영향을 미칠 만한 객관적 사유가 새로 드러난 것이 없음에도 불구하고 제1심판단을 재평가하여 사후심적으로 판단하여 뒤집고자 할 때에는, 제1심의 증거가치 판단이 명백히 잘못되었다거나 사실인정에 이르는 논증이 논리와 경험법칙에 어긋나는 등으로 그 판단을 그대로 유지하는 것이 현저히 부당하다고 볼 만한 합리적인 사정이 있어야 하고, 그러한 예외적 사정도 없이 제1심의 사실인정에 관한 판단을 함부로 뒤집어서는 아니 된다(대판 2023.1.12, 2022도14645).
2. 제1심 변호인의 사무소는 피고인의 주소 · 거소 · 영업소 또는 사무소 등의 송달장소가 아니고, 제1심에서 한 송달영수인 신고의 효력은 원심(2심)법원에 미치지 않으므로, 피고인에게 소송기록접수통지서가 적법하게 송달되었다고 볼 수 없으며, 이와 같이 피고인에 대한 적법한 소송기록접수통지가 이루어지지 않은 상태에서 사선변호인이 선임되고 국선변호인 선정이 취소되었으므로 원심으로서는 피고인과는 별도로 원심에서 선임된 변호인에게도 소송기록접수통지를 하여야 하는데,이를 하지 아니한 채 판결을 선고하였으므로, 소송절차의 법령위반으로 인하여 판결에 영향을 미친 위법이 있다(대판 2024.5.9, 2024도3298).

제5절 상 고

THEMA 32 상고심

<table>
<tr><td>의 의</td><td colspan="2">1. 상고란 제2심판결에 불복하여 대법원에 제기하는 상소를 말한다(제371조).
▶ 예외 : 제1심판결 ⇨ 대법원 ; 비약적 상고
2. 상고심의 주된 기능 : 법령해석의 통일(일정한 범위 안에서 사실오인과 양형부당을 심사할 수도 있음)</td></tr>
<tr><td>상고심 구조</td><td colspan="2">1. 법률심(극히 예외적으로 사실심의 성격도 가지고 있음)
2. 사후심(∴ 원판결에 대한 판단 ⇨ 원판결시가 기준이 됨)
▶ 항소심판결 선고 당시 20세 미만자로서 부정기형을 선고받은 피고인이 상고심 계속 중에 성년이 된 경우에 원판결을 파기 ×</td></tr>
<tr><td>상고이유</td><td colspan="2">[제383조]
• 판결에 영향을 미친 헌법 · 법률 · 명령 또는 규칙의 위반이 있을 때(제1호)
• 판결 후 형의 폐지나 변경 또는 사면이 있는 때(제2호)
• 재심청구의 사유가 있는 때(제3호)
• 사형, 무기 또는 10년 이상의 징역이나 금고가 선고된 사건에 있어서 중대한 사실의 오인이 있어 판결에 영향을 미친 때 또는 형의 양정이 심히 부당하다고 인정할 현저한 사유가 있는 때(제4호) 98. 9급 법원직 – 검사는 적용 ×(대판 1994.8.12, 94도1705)
▶ ┌ 절대적 상고이유 : 제2호, 제3호, 제4호(형의 양정이 심히 부당)
└ 상대적 상고이유 : 제1호, 제4호(중대한 사실오인)</td></tr>
<tr><td>상고심 절차</td><td>상고제기</td><td>1. 상고제기의 방식 : 선고일로부터 7일 내에 상고장을 원심법원에 제출하여야 한다.
2. 원심법원은 상고의 제기가 법률상의 방식에 위반, 상고권이 소멸한 후인 것이 명백한 때 ⇨ 상고기각결정(제376조)
3. 상고기각결정을 하는 경우 외에는 원심법원은 상고장을 받은 날로부터 14일 이내에 소송기록과 증거물을 상고법원에 송부하여야 한다(제377조).
4. 상고법원이 소송기록의 송부를 받은 때에는 즉시 상고인과 상대방에게 그 사유를 통지해야 한다.
▶ 통지 전에 변호인의 선임이 있는 때 ⇨ 변호인에도 이를 통지(제378조)
5. 상고인 또는 변호인은 상고법원으로부터 소송기록의 접수통지를 받은 날로부터 20일 이내에 상고이유서를 상고법원에 제출하여야 한다.
▶ 이 경우 재소자의 특칙이 적용된다(제379조 제1항).
6. 상고이유서에는 소송기록과 원심법원의 증거조사에 표현된 사실을 인용하여 그 이유를 명시하여야 한다(제379조 제1항).
7. 상고이유서를 제출받은 상고법원은 지체 없이 그 부본 또는 등본을 상대방에게 송달하여야 한다(제379조 제3항). 상대방은 이 송달을 받은 날로부터 10일 이내에 상고법원에 답변서를 제출할 수 있다(동조 제4항). 04. 순경, 12. 9급 검찰 · 마약수사
┌ 상고법원에 답변서 제출(제379조 제4항) ⇨ 임의적
└ 항소법원에 답변서 제출(제361조의 3 제3항) ⇨ 필요적</td></tr>
</table>

	상고심의 심리	1. 상고심에서는 변호사 아닌 자를 변호인으로 선임하지 못한다(제386조). 2. 상고심의 공판절차는 피고인의 소환을 요하지 아니한다(제389조의 2). 14. 9급 법원직 따라서 피고인에게는 소환장이 아니라 공판기일통지서가 송달된다(규칙 제161조 제1항). ▶ 피고인이 출석하였더라도 변론능력이 없으며, 적극적으로 이익사실을 진술하거나 최종의견을 진술할 수 없다. 3. 상고심은 상고이유서에 포함된 사유에 관하여 심판하여야 한다(제384조). ▶ 예외 : 제383조 제1호 내지 제3호의 경우에는 상고이유서에 포함되지 아니한 때에도 직권으로 심판할 수 있다(제384조). ▶ 사실오인이나 양형부당은 직권심판사항에 불포함
	상고심의 재판	1. 공소기각결정사유(제328조 제1항)가 있는 경우에는 상고법원은 공소기각결정(제382조) 2. 상고이유서를 제출기간 안에 제출하지 못하거나(제380조 제1항), 상고제기가 법률의 방식에 위반되거나, 상소권 소멸 후인 것이 명백 ⇨ 상고기각결정(제381조) ▶ 상고장에 상고이유 기재 ○ ⇨ 상고기각결정 ×(제380조 제1항) 3. 상고의 이유가 없다고 인정 ⇨ 상고기각판결(제399조, 제364조 제4항) 4. 상고의 이유가 있다고 인정하는 때에는 원심판결을 파기하여야 한다(제391조). ▶ 파기의 이유가 상고한 공동피고인에 공통된 때에는 그 공동피고인에 대하여도 원심판결을 파기하여야 한다(제392조). 14. 9급 법원직 5. 원심판결이 파기되면 상고심은 파기환송(제393조), 파기이송(제394조), 파기자판(제396조 제1항)을 하여야 한다.
	재판서 기재방식	상고심의 재판서에는 재판서의 일반적 기재사항(제38조 이하) 이외에 상고이유에 관한 판단을 기재하여야 한다. 그 밖에 합의에 관한 대법관의 의견도 기재하여야 한다(법원조직법 제15조).

01 상고에 관한 다음 설명 중 틀린 것은?

① 제2심판결에 대하여 불복이 있을 때에는 대법원에 상고할 수 있다.
② 제1심판결이 인정한 사실에 대하여 법령을 적용하지 아니하였거나 법령의 적용에 착오가 있는 경우에는 항소를 제기하지 아니하고 바로 상고할 수 있다.
③ 상고를 함에는 상고장을 대법원에 제출하여야 한다.
④ 상고인은 소송기록의 통지를 상고법원으로부터 받은 날로부터 20일 이내에 상고이유서를 상고법원에 제출하여야 한다.

| 해설 ② 제372조
③ 상고를 할 때에는 상고제기기간 내에 상고장을 원심법원에 제출하여야 한다(제375조).
④ 제379조

Answer 1. ③

02 다음 중 적법한 상고이유가 될 수 없는 것은?

① 판결에 영향을 미친 법률위반이 있는 때

② 재심청구의 사유가 있는 때

③ 징역 7년의 형이 선고된 사건에 있어서 형의 양정이 심히 부당하다고 인정할 현저한 사유가 있는 때

④ 무기징역형이 선고된 사건에서 중대한 사실의 오인이 있어 판결에 영향을 미친 때

| 해설 **상고이유**(제383조)

1. 판결에 영향을 미친 헌법 · 법률 · 명령 또는 규칙의 위반이 있는 때
2. 판결 후 형의 폐지나 변경 또는 사면이 있는 때
3. 재심청구의 사유가 있는 때
4. 사형, 무기 또는 10년 이상의 징역이나 금고가 선고된 사건에 있어서 중대한 사실의 오인이 있어 판결에 영향을 미친 때 또는 형의 양정이 심히 부당하다고 인정할 현저한 사유가 있는 때

▶ 4.는 중한 형을 선고받는 피고인의 이익을 위하여 피고인이 상고하는 경우에만 적용되는 규정으로서 검사는 사실오인 또는 양형부당을 이유로 상고할 수 없다(대판).

03 다음 중 상고이유서에 포함되지 아니한 경우라도 직권으로 심판할 수 있는 사유가 아닌 것은?

① 판결에 영향을 미친 헌법 · 법률 · 명령 또는 규칙의 위반이 있을 때

② 판결 후 형의 폐지나 변경 또는 사면이 있는 때

③ 재심청구의 사유가 있는 때

④ 중대한 사실오인이나 양형부당의 사유가 있을 때

| 해설 ④ 제384조(항소심의 경우는 판결에 영향을 미친 사유 전반이 직권심판사유가 되는 것과 구별을 요함 : 제364조 제2항)

04 다음 설명 중 틀린 것은 모두 몇 개인가?(판례에 의함) 07. 순경

㉠ 피고인이 제1심판결에 대하여 양형부당만을 항소이유로 내세운 경우 항소심판결에 대하여 사실오인을 상고이유로 삼을 수 없다.

㉡ 피고인이 항소심에서 유죄판결을 받은 후 피고인 이외의 자가 진범으로 다시 제소된 경우 형사소송법 제383조 제3호 소정의 상고사유가 된다.

㉢ 판결내용 자체가 아니고 소송절차가 법령에 위반되었음에 지나지 아니한 경우에는 원칙적으로 상고이유가 될 수 없다.

㉣ 비약적 상고에 있어 상고이유서를 제출하지 않은 경우 법원은 상고기각결정을 할 수 없다.

㉤ 몰수의 선고가 없어 압수가 해제된 것으로 간주되는 압수물에 관한 검사의 인도거부에 대하여 준항고를 할 수 없다.

㉥ 검사만이 양형부당을 이유로 항소하였을 뿐이고 피고인은 항소하지 아니한 경우에는, 피고인으로서는 항소심판결에 대하여 사실오인, 채증법칙 위반, 심리미진 또는 법령위반 등의 사유를 들어 상고이유로 삼을 수 없다.

Answer 2. ③ 3. ④ 4. ②

① 없 음 ② 1개 ③ 2개 ④ 3개

해설 ㉠ ○ : 대판 2005.9.30, 2005도3345
㉡ ○ : 대판 1990.10.26, 90도1753
㉢ ○ : 판결내용 자체가 아니고 소송절차가 법령에 위반되었음에 지나지 아니한 경우에는 원칙적으로 상고이유로 할 수 없다. 그러나 그로 인하여 피고인의 방어권, 변호인의 변호권이 본질적으로 침해되고 판결의 정당성마저 인정되기 어렵다고 보여지는 정도에 이른다면 상고이유로 할 수 있다(대판 2005.5.26, 2004도1925).
㉣ × : 상고인이나 변호인이 상고이유서를 제출하지 아니한 때에는 결정으로 상고를 기각하여야 한다(제380조).
㉤ ○ : 형사소송법 제417조의 규정은 검사 또는 사법경찰관이 수사단계에서 압수물의 환부에 관하여 처분을 할 권한을 가지고 있을 경우에 그 처분에 불복이 있으면 준항고를 허용하는 취지라고 보는 것이 상당하므로 형사소송법 제332조의 규정에 의하여 압수가 해제된 것으로 되었음에도 불구하고 검사가 그 해제된 압수물의 인도를 거부하는 조치에 대해서는 형사소송법 제417조가 규정하는 준항고로 불복할 대상이 될 수 없다(대결 1984.2.6, 84모3).
㉥ ○ : 대판 2009.5.28, 2009도579

05 다음 중 상고심절차 중 잘못된 것은?

① 상고심의 재판에 이해관계가 있는 국가기관과 지방자치단체는 대법원에 그 재판에 관한 모든 사항에 대하여 의견서를 제출할 수 있고, 대법원은 이들에게 의견서를 제출하게 할 수 있다.
② 상대방은 상고이유서 부본 또는 등본을 송달을 받은 날로부터 10일 이내에 답변서를 상고법원에 제출할 수 있으며, 상고인의 상대방이 답변서를 제출하지 아니한 경우에도 상고제기의 효력에는 영향이 없다.
③ 상고법원이 원심법원으로부터 소송기록을 송부받은 때에는 지체 없이 상고인과 상대방에게 그 사유를 통지하여야 한다.
④ 상고심에서는 피고인의 출석을 요하지 않으며, 변호인이 아니면 피고인을 위한 변론을 하지 못한다.

해설 ① 국가기관과 지방자치단체는 공익과 관련된 사항(모든 사항 ×)에 관하여 대법원에 재판에 관한 의견서를 제출할 수 있고, 대법원은 이들에게 의견서를 제출하게 할 수 있다(규칙 제161조의 2 제1항 : 2015. 1. 28. 신설).
② 제379조 제4항 ③ 제378조 제1항 ④ 제389조의 2, 제387조

06 상고이유에 관련한 판례의 설명으로 틀린 것은?

① 피고인의 각 범행이 형법 제37조 후단의 경합범에 해당되어 징역 4년, 징역 2년 6월 및 징역 4년의 각 형이 선고된 경우, 이를 합하면 징역 10년 이상이 되더라도 형사소송법 제383조 제4호에 기하여 원심의 양형부당을 이유로 상고할 수 없다.

Answer 5.① 6.①

② 제1심판결에 대하여 피고인은 항소하지 아니하고 검사만이 그 양형이 부당하게 가볍다는 이유로 항소하였으나 항소심이 검사의 항소를 이유 없다고 기각한 경우에 항소심판결은 피고인에게 불이익한 판결이라고 할 수 없어 이에 대하여 피고인은 상소권이 없으므로, 피고인의 상고는 방식에 위배한 부적법한 상고라고 할 것이다.

③ 형사소송법 제383조 제2호의 상고이유인 '판결 후 형의 폐지나 변경이 있는 때'는 원심판결 후 법령의 개폐로 인하여 형이 폐지되거나 변경된 경우를 뜻하는 것이고 법령의 개폐 없이 단지 형을 감경하거나 면제할 수 있는 사유가 되는 사실이 발생한 것에 불과한 경우는 이에 포함되지 않는 것이다.

④ 판결내용 자체가 아니고, 피고인의 신병확보를 위한 구속 등 조치와 공판기일의 통지, 재판의 공개 등 소송절차가 법령에 위반되었음에 지나지 아니한 경우에는 그로 인하여 피고인의 방어권, 변호인의 변호권이 본질적으로 침해되고 판결의 정당성마저 인정하기 어렵다고 보여지는 정도에 이르지 아니하는 한, 그것 자체만으로는 판결에 영향을 미친 위법이라고 할 수 없다.

| 해설 ① 피고인의 각 범행이 형법 제37조 후단의 경합범에 해당되어 징역 4년, 징역 2년 6월 및 징역 4년의 각 형이 선고된 경우, 이를 합하면 징역 10년 이상이 되므로 형사소송법 제383조 제4호에 기하여 원심의 양형부당을 이유로 상고할 수 있다(대판 2010.1.28, 2009도13411).
② 대결 1981.8.25, 81도2110 ③ 대판 2007.1.12, 2006도5696 ④ 대판 2005.5.26, 2004도1925

07 **다음 중 상고심절차에 대한 설명으로 옳은 것은 몇 개인가?**(판례에 의함)

㉠ 상고를 제기한 검찰청 소속 검사가 그 이름으로 상고이유서를 제출하여도 유효한 것으로 취급되지만 이 경우 상고를 제기한 검찰청이 있는 곳을 기준으로 법정기간인 상고이유서 제출기간이 형사소송법 제67조에 따라 연장될 수 없다.
㉡ 상고이유서에는 소송기록과 원심법원의 증거조사에 표현된 사실을 인용하여 그 이유를 명시하여야 하므로, 항소이유서에 기재된 항소이유를 그대로 원용하는 것은 적법한 상고이유가 될 수 없다.
㉢ 원심에서의 변론요지서를 상고이유로 원용하는 것은 적법한 상고이유가 될 수 있다.
㉣ '상고장'에 상고이유의 기재가 없고, '상고이유서'에는 벌금을 감액하여 달라는 뜻이 기재되어 있을 뿐이며, 달리 원심판결에 직권으로 심판할 수 있는 사유가 있다고도 인정되지 아니한 사안에서, 같은 법 제380조에 의하여 결정으로 상고를 기각할 수 있다.
㉤ 수개의 범죄행위를 포괄일죄로 본 항소심의 판단에 대한 상고이유는 비록 피고인에게 죄수를 증가하는 불이익을 초래하는 것이 될지라도 적법한 상고이유가 될 수 있다.
㉥ 상고심은 항소심까지의 소송자료만을 기초로 하여 항소심판결선고시를 기준으로 그 당부를 판단하여야 하므로, 직권조사 기타 법령에 특정한 경우를 제외하고는 새로운 증거조사를 할 수 없을 뿐만 아니라 항소심판결 후에 나타난 사실이나 증거는 비록 그것이 상고이유서 등에 첨부되어 있다 하더라도 사용할 수 없다.

Answer 7. ④

① 1개 ② 2개 ③ 3개 ④ 4개

| 해설 ㉠ ○ : 대결 2003.6.26, 2003도2008
㉡ ○ : 대판 1996.2.13, 95도2716
㉢ × : 상고이유서에는 소송기록과 원심법원의 증거조사에 표현된 사실을 인용하여 그 이유를 명시하여야 하므로, 원심에서의 변론요지서를 상고이유로 원용하는 것은 적법한 상고이유가 될 수 없다(대판 1987.11.10, 87도1408).
㉣ ○ : 대결 2010.4.20, 2010도759 전원합의체
㉤ × : 수개의 범죄행위를 포괄일죄로 본 항소심의 판단에 대한 상고이유는 피고인에게 죄수를 증가하는 불이익을 초래하는 것이 되어 적법한 상고이유가 될 수 없다(대판 2004.7.9, 2004도810).
㉥ ○ : 대판 2010.10.14, 2009도4894

08 **상상적 경합범에 관한 설명 중 옳지 않은 것은?**(다툼이 있는 경우 판례에 의함) 12. 변호사시험

① 작위범인 허위공문서작성죄와 부작위범인 직무유기죄가 상상적 경합관계에 있는 경우, 작위범인 허위공문서작성죄로 기소하지 않고 부작위범인 직무유기죄로만 기소할 수 있다.
② 공소제기의 효력은 상상적 경합관계에 있는 죄의 전부에 미치고, 상상적 경합관계에 있는 죄들 중 일부의 죄에 대하여 형을 선고한 판결이 확정되면 기판력은 다른 죄에도 미친다.
③ 상상적 경합관계에 있는 죄들 중 일부에 대해 무죄가 선고되어 검사만 상고한 경우, 무죄부분의 유·무죄 여하에 따라 처단할 죄목과 양형이 다르므로 상고심은 유죄부분도 함께 심판대상으로 하여야 한다.
④ 상상적 경합관계에 있는 죄들 중 일부의 죄에 대해 공소시효가 완성되었다고 하여 그 죄와 상상적 경합관계에 있는 다른 죄의 공소시효까지 완성되는 것은 아니다.
⑤ 상상적 경합관계에 있는 수죄에 대하여 모두 무죄가 선고되었고, 검사가 그 전부에 대하여 상고하였으나 그중 일부에 대하여는 상고이유로 삼지 않았다고 하더라도 상고심에 전부 이심되며 상고심으로서는 그 무죄부분까지 나아가 판단하여야 한다.

| 해설 ① 대판 2008.2.14, 2008도8922
② 대판 2009.4.9, 2008도5634
③ 대판 2008.10.23, 2008도4852
④ 대판 2006.12.8, 2006도6356
⑤ 환송 전 원심에서 상상적 경합관계에 있는 수죄에 대하여 모두 무죄가 선고되었고, 이에 검사가 무죄부분 전부에 대하여 상고하였으나 그중 일부 무죄부분(A)에 대하여는 이를 상고이유로 삼지 않은 경우, 비록 상고이유로 삼지 아니한 무죄부분(A)도 상고심에 이심되지만 그 부분은 이미 당사자 간의 공격방어의 대상으로부터 벗어나 사실상 심판대상에서 이탈하게 되므로, 상고심으로서도 그 무죄부분에까지 나아가 판단할 수 없다(대판 2008.12.11, 2008도8922).

05

Answer 8.⑤

09 **상고심에 관한 다음 설명 중 가장 옳지 않은 것은?**(다툼이 있으면 판례에 의함) 16. 9급 법원직

① 상고심은 항소법원 판결에 대한 사후심이므로 항소심에서 심판대상이 되지 않은 사항은 상고심의 심판범위에 들지 않는다.

② 항소심판결 선고 당시 미성년이었던 피고인이 상고 이후에 성년이 되었다고 하여 항소심의 부정기형의 선고가 위법이 되는 것은 아니다.

③ 상상적 경합관계에 있는 두 죄에 대하여 한 죄는 무죄, 한 죄는 유죄가 선고되어 검사만이 무죄부분에 대하여 상고하였다 하여도 유죄부분도 상고심의 심판대상이 된다.

④ 항소심이 몰수나 추징을 선고하지 아니하였음을 이유로 파기하는 경우에는 항소심판결의 유죄부분 전부를 파기하는 것이 아니라 그 부분만 특정하여 파기하여야 한다.

해설 ① 대판 2015.9.10, 2014도12619
② 대판 1998.2.27, 97도3421 ③ 대판 2005.1.27, 2004도7488
④ 주형과 몰수 또는 추징을 선고한 항소심판결 중 몰수 또는 추징부분에 관해서만 파기사유가 있을 때에는 상고심이 그 부분만을 파기할 수 있으나, 항소심이 몰수나 추징을 선고하지 아니하였음을 이유로 파기하는 경우에는 항소심판결에 몰수나 추징부분이 없어 그 부분만 특정하여 파기할 수 없으므로, 결국 항소심판결의 유죄부분 전부를 파기하여야 한다(대판 2005.10.28, 2005도5822).

10 **다음 중 상고심절차에 대한 설명으로 옳은 것은 몇 개인가?**(판례에 의함)

㉠ 항소심이 미성년자에 대하여 부정기형을 선고해야 함에도 불구하고 성년자로 오인하고 정기형선고의 위법을 저지른 경우, 상고심 선고 당시 나이가 성년에 달하였더라도, 상고심에서 부정기형을 선고한 제1심까지 모두 파기하고 정기형을 선고하여서는 안 된다.

㉡ 구속영장의 집행상의 위법, 검사의 구속기간의 연장결정, 법원의 구속갱신절차에 위법이 있다는 등 구속에 관한 절차상의 위법사유는 형사소송법 제383조의 적법한 상고이유로 삼을 수 있다.

㉢ 제1심법원이 법관의 면전에서 사실을 검토하고 법령을 적용하여 판결한 사유에 대해 피고인이 항소하지 않거나 양형부당만을 항소이유로 주장하여 항소함으로써 죄의 성부에 관한 판단 내용을 인정하는 태도를 보였다면 그에 관한 판단 내용이 잘못되었다고 주장하면서 상고하는 것은 허용될 수 없다.

㉣ 상고심에서 상고이유의 주장이 이유 없다고 배척되었으나 경합범 관계에 있는 다른 범죄부분으로 인하여 유죄부분 전부가 파기되어 환송받은 법원에서 다시 경합범으로 형을 정한 경우, 피고인이 종전 상고심에서 배척된 부분에 대한 주장을 다시 상고이유로 삼을 수 있다.

㉤ 제383조 제4호(사실오인 또는 양형부당)의 상고이유는 피고인의 이익을 위하여 피고인이 상고하는 경우에만 적용되는 규정으로서, 검사는 사실오인 또는 양형부당을 이유로 상고할 수 없다.

㉥ 피고인이 제1심판결에 대하여 양형부당만을 항소이유로 하여 항소심이 그보다 가벼운 형을 선고한 경우, 피고인은 사실오인이나 법리오해 등을 상고이유로 삼을 수 있다.

㉦ 항소인이 항소이유로 주장하거나 항소심이 직권으로 심판대상으로 삼아 판단한 사항 이외의 사유는 상고이유로 삼을 수 없고 이를 다시 상고심의 심판범위에 포함시키는 것은 상고심의 사후심 구조에 반한다.

Answer 9. ④ 10. ③

① 1개 ② 2개 ③ 3개 ④ 4개

| 해설 ㉠ × : 항소심이 미성년자에 대하여 부정기형을 선고해야 함에도 불구하고 성년자로 오인하고 정기형 선고의 위법을 저지른 경우, 상고심은 파기환송하든지 아니면 파기자판을 해서 부정기형 선고로 바뀌어야 할 것이다. 그런데 상고심 선고 당시 나이가 성년에 달하였다면 파기환송하게 되더라도 환송심에서 선고당시 나이가 성년에 달하므로 정기형을 선고할 수밖에 없을 것이므로, 상고심에서 파기환송하지 않고 파기자판을 하는 경우 부정기형을 선고한 제1심까지 모두 파기하고 정기형을 선고하여야 한다(대판 1981.12.8, 81도2414).
㉡ × : 구속영장의 집행상의 위법, 검사의 구속기간의 연장결정, 법원의 구속갱신절차에 위법이 있다는 등 구속에 관한 절차상의 위법사유는 형사소송법 제383조의 적법한 상고이유로 삼을 수 없다(대판 1983.7.26, 83도1473).
㉢ ○ : 대판 2019.3.21, 2017도16593-1 전원합의체
㉣ × : 상고심에서 상고이유의 주장이 이유 없다고 배척되었으나 경합범 관계에 있는 다른 범죄부분으로 인하여 유죄부분 전부가 파기되어 환송받은 법원에서 다시 경합범으로 형을 정한 경우, 피고인이 종전 상고심에서 배척된 부분에 대한 주장을 다시 상고이유로 삼을 수 없다(대판 2005.10.28, 2005도1247).
㉤ ○ : 대판 1982.1.19, 81도2898
㉥ × : 피고인이 제1심판결에 대하여 양형부당만을 항소이유로 하여 항소심이 그보다 가벼운 형을 선고한 경우, 피고인은 사실오인이나 법리오해 등을 상고이유로 삼을 수 없다(대판 1997.6.27, 97도163).
㉦ ○ : 대판 2019.3.21, 2017도16593-1 전원합의체

05

11 상고이유에 관한 다음 설명 중 가장 옳지 않은 것은? 18. 9급 법원직

① 사형, 무기 또는 10년 이상의 징역이나 금고가 선고된 사건에서만 피고인의 양형부당을 이유로 한 상고가 허용된다.
② 검사는 항소심의 형의 양정이 가볍다는 사유를 상고이유로 주장할 수 없다.
③ 제1심판결에 대하여 검사만이 양형부당을 이유로 항소하였을 뿐 피고인은 항소하지 아니한 경우에도 항소심이 검사의 항소를 받아들여 피고인에 대하여 제1심보다 무거운 형을 선고하였다면 피고인으로서는 항소심판결에 대하여 사실오인, 채증법칙 위반, 심리미진 또는 법령위반 등의 사유를 들어 상고이유로 삼을 수 있다.
④ 피고인이 제1심판결에 대하여 양형부당만을 항소이유로 내세운 경우, 이를 일부 인용한 항소심판결에 대하여 피고인은 법리오해나 사실오인의 점을 상고이유로 삼을 수 없다.

| 해설 ① 제383조 제4호
② 대판 1994.8.12, 94도1705
③ 제1심판결에 대하여 검사만이 양형부당을 이유로 항소하였을 뿐 피고인은 항소하지 아니한 경우에도 항소심이 검사의 항소를 받아들여 피고인에 대하여 제1심보다 무거운 형을 선고하였다면 피고인으로서는 항소심판결에 대하여 사실오인, 채증법칙 위반, 심리미진 또는 법령위반 등의 사유를 들어 상고이유로 삼을 수 없다(대판 2009.5.28, 2009도579).
④ 대판 1997.6.27, 97도163

Answer 11. ③

12 상고심 절차에 대한 다음 설명 중 가장 옳지 않은 것은? 19. 9급 법원직

① 형사소송법상 상고대상인 판결은 제2심판결이지만 제1심판결에 대하여도 항소를 제기하지 않고 바로 상고할 수 있는 경우가 있다.

② 형사소송법상 상고이유서에는 소송기록과 원심법원의 증거조사에 표현된 사실을 인용하여 그 이유를 명시하여야 하므로 원심에서 제출하였던 변론요지서를 그대로 원용한 방식의 상고이유는 부적법하다.

③ 형사소송법상 항소심판결에 중대한 사실의 오인이 있어 판결에 영향을 미쳤고 현저히 정의에 반하는 때에는 그러한 내용이 상고이유서에 포함되어 있지 않더라도 상고심이 이를 직권으로 심판할 수 있도록 되어 있다.

④ 상고장 및 상고이유서에 기재된 상고이유의 주장이 형사소송법 제383조 각호에 열거된 상고이유 중 어느 하나에 해당하지 아니함이 명백한 경우에는 결정으로 상고를 기각하여야 한다.

| 해설 ① 제372조 ② 대판 2006.6.9, 2006도1955

③ 상고법원은 상고이유서에 포함된 사유에 관하여 심판하여야 한다. 그러나 전조 제1호 내지 제3호의 경우(판결에 영향을 미친 헌법 · 법률 · 명령 또는 규칙의 위반이 있는 때, 판결 후 형의 폐지나 변경 또는 사면이 있는 때, 재심청구의 사유가 있는 때)에는 상고이유서에 포함되지 아니한 때에도 직권으로 심판할 수 있다(제384조). 따라서 항소심판결에 중대한 사실의 오인이 있어 판결에 영향을 미쳤고 현저히 정의에 반하는 때에는 그러한 내용이 상고이유서에 포함되어 있지 않다면 상고심이 이를 직권으로 심판할 수 없다.

④ 제380조 제2항

13 다음 설명 중 가장 옳지 않은 것은? 21. 9급 법원직

① 상고의 제기가 법률상의 방식에 위반하거나 상고권소멸 후인 것이 명백해 원심법원이 결정으로 상고를 기각한 경우 원심법원은 상고장을 받은 날부터 14일 이내에 소송기록과 증거물을 상고법원에 송부하여야 한다.

② 상고법원이 소송기록의 송부를 받은 때에는 즉시 상고인과 상대방에 대하여 그 사유를 통지하여야 하고, 통지 전에 변호인의 선임이 있는 때에는 변호인에 대하여도 전항의 통지를 하여야 한다.

③ 필요적 변호사건에서 항소법원이 국선변호인을 선정하고 피고인과 국선변호인에게 소송기록접수통지를 한 다음 피고인이 사선변호인을 선임함에 따라 국선변호인의 선정을 취소한 경우 항소법원은 사선변호인에게 다시 소송기록접수통지를 할 의무가 없다.

④ 제1심판결에 대한 상고는 그 사건에 대한 항소가 제기된 때에는 그 효력을 잃는다.

| 해설 ① 상고의 제기가 법률상의 방식에 위반하거나 상고권소멸 후인 것이 명백할 때에는 원심법원은 결정으로 상고를 기각하여야 한다(제376조 제1항). 소송기록과 증거물을 상고법원에 송부할 필요는 없다(제377조 반대해석).

② 제378조 제1항 · 제2항 ③ 대판 2007.3.29, 2006도5547 ④ 제373조

Answer 12. ③ 13. ①

14 비약적 상고에 관한 다음 설명 중 가장 옳지 않은 것은?(다툼이 있는 경우 판례에 의하고, 전원합의체 판결의 경우 다수의견에 의함) 23. 9급 법원직

① 비약적 상고는 제1심판결이 인정한 사실에 대하여 법령을 적용하지 않았거나 법령의 적용에 착오가 있는 때 또는 제1심판결이 있은 후 형의 폐지나 변경 또는 사면이 있는 때에 제기할 수 있다.

② '제1심판결이 인정한 사실에 대하여 법령을 적용하지 아니하거나 법령의 적용에 착오가 있는 때'라 함은, 제1심판결이 인정한 사실이 옳다는 것을 전제로 하여 볼 때 그에 대한 법령을 적용하지 아니하거나 법령의 적용을 잘못한 경우를 말하는 것이다.

③ 제1심판결에 대한 비약적 상고는 그 사건에 대한 항소가 제기된 때에는 효력을 잃고, 다만 항소의 취하 또는 항소기각의 결정이 있는 때에는 예외로 한다.

④ 피고인이 비약적 상고를 제기한 후 검사가 항소를 제기하면 피고인의 비약적 상고는 효력을 잃는데, 그와 같이 효력이 없어진 비약적 상고에 항소로서의 효력을 부여할 수 없다.

05

| 해설 ① 제372조 제1호 · 제2호

② 대판 2017.2.3, 2016도20069

③ 제373조

④ 제1심판결에 대하여 피고인은 비약적 상고를, 검사는 항소를 각각 제기하여 이들이 경합한 경우 피고인의 비약적 상고에 상고의 효력이 인정되지는 않더라도, 피고인의 비약적 상고에 항소로서의 효력이 인정된다고 보아야 한다(대판 2022.5.19, 2021도17131 전원합의체).

Answer 14. ④

THEMA 33 비약적 상고

의 의	비약적 상고라 함은 상소권자가 제1심판결에 불복하는 경우에 항소를 거치지 않고 직접 대법원에 상고하는 것을 말한다(제372조). 법령해석의 통일에 신속을 기하고 피고인의 이익을 일찍 회복시키기 위하여 인정된 제도이다.
요 건	1. 대상 : 비약상고의 대상은 제1심판결이므로 결정에 대해서는 비약상고가 허용되지 아니한다. 2. 이유(제372조) : 비약상고의 이유로는 다음 두 가지가 있다. ① 원심판결이 인정한 사실에 대하여 법령을 적용하지 않았거나, 법령의 적용에 착오가 있는 때(동조 제1호), 즉 형법 등 실체법을 적용하지 않았거나 잘못 적용하는 경우를 말한다(법령적용에 착오가 있는 때라 함은 제1심판결이 인정한 사실이 올바르다는 것을 전제로 해놓고 그에 대해 법령적용을 잘못하는 것을 말함 : 대판 2017.2.3, 2016도20069). 23. 9급 법원직 ▶ 채증법칙(증거를 취사 선택함에 있어 지켜야 할 법칙) 위반, 중대한 사실오인 또는 양형부당 ⇨ 비약상고 × ② 원심판결이 있은 후 형의 폐지나 변경 또는 사면이 있는 때(동조 제2호)
제 한	비약상고로 인하여 상대방은 심급의 이익을 박탈당할 우려가 있으므로 상대방의 이익을 보호할 필요가 있는바, "비약상고를 한 사건에 대하여 항소가 제기된 때에는 비약상고는 효력을 잃는다(제373조)." ▶ 제1심판결에 대하여 피고인은 비약적 상고를, 검사는 항소를 각각 제기하여 이들이 경합한 경우 피고인의 비약적 상고에 상고의 효력이 인정되지는 않더라도, 피고인의 비약적 상고가 항소기간 준수 등 항소로서의 적법요건을 모두 갖추었고, 피고인이 자신의 비약적 상고에 상고의 효력이 인정되지 않는 때에도 항소심에서는 제1심판결을 다툴 의사가 없었다고 볼 만한 특별한 사정이 없다면, 피고인의 비약적 상고에 항소로서의 효력이 인정된다고 보아야 한다(대판 2022.5.19, 2021도17131 전원합의체). 23. 9급 법원직

01 비약적 상고를 할 수 있는 경우가 아닌 것은?

① 원심판결이 있은 후 형의 폐지 · 변경이 있는 때
② 원심판결이 있은 후 사면이 있는 때
③ 원심판결이 인정한 사실에 대하여 법령을 적용하지 아니하였을 때
④ 원심판결의 양형이 심히 부당한 때

| 해설 ①②③ 제372조

02 비약적 상고에 관한 다음 설명 중 틀린 것은?(판례에 의함)

① 판결이 아닌 제1심법원의 결정에 대하여는 비약적 상고를 할 수 없다.
② '법령적용에 착오가 있는 때'라 함은 제1심판결이 인정한 사실을 일응 전제로 하여 놓고 그에 대한 법령의 적용을 잘못한 경우를 뜻한다.

Answer 1. ④ 2. ③

③ 위계에 의한 공무집행방해죄에 해당하는데도 원심이 무죄를 선고하였을 경우 법령적용의 착오가 있는 경우에 해당한다.
④ 채증법칙의 위반이나 소송절차에 관한 법령위반은 비약상고의 이유가 될 수 없다.

해설 ① 대결 1984.4.16, 84모18 ② 대판 1988.3.22, 88도156 ; 대판 2006.10.27, 2006도619
③ 피고인의 행위가 위계에 의한 공무집행방해죄에 해당하는데도 원심이 무죄를 선고하였다는 주장은 사실오인의 잘못이 있거나 위계에 의한 공무집행방해죄에 관한 법리오해의 잘못에 지나지 아니하여 비약적 상고이유에 해당하지 않는다(대판 2006.10.27, 2006도619). ④ 채증법칙위반(대판 1983.12.27, 83도2792)과 같은 소송절차에 관한 법령위반은 비약상고의 이유가 될 수 없다.

03 **판례에 의할 때 비약상고에 관한 설명으로 틀린 것은 몇 개인가?**(다툼이 있으면 판례에 의함)

㉠ 상습성에 관한 판단을 잘못하여 특정범죄 가중처벌 등에 관한 법률 제5조의 4 제1항을 적용한 것은 위법하다는 것이나, 이는 결국 원심의 상습성에 관한 사실인정의 잘못과 법리오해로 말미암아 결과적으로 법령적용을 잘못하였다는 데에 귀착되므로, 이러한 사유는 비약적 상고이유가 되지 못한다.
㉡ 군인의 상해가 구타로 인하여 발생한 것인데도 단순히 물건에 부딪혀 발생한 것으로 허위보고한 것이 군형법 제38조의 '군사에 관한' 허위의 보고에 해당하지 않는다고 무죄를 선고한 경우라면 비약상고사유로 볼 수 있다.
㉢ 적법한 비약적 상고를 제기하였으나 법정기간 내에 상고이유서를 제출치 않고 상고장에도 그 이유의 기재가 없는 경우에는 본법 제380조에 의하여 상고를 기각하여야 한다.
㉣ 성명모용에 의한 형사소송사건에서 변론종결 후, 검사로부터 선고기일 전에 제출된 피고인 표시를 모용자로 변경한다는 내용의 공소장변경허가신청이 들어 왔으나, 변론을 재개하여 위 신청을 받아들이는 등 아무런 조치를 취함이 없이 공소기각의 판결을 선고한 조치에 대해서 비약적 상고는 적법하다.
㉤ 제1심판결에 대하여 피고인은 비약적 상고를, 검사는 항소를 각각 제기하여 이들이 경합한 경우, 검사의 항소에 의해 피고인의 비약적 상고의 효력은 물론 항소로서의 효력도 인정되지 아니한다.

① 1개 ② 2개 ③ 3개 ④ 4개

해설 ㉠ ○ : 대판 2007.3.15, 2006도9338
㉡ ○ : 대판 2006.8.25, 2006도620 ㉢ ○ : 대판 1968.3.7, 68도97
㉣ × : 성명모용에 의한 형사소송사건에서 변론종결 후, 검사로부터 선고기일 전에 제출된 피고인 표시를 모용자로 변경한다는 내용의 공소장변경허가신청이 들어 왔으나, 변론을 재개하여 위 신청을 받아들이는 등 아무런 조치를 취함이 없이 공소기각의 판결을 선고한 원심의 조치는 적법하며, 법률의 적용에 착오가 없으므로 비약적 상고를 기각한다(대판 1991.9.10, 91도1689).
㉤ × : 제1심판결에 대하여 피고인은 비약적 상고를, 검사는 항소를 각각 제기하여 이들이 경합한 경우 피고인의 비약적 상고에 상고의 효력이 인정되지는 않더라도, 피고인의 비약적 상고가 항소기간 준수 등 항소로서의 적법요건을 모두 갖추었고, 피고인이 자신의 비약적 상고에 상고의 효력이 인정되지 않는 때에도 항소심에서는 제1심판결을 다툴 의사가 없었다고 볼 만한 특별한 사정이 없다면, 피고인의 비약적 상고에 항소로서의 효력이 인정된다고 보아야 한다(대판 2022.5.19, 2021도17131 전원합의체).

Answer 3. ②

05

THEMA 34 상고심의 판결정정

의 의	판결의 정정이란 판결의 내용에 계산 잘못, 오기(誤記), 이와 유사한 잘못이 있어 이를 바로 잡는 것을 말한다. 대법원판결의 적정을 위하여 형사소송법은 판결의 정정제도를 인정하고 있다. ▶ 단순한 오자(誤字)의 정정(판결의 내용이 아닌 성명 등의 정정) ⇨ 경정의 방법에 의해야 하며(규칙 제25조), 판결정정에 의할 것이 아니다.
사유 및 대상	1. 판결내용에 오류가 있는 경우를 말하는데 여기서 오류라 함은 오기(誤記), 위산(違算) 등 명백한 잘못이 있는 경우를 말한다. 판결의 결론이 부당하다는 이유로는 정정신청의 사유가 아니고 재심이나 비상상고의 방법에 의해 구제하여야 할 것이다. 판결정정사유 × • 유죄판결이 잘못되었으니 무죄로 하여 달라는 주장 • 채증법칙에 위반이 있어 판단을 잘못하였다는 이유로 무죄판결을 주장 06. 9급 법원직 2. 상고심판결뿐만 아니라 상고심결정도 정정의 대상이 된다.
정정절차	1. 상고법원은 직권 또는 검사, 상고인, 변호인의 신청에 의하여 판결을 정정할 수 있다(제400조 제1항). 2. 정정신청은 판결의 선고가 있는 날로부터 10일 이내에 신청이유를 기재한 서면으로 하여야 한다(동조 제2항 · 제3항). 12. 9급 검찰 · 마약수사, 15. 순경 1차 3. 정정은 판결에 의하고 변론 없이 할 수 있다(제401조 제1항). 06. 9급 법원직

01 판결정정에 대한 다음 설명 중 틀린 것은?

① 상고법원은 그 판결의 내용에 오류가 있음을 발견한 때에는 직권 또는 검사, 상고인이나 변호인의 신청에 의하여 판결로써 정정할 수 있다.

② ①에서 오류라 함은 명백한 것을 말하므로, 채증법칙위배에 대한 판단을 잘못하였으니 무죄판결로 정정하여 달라는 사유는 이에 해당한다.

③ 판결정정의 신청은 판결의 선고를 받은 날로부터 10일 이내에 하여야 하나 직권에 의하여 판결정정을 하는 경우에는 10일간의 신청기간의 제한을 받지 아니한다.

④ 정정의 판결은 변론 없이 할 수 있다.

| 해설 ② 형사소송법 제400조 제1항에서 말하는 오류라 함은 명백한 것에 한한다고 할 것이어서 채증법칙위배에 대한 판단을 잘못하였으니 무죄판결로 정정하여 달라는 사유는 이에 해당되지 아니한다(대결 1987. 7.31, 87초40).

Answer 1. ②

제6절 항 고

THEMA 35 항 고

의 의	항고란 법원의 결정에 대한 상소를 말한다.
종 류	항고는 일반항고와 특별항고(재항고)로 나누어진다. 형사소송법이 대법원에 즉시항고할 수 있다고 명문으로 규정한 경우를 특별항고라 하며, 그 이외의 항고가 일반항고이다. 일반항고에는 보통항고와 즉시항고가 있다. 1. 일반항고 ① 즉시항고 : 즉시항고는 제기기간이 7일로 제한되어 있고, 제기기간 내에 항고의 제기가 있으면 재판의 집행이 정지되는 효력을 가진 항고를 말한다. 즉시항고는 명문규정이 있을 때에만 허용된다. ▶ 형사소송법 제405조는 즉시항고 제기기간(3일)을 지나치게 짧게 정함으로써 실질적으로 즉시항고 제기를 어렵게 하고, 즉시항고 제도를 단지 형식적이고 이론적인 권리로서만 기능하게 함으로써 헌법상 재판청구권을 공허하게 하므로 입법재량의 한계를 일탈하여 재판청구권을 침해하는 규정이라는 이유로, 헌법재판소의 헌법불합치결정(헌재결 2018.12.27, 2015헌바77)에 따라 즉시항고 제기기간이 3일에서 7일로 변경되었다(형사소송법 제405조). ② 보통항고 : 보통항고는 즉시항고를 제외한 항고를 말한다. 법원의 결정에 대하여 불복이 있으면 항고를 할 수 있는 것이 원칙이지만 특별규정이 있는 경우에는 보통항고가 허용되지 않는다(제402조). 2. 특별항고(재항고) : 재항고란 항고법원, 고등법원의 결정에 대하여 대법원에 제기하는 항고를 말한다. 항고법원 또는 고등법원의 결정에 대하여는 원칙적으로 항고가 허용되지 않는다. 다만, 항고법원이나 고등법원의 결정이 재판에 영향을 미친 헌법·법률·명령·규칙에 위반이 있음을 이유로 하는 때에 한하여 대법원에 즉시항고를 할 수 있도록 하고 있다(제415조). 재항고는 즉시항고이므로 그 절차도 즉시항고와 같다.
절 차	1. 항고는 항고장을 원심법원에 제출하여야 한다(제406조). 즉시항고의 제기기간은 7일이지만, 보통항고에는 기간의 제한이 없으므로 항고이익이 있는 한 언제든지 할 수 있다. 2. 항고제기가 법률의 방식에 위배되거나 항고권 소멸 후인 것이 명백한 경우에는 원심법원은 결정으로 항고를 기각하여야 한다(제407조 제1항). 원심법원은 항고가 이유 있다고 생각되면 결정을 경정하여야 하고 그렇지 않은 경우 소송기록 등을 항고법원에 송부하여야 한다(제411조 제1항). 항고법원은 소송기록 등을 송부받은 날로부터 5일 이내에 당사자에게 그 사유를 통지하여야 한다(제411조 제3항). ▶ 항고이유서 제출의무 × 3. 항고법원은 항고에 대한 결정을 한다.
항고제기의 효과	즉시항고에는 재판의 집행이 정지되는 효력이 있으나(제410조), 보통항고는 이러한 효력이 없다. 따라서 재판이 고지되면 바로 집행에 들어갈 수 있다.

01 **항고에 대한 설명 중 가장 옳지 않은 것은?**(다툼이 있을 경우 판례에 의함) 07. 9급 법원직

① 항고의 제기가 법률상의 방식에 위반하거나 항고권 소멸 후인 것이 명백한 때에는 원심법원은 결정으로 항고를 기각하여야 하는데, 그 결정에 대하여는 즉시항고를 할 수 있다.

② 원심법원은 항고가 이유 있다고 인정한 때에는 결정을 경정하여야 하고, 항고의 전부 또는 일부가 이유 없다고 인정한 때에는 항고장을 받은 날로부터 3일 이내에 의견서를 첨부하여 항고법원에 송부하여야 한다.

③ 항고법원은 제1심법원이 필요하다고 인정하여 송부하거나 항고법원이 요구하여 송부한 소송기록과 증거물의 송부를 받은 날로부터 5일 이내에 당사자에게 그 사유를 통지하여야 하는데, 위 통지를 받은 항고인은 항고이유서 제출의무를 부담한다.

④ 항고법원은 항고가 이유 있다고 인정한 때에는 결정으로 원심결정을 취소하고 필요한 경우에는 항고사건에 대하여 직접 재판을 하여야 하는데, 이 경우에도 즉시 그 결정의 등본을 원심법원에 송부하여야 한다.

| 해설 ① 제407조
② 제408조
③ 통지를 받은 항고인이 항고이유서를 제출할 의무를 부담하는 것은 아니다.
④ 제414조, 규칙 제165조

02 **다음 중 항고가 허용되는 것은?**(판례에 의함)

① 공소장변경허가결정
② 위헌제청신청을 기각하는 하급심결정
③ 국선변호인 선임청구를 기각하는 결정
④ 형사피고사건에 대한 소년부 송치결정

| 해설 ① 대결 1987.3.28, 87모17
② 대결 1986.7.18, 85모49
③ 대결 1986.9.5, 86모40
④ 형사피고사건의 소년부 송치결정은 형사소송법 제403조가 규정하는 판결 전의 소송절차에 관한 결정에 해당하는 것이 아니므로 이 결정에 대하여 불복이 있을 때에는 동법 제402조에 의한 항고를 할 수 있다고 보아야 할 것이다(대결 1986.7.25, 86모9). 그러나 이미 소년부의 보호처분이 있는 경우에는 항고할 수 없다(대결 1966.9.15, 66모6).

03 **항고에 관한 다음 설명 중 가장 옳지 않은 것은?**(다툼이 있는 경우 판례에 의함) 17. 9급 법원직

① 항고는 즉시항고 외에는 재판의 집행을 정지하는 효력이 없다. 단, 항고법원은 결정으로 항고에 대한 결정이 있을 때까지 집행을 정지할 수 있으나 원심법원에는 이러한 권한이 없다.

② 즉시항고의 제기기간 내와 그 제기가 있는 때에는 재판의 집행은 정지된다.

Answer 1.③ 2.④ 3.①

③ 항고의 제기가 법률상의 방식에 위반하거나 항고권소멸 후인 것이 명백한 때에는 원심법원은 결정으로 항고를 기각하여야 한다.
④ 재정신청에 관한 법원의 공소제기결정에 대하여는 재항고가 허용되지 않는다.

| 해설 ① 항고는 즉시항고 외에는 재판의 집행을 정지하는 효력이 없다. 단, 원심법원 또는 항고법원은 결정으로 항고에 대한 결정이 있을 때까지 집행을 정지할 수 있다(제409조).
② 제410조
③ 제407조 제1항
④ 제262조 제4항 단서

04 **다음 중 항고에 관한 설명으로 옳지 않은 것은 몇 개인가?**(판례에 의함)

㉠ 검사가 제1심결정에 대해 항고하면서 항고이유서를 첨부하였는데, 항고심인 원심법원이 검사에게 소송기록접수통지서를 송달한 다음 날 항고를 기각한 경우, 별도로 의견을 진술하지 아니한 상태에서 항고를 기각하였다면 그 결정에 위법이 있다.
㉡ 항고에 관한 결정을 함에 있어 제1심법원으로부터 그 소송기록을 송부받고서도 항고를 제기한 재항고인에게 위와 같은 통지를 함이 없이 재항고인의 항고를 기각하는 것은 위법하다.
㉢ 정식재판청구권회복청구를 기각한 제1심법원으로부터 소송기록을 송부받은 항고법원이 항고인에게 소송기록접수통지서를 송달한 날 곧바로 즉시항고를 기각한 것은 형사소송법 제411조에 따라 당사자에게 항고에 관하여 그 이유서를 제출하거나 의견을 진술하고 유리한 증거를 제출할 기회를 부여하였다고 할 수 없으므로 위법하다.
㉣ 형사소송법 제411조에서 항고법원은 제1심법원이 필요하다고 인정하여 송부하거나 항고법원이 요구하여 송부한 소송기록과 증거물을 송부받은 날부터 5일 이내에 당사자에게 그 사유를 통지하도록 규정하고 있는바, 이는 비록 항고인이 항고이유서 제출의무를 부담하는 것이다.
㉤ 항소법원이 직권으로 한 판결문 경정결정에 대하여 피고인이 항고를 제기하였으면 이를 재항고로 보고 기록을 대법원으로 송부하여야 할 것이다.

① 1개 ② 2개 ③ 3개 ④ 4개

| 해설 ㉠ ×: 검사가 제1심결정에 대해 항고하면서 항고이유서를 첨부하였는데 항고심인 원심법원이 검사에게 소송기록접수통지서를 송달한 다음 날 항고를 기각한 사안의 경우, 검사가 항고장에 상세한 항고이유서를 첨부하여 제출함으로써 의견진술을 하였으므로 형사소송법 제412조에 따라 별도로 의견을 진술하지 아니한 상태에서 원심이 항고를 기각하였더라도 그 결정에 위법이 없다(대결 2012.4.20, 2012모459).
㉡ ○: 대결 1993.12.15, 93모73
㉢ ○: 대결 2008.1.2, 2007모601
㉣ ×: 형사소송법 제411조에서 항고법원은 제1심법원이 필요하다고 인정하여 송부하거나 항고법원이 요구하여 송부한 소송기록과 증거물을 송부받은 날부터 5일 이내에 당사자에게 그 사유를 통지하도록 규정하고 있는바, 이는 비록 항고인이 항고이유서 제출의무를 부담하는 것은 아니지만 당사자에게 항고에 관하여 그 이유서를 제출하거나 의견을 진술하고 유리한 증거를 제출할 기회를 부여하려는 데 그 취지가 있다(대결 2008.1.2, 2007모601).
㉤ ○: 항소법원이 직권으로 한 판결문 경정결정에 대하여 피고인이 항고를 제기하였으면 이를 재항고로 보고 기록을 대법원으로 송부하여야 한다(대결 2008.4.14, 2007모726).

Answer 4. ②

05 보통항고와 즉시항고의 차이점으로 옳은 것은?

① 재판기관의 차이
② 구두변론에 의하는지의 여부
③ 항고권자 제한의 유무
④ 집행정지의 효력이 있는지의 여부

| 해설

구 분	즉시항고	보통항고
차이점	• 제기기간은 7일 • 집행정지효력 있음. ▶ 단, 기피신청에 대한 간이기각결정은 즉시 항고할 수 있으나 집행정지효력은 없다. ⇨ (제23조 제2항) • 명문규정 있는 경우에만 허용	• 제기기간 제한 없음. • 집행정지효력 없음. • 원칙적으로 허용되나 특별한 규정이 있는 때에는 인정되지 않음.
공통점	• 대상은 법원의 결정에 대한 것임. • 절차의 간이(구두변론 생략) • 항고장은 원심법원에 제출	

06 항고에 관한 다음 설명 중 가장 옳지 않은 것은?(다툼이 있으면 판례에 의함) 19. 경찰간부

① 법원의 관할 또는 판결 전의 소송절차에 관한 결정에 대하여는 특히 즉시항고를 할 수 있는 경우 외에는 항고하지 못한다.
② 감정유치에 관한 결정은 즉시항고할 수 있다.
③ 구금장소의 임의변경에 대해서는 준항고가 허용된다.
④ 항고는 즉시항고 외에는 언제든지 할 수 있다.

| 해설 ① 제403조 제1항
② 보통항고할 수 있다(제403조 제2항).
③ 사실상의 구금장소의 임의적 변경은 청구인의 방어권이나 접견교통권의 행사에 중대한 장애를 초래하는 것이므로 위법하다(대결 1996.5.15, 95모94). 따라서 제417조에 의거 준항고할 수 있다.
④ 제404조

Answer 5. ④ 6. ②

THEMA 36 즉시항고허용 규정

1. 상소기각결정(항소기각결정 : 제360조, 상고기각결정 : 제362조, 항고기각결정 : 제376조) 11. 9급 법원직, 12. 순경 2차, 13·16. 7급 국가직, 11·17. 경찰승진
2. 기피신청기각결정(제23조) 06·10. 순경, 11·17. 경찰승진
3. 구속취소결정(제97조) 06·10. 순경, 17. 경찰승진
4. 소송비용부담결정(제3자에게 부담하게 하는 경우 : 제192조, 재판에 의하지 아니하고 절차를 종료하는 경우 : 제193조) 06. 순경, 16·23. 7급 국가직
5. 약식명령, 17. 경찰승진 즉결심판에 대한 정식재판청구기각결정(제455조, 즉결심판에 관한 절차법 제14조) 10. 경찰승진
6. 국민참여재판 배제결정(국민의 형사재판 참여에 관한 법률 제9조) 10. 순경
   ▶ 국민참여재판 개시결정, 14. 9급 검찰·마약수사 통상재판회부결정 ⇨ 항고 ×
7. 재심청구기각결정, 재심개시결정(제437조) 13·23. 7급 국가직
8. 재정신청 기각결정(제262조 제4항) 13. 7급 국가직 ▶ 2016. 1. 6. 개정
9. 상소권회복청구(제347조) 10. 순경
10. 재정신청에 있어서 재정신청인에 대한 비용부담결정(제262조의 3) 10. 순경
11. 공소기각결정(제328조) 06. 순경
12. 집행유예취소결정(제335조) 06. 순경
13. 보석조건위반에 대한 과태료부과결정 및 감치처분결정(제102조)
14. 보석출석보증인에 대한 과태료부과결정(제100조의 2)
15. 증인, 감정인, 통역인, 번역인에 대한 과태료부과결정(제161조, 제177조, 제183조)
16. 증인불출석에 따른 소송비용부담, 과태료부과, 감치처분결정(제151조)
17. 배심원후보자의 불출석에 대한 과태료부과결정(국민의 형사재판 참여에 관한 법률 제60조)
18. 소송비용집행면제결정(제491조)
19. 재판의 해석에 대한 의의신청결정(제488조)
20. 재판의 집행에 대한 이의신청(제491조)
21. 형의 실효·복권선고 신청을 각하하는 결정(제337조)
22. 무죄판결에 따른 비용보상결정(제194조의 3)
23. 재판서 경정결정(규칙 제25조)
24. 상소절차속행신청기각결정(규칙 제154조 제3항)
25. 배상명령(소송촉진 등에 관한 특례법 제33조 제5항)
26. 형사보상결정, 형사보상청구기각결정(형사보상 및 명예회복에 관한 법률 제20조)
   ▶ 보석결정, 06·10. 순경 구속집행정지결정, 17. 경찰승진 지방법원판사의 압수영장 발부 10. 순경 ⇨ 즉시항고 ×

05

01 즉시항고를 할 수 없는 것은 모두 몇 개인가?(다툼이 있으면 판례에 의함) 10. 2차 순경

㉠ 기피신청기각결정	㉡ 보석허가결정
㉢ 구속취소결정	㉣ 지방법원판사의 압수영장발부
㉤ 국민참여재판 배제결정	㉥ 상소권회복결정
㉦ 재정신청에서 비용부담결정	

① 1개 ② 2개 ③ 3개 ④ 4개

해설 ㉡ 보석허가결정은 보통항고로 불복할 수 있고, ㉣ 지방법원판사의 압수영장발부는 항고가 허용되지 않는다.

02 즉시항고가 허용되는 결정을 모두 고른 것은?(다툼이 있는 경우 판례에 의함) 17. 경찰승진

㉠ 기피신청기각결정	㉡ 구속취소결정
㉢ 구속집행정지결정	㉣ 약식명령에 대한 정식재판청구 기각결정

① ㉠, ㉣ ② ㉡, ㉢ ③ ㉠, ㉡, ㉣ ④ ㉠, ㉡, ㉢, ㉣

해설 ㉢ 구속집행정지결정은 즉시항고는 불가능하고 보통항고가 허용된다(제403조 제2항, 제101조 참조).

03 형사소송법상 즉시항고가 허용되는 결정을 모두 고른 것은? 18. 순경 3차

㉠ 공소기각결정	㉡ 원심법원에서의 상고기각결정
㉢ 재정신청인에 대한 비용부담결정	㉣ 구속집행정지결정

① ㉠, ㉡ ② ㉢, ㉣ ③ ㉠, ㉡, ㉢ ④ ㉠, ㉡, ㉢, ㉣

해설 ㉠(제328조), ㉡(제376조, 상고심의 상고기각결정은 준항고 ×), ㉢(제262조의 3)이 즉시항고 대상이다. ㉣ 구속집행정지결정은 보통항고의 방법으로 불복할 수 있을 뿐이다(제403조 제2항 참조).

04 항고에 관한 다음 설명 중 가장 옳지 않은 것은?

① 법원이 사건을 국민참여재판으로 진행하기로 하는 결정 또는 배제하기로 하는 결정에 대해서는 즉시항고를 할 수 있다.

② 검사의 체포영장 또는 구속영장 청구에 대한 지방법원판사의 재판은 항고나 준항고의 대상이 되지 않는다.

③ 재정신청에 관한 법원의 공소제기결정에 대하여 재항고가 허용되지 않으므로, 공소제기결정에 대하여 재항고가 제기되면 결정으로 이를 기각하여야 한다.

④ 국선변호인선임청구 기각결정에 대하여는 보통항고를 할 수 없다.

Answer 1.② 2.③ 3.③ 4.①

| 해설 | ① 법원의 국민참여재판 배제결정에 대하여는 즉시항고가 가능하나(국민의 형사재판 참여에 관한 법률 제9조 제3항), 국민참여재판으로 진행하기로 하는 결정에 대하여는 항고할 수 없다(대결 2009.10.23, 2009모1032).
② 대결 2006.12.18, 2006모646
③ 대결 2012.10.29, 2012모1090
④ 대결 1993.12.3, 92모49

05 상소에 대한 설명 중 옳지 않은 것은?

21. 9급 검찰 · 마약 · 교정 · 보호 · 철도경찰

① 즉시항고의 제기기간은 7일로 한다.
② 항소를 함에는 항소장을 원심법원에 제출하여야 한다.
③ 형사소송에서는 판결등본이 당사자에게 송달되는 여부에 관계없이 공판정에서 판결이 선고된 날부터 상소기간이 기산되며, 이는 피고인이 불출석한 상태에서 재판을 하는 경우에도 마찬가지이다.
④ 항고는 즉시항고 외에는 재판의 집행을 정지하는 효력이 없으므로 원심법원 또는 항고법원이 결정으로 항고에 대한 결정이 있을 때까지 집행을 정지할 수 없다.

| 해설 | ① 제405조 ② 제359조 ③ 대결 2002.9.27, 2002모6
④ 항고는 즉시항고 외에는 재판의 집행을 정지하는 효력이 없다. 단, 원심법원 또는 항고법원은 결정으로 항고에 대한 결정이 있을 때까지 집행을 정지할 수 있다(제409조).

06 항고에 관한 다음 설명 중 가장 옳은 것은?(다툼이 있는 경우 판례에 의하고, 전원합의체 판결의 경우 다수의견에 의함)

23. 9급 법원직

① 법원의 관할 또는 판결 전의 소송절차에 관한 결정에 대하여는 특히 즉시항고를 할 수 있는 경우 외에는 항고를 하지 못한다. 그러나 관할이전의 신청을 기각한 결정은 피고인의 방어권을 침해할 가능성이 있는 결정이므로 즉시항고는 불가능하더라도 보통항고로서 불복할 수 있다.
② 원심법원은 항고가 이유 있다고 인정하더라도 심급제의 속성상 사건기록을 항고심법원에 송부하여야 하고, 스스로 결정을 경정할 수는 없다.
③ 항고는 즉시항고 외에는 재판의 집행을 정지하는 효력이 없다. 따라서 원심법원 또는 항고법원은 보통항고의 경우 항고에 대한 결정이 있을 때까지 집행을 정지할 수 없다.
④ 검사의 체포영장 또는 구속영장 청구에 대한 지방법원 판사의 재판은 형사소송법 제402조의 규정에 의하여 항고의 대상이 되는 '법원의 결정'에 해당하지 아니하고, 제416조 제1항의 규정에 의하여 준항고의 대상이 되는 '재판장 또는 수명법관의 구금 등에 관한 재판'에도 해당하지 아니한다.

| 해설 | ① 관할이전의 신청을 기각한 결정에 대하여 즉시항고할 수 있다는 규정이 없으므로 이 결정에 대하여 불복할 수 없다(대결 2021.4.2, 2020모2561).

Answer 5.④ 6.④

② 원심법원은 항고가 이유 있다고 인정한 때에는 결정을 경정하여야 하며(제408조 제1항), 항고의 전부 또는 일부가 이유 없다고 인정한 때에는 항고장을 받은 날로부터 3일 이내에 의견서를 첨부하여 항고법원에 송부하여야 한다(동조 제2항).
③ 항고는 즉시항고 외에는 재판의 집행을 정지하는 효력이 없다. 따라서 원심법원 또는 항고법원은 보통항고의 경우 항고에 대한 결정이 있을 때까지 집행을 정지할 수 있다(제409조).
④ 대결 1997.6.16, 97모1

07 형사소송법상 항고와 즉시항고에 대한 설명으로 옳은 것만을 모두 고르면? 23. 7급 국가직

㉠ 제184조 제1항의 증거보전청구를 기각하는 결정에 대하여는 항고가 허용되지 않는다.
㉡ 제433조에 따라 재심의 청구가 법률상의 방식에 위반하거나 청구권의 소멸 후인 것이 명백하여 이를 기각하는 결정에 대하여는 즉시항고가 허용되지 않는다.
㉢ 제266조의 4에 따라 법원이 검사에게 수사서류 등의 열람 · 등사 또는 서면의 교부를 허용할 것을 명한 결정에 대하여는 항고가 허용되지 않는다.
㉣ 제192조 제1항에 따라 재판으로 소송절차가 종료되는 경우에 피고인 아닌 자에게 소송비용을 부담하게 하는 결정에 대하여는 즉시항고를 할 수 있다.

① ㉠, ㉡ ② ㉠, ㉣ ③ ㉡, ㉢ ④ ㉢, ㉣

해설 ㉠ × : 증거보전청구를 기각하는 결정에 대하여는 3일 이내에 항고할 수 있다(제184조 제4항).
㉡ × : 즉시항고를 할 수 있다(제437조).
㉢ ○ : 대결 2013.1.24, 2012모1393
㉣ ○ : 제192조 제1항 · 제2항

최신판례

1. **법원은 집행유예 취소 청구서 부본을 지체 없이 집행유예를 받은 자에게 송달하여야 하고(형사소송규칙 제149조의 3 제2항), 집행유예 취소결정은** 원칙적으로 집행유예를 받은 자 또는 그 대리인의 의견을 물은 후에 결정을 하여야 한다**(형사소송법 제335조 제2항). 항고법원은 항고인이 그의 항고에 관하여 이미 의견진술을 한 경우 등이 아니라면** 원칙적으로 항고인에게 소송기록접수통지서를 발송하고 그 송달보고서를 통해 송달을 확인한 다음 항고에 관한 결정을 하여야 한다**(대결 2023.6.29, 2023모1007).**
2. **집행유예 기간이 경과하면 형의 선고는 효력을 잃기 때문에 더 이상 집행유예의 선고를 취소할 수 없고 취소청구를 기각할 수밖에 없다. 집행유예의 선고 취소결정에 대한** 즉시항고 또는 재항고 상태에서 집행유예 기간이 경과한 때에도 같다. **이처럼** 집행유예의 선고 취소는 '집행유예 기간 중'에만 가능하다는 **시간적 한계가 있다**(대결 2023.6.29, 2023모1007).

Answer 7.④

THEMA 37 준항고

의 의	준항고는 법관(재판장 또는 수명법관)의 일정한 재판이나, 수사기관의 일정한 처분에 대해 불복이 있는 때 그 소속법원 또는 관할법원에 취소 또는 변경을 청구하는 불복신청 방법이다. 준항고는 상급법원에 구제를 신청하는 것이 아니므로 엄격한 의미에서 상소가 아니다. 그러나 실질적으로 항고에 준하는 성격이 있으므로 항고에 관한 규정을 준용하고 있다(제419조).
대 상	1. 재판장 또는 수명법관의 재판 : 재판장 또는 수명법관이 아래 어느 하나에 해당하는 재판을 고지한 경우에 불복이 있으면 그 법관 소속법원에 재판의 취소 또는 변경을 청구할 수 있다(제416조 제1항). 따라서 판례에 의하면 수사절차에서 각종 영장을 발부한 판사나 증거보전절차에서 증거보전처분을 기각한 재판 등은 수임판사의 재판이므로 준항고의 대상이 아니라고 한다. 준항고 허용(제416조 제1항) ① 기피신청을 기각하는 재판(제1호) : 수명법관이 기피신청의 부적법을 이유로 기피신청을 기각하는 재판(제20조 제1항)에 한해서 준항고의 대상이 된다. ▶ 기피신청을 기각하는 법원의 결정은 즉시항고의 대상(제23조) ② 구금, 압수 등에 관한 재판(제2호) : 구금, 보석, 압수 또는 압수물의 환부에 관한 재판은 본래 법원에 의하여 행해지는 재판이므로 항고의 대상이 된다. 따라서 준항고의 대상은 재판장이나 수명법관이 구속 또는 압수하는 경우(제80조, 제136조)에 한한다. ③ 감정유치를 명하는 재판(제3호) ④ 증인, 감정인, 통역인 또는 번역인에 대하여 과태료 또는 비용배상을 명한 재판(제4호) ▶ 제416조 제4호의 재판은 준항고가 있으면 그 집행이 정지된다(제416조 제4항). 2. 수사기관의 처분 : 검사 또는 사법경찰관의 구금·압수 또는 압수물의 환부에 관한 처분과 제243조의 2에 따른 변호인의 참여 등에 관한 처분에 대하여 불복이 있으면 그 직무집행의 관할법원 또는 검사소속 검찰청에 대응한 법원에 그 처분의 취소 또는 변경을 청구할 수 있다(제417조). ▶ 구금에 관한 처분에는 구속피의자에 대한 변호인 접견금지 처분 포함(대결 1991.3.28, 91모24)
절 차	1. 준항고의 청구는 서면으로 관할법원에 제출하여야 한다(제418조). 2. 법관의 재판에 대한 준항고의 청구는 재판의 고지가 있는 날로부터 7일 이내에 하여야 하며(제416조 제3항 : 개정 2019. 12. 31), 청구를 받은 때에는 합의부에서 결정하여야 한다(동조 제2항). 3. 준항고는 원칙적으로 집행정지의 효력이 없으나 증인 등에 대한 과태료 또는 비용배상을 명한 재판에 대해서는 준항고 청구가 있는 때에 그 재판의 집행이 정지된다(제416조 제4항).
불 복	준항고 결정에 대하여는 재판에 영향을 미친 헌법·법률·명령·규칙의 위반이 있음을 이유로 하는 때에 한하여 대법원에 즉시항고 할 수 있는바, 이는 제419조, 제415조에 의한 재항고에 해당한다(대결 1983.5.12, 83모12). 따라서 준항고 결정에 대한 별도의 항고를 거쳐 재항고를 할 수 있는 것이 아니고, 그 자체가 바로 재항고의 대상이 된다. 00. 경찰승진·법원주사보

01 **다음 중 준항고의 대상이 아닌 것은?** 01 · 02. 법원사무관

① 수명법관이 증인을 과태료에 처하는 재판
② 수사기관의 구속피의자에 대한 변호인접견 가부처분
③ 검사의 압수물환부에 대한 처분
④ 검사의 집행유예취소청구를 인용한 결정

해설 ①②③ 준항고의 대상이다. ④ 즉시항고의 대상이다(제335조 제3항).

02 **다음 수사절차상 준항고에 대한 설명으로 옳은 것은?**

① 검사가 압수 · 수색영장의 청구 등 강제처분을 위한 조치를 취하지 아니한 것 그 자체를 형사소송법 제417조 소정의 '압수에 관한 처분'으로 보아 이에 대해 준항고로써 불복할 수는 있다.
② 준항고는 즉시항고의 일종으로 처분의 집행을 정지하는 효력이 있다.
③ 수사기관 등이 부당하게 법무법인 소속 변호사의 피의자에 대한 접견이나 피의자신문 참여를 제한 내지 거부하는 처분을 한 경우에는 법무법인 소속 담당변호사 개인에게도 그 처분의 취소 · 변경을 청구할 수 있는 준항고인 적격이 있다.
④ 준항고 결정에 대해서는 대법원에 즉시항고할 수 있는 경우가 있다.

해설 ① 검사가 압수 · 수색영장의 청구 등 강제처분을 위한 조치를 취하지 아니한 것 그 자체를 형사소송법 제417조 소정의 '압수에 관한 처분'으로 보아 이에 대해 준항고로써 불복할 수는 없다(대결 2007.5.25, 2007모82).
② 준항고는 처분의 집행을 정지하는 효력이 없다. 단, 원심법원 또는 항고법원은 결정으로 집행을 정지할 수는 있다(제409조).
③ 그러한 경우 당해 법무법인이 아닌 법무법인 소속 담당변호사 개인에게는 그 처분의 취소 · 변경을 청구할 수 있는 준항고인 적격이 없다(대결 2010.1.7, 2009모796).
④ 준항고에 대한 법원의 결정에 대해서는 곧바로 대법원에 재항고할 수 있다(제419조, 제415조).

03 **다음 중 준항고에 대한 설명으로 옳지 않은 것은?**(판례에 의함)

① 법원직원에 대한 기피신청을 기각한 판사의 결정에 대하여도 준항고로 불복할 수 있다.
② 재판의 고지가 있은 날로부터 7일 이내에 증인, 감정인, 통역인 또는 번역인에 대하여 과태료 또는 비용배상을 명하는 재판에 대한 준항고 청구 외에는 집행정지의 효력이 없다.
③ 지방법원판사가 한 압수영장발부의 재판에 대하여는 준항고로 불복할 수 없다.
④ 구금된 피의자에 대한 신문에 변호인의 참여(입회)를 불허하는 수사기관의 처분은 구금에 관한 처분이라고 할 것이므로 이는 준항고의 대상이 된다.

해설 ① 재항고인의 서울지방법원 동부지원 형사과 접수계장에 대한 기피신청을 동 법원판사가 형사소송법 제25조에 의거하여 기각한 결정은 법원의 기관인 재판장 또는 수명법관으로서가 아니라 법원으로서

Answer 1. ④ 2. ④ 3. ①

한 결정이므로, 이에 대한 불복방법은 준항고가 아니라 즉시항고라 할 것이며, 설사 재항고인이 위 기각결정에 대하여 준항고 하였다 하더라도 이를 즉시항고로 보고 항고법원인 원심에 항고장과 소송기록을 송부하고 원심이 이를 위 기각결정에 대한 불복사건으로서 처리하였음은 정당하다(대결 1984.6.20, 84모24).
② 제416조 제3항 · 제4항 ③ 대결 1997.9.29, 97모66
④ 대결 2003.11.11, 2003모402 ▶ 이제는 개정법 제417조에서 판례와 같은 내용으로 입법화되었다.

04 다음 중 항고 또는 준항고의 대상이 될 수 있는 것은 모두 몇 개인가?(판례에 의함)

㉠ 구속영장신청을 기각한 지방법원판사의 결정
㉡ 검사의 체포영장 또는 구속영장청구에 대한 지방법원판사의 재판
㉢ 형사소송법 제332조의 규정에 의하여 압수가 해제된 것으로 되었음에도 검사가 그 해제압수물의 인도를 거부하는 조치
㉣ 지방법원판사가 한 압수영장발부의 재판

① 없 음 ② 1개 ③ 2개 ④ 3개

05

해설 판례는 모든 경우에 준항고를 인정하고 있지 않다.
㉠㉡ 대결 2006.12.18, 2006모646
㉢ 형사소송법 제417조의 규정은 검사 또는 사법경찰관이 수사단계에서 압수물의 환부에 관하여 처분을 할 권한을 가지고 있을 경우에 그 처분에 불복이 있으면 준항고를 허용하는 취지라고 보는 것이 상당하므로 형사소송법 제332조의 규정에 의하여 압수가 해제된 것으로 되었음에도 불구하고 검사가 그 해제된 압수물의 인도를 거부하는 조치에 대해서는 형사소송법 제417조가 규정하는 준항고로 불복할 대상이 될 수 없다(대결 1984.2.6, 84모3).
㉣ 대결 1997.9.29, 97모66

05 준항고에 대한 다음 설명 중 틀린 것은?(다툼이 있으면 판례에 의함) 10. 순경, 13. 경찰승진

① 검사 또는 사법경찰관이 수사단계에서 압수물의 환부에 관한 처분을 할 수 있는 권한을 가지고 있을 경우에 그 처분에 대하여 불복이 있으면 준항고가 허용된다.
② 구속피고인에 대한 접견신청에 대해 수사기관이 아무런 조치를 취하지 않는 경우에는 준항고를 제기할 수 있다.
③ 확정된 재판의 집행에 관한 검사의 처분에 대해 준항고의 형식으로 불복하는 경우에는 이를 형사소송법 제489조의 재판집행에 대한 이의신청으로 보아 판단하여야 한다.
④ 형사소송법 제332조의 규정에 의하여 압수가 해제된 것으로 되었음에도 불구하고 검사가 그 해제된 압수물의 인도를 거부하는 조치에 대해서는 준항고로 불복할 수 있다.

해설 ① 대결 1984.2.6, 84모3 ② 제417조 ③ 대결 1993.8.6, 93모55
④ 형사소송법 제417조의 규정은 검사 또는 사법경찰관이 수사단계에서 압수물의 환부에 관하여 처분을 할 권한을 가지고 있을 경우에 그 처분에 불복이 있으면 준항고를 허용하는 취지라고 보는 것이 상당하므로 형사소송법 제332조의 규정에 의하여 압수가 해제된 것으로 되었음에도 불구하고 검사가 그 해제된 압수물의 인도를 거부하는 조치에 대해서는 형사소송법 제417조가 규정하는 준항고로 불복할 대상이 될 수 없다(대결 1984.2.6, 84모3).

Answer 4. ① 5. ④

06 항고에 대한 설명으로 옳은 것은?(다툼이 있는 경우 판례에 의함)

16. 7급 국가직

① 소송비용부담의 결정과 보석허가결정에 대해서는 즉시항고 할 수 없다.
② 공소장변경허가결정과 국선변호인선임청구 기각결정에 대해서는 보통항고 할 수 있다.
③ 변호인과의 접견교통권의 침해와 구금장소의 임의변경에 대해서는 준항고가 허용된다.
④ 상소기각결정과 법원 또는 지방법원판사의 구속집행정지 결정에 대해서는 즉시항고할 수 있다.

해설 ① 소송비용부담의 결정은 즉시항고할 수 있으나(제192조), 보석허가결정에 대해서는 보통항고만이 가능하다(제403조 제2항).
② 모두 항고가 불가능하다(대결 1993.12.3, 92모49).
③ 대결 2003.11.11, 2003모402
④ 상소기각결정에 대해서는 즉시항고가 가능하나(제360조, 제376조), 법원 또는 지방법원판사의 구속집행정지 결정에 대해서는 보통항고만이 가능하다(제403조 제2항).

07 다음 중 준항고에 관한 설명으로 옳지 않은 것은 몇 개인가?

㉠ 준항고는 그 직무집행지의 관할법원 또는 검사의 소속검찰청에 대응한 법원에 제기되어야 한다.
㉡ 사인이나 수사기관 이외의 국가기관이 행하는 구금처분은 준항고의 대상이 아니다.
㉢ 검사 또는 사법경찰관이 구금된 피의자에 대한 신문절차에서 인정신문 시작 전 피의자 또는 변호인으로부터 보호장비를 해제해달라는 요구를 받고도 교도관에게 수갑을 해제하여 달라고 요청하지 않은 조치는 형사소송법 제417조에 규정된 '구금에 관한 처분'에 해당하여 준항고의 대상이 된다.
㉣ 즉결심판절차에서 판사의 유치명령에 대하여 준항고를 할 수 있다.
㉤ 준항고의 청구를 받은 때에는 합의부에서 결정하여야 한다.
㉥ 사법경찰관이 압수영장 집행으로서 하는 '압수에 관한 처분'에 불복이 있는 경우에 준항고를 할 수 없다.
㉦ 준항고에 대한 결정에 사법경찰관이 아닌 국가안전기획부장을 상대방으로 표시한 잘못이 제415조의 재항고이유로 되는 위법사유가 된다고 볼 수 없다.
㉧ 준항고인이 불복의 대상이 되는 압수 등에 관한 처분을 한 수사기관을 제대로 특정하지 못하거나 준항고인이 특정한 수사기관이 해당 처분을 한 사실을 인정하기 어렵다는 이유만으로 준항고를 쉽사리 배척할 수 있다.

① 1개 ② 2개 ③ 3개 ④ 없 음

해설 ㉠㉡ ○ : 준항고는 재판장 또는 수명법관의 일정한 재판이나 수사기관의 일정한 처분에 대하여 불복이 있을 때 소속법원 또는 관할법원에 취소 또는 변경을 청구하는 권리구제방법이다. 사인이나 수사기관 이외의 국가기관이 행하는 구금처분은 수사절차상의 준항고의 대상이 아니다.
㉢ ○ : 대결 2020.3.17, 2015모2357
㉣ ○ : 제416조 제1항 제2호 참조
㉤ ○ : 제416조 제2항

Answer 6. ③ 7. ②

ⓑ × : 사법경찰관이 압수영장 집행으로서 하는 집행처분적 성질을 가진 '압수에 관한 처분' 자체에 대하여 불복이 있는 경우에는 본법 제416조와는 별도로 본조에 의한 준항고를 할 수 있다고 할 것이다(대결 1970.5.12, 70모13).
ⓢ ○ : 형사소송법 제417조 소정의 준항고절차는 당사자주의에 입각한 소송절차와는 달리 대립되는 양 당사자의 관여를 필요로 하는 것이 아니므로 준항고에 대한 결정에 제417조 사법경찰관이 아닌 국가안전기획부장을 상대방으로 표시한 잘못이 있다고 하더라도 그것이 형사소송법 제415조의 재항고이유로 되는 위법사유가 된다고 볼 수 없다(대결 1991.3.28, 91모24).
ⓞ × : 형사소송법 제417조에 따른 준항고 절차는 항고소송의 일종으로 당사자주의에 의한 소송절차와는 달리 대립되는 양 당사자의 관여를 필요로 하지 않는다. 따라서 준항고인이 불복의 대상이 되는 압수 등에 관한 처분을 한 수사기관을 제대로 특정하지 못하거나 준항고인이 특정한 수사기관이 해당 처분을 한 사실을 인정하기 어렵다는 이유만으로 준항고를 쉽사리 배척할 것은 아니다(대결 2023.1.12, 2022모1566).

08 준항고에 대한 설명으로 옳지 않은 것은?(다툼이 있는 경우 판례에 의함) 21. 7급 국가직

① 준항고는 그 대상이 되는 재판의 고지나 수사기관의 처분이 있는 날로부터 7일 이내에 하도록 형사소송법에 명기하고 있다.
② 형사소송법 제416조, 제417조의 준항고에 관한 결정에 대하여는 재판에 영향을 미친 헌법, 법률, 명령, 규칙의 위반이 있음을 이유로 하는 때에 한하여 대법원에 즉시항고할 수 있는바, 이는 동법 제419조, 제415조에 의한 재항고에 해당한다.
③ 수사기관의 압수물의 환부에 관한 처분의 취소를 구하는 준항고는 일종의 항고소송이므로, 통상의 항고소송에서와 마찬가지로 그 이익이 있어야 하고, 소송계속 중 준항고로써 달성하고자 하는 목적이 이미 이루어졌거나 시일의 경과 또는 그 밖의 사정으로 인하여 그 이익이 상실된 경우에는 준항고는 그 이익이 없어 부적법하게 된다.
④ 수소법원을 구성하는 재판장 또는 수명법관의 재판에 대한 준항고만이 허용되고 검사의 청구에 의하여 영장을 발부하는 지방법원판사가 한 영장발부의 재판에 대하여는 준항고가 허용되지 않는다.

| 해설 ① 재판장 또는 수명법관에 대한 준항고는 그 재판의 고지있는 날로부터 7일 이내에 하여야 한다고 형사소송법에 명문으로 규정되어 있으나, 수사기관의 처분에 대한 준항고는 그 제기기간에 관하여 형사소송법에 명기하고 있지 않다(제416조 제3항, 제417조).
② 대결 1983.5.12, 83모12
③ 대결 2015.10.15, 2013모1970
④ 대결 2006.12.18, 2006모646

05

Answer 8. ①

최신판례

1. 준항고인이 불복의 대상이 되는 압수 등에 관한 처분을 구체적으로 특정하기 어려운 사정이 있는 경우에는 법원은 석명권 행사 등을 통해 준항고인에게 불복하는 압수 등에 관한 처분을 특정할 수 있는 기회를 부여하여야 하고, 준항고인이 불복의 대상이 되는 압수 등에 관한 처분을 한 수사기관을 제대로 특정하지 못하거나 준항고인이 특정한 수사기관이 해당 처분을 한 사실을 인정하기 어렵다는 이유만으로 준항고를 쉽사리 배척할 것은 아니다(대결 2023.1.12, 2022모1566).
2. 검사 또는 사법경찰관의 압수 등에 관한 처분에 대하여 준항고를 할 경우, 불복의 대상이 되는 압수 등에 관한 처분을 특정하고 준항고 취지를 명확히 하여 청구의 내용을 서면으로 기재한 다음 관할법원에 제출하여야 한다(형사소송법 제418조). 다만, 준항고인이 불복의 대상이 되는 압수 등에 관한 처분을 구체적으로 특정하기 어려운 사정이 있는 경우에는 법원은 석명권 행사 등을 통해 준항고인에게 불복하는 압수 등에 관한 처분을 특정할 수 있는 기회를 부여하여야 한다(대결 2023.1.12, 2022모1566).
3. 형사소송법 제417조의 준항고에 관하여 같은 법 제419조는 같은 법 제409조의 보통항고의 효력에 관한 규정을 준용하고 있다. 따라서 형사소송법 제417조의 준항고는 항고의 실익이 있는 한 제기기간에 아무런 제한이 없다(대결 2024.3.12, 2022모2352).
4. 수사기관의 압수물의 환부에 관한 형사소송법 제417조의 준항고는 검사 또는 사법경찰관이 수사 단계에서 압수물의 환부에 관하여 처분을 할 권한을 가지고 있을 경우에 그 처분에 관하여 제기할 수 있는 불복절차이다. 공소제기 이전의 수사 단계에서는 압수물 환부 · 가환부에 관한 처분권한이 수사기관에 있으나 공소제기 이후의 단계에서는 위 권한이 수소법원에 있으므로 검사의 압수물에 대한 처분에 관하여 형사소송법 제417조의 준항고로 다툴 수 없다(대결 2024.3.12, 2022모2352).

CHAPTER 02 비상구제절차

제1절 재 심

THEMA 38 재심사유

<table>
<tr><td>의 의</td><td colspan="2">재심이란 유죄의 확정판결에 대하여 사실오인의 오류가 있는 경우에 판결을 받은 자의 이익을 위하여 이를 시정하는 비상구제절차를 말한다(현행법은 이익재심만을 인정).</td></tr>
<tr><td rowspan="2">대 상</td><td>유죄확정판결</td><td>1. 무죄판결, 면소판결, 24. 해경간부 공소기각판결, 관할위반판결 등은 재심의 대상이 되지 않는다. 확정된 약식명령이나 즉결심판, 11. 경찰승진 경범죄처벌법(제7조 제3항) 및 도로교통법(제119조 제3항)에 의한 범칙금납부 등은 확정된 유죄판결과 동일한 효력이 있으므로 재심의 대상이 된다.
2. 형면제판결(제322조), 집행유예판결 ⇨ 재심청구(○), 11. 경찰승진 선고유예판결 ⇨ 재심청구(×)
▶ 결정에 대한 재심청구 ⇨ × 07. 순경
▶ 재정신청 기각결정, 기소유예처분은 재심의 대상이다. (×) 11. 경찰승진</td></tr>
<tr><td>상소기각 확정판결</td><td>항소 또는 상고를 기각하는 확정판결도 그 대상으로 한다(제421조 제1항). 21. 9급 법원직</td></tr>
<tr><td>재심사유</td><td>유죄의 확정판결 (제420조)</td><td>재심은 다음 어느 하나에 해당하는 사유가 있는 경우는 유죄의 확정판결에 대하여 그 선고를 받은 자의 이익을 위하여 청구할 수 있다.
1. 원판결의 증거가 된 서류 또는 증거물이 확정판결에 의하여 위조되거나 변조인 것임이 증명된 때 08. 9급 법원직, 11. 경찰승진
2. 원판결의 증거가 된 증언, 감정, 통역 또는 번역이 확정판결에 의하여 허위임이 증명된 때 09. 전의경
3. 무고로 인하여 유죄를 선고받은 경우에 그 무고의 죄가 확정판결에 의하여 증명된 때
4. 원판결의 증거가 된 재판이 확정재판에 의하여 변경된 때
▶ 재판 ⇨ 형사·민사 포함
5. 유죄를 선고받은 자에 대하여 무죄 또는 면소를, 형의 선고를 받은 자에 대하여 형의 면제 또는 원판결이 인정한 죄보다 가벼운 죄를 인정할 명백한 증거가 새로 발견된 때 08. 9급 법원직
▶ 공소기각 ⇨ 해당 ×
▶ 고의·과실 등 귀책사유로 증거제출을 못한 때 ⇨ 신규성 인정 × 12. 7급 국가직, 15. 순경 1차
▶ 명백성 판단방법 ⇨ 종합평가설(제한적 평가설)(대결 2009.7.16, 2005모472 전원합의체) 10·13. 경찰승진
6. 저작권, 특허권, 실용신안권, 디자인권 또는 상표권을 침해한 죄로 유죄의 선고를 받은 사건에 관하여 그 권리에 대한 무효의 심결 또는 무효의 판결이 확정된 때</td></tr>
</table>

		7. 원판결, 전심판결 또는 그 판결의 기초가 된 조사에 관여한 법관, 공소의 제기 또는 그 공소의 기초가 된 수사에 관여한 검사나 사법경찰관이 그 직무에 관한 죄를 지은 것이 확정판결에 의하여 증명된 때, 다만 원판결의 선고 전에 법관, 검사 또는 사법경찰관에 대하여 공소가 제기되었을 경우에는 원판결의 법원이 그 사유를 알지 못한 때로 한정한다. 08. 9급 법원직 ▶ 본 사건과의 관련성이나 당해 수사관이 직접 피의자조사를 담당했는지의 여부 등은 무관 17. 순경 1차, 24. 경찰승진
	상소기각의 확정판결 (제421조)	1. 항소 또는 상고의 기각판결에 대하여는 전조 제1호, 제2호, 제7호의 사유 있는 경우에 한하여 그 선고를 받은 자의 이익을 위하여 재심을 청구할 수 있다(동조 제1항). 21. 9급 법원직 2. 재심청구사건의 판결이 있은 후에는 상소기각판결에 대하여 다시 재심을 청구하지 못한다(동조 제2항 · 제3항).
	헌법재판소법상 재심사	위헌으로 결정된 법률 또는 법률의 조항에 근거한 유죄의 확정판결에 대하여는 재심을 청구할 수 있다(헌법재판소법 제47조 제4항).
	확정판결에 대신하는 증명 (제422조)	1. 형사소송법 제420조 및 제421조에 의하여 확정판결로써 범죄가 증명됨을 재심청구의 이유로 할 경우에 그 확정판결을 얻을 수 없을 때에는 '그 사실을 증명'하여 재심청구를 할 수 있다(제422조 본문). 확정판결을 얻을 수 없다는 것의 예 • 범인이 사망하였거나 행방불명인 경우 • 공소시효가 완성된 경우 • 사면이 있었던 경우 2. '그 사실을 증명한다.'는 의미 ⇨ 재심사유가 될 범죄가 있다는 사실의 증명이 있어야 한다는 의미(대결 1966.6.11, 66모24). 다만, 재정신청을 기각하는 경우에는 확정판결을 얻을 수 없는 때로서 '그 사실을 증명한 때'에 해당한다고 한다.
재심개시 절차	**재심관할**	재심의 청구는 원판결의 법원이 관할한다(제423조). 04. 순경, 09. 9급 법원직, 11. 경찰승진
	재심청구	1. 청구권자(제424조, 제426조) • 검사(공익의 대표자로서 유죄선고를 받은 자의 이익을 위하여 재심청구 가능) • 유죄선고를 받은 자, 유죄선고를 받은 자의 법정대리인 • 유죄판결을 선고받은 자가 사망하거나, 심신장애가 있는 경우에는 그 배우자, 직계친족 또는 형제자매 09. 9급 법원직 • 변호인 2. 재심청구시기 ⇨ 제한이 없다. 04. 순경, 11. 경찰승진 3. 재심청구는 형집행을 정지하는 효력이 없다. 04. 순경, 10. 9급 법원직, 14. 순경 2차 **다만, 관할법원에 대응한 검찰청 검사는 재심청구에 대한 재판이 있을 때까지 형의 집행을** 정지할 수 있다(**제428조**). 04. 순경, 06 · 09 · 10. 9급 법원직, 12. 경찰승진, 14. 순경 2차 4. **재심청구를 취하한 자는 동일한 이유로** 다시 재심을 청구하지 못한다(**제429조 제2항**). 08 · 10. 9급 법원직, 14. 순경 2차

	재심청구심판	1. 재심청구에 대한 심리는 판결절차가 아니라 결정절차이므로 구두변론을 요하지 않고(제37조 제2항) 절차를 공개할 필요도 없다(동조 제3항). ▶ 법원은 직권으로 재심청구의 이유에 대한 사실조사를 할 수 있으나, 소송당사자에게 사실조사청구권이 있는 것이 아니다(대결 2021.3.12, 2019모3554). 2. 재심청구 결정시 ⇨ 청구한 자와 상대방의 의견을 들어야 한다(제432조 본문). 04. 순경, 14. 순경 2차 다만, 법정대리인이 재심을 청구한 경우에는 유죄선고를 받은 자의 의견을 들어야 한다(제432조 단서). 08 · 10. 9급 법원직, 12. 경찰승진, 13. 순경 1차, 14. 순경 2차 3. 청구기각결정 ┌ 청구가 부적법한 경우(제433조) └ 청구 이유가 없는 경우(제434조) ⇨ 동일이유로 다시 재심청구 × 4. 재심청구경합 ⇨ 하급심 법원의 소송절차종료 때까지 상소기각판결법원의 절차 정지(규칙 제169조 제1항) 5. 재심개시결정 ⇨ 형의 집행을 정지할 수 있다(제435조 제2항). 6. 재심청구 기각결정과 재심개시결정 ⇨ 즉시항고할 수 있다(제437조).
재심심판 절차	재심공판절차	법원은 그 심급에 따라 다시 심판하여야 한다(제438조 제1항).
	재심심판절차의 특칙	1. 사망자 또는 회복이 불가능한 심신장애인을 위한 재심청구가 있는 때, 유죄의 선고를 받은 자가 재심판결 전에 사망하거나 회복불가능한 심신장애인으로 된 때 ⇨ 공판절차의 정지나 공소기각결정을 할 수 없다(제438조 제2항). 다만, 변호인이 출정하지 아니하면 개정하지 못한다(동조 제3항 · 제4항 ; 필요적 변호). 2. 공소취소 ×, 공소장변경 ○ 3. 증거보전 ×, 불이익변경금지원칙 적용 ○(검사청구 포함) 04. 순경, 12. 교정특채, 16. 9급 법원직 4. 재심에서 무죄를 선고한 때에는 그 판결을 관보와 그 법원 소재지의 신문에 기재하여 공고하여야 한다(제440조). 이를 원하지 아니하는 경우는 예외(제440조 단서) 5. 재심판결이 확정되면 원판결은 당연히 효력을 잃는다. 6. 재심이 개시된 사건에서는 재심판결 당시의 법령을 적용하여야 하며, 법령을 해석할 때에도 재심판결 당시를 기준으로 하여야 한다.

01 재심대상이 되지 않는 것은 모두 몇 개인가?(다툼이 있으면 판례에 의함) 11. 경찰승진

㉠ 확정된 즉결심판	㉡ 재정신청기각결정
㉢ 집행유예판결	㉣ 형면제판결
㉤ 확정된 약식명령	㉥ 상급심에 의하여 파기된 하급심의 유죄판결
㉦ 기소유예처분	

① 2개 ② 3개 ③ 4개 ④ 5개

해설 **재심대상이 되지 않는 것 : ㉡㉥㉦**

재심의 대상이 되는 것은 유죄의 확정판결(유죄의 확정판결과 동일한 효력이 부여되는 재판 포함)과 항소기각판결 또는 상고기각판결이다.

㉡㉥㉦은 이러한 재판에 해당하지 않아 재심이 대상이 되지 않는다.

㉥과 관련하여 상급심에 의하여 파기된 하급심의 유죄판결은 유죄판결이 존재하는 경우가 아니므로 재심의 대상이 될 수 없다(대결 2004.2.13, 2003모464).

㉢㉣은 유죄의 확정판결이고, ㉠㉤은 유죄의 확정판결과 동일한 효력이 부여되는 재판으로서 재심의 대상이 된다.

▶ ㉡과 관련하여 불법감금죄로 고소된 사법경찰관에 대한 무혐의결정에 관한 재정신청사건에서 법원이 불법감금사실은 인정하면서 재정신청기각결정을 하여 확정된 경우에는 확정판결에 대신하는 증명이 있다고 할 수 있으므로 제420조 제7호의 재심이유가 된다는 판례(대결 1997.2.26, 96모123)와 구별을 요함.

02 다음 중 재심의 사유에 해당하지 않는 것은?(다툼이 있는 경우 판례에 의함)

22. 9급 검찰 · 마약수사

① 원판결의 증거가 된 서류 또는 증거물이 민사확정판결에 의하여 위조되거나 변조된 것임이 증명된 때

② 원판결의 증거가 된 증언, 감정, 통역 또는 번역이 확정판결에 의하여 허위인 것이 증명된 때

③ 무고로 인하여 유죄를 선고받은 경우에 그 무고의 죄가 확정판결에 의하여 증명된 때

④ 유죄의 선고를 받은 자에 대하여 무죄 또는 면소를, 형의 선고를 받은 자에 대하여 형의 면제 또는 원판결이 인정한 죄보다 가벼운 죄를 인정할 명백한 증거가 새로 발견된 때

해설 ① 제420조 제1호 · 제2호 · 제3호의 확정판결은 형사확정판결만을 의미하나, 제4호의 경우는 형사뿐만 아니라 민사확정판결을 모두 포함한다(대결 1986.8.28, 86모15).

②③④ 모두 재심사유에 해당한다(제420조 제2호 · 제3호 · 제5호).

03 재심에 관한 판례의 태도에 부합하지 않는 것은?

① 공소시효완성을 이유로 한 검사의 불기소처분을 확정판결에 대신하는 증명으로 삼기 위해서는 그와 같은 불기소처분이 있었다는 것만으로는 부족하고 나아가 불기소처분의 대상이 된 범죄사실의 존재가 적극적으로 입증되어야 한다.

Answer 1.② 2.① 3.④

② 불법감금죄로 고소된 사법경찰관에 대한 무혐의결정에 관한 재정신청사건에서 법원이 불법감금사실은 인정하면서 재정신청기각결정을 하여 확정된 경우에는 확정판결에 대신하는 증명이 있다고 할 수 있으므로 제420조 제7호의 재심이유가 된다.

③ 군인이나 군속이 아닌 일반인에 대한 수사권한이 없는 육군특무부대 소속 수사관들이 일반인인 피고인을 피의자로 신문한 행위는 구 헌병과 국군정보기관의 수사한계에 관한 법률 제3조 위반죄 및 구 형법 제123조의 타인의 권리행사방해죄를 구성하고, 이들 범죄는 모두 재심사유에 관한 형사소송법 제420조 제7호에 정한 사법경찰관의 직무에 관한 죄에 해당한다.

④ 재심이 개시된 사건에서 재심대상판결 당시의 법령이 폐지된 경우에는 재심법원은 그 범죄사실에 대하여 무죄를 선고하는 것이 원칙이다.

| 해설 ① 대결 1994.7.14, 93모66
② 대결 1997.2.26, 96모123
③ 대결 2010.10.29, 2008재도11 전원합의체
④ 재심이 개시된 사건에서 범죄사실에 대하여 적용하여야 할 법령은 재심판결 당시의 법령이므로, 법원은 재심대상판결 당시의 법령이 변경된 경우에는 그 범죄사실에 대하여 재심판결 당시의 법령을 적용하여야 하고, 폐지된 경우에는 형사소송법 제326조 제4호를 적용하여 그 범죄사실에 대하여 면소를 선고하는 것이 원칙이다(대판 2013.7.11, 2011도14044).

05

04 **재심에 대한 설명으로 옳지 않은 것은?**(다툼이 있는 경우 판례에 의함)

① 재심공판절차에서는 공소취소는 허용될 수 없으나 증거보전절차는 허용된다.

② 항소기각의 확정판결과 그 판결에 의하여 확정된 제1심판결에 대하여 재심의 청구가 있는 경우에 제1심법원이 재심의 판결을 한 때에는 항소법원은 결정으로 재심청구를 기각하여야 한다.

③ 재심의 청구에 대하여 결정을 함에는 청구한 자와 상대방의 의견을 들어야 한다. 단, 유죄의 선고를 받은 자의 법정대리인이 청구한 경우에는 유죄의 선고를 받은 자의 의견을 들어야 한다.

④ 형사소송법 제432조에 의하면 재심청구에 대하여 결정을 함에는 청구한 자와 상대방의 의견을 듣도록 규정하고 있으므로 최소한 재심을 청구한 자와 상대방에게 의견을 진술할 기회를 주어야 하는 것이며, 이는 재심청구서와 별도로 요구되는 절차라고 할 것이므로 재심청구서에 재심청구의 이유가 기재되어 있다고 하여 위와 같은 절차를 생략할 수는 없다.

| 해설 ① 공소취소는 제1심판결선고 전까지 가능하기 때문에 판결이 선고되어 확정된 원심재판을 전제로 하는 재심사건의 경우 공소취소는 불가능하며, 증거보전은 제1심 제1회 공판기일 전에 한하여 허용되는 것이므로 재심청구사건에서는 증거보전절차 또한 허용되지 아니한다(대결 1984.3.29, 84모15).
② 제436조 제1항 ③ 제432조 ④ 대결 2004.7.14, 2004모86

Answer 4. ①

05 재심에 관한 다음 설명 중 옳지 않은 것은?

19. 9급 법원직

① 유죄판결 확정 후에 형선고의 효력을 상실케 하는 특별사면이 있는 경우 특별사면으로 형선고의 효력이 상실된 위 유죄의 확정판결도 재심청구의 대상이 된다.

② 재심청구를 받은 군사법원이 재판권이 없음에도 재심개시 결정을 한 후에 비로소 사건을 일반법원으로 이송한 경우, 이는 위법한 재판권의 행사이나 사건을 이송받은 일반법원은 다시 처음부터 재심개시절차를 진행할 필요는 없다.

③ 형사소송법 제420조 제5호는 형의 선고를 받은 자에 대하여 형의 면제를 인정할 명백한 증거가 새로 발견된 때를 재심사유로 들고 있는바, 여기에서 형의 면제라 함은 형의 필요적 면제의 경우만을 말하고 임의적인 면제는 이에 해당하지 않는다.

④ 재심개시절차에서는 형사소송법에서 규정하고 있는 재심사유가 있는지 여부와 함께 재심사유가 재심대상판결에 영향을 미칠 가능성이 있는가의 실체적 사유도 고려하여야 한다.

| 해설 ① 대판 2015.10.29, 2012도2938
② 대판 2015.5.21, 2011도1932 전원합의체
③ 대판 1984.5.30, 84모32
④ 재심개시절차에서는 형사소송법에서 규정하고 있는 재심사유가 있는지 여부만을 판단하여야 하고, 재심사유가 재심대상판결에 영향을 미칠 가능성이 있는가의 실체적 사유는 고려하여서는 아니 된다(대결 2008.4.24, 2008모77).

06 다음 중 재심에 대한 내용으로 틀린 것은?(판례에 의함)

① 형사재판에 있어서의 재심은 유죄의 확정판결 및 유죄판결에 대한 항소 또는 상고를 기각한 확정판결에 대하여만 허용되는 것이고, 환송판결은 유죄의 확정판결이라 할 수 없으므로 환송판결을 대상으로 한 재심청구는 부적법하다 할 것이다.

② 형사소송법 제420조 제2호 '원판결의 증거된 증언'이라 함은, 원판결의 이유에서 증거로 인용된 증언이 '죄로 되는 사실'과 직접 혹은 간접적으로 관련된 내용의 것이라면 무방하다.

③ 재심대상사건의 기록이 보존기간의 만료로 이미 폐기되어 재판을 할 수 없게 되면, 재심청구기각결정을 하여야 한다.

④ 형사소송법 제420조 제2호에 규정된 원판결의 증거된 증언이라 함은 법률에 의하여 선서한 증인의 증언을 말하고 공동피고인의 공판정에서의 진술은 여기에 해당하지 않는다.

| 해설 ① 대결 2006.6.27, 2005재도18
② 대결 1997.1.16, 95모38
③ 재심대상사건의 기록이 보존기간의 만료로 이미 폐기되었다 하더라도 가능한 한 노력을 다하여 그 기록을 복구하여야 하며, 부득이 기록의 완전한 복구가 불가능한 경우에는 판결서 등 수집한 잔존자료에 의하여 알 수 있는 원판결의 증거들과 재심공판절차에서 새롭게 제출된 증거들의 증거가치를 종합적으로 평가하여 원판결의 원심인 제1심판결의 당부를 새로이 판단하여야 한다(대판 2004.9.24, 2004도2154).
④ 대결 1985.6.1, 85모10

Answer 5. ④ 6. ③

07 **재심에 관한 다음 설명 중 옳지 않은 것으로만 묶인 것은?**(다툼이 있으면 판례에 의함)

> ㉠ 형사소송법 제420조 제5호의 '원판결이 인정한 죄보다 경한 죄를 인정할 경우'라 함은 원판결에서 인정한 죄와는 별개의 경한 죄뿐만 아니라, 원판결에서 인정한 죄 자체에는 변함이 없고, 다만 양형상의 자료에 변동을 가져올 사유에 불과한 것도 해당한다.
> ㉡ 재심심판절차는 원판결의 당부를 심사하는 종전 소송절차의 후속절차가 아니라 사건 자체를 처음부터 다시 심판하는 완전히 새로운 소송절차로서 재심판결이 확정되면 원판결은 당연히 효력을 잃는다.
> ㉢ 제439조에서 "재심에는 원판결의 형보다 중한 형을 선고하지 못한다."라고 규정하고 있는데, 이는 단순히 원판결보다 무거운 형을 선고할 수 없다는 원칙만을 의미하고 있는 것이 아니라 실체적 정의를 실현하기 위하여 재심을 허용하지만 피고인의 법적 안정성을 해치지 않는 범위 내에서 재심이 이루어져야 한다는 취지이다.
> ㉣ 판결이 위헌·위법사유로 당연 무효라면 재심의 대상이 될 수 없으나, 판결서가 작성되지 않았거나 작성된 다음 멸실되어 존재하지 않더라도 그것이 유죄의 확정판결이라면 재심대상이 될 수 있다.
> ㉤ 재심청구이유 유무를 판단하는 재심개시절차에서 필요할 경우 사실조사를 할 수 있으나, 공판절차에서 적용되는 엄격한 증거조사방식에 따라야 하는 것은 아니다.

① ㉠, ㉣　　② ㉢, ㉣
③ ㉠, ㉢, ㉣　　④ ㉢, ㉣, ㉤

| 해설 ㉠ ×: 형사소송법 제420조 제5호의 '원판결이 인정한 죄보다 경한 죄를 인정할 경우'라 함은 원판결에서 인정한 죄와는 별개의 경한 죄를 말하고, 원판결에서 인정한 죄 자체에는 변함이 없고, 다만 양형상의 자료에 변동을 가져올 사유에 불과한 것은 여기에 해당하지 않는다. 따라서 피고인이 주장하는 피해회복에 관한 자료는 양형에 참작할 자료에 불과하여 원판결이 인정한 죄보다 '경한 죄'를 인정할 증거에 해당한다고 할 수 없다(대판 2017.11.9, 2017도14769).
㉡㉢ ○: 대판 2018.2.28, 2015도15782
㉣ ×: 판결이 위헌·위법사유로 당연 무효라고 하더라도 재심의 대상이 될 수 있으며, 판결서가 작성되지 않았거나 작성된 다음 멸실되어 존재하지 않더라도 그것이 유죄의 확정판결이라면 재심대상이 될 수 있다(대결 2019.3.21, 2015모2229 전원합의체).
㉤ ○: 대결 2019.3.21, 2015모2229 전원합의체

05

Answer 7. ①

08 재심에 대한 설명이다. 아래 ㉠부터 ㉤까지의 설명 중 옳고 그름의 표시(○, ×)가 가장 바르게 된 것은?(다툼이 있는 경우 판례에 의함)

㉠ 항소 또는 상고의 기각판결에 대하여는 제420조 제1호(위조 · 변조된 증거) · 제2호(허위증언 등) · 제7호(관련 공무원 직무범죄)의 사유가 있는 경우에 한하여 그 선고를 받은 자의 이익을 위하여 재심을 청구할 수 있다(제421조 제1항).
㉡ 재420조 제4호 '원판결의 증거가 된 재판이 확정재판에 의하여 변경된 때'의 재판이란 원판결의 이유 중에서 증거로 채택되어 죄로 되는 사실을 인정하는 데 인용된 다른 재판을 말하며, 이 재판에는 형사재판만을 의미하고 민사재판은 포함하지 아니한다.
㉢ 항소심의 유죄판결에 대하여 상고가 제기되어 상고심 재판이 계속되던 중 피고인이 사망하여 형사소송법 제382조, 제328조 제1항 제2호에 따라 공소기각결정이 확정되었더라도 항소심의 유죄판결은 이로써 당연히 그 효력을 상실하게 되는 것은 아니고, 이러한 경우에는 형사소송법상 재심절차의 전제가 되는 '유죄의 확정판결'이 존재하는 경우에 해당한다.
㉣ 재심청구인이 재심의 청구를 한 후 청구에 대한 결정이 확정되기 전에 사망한 경우 재심청구절차는 재심청구인의 사망으로 당연히 종료하게 된다.
㉤ 형사소송법 제420조 제7호의 재심사유 해당 여부를 판단함에 있어 사법경찰관 등이 범한 직무에 관한 죄가 사건의 실체관계에 관계된 것인지 여부나 당해 사법경찰관이 직접 피의자에 대한 조사를 담당하였는지 여부를 고려하여야 한다.

① ㉠(○), ㉡(○), ㉢(×), ㉣(○), ㉤(○)
② ㉠(×), ㉡(×), ㉢(○), ㉣(×), ㉤(×)
③ ㉠(×), ㉡(○), ㉢(×), ㉣(×), ㉤(○)
④ ㉠(○), ㉡(×), ㉢(×), ㉣(○), ㉤(×)

해설 ㉠ ○ : 제421조 제1항
㉡ × : 제420조 제4호 원판결의 증거된 재판이란 원판결의 이유 중에서 증거로 채택되어 죄로 되는 사실을 인정하는 데 인용된 다른 재판을 말한다. 재판에는 형사재판뿐만 아니라 민사재판을 포함한다(대결 1986. 8.28, 86모15).
㉢ × : 상고심 재판이 계속되던 중 피고인이 사망하여 형사소송법 제382조, 제328조 제1항 제2호에 따라 공소기각결정이 확정되었다면 항소심의 유죄판결은 이로써 당연히 그 효력을 상실하게 되므로, 이러한 경우에는 형사소송법상 재심절차의 전제가 되는 '유죄의 확정판결'이 존재하는 경우에 해당한다고 할 수 없다(대판 2013.6.27, 2011도7931).
㉣ ○ : 형사소송법이나 형사소송규칙에는 재심청구인이 재심의 청구를 한 후 청구에 대한 결정이 확정되기 전에 사망한 경우에 재심청구인의 배우자나 친족 등에 의한 재심청구인 지위의 승계를 인정하거나 형사소송법 제438조와 같이 재심청구인이 사망한 경우에도 절차를 속행할 수 있는 규정이 없으므로, 재심청구절차는 재심청구인의 사망으로 당연히 종료하게 된다(대결 2014.5.30, 2014모739).
▶ 이 경우에도 사망자를 위해 유족이 재심을 청구할 수 있음은 물론이다.
㉤ × : 형사소송법 제420조 제7호의 재심사유 해당 여부를 판단함에 있어 사법경찰관 등이 범한 직무에 관한 죄가 사건의 실체관계에 관계된 것인지 여부나 당해 사법경찰관이 직접 피의자에 대한 조사를 담당하였는지 여부는 고려할 사정이 아니다(대결 2008.4.24, 2008모77).

Answer 8. ④

09 **재심에 관한 설명 중 옳지 않은 것은 몇 개인가?**(다툼이 있는 경우 판례에 의함)

㉠ 재심의 청구를 받은 법원은 재심청구 이유의 유무를 판단함에 필요한 경우에는 사실을 조사할 수 있으며 공판절차에 적용되는 엄격한 증거조사 방식에 따라야만 하는 것은 아니다.
㉡ 재심의 청구는 대법원이 관할한다.
㉢ 재심판결의 확정에 따라 원판결이 효력을 잃게 되는 결과 그 집행유예의 법률적 효과까지 없어진다 하더라도 재심판결의 형이 원판결의 형보다 중하지 않다면 불이익변경금지의 원칙이나 이익재심의 원칙에 반한다고 볼 수 없다.
㉣ 재심청구의 대상이 된 원판결의 심리에 관여한 법관이 재심청구사건을 심판하더라도 제척 또는 기피사유에 해당하지 않는다.
㉤ 사회보호법상의 보호처분은 형이 아니므로 재심을 청구할 수 없다.
㉥ 제1심 확정판결에 대한 재심청구 사건의 판결이 있은 후에는 항소기각판결에 대하여 다시 재심을 청구하지 못하고, 제1심 또는 제2심의 확정판결에 대한 재심청구사건의 판결이 있은 후에는 상고기각판결에 대하여 다시 재심을 청구하지 못한다.
㉦ 특별사면으로 형선고의 효력이 상실된 유죄의 확정판결에 대하여 재심개시결정이 이루어져 재심심판법원이 심급에 따라 다시 심판한 결과 무죄로 인정되는 경우라면 무죄를 선고하여야 하겠지만, 그와 달리 유죄로 인정되는 경우에는, 재심심판법원으로서는 '피고인에 대하여 다시 형을 선고한다.'는 주문을 선고할 수밖에 없다.

① 1개 ② 2개 ③ 3개 ④ 4개

해설 ㉠ ○ : 대결 2019.3.21, 2015모2229 전원합의체
㉡ × : 재심의 청구는 원판결의 법원이 관할한다(제423조).
㉢ ○ : 대판 2018.2.28, 2015도15782 ㉣ ○ : 대판 1982.11.15, 82모11
㉤ ○ : 대결 1991.2.26, 90모15 ㉥ ○ : 제421조 제2항 · 제3항
㉦ × : 특별사면으로 형선고의 효력이 상실된 유죄의 확정판결에 대하여 재심개시결정이 이루어져 재심심판법원이 심급에 따라 다시 심판한 결과 무죄로 인정되는 경우라면 무죄를 선고하여야 하겠지만, 그와 달리 유죄로 인정되는 경우에는, 재심심판법원으로서는 '피고인에 대하여 형을 선고하지 아니한다.'는 주문을 선고할 수밖에 없다(대판 2015.10.29, 2012도2938).

10 **재심에 관한 설명 중 옳지 않은 것은?**(다툼이 있는 경우 판례에 의함)

① 간통사건에 대한 유죄판결이 간통죄에 대한 헌법재판소의 종전 합헌결정 이전에 확정된 경우, 이 판결에 대한 재심개시결정이 간통죄에 대한 헌법재판소의 위헌결정일 이후에 확정되었다면 재심심판법원은 무죄판결을 하여야 한다.
② 조세심판원이 재조사결정을 하고 그에 따라 과세관청이 후속처분으로 당초 부과처분을 취소하였다면 부과처분은 처분시에 소급하여 효력을 잃게 되어 원칙적으로 그에 따른 납세의무도 없어지므로, 형사소송법 제420조 제5호에 정한 재심사유에 해당한다.
③ 유죄의 확정판결에 대하여 재심개시결정이 확정되어 법원이 그 사건에 대하여 다시 심판을 한 후 재심의 판결을 선고하고 그 재심판결이 확정된 때에는 종전의 확정판결은 당연히 효력을 상실한다.

Answer 9. ② 10. ①

④ 합헌결정이 있는 날의 다음 날 이후에 유죄판결이 선고되어 확정되었다면, 비록 범죄행위가 그 이전에 행하여졌더라도 그 판결은 위헌결정으로 인하여 소급하여 효력을 상실한 법률 또는 법률의 조항을 적용한 것으로서 '위헌으로 결정된 법률 또는 법률의 조항에 근거한 유죄의 확정판결'에 해당하므로 이에 대하여 재심을 청구할 수 있다.

| 해설 ① 공소사실 기재 범행일이 종전 합헌결정일 이전이고, 구 형법 제241조가 위 위헌결정으로 인하여 종전 합헌결정일의 다음 날인 2008. 10. 31.로 소급하여 효력을 상실하므로 공소사실을 심판하는 제1심은 형사소송법 제326조 제4호에 따라 면소판결을 선고하여야 한다(대판 2019.12.24, 2019도15167).
② 대판 2015.10.29, 2013도14716 ③ 대판 2019.4.11, 2018도1799 ④ 대결 2016.11.10, 2015모1475

11 다음 중 재심에 대한 설명으로 옳은 것은?(다툼이 있는 경우 판례에 의함) 20. 해경간부

① '원판결의 증거인 증언'이 나중에 확정판결에 의하여 허위인 것이 증명되더라도 그 허위 증언 부분을 제외하고서도 다른 증거에 의하여 그 '죄로 되는 사실'이 유죄로 인정된다면 재심사유가 있다고 볼 수 없다.
② 제1심 확정판결에 대한 재심청구 사건의 판결이 있은 후에는 항소기각판결에 대하여 다시 재심을 청구하지 못하고, 제1심 또는 제2심의 확정판결에 대한 재심청구사건의 판결이 있은 후에는 상고기각판결에 대하여 다시 재심을 청구하지 못한다.
③ 재심의 청구가 이유 있다고 인정한 때에는 재심개시의 결정을 하여야 하고, 재심개시의 결정을 할 때에는 결정으로 형의 집행을 정지하여야 한다.
④ 재심의 청구는 대법원이 관할한다.

| 해설 ① '원판결의 증거인 증언'이 나중에 확정판결에 의하여 허위인 것이 증명된 이상 그 허위증언 부분을 제외하고서도 다른 증거에 의하여 그 '죄로 되는 사실'이 유죄로 인정될 것인지의 여부와 관계없이 재심사유가 있는 것으로 보아야 한다(대결 1997.1.16, 95모38).
② 제421조 제2항 · 제3항
③ 재심의 청구가 이유 있다고 인정한 때에는 재심개시의 결정을 하여야 하고(제435조 제1항), 재심개시의 결정을 할 때에는 결정으로 형의 집행을 정지할 수 있다(동조 제2항).
④ 재심의 청구는 원판결의 법원이 관할한다(제423조).

12 다음 중 재심에 대한 설명으로 옳은 것은?(다툼이 있는 경우 판례에 의함)

① 재심청구의 대상이 된 원판결의 심리에 관여한 법관이 재심청구사건을 심판하더라도 제척 또는 기피사유에 해당하지 않는다.
② 사회보호법상의 보호처분은 형이 아니므로 재심을 청구할 수 없다.
③ 제1심 확정판결에 대한 재심청구 사건의 판결이 있은 후에는 항소기각판결에 대하여 다시 재심을 청구하지 못하고, 제1심 또는 제2심의 확정판결에 대한 재심청구사건의 판결이 있은 후에는 상고기각판결에 대하여 다시 재심을 청구하지 못한다.

Answer 11. ② 12. ④

④ 재심의 청구가 이유 있다고 인정한 때에는 재심개시의 결정을 하여야 하고, 재심개시의 결정을 할 때에는 결정으로 형의 집행을 정지하여야 한다.

| 해설 ① 대결 1982.11.15, 82모11 ② 대결 1991.2.26, 90모15 ③ 제421조 제2항 · 제3항
④ 재심의 청구가 이유 있다고 인정한 때에는 재심개시의 결정을 하여야 하고(제435조 제1항), 재심개시의 결정을 할 때에는 결정으로 형의 집행을 정지할 수 있다(동조 제2항).

13 **재심에 관한 다음 설명 중 가장 옳지 않은 것은?** 21. 9급 법원직

① 유죄의 확정판결과 달리 항소 또는 상고의 기각판결은 재심의 대상이 될 수 없다.
② 형사소송법 제420조 제5호에서 정한 재심사유인 무죄 등을 인정할 '증거가 새로 발견된 때'라 함은 재심대상이 되는 확정판결의 소송절차에서 발견되지 못하였거나 또는 발견되었다 하더라도 제출할 수 없었던 증거로서 이를 새로 발견하였거나 비로소 제출할 수 있게 된 때를 말한다.
③ 재심판결이 확정됨에 따라 원판결이나 그 부수처분의 법률적 효과가 상실되고 형 선고가 있었다는 기왕의 사실 자체의 효과가 소멸하는 것은 재심의 본질상 당연한 것으로서, 원판결의 효력 상실 그 자체로 인하여 피고인이 어떠한 불이익을 입는다 하더라도 이를 두고 재심에서 보호되어야 할 피고인의 법적 지위를 해치는 것이라고 볼 것은 아니다.
④ 면소판결을 대상으로 한 재심청구는 부적법하다.

| 해설 ① 유죄의 확정판결은 물론 항소 또는 상고의 기각판결에 대하여도 재심을 청구할 수 있다(제421조 제1항).
② 대결 2009.7.16, 2005모472 전원합의체
③ 대판 2019.2.28, 2018도13382
④ 대결 2018.5.2, 2015모3243

14 **형사소송법 제420조 제5호에서 정한 재심사유인 무죄 등에 인정할 '명백한 증거가 새로 발견된 때'에 대한 설명으로 가장 적절하지 않은 것은?**(다툼이 있는 경우 판례에 의함) 21. 순경 1차

① 친고죄에서 담당공무원이 고소취소장을 접수받은 후 기록에 첨부하지 않는 바람에 유죄의 판결이 선고되고 그 판결이 확정되었다는 사실이 뒤늦게 확인되었다면, 공소기각을 인정할 명백한 증거가 새로 발견된 것으로서 재심사유가 된다.
② 형벌에 관한 법령이 당초부터 헌법에 위배되어 법원에서 위헌 · 무효라고 선언한 때에는 무죄 등을 인정할 명백한 증거가 새로 발견된 때에 해당한다.
③ 당해 사건의 증거가 아니고 공범자 중 1인에 대하여 무죄, 다른 1인에 대하여 유죄의 확정판결이 있는 경우에 무죄확정판결 자체만으로는 무죄확정판결의 증거자료를 자기의 증거로 하지 못하였고 또 새로 발견된 것이 아닌 한 유죄확정판결에 대한 새로운 증거로서의 재심사유에 해당한다고 할 수 없다.

Answer 13. ① 14. ①

④ 조세의 부과처분을 취소하는 행정판결이 확정된 경우, 부과처분의 효력은 처분시에 소급하여 효력을 잃게 되어 그에 따른 납세의무가 없으므로, 확정된 행정판결은 조세포탈에 대한 무죄 내지 원심판결이 인정한 죄보다 경한 죄를 인정할 명백한 증거에 해당한다.

해설 ① 형사소송법 제420조 제5호는 유죄의 선고를 받은 자에 대하여 무죄 또는 면소를, 형의 선고를 받은 자에 대하여 형의 면제 또는 원판결이 인정한 죄보다 경한 죄를 인정할 명백한 증거가 발견된 때에는 재심을 청구할 수 있다고 규정하고 있고, 위 '원판결이 인정한 죄보다 경한 죄'라 함은 원판결이 인정한 죄와는 별개의 죄로서 그 법정형이 가벼운 죄를 말하는 것이므로, 동일한 죄에 대하여 공소기각을 선고받을 수 있는 경우는 여기에서의 경한 죄에 해당하지 않는다. 따라서 친고죄의 고소가 취소되었다 하더라도 이는 법원으로부터 공소기각을 선고받을 수 있는 사유에 지나지 아니하므로, 담당공무원이 위 고소취소장을 접수받아 기록에 첨부하지 아니하는 바람에 유죄의 판결이 선고되고 그 판결이 확정되었다고 하더라도 그와 같은 사유는 형사소송법 제420조 제5호 소정의 재심사유에 해당하지 않는다고 할 것이다(대결 1997.1.13, 96모51).
② 대결 2018.12.28, 2017모107
③ 대결 1984.4.13, 84모14
④ 대판 2015.10.29, 2013도14716

15 재심에 관한 설명 중 옳은 것을 모두 고른 것은?(다툼이 있는 경우 판례에 의함)

21. 변호사시험 변형

㉠ 형사소송법 제420조 제4호의 "원판결의 증거된 재판이 확정재판에 의하여 변경된 때"의 "원판결의 증거된 재판"이라 함은 원판결의 이유 중에서 증거로 채택되어 죄로 되는 사실을 인정하는 데 인용된 다른 재판을 뜻한다.
㉡ 형사소송법상 재심청구는 형의 집행을 정지하는 효력이 없지만, 관할법원에 대응한 검찰청 검사는 재심청구에 대한 재판이 있을 때까지 형의 집행을 정지할 수 있다.
㉢ 군사법원의 판결이 확정된 후 피고인에 대한 재판권이 더 이상 군사법원에 없게 된 경우에 군사법원의 판결에 대한 재심사건의 관할은 원판결을 한 군사법원과 같은 심급의 일반법원에 있다.
㉣ 상습범인 선행범죄(A)로 유죄의 확정판결을 받은 사람이 그 후 동일한 습벽에 의해 다시 후행범죄(B)를 저질렀는데 유죄의 확정판결에 대하여 재심이 개시된 경우에, 동일한 습벽에 의한 후행범죄(B)가 선행범죄(A)에 대한 재심판결 선고 전에 저지른 범죄라 하더라도 재심판결의 기판력은 후행범죄(B)에 미치지 않는다.

① ㉠, ㉡ ② ㉡, ㉢ ③ ㉢, ㉣
④ ㉠, ㉡, ㉢ ⑤ ㉠, ㉡, ㉢, ㉣

해설 ㉠ ○ : 대결 1986.8.28, 86모15
㉡ ○ : 제428조
㉢ ○ : 대판 2015.5.21, 2011도1932 전원합의체
㉣ ○ : 대판 2019.6.20, 2018도20698 전원합의체

Answer 15. ⑤

16 **재심에 대한 설명으로 옳지 않은 것은?**(다툼이 있는 경우 판례에 의함) 21. 7급 국가직

① 당사자가 재심청구의 이유에 관한 사실조사신청을 한 경우 법원은 이 신청에 대해서 판단을 하여야 하고, 신청을 배척하는 경우에는 당사자에게 이를 고지하여야 한다.

② '원판결의 증거된 증언이 확정판결에 의하여 허위인 것이 증명된 때'라 함은 그 증인이 위증을 하여 그 죄에 의하여 처벌되어 그 판결이 확정된 경우를 말하는 것이고, 원판결의 증거된 증언을 한 자가 그 재판 과정에서 자신의 증언과 반대되는 취지의 증언을 한 다른 증인을 위증죄로 고소하였다가 그 고소가 허위임이 밝혀져 무고죄로 유죄의 확정판결을 받은 경우는 이 재심사유에 포함되지 아니한다.

③ 군사법원의 판결이 확정된 후 피고인에 대한 재판권이 더 이상 군사법원에 없게 된 경우, 군사법원의 판결에 대한 재심사건의 관할은 원판결을 한 군사법원과 같은 심급의 일반법원에 있다.

④ 피고인이 재심을 청구한 경우에 재심대상이 되는 확정판결의 소송절차 중에 증거를 제출하지 못한 데 과실이 있는 경우에는 그 증거는 '증거가 새로 발견된 때'에서 제외된다.

05

| 해설 ① 재심의 청구를 받은 법원은 필요하다고 인정한 때에는 형사소송법 제431조에 의하여 직권으로 재심청구의 이유에 대한 사실조사를 할 수 있으나, 소송당사자에게 사실조사신청권이 있는 것이 아니다. 그러므로 당사자가 재심청구의 이유에 관한 사실조사신청을 한 경우에도 이는 단지 법원의 직권발동을 촉구하는 의미밖에 없는 것이므로, 법원은 이 신청에 대하여는 재판을 할 필요가 없고, 설령 법원이 이 신청을 배척하였다고 하여도 당사자에게 이를 고지할 필요가 없다(대결 2021.3.12, 2019모3554).
② 대판 2005.4.14, 2003도1080 ③ 대판 1985.9.24, 84도2972
④ 대결 2009.7.16, 2005모472 전원합의체

17 **재심에 대한 설명으로 옳지 않은 것은?**(다툼이 있는 경우 판례에 의함) 22. 9급 교정·보호·철도경찰

① 재심이 개시된 사건에서 범죄사실에 대하여 적용하여야 할 법령은 재심판결 당시의 법령이고, 재심대상판결 당시의 법령이 변경된 경우 법원은 그 범죄사실에 대하여 재심판결 당시의 법령을 적용하여야 한다.

② 재심심판절차에서는 특별한 사정이 없는 한 검사가 재심대상 사건과 별개의 공소사실을 추가하는 내용으로 공소장을 변경하는 것은 허용되지 않는다.

③ 유죄의 확정판결 등에 대해 재심개시결정이 확정된 후 재심심판절차가 진행되면 확정판결은 효력을 잃게 된다.

④ 재심개시절차에서는 형사소송법에서 규정하고 있는 재심사유가 있는지 여부만을 판단하여야 하고, 나아가 재심사유가 재심대상판결에 영향을 미칠 가능성이 있는가의 실체적 사유는 고려하여서는 아니 된다.

| 해설 ① 대판 2013.7.11, 2011도14044
②④ 대판 2019.6.20, 2018도20698 전원합의체
③ 재심판결이 확정되면 원판결은 당연히 효력을 잃는다(대판 2018.2.28, 2015도15782).

Answer 16. ① 17. ③

18 재심에 대한 설명으로 옳은 것은? 23. 9급 검찰 · 마약 · 교정 · 보호 · 철도경찰

① 재심사유 중 '무죄 등을 인정할 명백한 증거'에 해당하는지 여부는 새로 발견된 증거만을 독립적 · 고립적으로 고찰하여 그 증거가치만으로 판단하여야 한다.

② 재심심판절차에서는 특별한 사정이 없는 한 재심대상사건과 별개의 공소사실을 추가하는 내용의 공소장변경을 하거나 일반절차로 진행 중인 별개의 형사사건을 병합하여 심리할 수 없다.

③ 특별사면으로 형 선고의 효력이 상실된 유죄확정판결에 대하여 재심개시결정이 확정된 경우, 재심심판절차에서는 그 심급에 따라 다시 심판하여 특별사면을 이유로 면소판결을 하여야 한다.

④ 경합범 관계에 있는 수개의 범죄사실을 유죄로 인정하여 1개의 형을 선고한 불가분의 확정판결에서 그중 일부의 범죄사실에 대하여만 재심청구의 이유가 인정되는 경우, 그 부분에 대해서만 재심개시결정을 하여야 한다.

| 해설 ① 재심사유 중 '무죄 등을 인정할 명백한 증거'에 해당하는지 여부는 새로 발견된 증거만을 독립적 · 고립적으로 고찰하여 그 증거가치만으로 판단할 것이 아니라, 재심대상이 되는 확정판결을 선고한 법원이 사실인정의 기초로 삼은 증거들 가운데 새로 발견된 증거와 유기적으로 밀접하게 관련되고 모순되는 것들은 함께 고려하여 평가하여야 한다(대결 2009.7.16, 2005모472 전원합의체).

② 대판 2019.6.20, 2018도20698 전원합의체

③ 면소판결 사유인 형사소송법 제326조 제2호의 '사면이 있는 때'에서 말하는 '사면'이란 일반사면을 의미할 뿐, 형을 선고받아 확정된 자를 상대로 이루어지는 특별사면은 여기에 해당하지 않으므로, 재심대상판결 확정 후에 형 선고의 효력을 상실케 하는 특별사면이 있었다고 하더라도, 재심개시결정이 확정되어 재심심판절차를 진행하는 법원은 그 심급에 따라 다시 심판하여 실체에 관한 유 · 무죄 등의 판단을 해야지, 특별사면이 있음을 들어 면소판결을 하여서는 아니 된다(대판 2015.5.21, 2011도1932 전원합의체).

④ 경합범 관계에 있는 수개의 범죄사실을 유죄로 인정하여 한 개의 형을 선고한 불가분의 확정판결에서 그중 일부의 범죄사실에 대하여만 재심청구의 이유가 있는 것으로 인정된 경우에는 형식적으로는 1개의 형이 선고된 판결에 대한 것이어서 그 판결 전부에 대하여 재심개시의 결정을 할 수밖에 없지만, 비상구제수단인 재심제도의 본질상 재심사유가 없는 범죄사실에 대하여는 재심개시결정의 효력이 그 부분을 형식적으로 심판의 대상에 포함시키는데 그치므로 재심법원은 그 부분에 대하여는 이를 다시 심리하여 유죄인정을 파기할 수 없고, 다만 그 부분에 관하여 새로이 양형을 하여야 하므로 양형을 위하여 필요한 범위에 한하여만 심리를 할 수 있을 뿐이다(대판 1996.6.14, 96도477).

Answer 18. ②

19 재심에 관한 판례의 태도에 부합하지 않는 것은 몇 개인가?

㉠ 형사소송법 제420조 제2호 소정의 '원판결의 증거된 증언'이라 함은 원판결의 증거로 채택되어 범죄사실을 인정하는 데 사용된 증언을 뜻하는 것일 뿐 아니라, 단순히 증거조사의 대상이 되었을 뿐 범죄사실을 인정하는 증거로 사용되지 않은 증언도 위 '증거된 증언'에 포함된다.
㉡ 재심청구는 결정에 대하여는 허용되지 아니하므로, 재항고기각 결정은 재심청구의 대상이 되지 아니한다.
㉢ 소송촉진 등에 관한 특례법 제23조(피고인 소재불명시 불출석재판)에 따라 진행된 제1심의 불출석재판에 대하여 검사만 항소하고 항소심도 불출석재판으로 진행한 후에 제1심판결을 파기하고 새로 또는 다시 유죄판결을 선고하여 유죄판결이 확정된 경우, 같은 법 제23조의 2 제1항(제1심 공판절차에서 피고인 귀책사유 없이 불출석재판으로 유죄확정된 경우 재심청구)을 유추 적용하여 항소심 법원에 재심을 청구할 수 있다.
㉣ 재심대상이 된 피고사건과 별개의 사건에서 증언이 이루어지고 그 증언을 기재한 증인신문조서나 그 증언과 유사한 진술이 기재된 진술조서가 재심대상이 된 피고사건에 서증으로 제출되어 이것이 채용된 경우는 형사소송법 제420조 제2호에 규정된 '원판결의 증거된 증언'에 해당한다고 할 수 없으므로, 그 증언이 확정판결에 의하여 허위인 것으로 증명되었더라도 재심사유에 포함될 수 없다.
㉤ 재심개시결정이 부당하더라도 이미 확정되었다면 법원은 더 이상 재심사유의 존부에 대하여 살펴볼 필요 없이 형사소송법 제436조의 경우가 아닌 한 그 심급에 따라 다시 심판을 하여야 한다.

① 1개 ② 2개 ③ 3개 ④ 4개

| 해설 ㉠ × : 형사소송법 제420조 제2호 소정의 '원판결의 증거된 증언'이라 함은 원판결의 증거로 채택되어 범죄사실을 인정하는 데 사용된 증언을 뜻하는 것이고 단순히 증거조사의 대상이 되었을 뿐 범죄사실을 인정하는 증거로 사용되지 않은 증언은 위 '증거된 증언'에 포함되지 않는 것이다(대판 2005.4.14, 2003도1080).
㉡ ○ : 대판 1991.10.29, 91재도2
㉢ ○ : 대판 2015.6.25, 2014도17252 전원합의체 ▶ 그리고 피고인이 재심을 청구하지 않고 상고권회복에 의한 상고를 제기하여 위 사유를 상고이유로 주장한다면, 이는 형사소송법 제383조 제3호에서 상고이유로 정한 원심판결에 '재심청구의 사유가 있는 때'에 해당한다고 볼 수 있으므로 원심판결에 대한 파기사유가 될 수 있다. 나아가 위 사유로 파기되는 사건을 환송받아 다시 항소심 절차를 진행하는 원심으로서는 피고인의 귀책사유 없이 특례 규정에 의하여 제1심이 진행되었다는 파기환송 판결 취지에 따라, 제1심판결에 형사소송법 제361조의 5 제13호의 항소이유에 해당하는 재심 규정에 의한 재심청구의 사유가 있어 직권 파기사유에 해당한다고 보고, 다시 공소장 부본 등을 송달하는 등 새로 소송절차를 진행한 다음 새로운 심리결과에 따라 다시 판결을 하여야 한다(대판 2015.6.25, 2014도17252 전원합의체).
㉣ ○ : 대결 1999.8.11, 99모93
㉤ ○ : 대판 2004.9.24, 2004도2154

Answer 19. ①

20 **다음 중 재심에 대한 설명으로 가장 옳은 것은?**(다툼이 있는 경우 판례에 의함) 24. 해경간부

① '원판결의 증거된 증언'이 나중에 확정판결에 의하여 허위인 것이 증명되더라도 그 허위 증언 부분을 제외하고서도 다른 증거에 의하여 그 '죄로 되는 사실'이 유죄로 인정된다면 재심사유가 있다고 볼 수 없다.

② 재심사유로서 '원판결이 인정한 죄보다 경한 죄를 인정할 경우'라 함은 원판결에서 인정한 죄와는 별개의 경한 죄를 말하는 것이지, 원판결에서 인정한 죄 자체에는 변함이 없고, 다만 양형상의 자료에 변동을 가져올 사유에 불과한 경우를 말하는 것은 아니다.

③ 형사재판에서 재심은 유죄의 확정판결 및 유죄판결에 대한 항소 또는 상고를 기각한 확정판결 뿐만 아니라 면소판결을 대상으로 한 재심청구도 가능하다.

④ 재심심판절차는 사건 자체를 처음부터 다시 심판하는 완전히 새로운 소송절차가 아니라 원판결의 당부를 심사하는 종전 소송절차의 후속절차이다.

| 해설 ① 형사소송법 제420조 제2호 소정의 '원판결의 증거된 증언'이 나중에 확정판결에 의하여 허위인 것이 증명된 이상, 그 허위증언 부분을 제외하고서도 다른 증거에 의하여 그 '죄로 되는 사실'이 유죄로 인정될 것인지 여부에 관계없이 형사소송법 제420조 제2호의 재심사유가 있는 것으로 보아야 한다(대결 1997.1.16, 95모38).

② 대판 2017.11.9, 2017도4769

③ 면소판결은 유죄 확정판결이라 할 수 없으므로 면소판결을 대상으로 한 재심청구는 부적법하다(대결 2018.5.2, 2015모3243).

④ 형사소송법 제438조 제1항은 "재심개시의 결정이 확정한 사건에 대하여는 제436조의 경우 외에는 법원은 그 심급에 따라 다시 심판을 하여야 한다."고 규정하고 있다. 여기서 '다시' 심판한다는 것은 재심대상판결의 당부를 심사하는 것이 아니라 피고 사건 자체를 처음부터 새로 심판하는 것을 의미한다(대판 2015.5.14, 2014도2946).

21 **재심사유에 관한 설명으로 가장 적절하지 않은 것은?**(다툼이 있는 경우 판례에 의함)

24. 경찰승진

① 형사소송법 제420조 제5호는 형의 선고를 받은 자에 대하여 형의 면제를 인정할 명백한 증거가 새로 발견된 때를 재심사유로 들고 있는데, 여기서 '형의 면제'라 함은 형의 필요적 면제의 경우와 임의적 면제의 경우를 불문한다.

② 당해 사건의 증거가 아니고 공범자 중 1인에 대하여 무죄, 다른 1인에 대하여 유죄의 확정판결이 있는 경우에 무죄 확정판결 자체만으로는 무죄 확정판결의 증거자료를 자기의 증거로 하지 못하였고 또 새로 발견된 것이 아닌 한 유죄 확정판결에 대한 새로운 증거로서의 재심사유에 해당한다고 할 수 없다.

③ 형사소송법 제420조 제7호 소정의 '그 공소의 기초가 된 수사에 관여한 검사나 사법경찰관이 그 직무에 관한 죄를 지은 것'에 해당하는지 여부에 판단함에 있어 사법경찰관 등이 범한 직무에 관한 죄가 사건의 실체관계에 관계된 것인지 여부나 당해 사법경찰관이 직접 피의자에 대한 조사를 담당하였는지 여부는 고려할 사정이 아니다.

Answer 20. ② 21. ①

④ 형사소송법 제420조 제2호 소정의 '원판결의 증거가 된 증언'이라 함은 원판결의 증거로 채택되어 범죄사실을 인정하는 데 사용된 증언을 뜻하는 것이고, 그 '증거가 된 증언'에 단순히 증거조사의 대상이 되었을 뿐 범죄사실을 인정하는 증거로 사용되지 않은 증언은 포함되지 않는다.

해설 ① 형사소송법 제420조 제5호는 형의 선고를 받은 자에 대하여 형의 면제를 인정할 명백한 증거가 새로 발견된 때를 재심사유로 들고 있는바, 여기서 형의 면제라 함은 형의 필요적 면제의 경우만을 말하고 임의적 면제는 해당하지 않는다(대결 1984.5.30, 84모32).
② 대결 1984.4.13, 84모14
③ 대결 2006.5.11, 2004모16
④ 대판 2005.4.14, 2003도1080

22 **재심에 관한 설명으로 옳지 않은 것은?**(다툼이 있는 경우 판례에 의함) 24. 소방간부

① 유죄 확정판결 및 유죄판결에 대한 항소 또는 상고를 기각한 확정판결에 대하여는 재심을 청구할 수 있으나, 면소판결을 대상으로 한 재심청구는 부적법하다.
② 재심청구인이 재심의 청구를 한 후 청구에 대한 결정이 확정되기 전에 사망한 경우 재심청구절차는 재심청구인의 사망으로 당연히 종료되는 것은 아니다.
③ 재심의 청구를 받은 법원은 재심청구 이유의 유무를 판단하기 위해 필요한 경우에는 사실을 조사할 수 있으며, 공판절차에 적용되는 엄격한 증거조사 방식에 따라야만 하는 것은 아니다.
④ 재심심판절차에서 재심의 판결을 선고하고 그 재심판결이 확정된 때에 종전의 유죄의 확정판결은 효력을 상실한다.
⑤ 재심이 개시된 사건에 적용되어야 할 형벌에 관한 법령이 헌법재판소의 위헌결정으로 소급하여 그 효력을 상실하였다면, 해당 재심사건에 대하여 무죄를 선고하여야 한다.

해설 ① 대결 2018.5.2, 2015모3243
② 재심청구절차는 재심청구인의 사망으로 당연히 종료하게 된다(대결 2014.5.30, 2014모739).
③ 대결 2019.3.21, 2015모2229 전원합의체
④ 대판 2018.2.28, 2015도15782
⑤ 대판 2010.12.16, 2010도5986 전원합의체

최신판례

재심판결에서 금고 이상의 형이 확정된 경우, 재심대상판결 이전 범죄는 선행범죄(재심대상이 된 범죄)와 형법 제37조 후단의 경합범 관계에 있지만, 재심대상판결 이후 범죄는 선행범죄와 형법 제37조 후단의 경합범 관계에 있지 아니하므로, 재심대상판결 이전 범죄와 재심대상판결 이후 범죄는 형법 제37조 전단의 경합범 관계로 취급할 수 없어 형법 제38조가 적용될 수 없는 이상 별도로 형을 정하여 선고하여야 한다(대판 2023.11.16, 2023도10545).

Answer 22. ②

제2절 비상상고

THEMA 39 비상상고

의 의	1. 의의 : 비상상고는 확정판결에 대하여 그 심판의 법령위반을 바로잡기 위하여 인정되는 비상구제절차이다. 2. 미확정판결에 대한 시정제도인 상소와 구별되며, 비상상고는 법령위반을 이유로 하는 비상구제절차라는 점에서 사실인정의 잘못을 이유로 하는 재심과 구별된다.
대 상	1. 비상상고는 모든 확정판결을 대상으로 한다(제441조). 재심의 경우와는 달리 유죄의 확정판결에 한정되지 않는다. 따라서 유죄판결, 무죄판결, 면소판결, 공소기각판결, 관할위반판결은 모두 비상상고의 대상이 된다. 2. 공소기각결정, 항소기각결정, 상고기각결정 등은 결정의 형식을 취하지만 그 사건에 대한 종국재판이라는 점에서 비상상고의 대상이 된다. 3. 약식명령, 즉결심판도 확정판결과 동일한 효력을 가지므로 비상상고의 대상이 된다. 4. 상급심의 파기판결에 의해 효력을 상실한 재판은 비상상고의 대상이 될 수 없다(대결 2021. 3.11, 2019모1).
이 유	1. 비상상고는 '판결이 확정된 후 그 사건의 심판이 법령에 위반한 것을 발견한 때'에 이를 이유로 제기할 수 있다(제441조). 이때 그 사건의 심판이란 확정판결에 이르게 된 심리와 재판을 가리킨다. "사건의 심판이 법령에 위반하였다."함은 사건의 심판에 절차법상의 위반이 있거나, 실체법의 적용에 위법이 있는 것을 말한다. 2. 비상상고는 원판결의 심판이 법령에 위반한 것을 이유로 하므로 원판결에 사실오인을 이유로 비상상고를 할 수 없다. 다만, 사실오인의 결과로 법령적용의 위반이 있게 된 경우에 비상상고의 이유가 될 수 있는가에 대하여 판례의 입장이 무엇인지는 분명하지 않다.
절 차	1. 검찰총장은 판결이 확정된 후 그 사건의 심판이 법령에 위반한 것을 발견한 때에는 대법원에 비상상고를 할 수 있다(제441조). 2. 비상상고를 할 때에는 그 이유를 기재한 신청서를 대법원에 제출하여야 한다(제442조). 비상상고의 신청기간에는 제한이 없다. 3. 비상상고사건을 심리하기 위해서는 반드시 공판기일을 열어야 한다. 공판기일에는 검사가 출석하여야 하며, 검사는 신청서에 의하여 진술하여야 한다(제443조). 공판기일에 피고인의 출석은 요하지 않는다. 4. 비상상고의 판결은 원판결이 피고인에게 불이익하여 파기자판하는 경우를 제외하고는 그 효력이 피고인에게 미치지 않는다(제447조).

01 **비상상고에 관한 판례의 태도와 부합하지 않는 것은 몇 개인가?**

㉠ 사면된 범죄에 대하여 사면된 것을 간과하고 상고기각의 결정을 한 때에는 그 결정은 법령에 위반한 것이 되어 비상상고를 할 수 있다.
㉡ 공소시효가 완성된 사실을 간과한 채 피고인에 대하여 약식명령을 발령한 원판결은 심판의 법령위반이 아니므로 이는 비상상고의 이유가 되지 아니한다.
㉢ 명예훼손죄에 있어서 제1심판결 선고 후의 처벌희망을 철회하는 의사표시의 효력을 인정하여 공소기각의 판결을 하였음은 형사소송법 제446조 제1호 본문에 이른바 원판결이 법령에 위반한 때에 해당한다.
㉣ 친고죄에 있어서 고소취소가 있는데도 유죄판결을 한 경우에는 사건의 심판이 법령에 위반된 것이므로 비상상고의 이유에 해당한다.
㉤ 피고인이 이미 사망한 사실을 알지 못하여 공소기각의 결정을 하지 않고 실체판결에 나아감으로써 법령위반의 결과를 초래하였다고 하더라도, 이는 형사소송법 제441조에 정한 '그 심판이 법령에 위반한 것'에 해당한다고 볼 수 없어 비상상고 대상이 아니다.
㉥ 누범전과가 없음에도 불구하고 이를 간과하여 누범가중을 하는 것에 대한 비상상고는 부적법하다.
㉦ 성년을 소년으로 오인하고 부정기형 선고를 한 경우 비상상고가 가능하다.
㉧ 법원이 위헌 · 무효인 훈령(부랑인 수용시설에 위탁 수용)을 근거로 삼아 피고인에 대한 공소사실 중 특수감금 부분에 대해 형법 제20조를 적용하여 무죄로 판단한 것이 비상상고 사유인 법령위반에 해당한다.

① 1개 ② 2개 ③ 3개 ④ 4개

| 해설 | ㉠ ○ : 대판 1963.1.10, 62오4
㉡ × : 공소시효가 완성된 사실을 간과한 채 피고인에 대하여 약식명령을 발령한 원판결은 법령을 위반한 잘못이 있으므로, 이 사건 비상상고는 이유가 있다(대판 2006.10.13, 2006오2).
㉢ ○ : 대판 1962.3.8, 4294형비상1
㉣ ○ : 대결 1997.1.13, 96모51
㉤ ○ : 대판 2005.3.11, 2004오2
㉥ ○ : 대판 1962.9.27, 62오1
㉦ ○ : 대판 1963.4.11, 63오2
㉧ × : 원판결 법원이 피고인의 특수감금 행위의 위법성이 조각된다고 판단하면서 적용한 법령은 이 사건 훈령이 아니라 정당행위에 관한 형법 제20조나 상급심 재판의 기속력에 관한 법원조직법 제8조이고, 이 사건 훈령의 존재는 그중 위 형법 제20조를 적용하기로 하면서 그 적용의 전제로 삼은 여러 사실 중 하나일 뿐이다. 따라서 원판결이 이 사건 훈령이 상위법령에 저촉되어 무효임을 간과하였다는 점은 형법 제20조의 적용에 관한 전제사실을 오인하였다는 것에 해당하고, 그로 말미암아 피고인의 특수감금 행위에 형법 제20조를 적용한 잘못이 있더라도 이는 형법 제20조의 적용에 관한 전제사실을 오인함에 따라 법령위반의 결과를 초래한 경우에 불과하다. 결국 이 사건 비상상고이유 주장은 정당행위에 관한 원판결 법원의 포섭 판단을 탓하는 것에 지나지 않는다. 따라서, 형사소송법 제441조가 비상상고의 이유로 정한 '그 사건의 심판이 법령에 위반한 때'에 해당하지 않는다(대판 2021.3.11, 2018오2).

Answer 1.②

02 재심 및 비상상고와 관련하여 가장 옳지 않은 것은? 11. 경찰승진

① 재심은 유죄의 확정판결을, 비상상고는 모든 확정판결을 대상으로 한다는 점에서 차이가 있다.

② 재심은 원판결의 법원이 관할하지만, 비상상고는 대법원이 관할한다.

③ 재심과 비상상고의 청구시기에는 제한이 없다.

④ 위헌결정된 형벌에 관한 법률조항에 근거한 유죄의 확정판결은 재심청구의 대상이 되지 않지만 비상상고의 대상이 된다.

해설 ① 제420조, 제441조 ② 제420조, 제441조

③ 재심의 청구는 형의 집행을 종료하거나 형의 집행을 받지 아니하게 된 때에도 할 수 있는바(제427조)와 같이 재심청구의 시기에는 제한이 없다. 한편 비상상고의 신청에도 시기의 제한이 없다.

④ 위헌결정된 형벌에 관한 법률조항은 소급하여 그 효력을 상실하는데(헌법재판소법 제47조 제2항), 이 경우 위헌으로 결정된 법률조항에 근거한 유죄의 확정판결에 대하여는 재심을 청구할 수 있다(동법 제47조 제3항).

재심과 비상상고의 비교

구 분	재 심	비상상고
목 적	사실오인 시정	법령의 해석 · 적용 통일
관 할	원판결 법원	대법원
청구권자	검사, 피고인, 기타(제424조)	검찰총장
청구효과	원판결 집행정지효 ×	명문규정은 없으나 재심과 동일
청구기간	제한 없음.	제한 없음.
대 상	유죄의 확정판결	모든 확정판결

03 비상상고와 비약적 상고의 동일한 점은?

① 청구권자 ② 관할법원 ③ 청구시기 ④ 효 력

해설 비약적 상고와 비상상고

구 분	비약적 상고	비상상고
의 의	제1심판결에 대한 항소를 제기하지 않고 곧 바로 대법원에 상고하는 경우	확정판결에 대하여 그 심판의 법령위반을 바로잡기 위해 인정되는 비상구제절차
제도취지	• 법령해석의 통일에 신속 • 피고인의 이익 조기회복	• 법령해석 · 적용의 통일 • 피고인의 불이익 구제
사 유	제372조	제441조
청구권자	상소권자	검찰총장
청구시기	제1심판결 선고 후	판결 확정 후
관할법원	대법원	대법원

Answer 2. ④ 3. ②

CHAPTER 03 특별형사절차

제1절 약식절차

THEMA 40 약식절차

의 의	1. 약식절차란 지방법원의 관할사건에 대하여 검사의 청구가 있는 때에 공판절차를 경유하지 않고 검사가 제출한 자료만을 조사하여(서면심리) 피고인에게 벌금, 과료, 몰수형을 과하는 간편한 재판절차를 말한다. 2. 약식절차 ⇨ 공판절차를 거치지 않는다는 점에서 공판절차에서 절차만을 간소화한 간이공판절차와 구별
약식명령 청구	1. 약식명령의 청구권자는 검사이다. 2. 청구의 대상 : 지방법원의 관할에 속하는 사건으로서 벌금 · 과료 · 몰수에 처할 수 있는 사건에 한정된다(제448조 제1항). 08. 순경, 08 · 16. 9급 법원직, 10 · 12. 경찰승진, 12. 순경 2차 ▶ 구류(×) ▶ 벌금 · 과료 · 몰수의 형이 법정형에 선택적으로 규정되어 있으면 족하다. 10. 순경 ▶ 지방법원 합의부의 사물관할 사건도 대상 ○ 3. 공소제기와 동시에 서면으로 하여야 한다(제449조). 12. 경찰간부, 13. 9급 법원직 ▶ 공소장일본주의가 적용 × 08 · 10. 순경, 12. 경찰간부 ▶ 검사는 약식명령청구서에 청구하는 벌금 또는 과료의 액수를 미리 기재
약식절차 심판	1. 서면심리의 원칙 2. 공개주의가 배제, 직접심리주의 및 전문법칙(제310조의 2) 적용 ×, 10. 순경 공소장변경 허용 × 06. 9급 검찰 ▶ 위법수집증거배제법칙(제308조의 2), 자백배제법칙(제309조)과 자백보강의 법칙(제310조) ⇨ 적용 ○ 05 · 10. 순경, 10. 경찰승진, 12. 경찰간부 3. 약식명령으로 할 수 없거나 약식명령으로 하는 것이 적당하지 않다고 인정되는 경우에는 공판절차에 의하여 심판하여야 한다(제450조). 09. 9급 법원직, 11. 경찰승진, 15. 순경 3차 ▶ 공판절차에 의하여 심판하기로 결정한 경우에는 즉시 검사에게 통지(규칙 제172조 제1항), 검사는 5일 이내에 공소장부본을 법원에 제출하여야 한다(동조 제2항). 또한 법원은 공소장부본을 지체 없이 피고인 또는 변호인에게 송달하여야 한다(동조 제3항). 4. 약식명령청구가 있은 날로부터 14일 이내에 약식명령을 하여야 한다(소송촉진 등에 관한 법률 제22조, 규칙 제171조). 16. 7급 국가직 약식명령의 고지는 검사와 피고인에 대한 재판서 송달에 의하여야 한다(제452조). 07 · 10. 9급 법원직, 12. 경찰승진 5. 약식명령에는 범죄사실, 적용법조, 주형, 부수처분과 약식명령의 고지를 받은 날로부터 7일 이내에 정식재판을 청구할 수 있다는 사실을 명시하여야 한다(제451조). ▶ 부수처분에는 압수물의 환부, 벌금 · 과료 또는 추징에 대한 가납명령을 포함한다. ▶ 약식명령에 의하여 무죄 · 면소 · 공소기각 · 형면제 또는 관할위반의 재판을 할 수는 없다. 04. 행시, 10. 경찰승진

	6. 약식명령은 정식재판의 청구기간이 경과하거나, 그 청구의 취하 또는 청구기각결정이 확정된 때에는 확정판결과 동일한 효력이 있다(제457조). 07 · 09. 9급 법원직 ▶ 약식명령 기판력의 시적 범위 : 발령시(법관이 약식명령에 서명 · 날인 시점)(대판 2013. 6.13, 2013도4737)
정식재판 청구	1. 정식재판의 청구권자는 검사와 피고인이다(제453조 제1항). 10. 9급 법원직 ▶ 피고인의 법정대리인 ⇨ 피고인의 의사와 관계없이 정식재판을 청구, 피고인의 배우자 · 직계친족 · 형제자매 · 원심의 대리인 또는 변호인 ⇨ 피고인의 명시적 의사에 반하지 않는 한 독립하여 정식재판을 청구할 수 있다(제458조, 제340조, 제341조). 2. 피고인은 정식재판청구권을 포기할 수 없지만(제453조 제1항) 검사의 포기는 허용된다(제458조 제1항, 제349조). 04 · 05 · 09 · 10. 순경, 08 · 11. 경찰승진, 11. 교정특채, 09 · 11 · 13. 9급 법원직, 16. 7급 국가직 3. 정식재판청구는 약식명령의 고지를 받은 날로부터 7일 이내에 약식명령을 한 법원에 서면으로 하여야 한다(제453조 제1항 본문). 05 · 09. 순경, 10 · 11. 교정특채, 10 · 11 · 13. 9급 법원직, 16. 7급 국가직 ▶ 정식재판 청구기간 기준 : 고지시(피고인에 도달시)(대결 2017.7.27, 2017모1557) 4. 정식재판의 청구권자는 제1심판결의 선고 전까지는 정식재판청구를 취하할 수 있다(제454조). 05. 순경, 10. 교정특채, 11. 경찰승진, 12. 순경 2차, 10 · 13 · 16. 9급 법원직 ▶ 법정대리인이 있는 피고인은 법정대리인의 동의를 얻어야 하며(제458조, 제350조), 피고인의 법정대리인 또는 정식재판청구를 할 수 있는 자는 피고인의 동의 필요(제458조, 제351조). 14. 9급 법원직 ▶ 원칙적으로 서면(공판정에서는 구술가능) 정식재판청구를 취하한 자는 다시 정식재판을 청구하지 못한다(제458조 제1항, 제352조, 제354조). 09. 전의경, 10. 경찰승진, 11. 9급 법원직 5. 정식재판의 청구가 있는 때에는 법원은 지체 없이 검사 또는 피고인에게 그 사유를 통지하여야 한다(제453조). 이 경우에는 공판절차로의 이행의 경우와는 달리 공소장부본을 송달할 필요가 없다. 6. 정식재판청구가 법령상의 방식에 위반, 정식재판청구권의 소멸 후인 것이 명백한 경우에는 기각결정 ⇨ 즉시항고 ○(동조 제2항) 10 · 12. 경찰승진 7. 정식재판의 청구가 적법한 때에는 공판절차에 의하여 심판하여야 한다(제455조 제3항). 8. 불이익변경금지원칙이 적용된다는 제457조의 2 규정은 '형종상향금지'로 개정되었다(2017. 12. 19. 개정). 9. 정식재판기일에 피고인이 2회 이상 불출석 ⇨ 피고인의 진술 없이 판결할 수 있다(제458조 제2항). 04. 9급 법원직, 09. 순경, 10. 교정특채 10. 정식재판청구에 대한 확정판결이 있으면 약식명령은 효력을 잃는다(제456조). 09 · 11. 9급 법원직

01 **약식절차에서도 원칙적으로 적용되는 것은 모두 몇 개인가?** 10. 순경

㉠ 공소장일본주의	㉡ 자백배제의 법칙	㉢ 구두변론주의
㉣ 위법수집증거배제법칙	㉤ 전문법칙	㉥ 자백의 보강법칙
㉦ 공소장변경	㉧ 직접심리주의	

① 3개 ② 4개 ③ 5개 ④ 6개

| 해설 ㉡㉣㉥이 약식절차에도 그대로 적용된다.

02 **약식명령에 대한 설명으로 옳지 않은 것은?**(다툼이 있는 경우 판례에 의함) 18. 7급 국가직

① 약식명령은 그 재판서를 피고인에게 송달함으로써 효력이 발생하고, 변호인이 있는 경우라도 반드시 변호인에게 약식명령 등본을 송달해야 하는 것은 아니다.

② 변호인이 정식재판청구서를 제출할 것으로 믿고 피고인이 스스로 적법한 정식재판의 청구기간 내에 정식재판청구서를 제출하지 못하였더라도, 그것이 피고인 또는 대리인이 책임질 수 없는 사유로 인하여 정식재판의 청구기간 내에 정식재판을 청구하지 못한 때에 해당하지 않는다.

③ 검사가 사기죄에 대하여 약식명령의 청구를 한 다음, 피고인이 약식명령의 고지를 받고 정식재판의 청구를 하여 그 사건이 제1심법원에 계속 중일 때, 사기죄의 수단의 일부로 범한 사문서위조 및 동행사죄에 대하여 추가로 공소를 제기하였다면, 일사부재리의 원칙에 위반되므로 공소제기의 절차가 법률의 규정에 위반하여 무효인 때에 해당한다.

④ 약식명령에 대한 정식재판청구가 제기되었음에도 법원이 증거서류 및 증거물을 검사에게 반환하지 않고 보관하고 있다고 하여 그 이전에 이미 적법하게 제기된 공소제기의 절차가 위법하게 되는 것은 아니다.

| 해설 ①② 대결 2017.7.27, 2017모1557

③ 검사가 사기죄에 대하여 약식명령의 청구를 한 다음, 피고인이 약식명령의 고지를 받고 정식재판의 청구를 하여 그 사건이 제1심법원에 계속 중일 때, 사기죄의 수단의 일부로 범한 사문서위조 및 동행사죄에 대하여 추가로 공소를 제기하였더라도, 일사부재리의 원칙에 위반되거나, 공소권을 남용한 것으로서 공소제기의 절차가 법률의 규정에 위반하여 무효인 때에 해당한다고 볼 수 없다(대판 1990.2.23, 89도2102).

④ 대판 2007.7.26, 2007도3906

03 **약식명령에 관한 설명 중 가장 적절한 것은?**(다툼이 있는 경우 판례에 의함)

① 지방법원은 그 관할에 속한 사건에 관하여 공판절차가 진행 중이더라도 상당한 이유가 있는 경우에는 공판절차를 중단하고 약식명령으로 피고인을 벌금, 과료 또는 몰수에 처할 수 있다.

② 약식명령으로 몰수·추징뿐만 아니라 압수물의 환부도 할 수 있다.

Answer 1.① 2.③ 3.②

③ 정식재판청구가 법령상의 방식을 위반하였음에도 법원공무원이 그대로 접수하여 피고인 등이 적법한 정식재판청구가 제기된 것으로 알고 정식재판청구기간을 넘긴 경우, 피고인 등이 책임질 수 없는 사유로 청구기간 내에 정식재판청구를 하지 못한 때에 해당하지 아니하므로 약식명령에 대한 정식재판청구의 회복을 구할 수 없다.

④ 정식재판의 청구를 접수하는 법원공무원이 청구인의 기명날인이 없는데도 이에 대한 보정을 구하지 아니하고 적법한 청구가 있는 것으로 오인하여 청구서를 접수한 경우에는 그 청구를 기각하여서는 안 된다.

| 해설 ① 공판절차를 중단하고 약식명령으로 전환할 수는 없다.

③ 정식재판청구가 법령상의 방식을 위반하였음에도 법원공무원이 아무런 보정을 구하지 않고 그대로 접수하여 피고인 등이 적법한 정식재판청구가 제기된 것으로 알고 정식재판청구기간을 넘긴 경우, 피고인 등이 책임질 수 없는 사유로 청구기간 내에 정식재판청구를 하지 못한 때에 해당하므로 약식명령에 대한 정식재판청구의 회복을 구할 수 있다(대결 2023.2.13, 2022모1872).

④ 정식재판의 청구를 접수하는 법원공무원이 청구인의 기명날인이 없는데도 이에 대한 보정을 구하지 아니하고 적법한 청구가 있는 것으로 오인하여 청구서를 접수한 경우에도 그 청구를 결정으로 기각하여야 한다. 다만, 법원공무원의 위와 같은 잘못으로 인하여 정식재판청구기간을 넘긴 피고인은 자기의 '책임질 수 없는 사유'에 의하여 청구기간 내에 정식재판을 청구하지 못한 때에 해당하여 정식재판청구권의 회복을 구할 수 있을 뿐이다(대결 2008.7.11, 2008모605).

04 약식절차에 관한 다음 설명 중 가장 옳은 것은? 21. 9급 법원직

① 지방법원은 그 관할에 속한 사건에 대하여 검사의 청구가 있는 때에는 공판절차 없이 약식명령으로 피고인을 벌금, 과료 또는 몰수에 처할 수 있으나, 이 경우 추징 기타 부수의 처분을 할 수 없다.

② 피고인이 정식재판을 청구한 사건에 대하여는 약식명령의 형보다 중한 형을 선고하지 못한다.

③ 약식절차에서는 공소장 변경이 허용되지 아니하므로, 포괄일죄에 해당하는 각각 따로 청구된 약식명령의 범죄사실이 포괄일죄의 관계에 있다고 하더라도, 나중에 제기된 약식명령 청구에 전후로 기소된 각 범죄사실 전부를 포괄일죄로 처벌하여 줄 것을 신청하는 공소장 변경의 취지가 포함되어 있다고 볼 수 없다.

④ 정식재판의 청구는 항소심판결 선고 전까지 취하할 수 있다.

| 해설 ① 지방법원은 그 관할에 속한 사건에 대하여 검사의 청구가 있는 때에는 공판절차 없이 약식명령으로 피고인을 벌금, 과료 또는 몰수에 처할 수 있으며, 이 경우 추징 기타 부수의 처분을 할 수 있다(제448조 제1항 · 제2항).

② 피고인이 정식재판을 청구한 사건에 대하여는 약식명령의 형보다 중한 종류의 형을 선고하지는 못하지만, 약식명령의 형보다 중한 형은 선고할 수 있다(제457조의 2).

③ 약식절차에서는 공소장 변경이 허용되지 아니하므로, 타당한 내용으로 보아야 한다.

④ 정식재판의 청구는 제1심판결 선고 전까지 취하할 수 있다(제454조).

Answer 4. ③

05 약식명령에 관한 설명 중 옳지 않은 것은 몇 개인가?(다툼이 있는 경우 판례에 의함)

㉠ 검사는 약식명령의 청구와 동시에 약식명령을 하는데 필요한 증거서류 및 증거물을 법원에 제출하여야 하고, 법원은 그 청구가 있은 날로부터 14일 이내에 약식명령을 하여야 한다.
㉡ 검사 또는 피고인은 약식명령의 고지를 받은 날로부터 7일 이내에 정식재판의 청구를 할 수 있으며, 피고인은 그 기간 내에 정식재판의 청구를 포기할 수 있다.
㉢ 정식재판청구권회복결정이 부당하더라도 이미 그 결정이 확정되었다면, 정식재판청구사건을 처리하는 법원으로서는 정식재판청구권회복청구가 적법한 기간 내에 제기되었는지 여부나 그 회복사유의 존부 등에 대하여는 살펴볼 필요 없이 통상의 공판절차를 진행하여 본안에 관하여 심판하여야 한다.
㉣ 법정대리인이 있는 피고인이 정식재판청구를 취하함에는 법정대리인의 동의를 얻어야 하는데, 법정대리인의 사망 기타 사유로 인하여 그 동의를 얻을 수 없는 때에는 예외로 한다.
㉤ 포괄일죄의 관계에 있는 범행 일부에 관하여 약식명령이 확정된 경우, 피고인에 대한 약식명령 고지일을 기준으로 하여 그 전의 범행에 대하여는 면소판결하여야 한다.

① 1개 ② 2개 ③ 3개 ④ 4개

해설 ㉠ ○ : 규칙 제170조, 제171조
㉡ × : 검사 또는 피고인은 약식명령의 고지를 받은 날로부터 7일 이내에 정식재판의 청구를 할 수 있으며, 피고인은 정식재판의 청구를 포기할 수 없다(제453조 제1항).
㉢ ○ : 대결 2005.1.17, 2004모351
㉣ ○ : 제458조 제1항, 제350조
㉤ × : 포괄일죄의 관계에 있는 범행 일부에 관하여 약식명령이 확정된 경우, 피고인에 대한 약식명령 발령시를 기준으로 하여 그 전의 범행에 대하여는 면소판결하여야 한다(대판 2013.6.13, 2013도4737).

06 약식명령에 관한 설명으로 옳은 것을 모두 고른 것은?(다툼이 있는 경우 판례에 의함)

21. 순경 2차

㉠ 지방법원은 그 관할에 속한 사건에 대하여 검사의 청구가 있는 때에는 공판절차없이 약식명령으로 피고인을 벌금, 과료 또는 몰수에 처할 수 있으나, 그 사건이 약식명령으로 할 수 없거나 약식명령으로 하는 것이 적당하지 아니하다고 인정할 때에는 검사의 청구를 기각하여야 한다.
㉡ 검사가 약식명령을 청구함에 있어서는 공소장부본을 첨부할 것을 요하지 아니하나, 법원이 약식명령청구사건을 공판절차에 의하여 심판하기로 하고 그 취지를 검사에게 통지한 때에는 5일 이내에 피고인 수에 상응한 공소장부본을 법원에 제출하여야 한다.
㉢ 약식명령의 고지는 검사와 피고인에 대한 재판서의 송달에 의하여야 하고 변호인이 있는 경우라도 반드시 변호인에게 약식명령 등본을 송달해야 하는 것은 아니며, 변호인이 있는 피고인의 정식재판 청구기간은 피고인에 대한 약식명령 고지일을 기준으로 하여 기산하여야 한다.
㉣ 피고인이 절도죄 등으로 벌금 300만원의 약식명령을 발령받은 후 정식재판을 청구하였는데, 제1심법원이 정식재판청구사건을 통상절차에 의해 공소가 제기된 다른 점유이탈물횡령 등 사건들과 병합한 후 각 죄에 대해 모두 징역형을 선택한 다음 경합범으로 처단하여 징역 1년 2월을 선고하는 것은 형종상향금지의 원칙을 위반하는 것이라고 할 수 없다.

Answer 5. ② 6. ②

① ㉠, ㉢　② ㉡, ㉢　③ ㉡, ㉣　④ ㉢, ㉣

해설 ㉠ × : 사건이 약식명령으로 할 수 없거나 약식명령으로 하는 것이 적당하지 아니하다고 인정할 때에는 공판절차에 의하여 심판하여야 한다(제450조).
㉡ ○ : 규칙 제172조 제1항 · 제2항
㉢ ○ : 대결 2017.7.27, 2017모1557
㉣ × : 피고인만이 정식재판을 청구한 사건인데도 약식명령의 벌금형보다 중한 종류의 형인 징역형을 선택하여 형을 선고하였으므로 여기에 형사소송법 제457조의 2 제1항에서 정한 형종상향금지의 원칙을 위반한 잘못이 있다(대판 2020.1.9, 2019도15700).

07 **약식명령에 대한 설명으로 옳은 것은?** 21. 7급 국가직

① 법원은 약식명령으로 추징을 할 수 없다.
② 약식명령은 법원의 명령에 해당하므로 이에 대한 불복은 이의신청과 준항고에 의한다.
③ 법원사무관 등은 약식명령청구가 있는 사건을 형사소송법 제450조의 규정에 따라 공판절차에 의하여 심판하기로 한 때에는 즉시 그 취지를 검사, 피고인, 변호인에게 통지하여야 한다.
④ 즉결심판의 경우와 달리 약식명령에 의하여는 무죄, 면소, 공소기각을 할 수 없다.

해설 ① 지방법원은 그 관할에 속한 사건에 대하여 검사의 청구가 있는 때에는 공판절차 없이 약식명령으로 피고인을 벌금, 과료 또는 몰수에 처할 수 있다(제448조 제1항). 전항의 경우에는 추징 기타 부수의 처분을 할 수 있다(동조 제2항).
② 검사 또는 피고인은 약식명령의 고지를 받은 날로부터 7일 이내에 정식재판의 청구를 할 수 있다(제453조 제1항).
③ 법원사무관 등은 약식명령청구가 있는 사건을 형사소송법 제450조의 규정에 따라 공판절차에 의하여 심판하기로 한 때에는 즉시 그 취지를 검사에게 통지하여야 한다(규칙 제172조 제1항).
④ 제448조 제1항

08 **약식명령에 대한 설명으로 옳지 않은 것은?**(다툼이 있는 경우 판례에 의함) 22. 7급 국가직

① 약식명령에 대하여 정식재판청구가 제기되었음에도 법원이 증거서류 및 증거물을 검사에게 반환하지 않고 보관하고 있다면, 공소장일본주의에 반하여 위법한 공소제기가 된다.
② 형사소송법 제457조의 2 제1항에서 정한 형종상향의 금지원칙은 피고인만이 정식재판을 청구한 사건과 다른 사건이 병합 · 심리된 다음 경합범으로 처단되는 경우에도 정식재판을 청구한 사건에 대하여는 그대로 적용된다.
③ 포괄일죄의 관계에 있는 범행 일부에 관하여 약식명령이 확정된 경우, 약식명령의 발령 시를 기준으로 하여 그 전의 범행에 대하여는 면소의 판결을 하여야 하고, 그 이후의 범행에 대하여서만 한 개의 범죄로 처벌하여야 한다.

Answer 7. ④ 8. ①

④ 약식명령 청구사건을 공판절차에 의하여 심판할 경우, 공소장 부본을 피고인에게 송달하지 않았다 하더라도 검사와 피고인이 공판기일에 출석하여 피고인을 신문하고 피고인도 이에 대하여 이의를 제기함이 없이 신문에 응하고 변론을 하였다면 이러한 하자는 모두 치유된다.

해설 ① 약식명령에 대한 정식재판청구가 제기되었음에도 법원이 증거서류 및 증거물을 검사에게 반환하지 않고 보관하고 있다고 하여 그 이전에 이미 적법하게 제기된 공소제기의 절차가 위법하게 된다고 할 수도 없다(대판 2007.7.26, 2007도3906).
② 대판 2020.3.26, 2020도355 ③ 대판 2013.6.13, 2013도4737 ④ 대판 2003.11.14, 2003도2735

09 약식절차에 대한 설명으로 가장 적절하지 않은 것은? 23. 경찰승진

① 약식명령이 확정된 때에는 유죄의 확정판결과 동일한 효력을 가지고, 이에 대한 불복은 재심 또는 비상상고에 의한다.
② 위법수집증거배제법칙과 자백배제법칙은 물론 형사소송법 제312조 제3항 및 제313조를 제외한 형사소송법상 전문증거에 대한 규정도 약식절차에 모두 적용된다.
③ 약식절차에서 피고인은 정식재판청구권을 포기할 수 없다.
④ 약식명령에 불복하여 정식재판을 청구하는 경우 제1심 판결 선고 전까지 정식재판청구를 취하할 수 있으며 정식재판을 취하한 자는 그 사건에 대하여 다시 정식재판을 청구하지 못한다.

해설 ① 제420조, 제441조, 제457조
② 약식절차는 공판절차와는 달리 서면심리에 의하므로 공판기일의 심판절차에 관한 규정이 적용되지 아니한다. 따라서 공개주의가 배제됨은 물론이고 직접심리주의 및 전문법칙(제310조의 2)이 약식절차에서는 적용되지 않는다. 공소장변경도 공판절차를 전제로 하는 것이므로 허용되지 아니한다. 그러나 위법수집증거배제법칙(제308조의 2), 자백배제법칙(제309조), 자백보강의 법칙(제310조)은 약식절차에서도 적용된다.
③ 제453조 제1항 ④ 제454조, 제458조 제1항

최신판례

피고인이 정식재판을 청구한 사건에 대하여 약식명령의 형보다 '중한 형'을 선고하지 못하도록 하던 구 형사소송법 제457조의 2(불이익변경금지조항)가 '중한 종류의 형'을 선고하지 못하도록 규정하는 형사소송법 제457조의 2(형종상향금지조항)로 개정되면서, 형종상향금지조항의 시행 전에 정식재판을 청구한 사건에 대해서는 종전의 불이익변경금지조항에 따르도록 규정한 형사소송법 부칙 제2조는 범죄구성요건의 제정이나 형벌의 가중에 해당한다고 볼 수 없으므로 형벌불소급원칙에 위배되지 아니하며, 형종상향금지조항의 시행 전에 범죄행위를 하였으나 정식재판청구는 그 시행 전·후로 다르게 하여 각기 다른 조항을 적용받게 된 피고인들을 합리적 이유 없이 차별취급한다고 보기 어렵다. 따라서 평등원칙에 위배되지 아니한다(헌재결 2023.2.23, 2018헌바513).

Answer 9. ②

제2절 즉결심판절차

THEMA 41 즉결심판절차

의 의	즉결심판이란 20만원 이하의 벌금 · 구류 · 과료에 처할 경미한 범죄에 대하여 공판절차에 의하지 않고 '즉결심판에 관한 절차법'에 의해 신속하게 처리하는 심판절차를 말한다. ▶ 공판 전의 절차라고 할 수 있다. 14. 경찰간부
즉결심판 청구	1. 즉결심판청구권자는 경찰서장(해양경찰서장)이다. 04. 순경, 09 · 11. 경찰승진, 14. 경찰간부 · 9급 교정 · 보호 · 철도경찰, 15. 순경 2차 2. 즉결심판의 대상은 20만원 이하(미만 ×)의 벌금 또는 구류나 과료에 처할 범죄사건이다(법원조직법 제34조 제1항). 06. 순경, 09. 경찰승진, 14. 경찰간부, 14 · 15. 순경 2차, 15. 순경 3차 ▶ 법정형이 아니라 선고형을 기준 05. 순경, 13 · 14. 경찰간부 3. 즉결심판을 청구함에는 즉결심판청구서를 제출하여야 하며, 즉결심판청구서에는 피고인의 성명 기타 피고인을 특정할 수 있는 사항, 죄명, 범죄사실과 적용법조를 기재하여야 한다(즉결심판에 관한 절차법 제3조 제2항). 12. 경찰승진 ▶ 약식절차의 경우와는 달리 즉결심판에 의하여 선고할 형량은 기재대상이 되지 않는다. 13. 경찰간부 4. 경찰서장은 즉결심판 청구와 동시에 즉결심판을 함에 필요한 서류와 증거물을 판사(검사 ×)에게 제출하여야 한다(즉결심판에 관한 절차법 제4조). 09. 경찰승진, 14. 순경 2차 ▶ 공소장일본주의가 적용 × 24. 경찰승진 5. 즉결심판사건의 관할법원은 지방법원, 지방법원지원 또는 시 · 군법원의 판사이다(법원조직법 제34조, 즉결심판에 관한 절차법 제3조의 2). 15. 순경 2차
즉결심판 청구사건의 심리	1. 사건이 즉결심판으로 할 수 없거나, 즉결심판으로 하는 것이 적당하지 않다고 인정될 경우에는 청구기각결정을 하여야 한다(즉결심판에 관한 절차법 제5조 제1항). 10. 경찰승진, 15. 순경 2차, 16. 7급 국가직 ▶ 공판절차로 자동 이행되는 약식명령(제450조)과 구별 2. 기각결정이 있는 때에는 경찰서장은 지체 없이 사건을 관할지방검찰청 또는 지청의 장에게 송치하여야 한다(동법 제5조 제2항). 02 · 13. 순경, 14 · 15. 경찰승진, 15. 순경 2차 검사가 공소를 제기하는 때에는 반드시 공소장을 제출하여야 한다. 3. 즉결심판청구에 대하여 기각결정을 하지 않는 경우에는 즉시 심판을 하여야 한다(즉결심판에 관한 절차법 제6조). ▶ 공소장부본 송달, 제1회 공판기일 유예기간 등 준비절차 생략 4. 심리와 선고는 경찰관서(해양경찰관서 포함) 이외의 공개된 법정에서 행한다(동법 제7조 제1항). 02 · 05. 순경, 13. 순경 2차, 11 · 16. 경찰승진, 16. 경찰간부 5. 판사는 상당한 이유가 있는 경우에는 개정 없이 피고인의 진술서와 경찰서장이 송부한 서류 또는 증거물에 의하여 심판할 수 있다(다만, 구류에 처하는 경우는 제외). 04. 순경, 14. 경찰승진, 15 · 16. 순경 2차 6. 원칙적으로 피고인의 출석은 개정요건, 그러나 벌금이나 과료에 해당하는 형을 선고하는 경우에는 피고인이 불출석 심판 가능(동법 제8조의 2 제1항). 04. 행시, 06 · 11. 순경, 13. 9급 교정 · 보호 · 철도경찰, 13 · 14. 경찰승진, 15. 순경 3차, 13 · 16. 순경 2차, 17. 경찰간부

	7. 피고인 또는 즉결심판 출석통지를 받은 자는 법원에 불출석심판을 청구할 수 있고, 법원이 이를 허가한 때에는 피고인이 출석하지 아니하더라도 심판할 수 있다(동조 제2항). 13. 9급 교정·보호·철도경찰 8. 즉결심판절차에서는 자백보강의 법칙과 전문법칙이 적용되지 않으며, 04. 행시, 04·05·06. 순경, 10. 순경 2차, 11·14·16. 경찰승진, 16. 경찰간부·9급 검찰·마약·교정·보호·철도경찰 자백배제법칙과 위법수집증거배제법칙은 즉결심판절차에서도 그대로 적용된다. 05. 순경, 10·11·16. 경찰승진 ▶ 전문법칙의 적용이 없는 것은 제312조 제3항과 제313조〔예 사법경찰관 작성 피의자신문조서(제312조 제3항)는 본인이 내용을 인정하지 않아도 증거로 할 수 있음〕 9. 법관의 제척·기피·회피제도의 규정은 적용된다. 04. 법원주사보, 09. 순경
즉결심판의 선고와 효력	1. 즉결심판절차에서는 유죄의 선고뿐만 아니라 무죄, 면소 또는 공소기각의 선고를 할 수 있다(즉결심판에 관한 절차법 제11조 제5항). 04·10. 순경, 14. 순경 2차, 16. 경찰간부, 11·17. 경찰승진 ▶ 즉결심판에서 가능한 형의 선고는 20만원 이하의 벌금, 구류 또는 과료이다(동법 제2조). 2. 즉결심판으로 유죄를 선고하는 경우 형, 범죄사실, 적용법조를 명시하고 7일 이내에 정식재판을 청구할 수 있다는 것을 고지하여야 한다(동법 제11조 제1항). 11·12. 순경, 15. 순경 3차 3. 판사는 구류선고를 받은 피고인이 일정한 주소가 없거나 도망할 염려가 있는 때에는 5일(7일 ×)을 초과하지 아니한 범위 내에서 경찰서유치장에 유치할 것을 명할 수 있다(동법 제17조 제1항). 05. 순경, 09·10. 경찰승진, 13·14. 순경 2차, 15. 순경 3차 4. 즉결심판에 의한 형은 경찰서장이 집행하며, 03. 7급 검찰 그 집행결과를 지체 없이 관할 검사에게 보고하여야 한다(즉결심판에 관한 절차법 제18조 제1항). 02. 순경 5. 즉결심판의 판결이 확정된 때에는 즉결심판서 및 관계서류와 증거는 관할경찰서 또는 지방해양경찰관서가 이를 보존한다(동법 제13조). 11. 순경, 12·21. 경찰승진
정식재판의 청구	1. 즉결심판에 불복이 있는 피고인 또는 경찰서장은 정식재판을 청구할 수 있다. 2. 피고인은 즉결심판의 선고·고지받은 날로부터 7일 이내에 정식재판청구서를 경찰서장에게 제출하여야 한다. 04·06. 순경, 12. 순경 1차, 16. 순경 2차·9급 검찰·마약·교정·보호·철도경찰, 17·24. 경찰승진 3. 정식재판청구서를 받은 경찰서장은 지체 없이 판사(검사 ×)에게 송부하여야 한다(동조 제1항). 12. 순경 1차 4. 즉결심판청구에 대해 경찰서장은 그 선고·고지를 한 날로부터 7일 이내에 정식재판을 청구할 수 있다. 02. 순경, 10. 경찰승진 이 경우 경찰서장은 관할지방검찰청 또는 지청 검사의 승인을 얻어 정식재판청구서를 판사에게 제출하여야 한다(동법 제14조 제2항). 12. 순경 1차 5. 판사는 정식재판청구서를 받은 날로부터 7일 이내에 경찰서장에게 정식재판청구서를 첨부한 사건기록과 증거물을 송부하고, 경찰서장은 지체 없이 관할지방검찰청 또는 지청장에게 이를 송부하여야 하며 그 검찰청 또는 지청의 장은 지체 없이 관할법원에 송부하여야 한다(동법 제14조 제3항). ▶ 공소장일본주의가 적용 × 6. 정식재판청구권자는 정식재판청구권을 포기하거나 취하할 수 있다. 01·16. 경찰승진 ▶ 피고인·경찰서장 모두 포기 가능(약식명령에 대한 정식재판청구 포기 ⇨ 피고인 ×, 검사 ○)

▶ 포기·취하한 자는 다시 정식재판을 청구할 수 없다(제354조). 09. 경찰승진
▶ 정식재판청구의 취하는 제1심판결 선고 전까지 할 수 있다(제454조).
7. 정식재판청구 ┌ 부적법 : 기각결정 즉시항고 가능(제455조)
└ 적법 : 공판절차에 의하여 심판(제455조 제3항, 즉결심판에 관한 절차법 제14조 제4항)
▶ 공소장변경, 공소취소 등 허용, 불이익변경금지원칙 적용 ○, 국선변호인제도 적용 ○
8. 정식재판청구에 대한 확정판결이 있으면 즉결심판의 효력은 상실된다(즉결심판에 관한 절차법 제15조).

01 즉결심판에 대한 설명으로 가장 적절하지 않은 것은? 19. 경찰승진

① 판사는 사건이 즉결심판을 할 수 없거나 즉결심판절차에 의하여 심판함이 적당하지 아니하다고 인정할 때에는 결정으로 즉결심판의 청구를 기각하여야 한다.
② 즉결심판절차에 의한 심리와 재판의 선고는 공개된 법정에서 행하되, 그 법정은 경찰관서(해양경찰관서를 포함한다)에 설치되어야 한다.
③ 판사는 즉결심판이 청구된 사건이 무죄·면소 또는 공소기각을 함이 명백하다고 인정할 때에는 이를 선고·고지할 수 있다.
④ 즉결심판으로 유죄를 선고할 때에는 형, 범죄사실과 적용법조를 명시하고 피고인은 7일 이내에 정식재판을 청구할 수 있다는 것을 고지하여야 한다.

| 해설 ① 즉결심판에 관한 절차법 제5조 제1항
② 즉결심판절차에 의한 심리와 재판의 선고는 공개된 법정에서 행하되, 그 법정은 경찰관서(해양경찰관서를 포함한다) 외의 장소에 설치되어야 한다(즉결심판에 관한 절차법 제7조 제1항).
③ 즉결심판에 관한 절차법 제11조 제5항
④ 즉결심판에 관한 절차법 제11조 제1항

02 즉결심판과 약식명령에 대한 설명으로 가장 적절하지 않은 것은?(다툼이 있는 경우 판례에 의함) 19. 순경 2차

① 경찰서장의 청구에 의해 즉결심판을 받은 피고인으로부터 적법한 정식재판의 청구가 있는 경우 경찰서장의 즉결심판청구는 공소제기와 동일한 소송행위이므로 공판절차에 의하여 심판하여야 한다.
② 피고인이 정식재판을 청구한 즉결심판 사건에 대하여 검사가 법원에 사건기록과 증거물을 그대로 송부하지 아니하고 즉결심판이 청구된 위반 내용과 동일성 있는 범죄사실에 대하여 약식명령을 청구하였다면, 이는 공소제기 절차가 법률의 규정에 위반하여 무효인 때 또는 공소가 제기된 사건에 대하여 다시 공소가 제기되었을 때에 해당한다.

Answer 1.② 2.④

③ 약식명령은 그 재판서를 피고인에게 송달함으로써 효력이 발생하고, 변호인이 있는 경우라도 반드시 변호인에게 약식명령 등본을 송달해야 하는 것은 아니다.

④ 약식명령에 대하여 정식재판절차에서 유죄판결이 선고되어 확정된 경우 피고인 등은 약식명령이 아니라 유죄의 확정판결을 대상으로 재심을 청구하여야 하나, 피고인 등이 약식명령에 대하여 재심을 청구하여 재심개시결정이 확정되었다면 재심절차를 진행하는 법원은 재심이 개시된 대상을 유죄의 확정판결로 변경할 수 있다.

| 해설 ①② 대판 2017.10.12, 2017도10368 ③ 대결 2017.7.27, 2017모1557
④ 약식명령에 대하여 정식재판절차에서 유죄판결이 선고되어 확정된 경우 피고인은 약식명령이 아니라 유죄의 확정판결을 대상으로 재심을 청구하여야 하나, 피고인 등이 약식명령에 대하여 재심을 청구하여 재심개시결정이 확정되었다면 재심절차를 진행하는 법원은 재심이 개시된 대상을 유죄의 확정판결로 변경할 수 없다. 이 경우 그 재심개시결정에 따라 재심절차를 진행하는 법원으로서는 심판의 대상이 없어 아무런 재판을 할 수 없다(대판 2013.4.11, 2011도10626).

03 즉심심판절차에 관한 설명 중 옳은 것은 모두 몇 개인가?(다툼이 있는 경우 판례에 의함)

20. 경찰간부

㉠ 즉심심판절차에서는 유·무죄뿐만 아니라 면소 또는 공소기각을 선고·고지할 수 있다.
㉡ 즉결심판의 판결이 확정된 때에는 즉결심판서 및 관계서류와 증거는 관할지방검찰청에서 보존한다.
㉢ 즉결심판청구를 받은 지방법원 또는 그 지원의 판사는 사건이 즉결심판을 할 수 없거나 즉결심판절차에 의하여 심판함이 적당하지 아니하다고 인정할 때에는 판결로 즉결심판의 청구를 기각하여야 한다.
㉣ 벌금 또는 구류를 선고하는 경우에는 피고인이 출석하지 아니하더라도 심판할 수 있다.
㉤ 판사는 구류의 선고를 받은 피고인이 일정한 주소가 없거나 또는 도망할 염려가 있을 때에는 7일을 초과하지 아니하는 기간 경찰서유치장에 유치할 것을 명령할 수 있다. 다만, 이 기간은 선고기간을 초과할 수 없다.
㉥ 즉결심판을 받은 피고인이 정식재판청구를 함으로써 공판절차가 개시된 경우에는 통상의 공판절차와 달리 국선변호인의 선정에 관한 형사소송법 제283조의 규정이 적용되지 않는다.

① 1개 ② 2개 ③ 3개 ④ 4개

| 해설 ㉠ ○ : 즉결심판절차법 제11조 제1항·제5항
㉡ × : 즉결심판의 판결이 확정된 때에는 즉결심판서 및 관계서류와 증거는 관할경찰서 또는 지방해양경찰관서가 이를 보존한다(즉결심판절차법 제13조).
㉢ × : 결정으로 즉결심판의 청구를 기각하여야 한다(즉결심판절차법 제5조 제1항).
㉣ × : 벌금 또는 과료를 선고하는 경우에는 피고인이 출석하지 아니하더라도 심판할 수 있다(즉결심판절차법 제8조의 2 제1항).
㉤ × : 판사는 구류의 선고를 받은 피고인이 일정한 주소가 없거나 또는 도망할 염려가 있을 때에는 5일을 초과하지 아니하는 기간 경찰서유치장에 유치할 것을 명령할 수 있다. 다만, 이 기간은 선고기간을 초과할 수 없다(즉결심판절차법 제17조 제1항).
㉥ × : 국선변호인의 선정에 관한 형사소송법 제283조의 규정이 적용된다(대판 1997.2.14, 96도3059).

Answer 3. ①

04 다음 설명 중 가장 옳지 않은 것은?(다툼이 있는 경우 판례에 의함) 20. 9급 법원직

① 약식명령청구의 대상이 되려면 법정형에 벌금, 과료, 몰수가 선택적으로 규정되어 있으면 족하고, 여기에 해당하는 이상 지방법원 합의부의 사물관할에 속하더라도 약식명령을 청구할 수 있다.

② 즉결심판이 확정된 때에는 확정판결과 동일한 효력이 생긴다. 따라서 재판의 확정력과 일사부재리의 효력이 부여된다.

③ 약식명령에 불복하여 정식재판을 청구한 피고인이 정식재판절차에서 2회 불출석하여 법원이 피고인의 출석 없이 증거조사를 하는 경우 피고인의 증거동의가 간주된다.

④ 즉결심판절차에서는 별도의 규정이 마련되어 있지 않은 한 공판절차에 관한 규정이 준용되므로, 사법경찰관이 작성한 피의자신문조서에 대하여 피고인이 그 내용을 인정하지 아니하였다면 이는 유죄의 증거로 사용할 수 없다.

| 해설 | ① 제448조 제1항 ② 즉결심판절차법 제16조 ③ 대판 2010.7.15, 2007도5776
④ 즉결심판절차에서는 전문법칙이 적용되지 아니한다. 전문법칙의 적용이 없는 것은 제312조 제3항과 제313조만이며 나머지는 적용된다. 따라서 사법경찰관 작성 피의자신문조서는 본인이 내용을 인정하지 않아도 증거로 할 수 있고, 피고인 또는 피고인이 아닌 자가 작성한 진술서는 성립의 진정이 인정되지 않아도 증거로 할 수 있다.

05 즉결심판절차에 대한 설명으로 적절하지 않은 것은 몇 개인가?(다툼이 있으면 판례에 의함)

㉠ 즉결심판으로 유죄를 선고한 때에는 즉결심판절차에 참여한 법원사무관 등은 즉결심판의 선고내용을 기록하여야 한다. 피고인이 범죄사실을 자백하고 정식재판청구를 포기한 경우에도 그 기록작성을 생략할 수는 없다.
㉡ 통고처분에서 정한 범칙금 납부기간 전이라도 경찰서장은 즉결심판을 청구할 수 있고, 검사도 동일한 범칙행위에 대하여 공소를 제기할 수 있다.
㉢ 정식재판청구로 제1회 공판기일 전에 사건기록 및 증거물이 경찰서장, 관할 지방검찰청 또는 지청의 장을 거쳐 관할 법원에 송부된다고 하여 그 이전에 이미 적법하게 제기된 경찰서장의 즉결심판청구의 절차가 위법하게 된다고 볼 수 없으나, 정식재판이 청구된 이후에 작성된 피해자에 대한 진술조서 등이 사건기록에 편철되어 송부되었다면 위법이라 할 것이다.
㉣ 즉결심판청구, 정식재판청구, 즉결심판사건의 집행은 모두 경찰서장의 권한이다.

① 1개 ② 2개 ③ 3개 ④ 4개

| 해설 | ㉠ × : 즉결심판으로 유죄를 선고한 때에는 즉결심판절차에 참여한 법원사무관 등은 즉결심판의 선고내용을 기록하여야 한다(즉결심판에 관한 절차법 제11조 제2항). 피고인이 판사에게 정식재판청구의 의사를 표시하였을 때에는 이를 기록에 명시하여야 한다(동조 제3항). 피고인이 범죄사실을 자백하고 정식재판청구를 포기한 경우에는 그 기록작성을 생략한다(동법 제12조 제2항).
㉡ × : 통고처분에서 정한 범칙금 납부기간까지는 원칙적으로 경찰서장은 즉결심판을 청구할 수 없고, 검사도 동일한 범칙행위에 대하여 공소를 제기할 수 없다. 따라서 공소제기는 법률의 규정에 위반되어 무효인 때에 해당하여 판결로 공소를 기각하여야 한다(대판 2020.4.29, 2017도13409).

Answer 4. ④ 5. ③

㉢ × : 경범죄처벌법 위반으로 즉결심판에 회부되었다가 정식재판을 청구한 사안에서, 위 정식재판청구로 제1회 공판기일 전에 사건기록 및 증거물이 경찰서장, 관할 지방검찰청 또는 지청의 장을 거쳐 관할 법원에 송부된다고 하여 그 이전에 이미 적법하게 제기된 경찰서장의 즉결심판청구의 절차가 위법하게 된다고 볼 수 없고, 그 과정에서 정식재판이 청구된 이후에 작성된 피해자에 대한 진술조서 등이 사건기록에 편철되어 송부되었더라도 달리 볼 것은 아니다(대판 2011.1.27, 2008도7375).
㉣ ○ : 즉결심판에 관한 절차법 제3조, 제14조, 제18조

06 즉결심판에 대한 설명으로 가장 적절하지 않은 것은?(다툼이 있는 경우 판례에 의함) 21. 경찰승진

① 즉결심판은 관할경찰서장이 관할법원에 이를 청구한다.
② 즉결심판청구서에는 피고인의 성명 기타 피고인을 특정할 수 있는 사항, 죄명, 범죄사실과 적용법조를 기재하여야 한다.
③ 즉결심판의 판결이 확정된 때에는 지체 없이 즉결심판서 및 관계서류와 증거를 관할 지방검찰청의 장에게 송치해야 한다.
④ 즉결심판에 있어서는 자백배제법칙은 적용되나 자백보강법칙은 적용되지 아니한다.

05

| 해설 | ①② 즉결심판절차법 제3조 제1항 · 제2항
③ 즉결심판의 판결이 확정된 때에는 즉결심판서 및 관계서류와 증거는 관할경찰서 또는 지방해양경찰관서가 이를 보존한다(즉결심판절차법 제13조).
④ 즉결심판절차법 제10조

07 즉결심판에 관한 설명 중 가장 적절하지 않은 것은?(다툼이 있는 경우 판례에 의함) 21. 순경 2차

① 즉결심판에 대하여 피고인의 정식재판 청구가 있었음에도 검사가 정식재판이 청구된 즉결심판 사건에 대하여 법원에 사건기록과 증거물을 송부하지 아니하고 그와 동일성 있는 범죄사실에 대하여 약식명령을 청구하였다고 하여, 공소제기의 절차가 법률의 규정에 위반하여 무효인 때에 해당하거나 공소가 제기된 사건에 대하여 다시 공소가 제기되었다고 할 수 없다.
② 법원이 경찰서장의 즉결심판 청구를 기각하여 경찰서장이 사건을 관할 지방검찰청으로 송치하였으나 검사가 이를 즉결심판에 대한 피고인의 정식재판청구가 있은 사건으로 오인하여 그 사건기록을 법원에 송부하였다면 적법한 공소제기가 있다고 볼 수 없다.
③ 피고인이 경범죄처벌법위반으로 즉결심판에 회부되었다가 정식재판을 청구한 경우, 정식재판청구로 제1회 공판기일 전에 사건기록 및 증거물이 관할 법원에 송부된다고 하여 그 이전에 이미 적법하게 제기된 경찰서장의 즉결심판청구의 절차가 위법하게 된다고 볼 수 없다.
④ 경범죄처벌법위반죄의 범죄사실과 폭력행위 등 처벌에 관한 법률위반죄의 공소사실이 모두 범행장소가 동일하고 범행일시도 같으며 모두 피해자와의 시비에서 발단한 일련의 행위인 경우, 양 사실은 그 기본적 사실관계가 동일하므로 이미 확정된 경범죄처벌법위반죄에 대한 즉결심판의 기판력은 폭력행위 등 처벌에 관한 법률위반죄의 공소사실에도 미친다.

Answer 6. ③ 7. ①

| 해설 ① 검사가 정식재판을 청구한 즉결심판 사건에 대하여 법원에 사건기록과 증거물을 그대로 송부하지 아니하고 즉결심판이 청구된 위반 내용과 동일성 있는 범죄사실에 대하여 약식명령을 청구하였다는 이유로, 이 사건 공소제기 절차는 법률의 규정에 위반하여 무효인 때에 해당하거나 공소가 제기된 사건에 대하여 다시 공소가 제기되었을 때에 해당한다(대판 2017.10.12, 2017도10368).
② 대판 2003.11.14, 2003도2735 ③ 대판 2011.1.27, 2008도7375 ④ 대판 1996.6.28, 95도1270

08 즉결심판절차에 대한 설명으로 가장 적절하지 않은 것은?(다툼이 있는 경우 판례에 의함)

22. 경찰승진

① 즉결심판을 청구할 때에는 사전에 피고인에게 즉결심판의 절차를 이해하는 데 필요한 사항을 서면 또는 구두로 알려주어야 한다.
② 벌금 또는 과료를 선고하는 경우에는 피고인이 출석하지 아니하더라도 심판할 수 있다.
③ 지방법원, 지원 또는 시 · 군 법원의 판사는 정식재판청구서를 받은 날부터 7일 이내에 경찰서장에게 정식재판청구서를 첨부한 사건기록과 증거물을 송부하고, 경찰서장은 지체 없이 관할지방검찰청 또는 지청의 장에게 이를 송부하여야 하며, 그 검찰청 또는 지청의 장은 지체 없이 관할법원에 이를 송부하여야 한다.
④ 즉결심판은 정식재판의 청구기간의 경과, 정식재판청구권의 포기 또는 그 청구의 취하에 의하여 확정판결과 동일한 효력이 생기지만, 정식재판청구를 기각하는 재판이 확정된 때에는 그러하지 아니하다.

| 해설 ① 즉결심판절차법 제3조 제3항
② 즉결심판에 관한 절차법 제8조의 2 제1항 ③ 즉결심판에 관한 절차법 제14조 제3항
④ 즉결심판은 정식재판의 청구기간의 경과, 정식재판청구권의 포기 또는 그 청구의 취하에 의하여 확정판결과 동일한 효력이 생긴다. 정식재판청구를 기각하는 재판이 확정된 때에도 같다(즉결심판절차법 제16조).

09 즉결심판에 대한 설명으로 옳지 않은 것은?

22. 9급 검찰 · 마약 · 교정 · 보호 · 철도경찰

① 즉결심판의 대상은 20만원 이하의 벌금, 구류 또는 과료에 처할 사건이다.
② 즉결심판에 있어서 피고인의 출석은 개정 요건이므로 벌금 또는 과료를 선고하는 경우에 피고인이 출석하지 아니한 때에는 피고인의 진술을 듣지 아니하고 형을 선고할 수 없다.
③ 즉결심판절차에서 피고인이 정식재판을 청구하는 경우, 즉결심판의 선고 · 고지를 받은 날부터 7일 이내에 정식재판 청구서를 경찰서장에게 제출하여야 하며, 이를 받은 경찰서장은 지체 없이 판사에게 송부하여야 한다.
④ 즉결심판이 확정된 때에는 확정판결과 동일한 효력이 있고, 즉결심판은 정식재판의 청구기간의 경과, 정식재판청구권의 포기 또는 그 청구의 취하에 의하여 확정되며 정식재판청구를 기각하는 재판의 확정된 때에도 같다.

| 해설 ① 즉결심판절차법 제2조 ② 즉결심판에 있어서 벌금 또는 과료를 선고하는 경우에 피고인이 출석하지 아니하더라도 심판할 수 있다(즉결심판절차법 제8조의 2 제1항).
③ 즉결심판절차법 제14조 제1항 ④ 즉결심판절차법 제16조

Answer 8. ④ 9. ②

약식절차와 즉결심판절차의 비교 정리

구 분		약식절차	즉결심판절차
차이점	청구권자	검 사	경찰서장
	심리형태	서면심리(피고인 불출석)	공개된 법정에서 피고인 직접 신문(원칙적으로 피고인 출석)
	대 상	벌금 · 과료 · 몰수에 처할 사건	20만원 이하 벌금 · 구류 · 과료에 처할 사건
	근거규정	형사소송법 제448조 이하	즉결심판에 관한 절차법
유사점		• 경미사건의 신속처리 목적 • 확정판결과 동일효 부여 • 정식재판청구권 보장(7일 이내) • 정식재판청구에 의한 판결이 있을 때 실효(판결은 확정판결을 의미) • 정식재판청구 취하시기(제1심판결 선고 전까지)	

구체적 검토

구 분	약식명령	즉결심판
직접주의, 구두변론주의	적용(×)	적용(○)
기소독점주의	적용(○)	적용(×)
자백보강법칙	적용(○)	적용(×)
정식재판절차 이행 여부	자동이행	청구기각
공소장일본주의	적용(×)	적용(×)
공소장부본송달	적용(×)	적용(×)
공판기일유예기간	적용(×)	적용(×)
국선변호	적용(×)	적용(×)
공소장변경	적용(×)	적용(×)
배상명령	적용(×)	적용(×)
전문법칙	적용(×)	일부적용(×)
위법수집증거배제법칙	적용(○)	적용(○)
자백배제법칙	적용(○)	적용(○)
국가소추주의	적용(○)	적용(○)
자유심증주의	적용(○)	적용(○)

10 다음 중 즉결심판절차에 대한 설명으로 가장 옳지 않은 것은?(다툼이 있는 경우 판례에 의함)

24. 해경승진

① 법원은 즉결심판절차에 의하여 심판하는 경우에도 양형기준을 벗어난 판결을 할 때에는 당해 양형을 하게 된 사유를 합리적이고 설득력 있게 표현하는 방식으로 이유를 기재하여야 한다.

② 경찰서장의 청구에 의해 즉결심판을 받은 피고인으로부터 적법한 정식재판의 청구가 있는 경우 경찰서장의 즉결심판 청구는 공소제기와 동일한 소송행위이므로 별도의 공소제기 없이 공판절차에 의하여 심판하여야 한다.

③ 즉결심판을 받은 피고인이 정식재판청구를 함으로써 공판절차가 개시된 경우에는 통상의 공판절차와 마찬가지로 국선변호인의 선정에 관한 형사소송법 제283조의 규정이 적용된다.

④ 법원이 경찰서장의 즉결심판 청구를 기각하여 경찰서장이 사건을 관할 지방검찰청으로 송치하였으나 검사가 이를 즉결심판에 대한 피고인의 정식재판청구가 있는 사건으로 오인하여 그 사건 기록을 법원에 송부한 경우, 공소제기가 성립되었다고 볼 수 없다.

| 해설 ① 양형을 하게 된 사유를 합리적이고 설득력 있게 표현하는 방식으로 이유를 기재할 필요는 없다(법원조직법 제81조의 7 제1항).
② 대판 2017.10.12, 2017도10368
③ 대판 1997.2.14, 96도3059
④ 대판 2003.11.14, 2003도2735

11 약식절차와 즉결심판절차에 관한 설명으로 가장 적절하지 않은 것은?(다툼이 있는 경우 판례에 의함)

24. 경찰승진

① 약식명령에 대한 정식재판의 청구는 제1심판결 선고 전까지 취하할 수 있다.

② 약식명령에 대한 정식재판의 청구기간은 피고인에 대한 약식명령 고지일을 기준으로 하여 기산하여야 한다.

③ 즉결심판절차에서는 공소장일본주의가 적용된다.

④ 즉결심판에 불복하는 피고인은 즉결심판의 선고 · 고지를 받은 날부터 7일 이내에 정식재판청구서를 경찰서장에게 제출하여야 한다.

| 해설 ① 제454조
② 대결 2017.7.27, 2017모1557
③ 경찰서장은 즉결심판의 청구와 동시에 즉결심판을 함에 필요한 서류 또는 증거물을 판사에게 제출하여야 한다(즉결심판절차법 제4조). 따라서 즉결심판절차에서는 공소장일본주의가 적용되지 아니한다.
④ 즉결심판절차법 제14조 제1항

Answer 10. ① 11. ③

제3절 배상명령절차

THEMA 42 배상명령절차

<table>
<tr><td>의 의</td><td colspan="2">배상명령이란 법원이 직권 또는 피해자의 신청에 의하여 피고인에게 피고사건의 범죄행위로 인하여 발생한 손해의 배상을 명하는 절차를 말한다. 배상명령절차는 소송촉진 등에 관한 특례법에 규정되어 있다.</td></tr>
<tr><td rowspan="2">요 건</td><td>배상명령 대상</td><td>1. 형법상 상해죄, 중상해죄, 상해치사죄, 폭행치사상죄(존속폭행치사상은 제외), 11. 경찰승진, 12. 순경 과실치사상죄, 절도죄와 강도죄, 사기와 공갈죄, 횡령과 배임죄, 손괴죄(소송촉진 등에 관한 특례법 제25조 제1항 제1호)
2. 배상명령은 제1심 또는 제2심의 형사사건으로 유죄판결을 선고하는 경우에 한하여 가능하다(동법 제25조 제1항). 12. 순경 3차, 13. 순경 1차 따라서 무죄, 면소, 공소기각의 재판을 할 때에는 배상명령이 불가능하다. 13. 순경 1차, 13 · 16. 9급 법원직</td></tr>
<tr><td>배상명령 범위</td><td>배상명령의 범위는 피고사건으로 인하여 직접 발생한 물적 손해와 치료비 손해뿐만 아니라 정신적 손해에 대한 위자료도 포함된다. 09. 9급 국가직, 12. 경찰승진, 13. 순경 1차</td></tr>
<tr><td>배상명령 절차</td><td colspan="2">1. 검사는 배상명령 대상사건으로 공소를 제기한 경우에는 지체 없이 피해자 또는 그 법정대리인에게 배상신청을 할 수 있음을 통지하여야 한다(소송촉진 등에 관한 특례법 제25조의2). 13. 순경 1차
2. 법원의 직권 또는 피해자나 그 상속인의 신청에 의하여야 한다(동법 제25조 제1항). 10. 교정특채
▶ 법원의 직권에 의한 배상명령도 가능하다. (○) 11. 경찰승진, 12. 순경 3차, 13. 순경 1차, 11 · 15 · 16. 9급 법원직
3. 배상신청은 제1심 또는 제2심 공판의 변론종결시까지 사건이 계속된 법원에 신청할 수 있고 이 경우에 인지를 첨부할 필요는 없다(동법 제26조 제1항). 13. 순경 · 9급 법원직
▶ 즉결심판, 약식명령절차, 상고심에서는 배상명령신청 × 13. 9급 법원직, 11 · 24. 경찰승진
4. 배상명령신청은 서면 또는 구두(피해자가 증인으로 법정에 출석한 때)로 할 수 있다.
5. 신청인이 통지를 받고도 출석하지 아니한 때에는 그 진술 없이 재판할 수 있다(동법 제29조). 11 · 12 · 13. 9급 법원직, 12. 순경 3차, 13. 순경, 16. 경찰간부
6. 재판장의 허가를 받아 소송기록을 열람할 수 있고, 공판기일에 피고인이나 증인을 신문할 수 있으며, 그 밖에 필요한 증거를 제출할 수 있다(소촉법 제30조 제1항). 제1항의 허가를 하지 아니한 재판에 대하여는 불복을 신청하지 못한다(동법 제30조 제2항). 13. 순경 1차
7. 배상신청이 부적법하거나, 그 신청이 이유 없거나, 배상명령을 하는 것이 상당하지 않다고 인정되는 경우 법원은 결정으로 각하하여야 한다(동법 제32조 제1항). 16. 경찰간부, 21. 9급 법원직 유죄판결의 선고와 동시에 배상명령의 신청을 각하하는 재판을 할 때에는 이를 유죄판결의 주문에 표시할 수 있다(동조 제2항). 신청을 각하하거나 그 일부를 인용한 재판에 대해 신청인은 불복을 신청하지 못하며, 다시 동일한 배상신청을 할 수 없다(동법 제32조 제4항). 03. 순경, 09. 9급 국가직, 12. 순경 1차, 13. 9급 법원직
▶ 민사소송에 의한 손해배상은 청구 가능</td></tr>
</table>

05

	8. 배상명령은 유죄판결의 선고와 동시에 하여야 한다(동법 제31조 제1항). 13. 순경 다만, 배상명령의 이유는 특히 필요하다고 인정되는 경우가 아니면 이를 기재하지 아니한다(동조 제2항). 9. 피고인이 배상명령 자체에 대한 즉시항고에 의한 불복 가능 09. 9급 국가직, 10 · 13. 순경, 11. 9급 법원직 · 경찰승진
배상명령 확정효과	1. 확정된 배상명령이 기재된 유죄판결서의 정본은 집행력 있는 민사판결 정본과 동일한 효력이 있다(소송촉진 등에 관한 특례법 제34조 제1항). 23. 7급 국가직 2. 배상명령이 확정된 때에는 그 인용금액의 범위 안에서 피해자는 다른 절차에 의한 손해배상을 청구할 수 없다(동조 제2항).

01 **배상명령제도에 대한 설명으로 가장 적절하지 않은 것은?**(다툼이 있는 경우 판례에 의함)

20. 순경 2차

① 상소심에서 원심의 유죄판결을 파기하고 피고사건에 대하여 무죄, 면소 또는 공소기각의 재판을 할 때에는 원심의 배상명령을 취소하여야 한다.

② 배상신청을 각하하거나 그 일부를 인용한 재판에 대하여 신청인은 동일한 배상신청은 할 수 없으나, 불복신청은 할 수 있다.

③ 피고인이 재판과정에서 배상신청인과 민사적으로 합의하였다는 내용의 합의서를 제출하였을지라도 그 합의서 내용만으로는 피고인의 민사책임에 관한 구체적인 합의 내용을 알 수 없다면 사실심법원은 배상신청인이 처음 신청한 금액을 바로 인용할 수 없다.

④ 확정된 배상명령 또는 가집행선고가 있는 배상명령이 기재된 유죄판결서의 정본은 민사집행법에 따른 강제집행에 관하여는 집행력 있는 민사판결 정본과 동일한 효력이 있다.

| 해설 ① 소송촉진 등에 관한 특례법 제33조 제2항
② 배상신청을 각하하거나 그 일부를 인용한 재판에 대하여 신청인은 불복신청을 할 수 없으며, 동일한 배상신청을 할 수 없다(소송촉진 등에 관한 특례법 제32조 제4항).
③ 대판 2013.10.11, 2013도9616 ④ 소송촉진 등에 관한 특례법 제34조 제1항

02 **배상명령에 관한 다음 설명 중 가장 옳지 않은 것은?** 21. 9급 법원직

① 소송촉진 등에 관한 특례법 제25조 제1항에 따른 배상명령은 피고사건의 범죄행위로 발생한 직접적인 물적 피해, 치료비 손해와 위자료에 대하여 피고인에게 배상을 명함으로써 간편하고 신속하게 피해자의 피해회복을 도모하고자 하는 제도이다.

② 배상명령은 일정한 범죄에 관하여 유죄판결을 선고하는 경우에만 가능하므로, 무죄뿐만 아니라 면소 또는 공소기각의 재판을 하는 경우에는 배상명령을 할 수 없다.

③ 법원은 직권으로도 피고인에 대하여 배상명령을 할 수 있다.

Answer 1. ② 2. ④

④ 피고인의 배상책임 유무 또는 그 범위가 명백하지 아니한 때에는 배상명령을 하여서는 아니되고, 그와 같은 경우에는 소송촉진 등에 관한 특례법 제32조 제1항에 따라 기각하여야 한다.

| 해설 ① 대판 2019.1.17, 2018도17726
②③ 소송촉진 등에 관한 특례법 제25조 제1항, 제31조 제1항
④ 피고인의 배상책임의 유무 또는 그 범위가 명백하지 아니한 때에는 배상명령을 하여서는 아니되고, 그와 같은 경우에는 같은 법 제32조 제1항이 정하는 바에 따라 법원은 결정으로 배상명령 신청을 각하하여야 한다(대판 1996.6.11, 96도945).
▶ 각하란 형식적인 요건을 갖추지 못한 경우, 내용에 대한 판단 없이 소송을 종료하는 재판이고, 기각이란 형식적인 절차상 부적법은 없지만 그 내용이 이유가 없거나 타당하지 않을 때에 하는 재판이다.

03 다음 중 배상명령의 대상이 되지 않는 것은?

① 절도와 강도의 죄
② 사기와 공갈의 죄
③ 횡령과 배임의 죄
④ 약취와 유인의 죄

| 해설 배상명령의 대상이 될 수 있는 피고사건은 제한되어 있다(소송촉진 등에 관한 특례법 제25조 제1항).

- 형법상 상해죄, 중상해죄, 상해치사죄, 폭행치사상죄(존속폭행치사상은 제외), 과실치사상죄, 절도죄와 강도죄, 사기와 공갈죄, 횡령과 배임죄, 손괴죄(소송촉진 등에 관한 특례법 제25조 제1항 제1호)
- 성폭력범죄의 처벌 등에 관한 특례법 제10조부터 제13조까지, 제14조(제3조부터 제9조까지의 미수범은 제외한다), 아동 · 청소년의 성보호에 관한 법률 제9조, 제11조에 규정된 죄(동법 제25조 제1항 제2호)
- 제1호의 죄를 가중처벌하는 죄 및 그 죄의 미수범을 처벌하는 경우 미수의 죄(동법 제25조 제1항 제3호)

04 배상명령과 관련하여 가장 옳지 않은 것은?(다툼이 있으면 판례에 의함)

① 약식명령절차, 즉결심판절차, 소년보호사건에 대하여는 배상신청을 할 수 없다.
② 법원은 배상신청이 있을 때에는 신청인에게 공판기일을 알려야 하며, 신청인이 공판기일을 통지받고도 출석하지 아니하였을 때에는 신청인의 진술없이 재판할 수 있다.
③ 피해자는 피고사건의 범죄행위로 인하여 발생한 피해에 관하여 다른 절차에 의한 손해배상청구가 법원에 계속 중인 때에는 배상명령을 신청할 수 없지만, 신청 전에 이미 다른 손해배상청구가 받아들여져 집행권원이 생긴 경우에는 별도로 배상명령을 신청할 수 있다.
④ 존속폭행치사상의 죄에 대하여는 배상신청을 할 수 없다.

| 해설 ① 배상명령은 제1심 또는 제2심의 형사공판사건으로서 유죄판결을 선고하는 경우에 한하여 가능하다(소송촉진 등에 관한 특례법 제25조 제1항). ② 동법 제29조
③ 피해자는 피고사건의 범죄행위로 인하여 발생한 피해에 관하여 다른 절차에 따른 손해배상청구가 법원에 계속 중일 때에는 배상신청을 할 수 없다(동법 제26조 제7항). 배상명령제도는 범죄행위로 인하여 재산상 이익을 침해당한 피해자로 하여금 당해 형사소송절차 내에서 신속히 그 피해를 회복하게 하려는데 그 주된 목적이 있으므로 피해자가 이미 그 재산상 피해의 회복에 관한 집행권원을 가지고 있는 경우에는 이와 별도로 배상명령 신청을 할 이익이 없다(대판 1982.7.27, 82도1217). ④ 소송촉진 등에 관한 특례법 제25조 제1항

Answer 3.④ 4.③

05 배상명령절차에 대한 설명 중 가장 옳은 것은?

① 피고인은 유죄판결에 대해 상소를 제기함이 없이 배상명령에 대하여만 즉시항고를 할 수 있고, 이때 즉시항고의 제기기간은 3일이나, 즉시항고 제기 후 상소권자의 적법한 상소가 있는 때에는 즉시항고는 취하된 것으로 본다.

② 법원은 배상신청이 있을 때에는 신청인에게 공판기일을 알려야 한다. 배상신청인은 공판기일에 출석하여 피고인의 배상책임의 유무 또는 그 범위에 관하여 입증하여야 한다.

③ 배상명령이 확정된 때에는 그 인용금액의 범위 안에서 피해자는 다른 절차에 따른 손해배상을 청구할 수 없다.

④ 피해자는 제1심 또는 제2심 공판의 변론이 종결될 때까지 신청서에 인지를 첩부하여 사건이 계속된 법원에 피해배상을 신청할 수 있다.

| 해설 ① 즉시항고의 제기기간은 3일이 아니라 7일이다(소송촉진 등에 관한 특례법 제33조 제5항).
② 법원은 배상신청이 있을 때에는 신청인에게 공판기일을 알려야 한다는 것은 옳으나, 신청인이 공판기일을 통지받고도 출석하지 아니하였을 때에는 신청인의 진술 없이 재판할 수 있다(동법 제29조).
③ 동법 제34조 제2항
④ 인지를 붙이지 아니한다(동법 제26조 제1항).

06 배상명령에 관한 설명으로 옳지 않은 것은 몇 개인가?

㉠ 배상명령신청은 서면으로 함이 원칙이나, 피해자가 당해 형사사건의 증인으로 출석한 경우에는 구술로 신청을 할 수도 있다.
㉡ 항소심에서 원심의 유죄판결을 파기하고 공소기각의 재판을 하는 경우에는 원심의 배상명령을 취소하여야 하며, 취소하지 않더라도 취소된 것으로 간주한다.
㉢ 배상명령신청인은 공판절차를 현저히 지연시키지 않는 범위 안에서 재판장의 허가를 받아 소송기록을 열람할 수 있고, 공판기일에 피고인 또는 증인을 신문할 수 있다.
㉣ 피고인 또는 검사의 유죄판결에 대한 상소가 있으면 배상명령의 확정은 차단되고, 피고사건과 함께 상소심에 이심된다.
㉤ 소송촉진법 제26조 제7항에 따르면 피해자는 피고사건의 범죄행위로 발생한 피해에 관하여 다른 절차에 따른 손해배상청구가 법원에 계속 중일 때에도 배상신청을 할 수 있으며, 그러한 경우에는 법원은 결정으로 배상명령을 유죄판결의 선고와 동시에 하여야 한다.

① 1개 ② 2개 ③ 3개 ④ 4개

| 해설 ㉠ ○ ㉡ ○ : 소송촉진 등에 관한 특례법 제33조 제2항
㉢ ○ : 동법 제30조 제1항
㉣ ○ : 동법 제33조 제1항
㉤ × : 소송촉진법 제26조 제7항에 따르면 피해자는 피고사건의 범죄행위로 발생한 피해에 관하여 다른 절차에 따른 손해배상청구가 법원에 계속 중일 때에는 배상신청을 할 수 없다. 그러한 경우에는 법원은 결정으로 배상명령신청을 각하해야 한다(대판 2022.7.28, 2020도12279).

Answer 5. ③ 6. ①

07 **배상명령에 관한 설명 중 가장 옳은 것은?**(다툼이 있는 경우 판례에 의함) 20. 경찰간부

① 배상명령의 신청인은 공판절차를 현저히 지연시키지 아니하는 범위에서 재판장의 허가를 받아 소송기록을 열람할 수 있다. 이때 법원의 허가를 받지 못한 때에는 불복신청이 가능하다.

② 피해자는 피고사건의 범죄행위로 인하여 발생한 피해에 관하여 다른 절차에 의한 손해배상청구가 법원에 계속 중인 때에는 배상신청을 할 수 없다.

③ 배상명령은 긴급을 요하는 경우 유죄판결 선고 이전에도 할 수 있으며, 가집행할 수 있음을 선고할 수도 있다.

④ 배상신청인은 공판기일에 출석하여 피고인의 배상책임의 유무 또는 그 범위에 관하여 입증하여야 한다.

| 해설 ① 법원의 허가를 받지 못한 때에는 불복을 신청하지 못한다(소송촉진 등에 관한 특례법 제30조 제1항 · 제2항). ② 동법 제26조 제7항
③ 배상명령은 유죄판결의 선고와 동시에 하여야 한다(동법 제31조 제1항). 배상명령은 가집행할 수 있음을 선고할 수 있다(동법 제31조 제3항).
④ 법원은 필요한 때에는 언제든지 피고인의 배상책임 유무와 그 범위를 인정함에 필요한 증거를 조사할 수 있다. 법원은 피고사건의 범죄사실에 관한 증거를 조사할 경우 피고인의 배상책임 유무와 그 범위에 관련된 사실을 함께 조사할 수 있다(소송촉진 등에 관한 특례규칙 제24조 제1항 · 제2항).

05

08 **배상명령에 관한 설명으로 옳지 않은 것은 몇 개인가?**

㉠ 배상명령은 유죄판결의 선고와 동시에 하여야 한다.
㉡ 법원은 직권에 의하여 또는 피해자나 그 상속인의 신청에 의하여 피고사건의 범죄행위로 인하여 발생한 직접적인 물적 피해와 치료비 손해 및 위자료의 배상을 명할 수 있다.
㉢ 배상명령의 신청인은 공판절차를 현저히 지연시키지 아니하는 범위에서 재판장의 허가를 받아 소송기록을 열람할 수 있다. 이때 법원의 허가를 받지 못한 때에는 불복신청이 가능하다.
㉣ 검사는 배상명령 대상사건으로 공소를 제기한 경우에는 지체 없이 피해자 또는 그 법정대리인에게 배상신청을 할 수 있음을 통지하여야 한다.
㉤ 생명과 신체를 침해하는 범죄에 의하여 발생한 기대이익의 상실은 배상명령 대상이 아니다.
㉥ 배상명령제도는 공판절차를 거친 경우에만 허용되고, 즉결심판 청구의 경우에는 허용되지 아니한다.

① 1개 ② 2개 ③ 3개 ④ 4개

| 해설 ㉠ ○ : 소송촉진 등에 관한 특례법 제31조 제1항
㉡ ○ : 동법 제25조 제1항
㉢ × : 불복신청이 불가능하다(동법 제30조 제2항).
㉣ ○ : 동법 제25조의 2
㉤ ○ : 동법 제25조 제1항
㉥ ○ : 배상명령은 제1심 또는 제2심의 형사사건으로 유죄판결을 선고하는 경우에 가능하므로 즉결심판절차에서는 허용되지 아니한다(동법 제25조 제1항).

Answer 7.② 8.①

09 **배상명령에 대한 설명으로 옳지 않은 것은?** 23. 7급 국가직

① 법원은 배상명령으로 인하여 공판절차가 현저히 지연될 우려가 있다고 인정되는 경우에는 배상명령을 하여서는 아니 된다.

② 범죄행위로 인하여 재산상 이익을 침해당한 피해자가 이미 그 재산상 피해의 회복에 관한 채무명의를 가지고 있는 경우에도 이와 별도로 배상명령을 신청할 이익이 있다.

③ 피고인은 유죄판결에 대하여 상소를 제기하지 아니하고 배상명령에 대하여만 상소제기기간에 형사소송법에 따른 즉시항고를 할 수 있고, 즉시항고 제기 후 상소권자의 적법한 상소가 있는 경우에는 즉시항고는 취하된 것으로 본다.

④ 확정된 배상명령 또는 가집행선고가 있는 배상명령이 기재된 유죄판결서의 정본은 민사집행법에 따른 강제집행에 관하여 집행력있는 민사판결 정본과 동일한 효력이 있다.

| 해설 ① 소송촉진 등에 관한 특례법 제25조 제3항 제4호
② 배상명령제도는 범죄행위로 인하여 재산상 이익을 침해당한 피해자로 하여금 당해 형사소송절차 내에서 신속히 그 피해를 회복하게 하려는데 그 주된 목적이 있으므로 피해자가 이미 그 재산상 피해의 회복에 관한 채무명의를 가지고 있는 경우에는 이와 별도로 배상명령 신청을 할 이익이 없다(대판 1982.7.27, 82도1217). ③ 동법 제33조 제5항 ④ 동법 제34조 제1항

10 **배상명령에 관한 설명으로 가장 적절한 것은?**(다툼이 있는 경우 판례에 의함) 24. 경찰승진

① 피해자는 약식절차 또는 즉결심판절차에서 배상신청을 할 수 있다.

② 재산상 이익을 침해당한 피해자가 그 재산상 피해의 회복에 관한 채무명의(집행권원)를 이미 가지고 있는 경우라 하더라도, 이와 별도로 배상신청을 할 이익이 없는 것은 아니다.

③ 피고인이 재판과정에서 배상신청인과 민사적으로 합의하였다는 내용의 합의서를 제출하였다면, 그 합의서 기재 내용만으로는 배상신청인이 변제를 받았는지 여부 등 피고인의 민사책임에 관한 구체적인 합의 내용을 알 수 없다 하더라도 사실심법원은 배상신청인이 처음 신청한 금액을 바로 인용하여야 한다.

④ 법원은 배상신청이 있을 때에는 신청인에게 공판기일에 알려야 하고, 신청인이 공판기일을 통지받고도 출석하지 않은 경우에는 신청인의 진술 없이 재판할 수 있다.

| 해설 ① 배상명령은 제1심 또는 제2심의 형사사건으로 유죄판결을 선고하는 경우에 한하여 가능하다(소송촉진 등에 관한 특례법 제25조 제1항). 따라서 피해자는 약식절차 또는 즉결심판절차에서 배상신청을 할 수 없다. ② 배상명령제도는 범죄행위로 인하여 재산상 이익을 침해당한 피해자로 하여금 당해 형사소송절차 내에서 신속히 그 피해를 회복하게 하려는데 그 주된 목적이 있으므로 피해자가 이미 그 재산상 피해의 회복에 관한 채무명의를 가지고 있는 경우에는 이와 별도로 배상명령 신청을 할 이익이 없다(대판 1982.7.27, 82도1217). ③ 피고인이 재판과정에서 배상신청인과 민사적으로 합의하였다는 내용의 합의서를 제출하였고, 합의서 기재 내용만으로는 배상신청인이 변제를 받았는지 여부 등 피고인의 민사책임에 관한 구체적인 합의 내용을 알 수 없다면, 사실심법원으로서는 배상신청인이 처음 신청한 금액을 바로 인용할 것이 아니라 구체적인 합의 내용에 관하여 심리하여 피고인의 배상책임의 유무 또는 그 범위에 관하여 살펴보는 것이 합당하다(대판 2013.10.11, 2013도9616).
④ 소송촉진 등에 관한 법률 제29조 제1항 · 제2항

Answer 9. ② 10. ④

제4절 소년범의 형사절차

THEMA 43 소년범의 형사절차

소년의 의의	소년이란 19세 미만자를 말한다. 소년에 대한 형사사건의 처리는 원칙적으로 일반형사사건의 예에 따라서 형사소송법이 적용될 것이지만(소년법 제48조), 소년법에 특별규정을 두고 있다(동법 제1조).
소년의 종류	• 범죄소년 : 죄를 범한 14세 이상 19세 미만의 소년 • 촉법소년 : 형벌법령에 저촉되는 행위를 한 10세 이상 14세 미만 소년(형벌 ×, 보호처분 ○) • 우범소년 : 형벌법령에 저촉되는 행위를 할 우려가 있는 10세 이상 19세 미만 소년
사건송치	1. 범죄사건이 아닌 기타의 소년비행사건은 경찰서장이 직접 관할 소년부에 송치하여야 한다(소년법 제4조 제2항). 09. 7급 국가직, 10. 순경, 11. 경찰승진 2. 검사는 소년에 대한 피의사건을 수사한 결과 보호처분에 해당하는 사유가 있다고 인정한 때에는 사건을 지방법원 또는 가정법원의 관할소년부에 송치하여야 한다(동법 제49조 제1항). 09. 7급 국가직, 10. 경찰승진 · 순경 3. 소년부는 위 2.에 따라 송치된 사건을 조사 또는 심리한 결과 그 동기와 죄질이 금고 이상의 형사처분을 할 필요가 있다고 인정할 때에는 결정으로써 해당 검찰청 검사에게 송치할 수 있다<임의적 송치>(동조 제2항). 10. 경찰승진, 14. 경찰간부 4. 소년부는 소년보호사건을 조사 · 심리한 결과 금고 이상의 형에 해당하는 범죄사실이 발견된 경우에 그 동기와 죄질이 형사처분의 필요가 있다고 인정한 때, 본인이 19세 이상인 것이 발견된 때에는 결정으로 관할지방법원에 대응한 검찰청 검사에게 송치하여야 한다(동법 제7조 제1항). 5. 수소법원은 소년에 대한 피고사건을 심리한 결과 보호처분에 해당하는 사유가 있다고 인정한 때에는 결정으로 사건을 관할소년부에 송치하여야 한다(동법 제50조). 09. 7급 국가직, 10. 순경, 11. 경찰승진, 14. 경찰간부
소년 형사절차 특칙	1. 소년범 ⇨ 구속영장은 부득이한 경우가 아니면 발부 ×, 10. 순경 분리수용(동법 제55조 제1항 · 제2항) 2. 검사는 소년의 피의자에 대하여 조건부기소유예를 할 수 있다. 이 경우 소년과 소년의 친권자 · 후견인 등 법정대리인의 동의를 받아야 한다(동법 제49조의 3). 3. 소년보호처분을 받은 사건에 대해서는 검사는 다시 공소를 제기할 수 없다(동법 제53조). 4. 소년부판사가 보호사건심리개시결정이 있었던 때로부터 사건에 대한 보호처분의 결정이 확정될 때까지 공소시효는 그 진행이 정지된다(동법 제54조). 5. 소년의 형사범에 대한 공소가 제기되면 원칙적으로 성인에 대한 공소제기의 경우와 같이 형사소송법에 의하여 공판절차가 진행된다. 6. 소년형사사건은 공개가 원칙이나, 소년보호사건의 심리는 비공개가 원칙이다(동법 제24조). 7. 범죄 당시 18세 미만 소년에 대하여는 사형 또는 무기형으로 처할 것인 때에는 15년의 유기징역으로 한다(동법 제59조). 11. 경찰승진, 13. 9급 법원직

05

8. 소년이 법정형 장기 2년 이상의 유기형에 해당하는 죄를 범한 때에는 장기 10년, 단기 5년의 범위 내에서 장기와 단기를 정하여 선고한다(동법 제60조 제1항). 03 · 06 · 11. 경찰승진, 13. 9급 법원직
9. 재판당시 18세 미만인 소년에 대하여 벌금 또는 과료를 선고하는 경우에 벌금액 또는 과료액의 미납에 대비한 노역장 유치의 선고를 하지 못한다(동법 제62조). 06 · 10 · 11. 경찰승진
10. 보호처분의 계속 중에 징역, 금고 또는 구류의 선고를 받은 소년에 대하여는 먼저 그 형을 집행한다(동법 제64조).
11. 소년이 형의 집행 중에 23세에 달한 때에는 일반교도소에서 집행할 수 있다(동법 제63조).
12. 징역 또는 금고의 선고를 받은 소년에 대하여는 ① 무기형에는 5년, ② 15년의 유기형에는 3년, ③ 부정기형에는 단기의 3분의 1이 경과하면 가석방을 허가할 수 있다(동법 제65조). 05. 순경, 10 · 11. 경찰승진, 15. 경찰간부

01 소년의 형사절차와 관련된 설명 중 가장 옳지 않은 것은? 13. 9급 법원직

① 범죄 당시 18세 미만인 소년에 대하여 사형 또는 무기형으로 처할 경우에는 15년의 유기징역으로 한다.

② 18세 미만인 소년에게는 형법 제70조(노역장유치)에 따른 유치선고를 하지 못하고, 판결선고 전 구속되었다고 하더라도 그 구속기간을 노역장에 유치된 것으로 산정할 수 없다.

③ 항소심판결 선고 당시 미성년이었던 피고인이 상고 이후에 성년이 되었다고 하여 항소심의 부정기형의 선고가 위법하게 되는 것은 아니다.

④ 소년이 법정형으로 장기 2년 이상의 유기형에 해당하는 죄를 범한 경우에는 그 형의 범위에서 장기와 단기를 정하여 선고하되, 장기는 10년, 단기는 5년을 초과하지 못한다.

| 해설 ① 소년법 제59조

② 판결선고 전에 구속되었을 때에는 구속기간에 해당하는 기간은 노역장에 유치된 것으로 보아 형법 제57조를 적용할 수 있다(소년법 제62조).

③ 대판 1998.2.27, 97도3421

④ 소년법 제60조 제1항

02 소년법상 소년범에 대한 형사절차 내용으로 가장 적절한 것은?(다툼이 있는 경우 판례에 의함) 17. 순경 2차

① 18세 미만의 소년피고인에 대해서도 원칙적으로 벌금형의 환형유치는 허용된다.

② 소년피고인에 대하여는 형의 집행유예가 허용되지 않는다.

③ 항소심판결 당시 피고인이 미성년이었으나 상고심 계속 중에 성년이 된 경우 항소심의 부정기형 선고는 위법이 된다.

Answer 1. ② 2. ④

④ 형벌법령에 저촉되는 행위를 한 10세 이상 14세 미만의 소년이 있는 때 경찰서장은 직접 관할 소년부에 송치하여야 한다.

| 해설 ① 18세 미만의 소년에 대해서는 원칙적으로 벌금형의 환형유치는 허용되지 아니한다(소년법 제62조).
② 소년피고인에 대하여도 형의 집행유예가 허용된다(소년법 제60조 제3항 참조).
③ 상고심에서의 심판대상은 항소심판결 당시를 기준으로 하여 그 당부를 심사하는 데에 있는 것이므로 항소심판결 선고 당시 미성년이었던 피고인이 상고 이후에 성년이 되었다고 하여 항소심의 부정기형의 선고가 위법이 되는 것은 아니다(대판 1998.2.27, 97도3421).
④ 소년법 제4조 제2항

03 **소년사건절차에 관한 설명 중 가장 옳지 않은 것은?**(다툼이 있으면 판례에 의함) 19. 경찰간부

① 형벌 법령에 저촉되는 행위를 한 피의자가 10세 이상 14세 미만의 소년으로 밝혀진 경우 경찰서장은 사건을 직접 관할소년부에 송치하여야 한다.
② 보호처분이 계속 중일 때에 징역, 금고 또는 구류의 선고를 받은 소년에 대하여는 먼저 그 형을 집행한다.
③ 보호처분을 받은 소년에 대하여는 그 심리가 결정된 사건은 다시 공소제기 할 수 없으나, 다만 보호처분 계속 중 본인이 처분당시에 19세 이상인 것이 판명된 경우에는 공소제기 할 수 있다.
④ 18세 미만인 소년에게는 형법 제70조(노역장유치)에 따른 유치선고를 하지 못하고, 판결 선고 전 구속되었다고 하더라도 그 구속기간을 노역장에 유치된 것으로 산정할 수 없다.

| 해설 ① 소년법 제4조 제2항 ② 소년법 제64조 ③ 소년법 제53조
④ 18세 미만인 소년에게는 유치선고를 하지 못한다. 다만, 판결선고 전 구속된 경우에는 그 구속기간에 해당하는 기간은 노역장에 유치된 것으로 보아 형법 제57조를 적용할 수 있다(소년법 제62조).

04 **소년사건에 대한 설명으로 가장 적절한 것은?**(다툼이 있는 경우 판례에 의함) 20. 순경 2차

① 소년법 제60조 제2항의 적용대상인 '소년'인지 여부는 범죄 행위시를 기준으로 판단한다.
② 검사는 소년과 소년의 친권자·후견인 등 법정대리인의 동의가 없더라도 피의자에 대하여 범죄예방자원봉사위원회의 선도, 소년의 선도·교육과 관련된 단체·시설에서의 상담·교육·활동 등에 해당하는 선도 등을 받게 하고, 피의사건에 대한 공소를 제기하지 아니할 수 있다.
③ 소년법 제18조 제1항 제3호에 따른 소년분류심사원에 위탁하는 임시조치에 따른 위탁기간은 형법 제57조 제1항의 판결 선고 전 구금일수에 포함되지 않는다.
④ 징역 또는 금고를 선고받은 소년에 대하여는 특별히 설치된 교도소 또는 일반 교도소 안에 특별히 분리된 장소에서 그 형을 집행한다. 다만, 소년이 형의 집행 중에 23세가 되면 일반 교도소에서 집행할 수 있다.

Answer 3. ④ 4. ④

| 해설 | ① 소년법 제60조 제2항의 적용대상인 '소년'인지 여부는 사실심판결 선고시를 기준으로 판단한다(대판 2009.5.28, 2009도2682).
② 법정대리인의 동의가 필요하다(소년법 제49조의 3).
③ 소년법 제18조 제1항 제3호의 조치가 있었을 때에는 그 위탁기간은 형법 제57조 제1항의 판결선고 전 구금일수로 본다(소년법 제61조).
④ 소년법 제63조

05 소년형사사건에 관한 설명 중 옳은 것은?(다툼이 있으면 판례에 의함)

① 소년이었을 때 범한 죄에 의하여 형을 선고받은 자가 그 집행을 종료하거나 면제받은 경우 자격에 관한 법령을 적용할 때에는 장래에 향하여 형의 선고를 받지 아니한 것으로 본다. 그러나 선고유예나 집행유예의 경우는 그 적용이 배제된다.
② 소년법상 소년인 피고인에 대해서는 사형이 허용되지 않으며, 공판절차의 정지가 허용되지 않는다.
③ 항소심판결 당시 피고인이 미성년이었으나 상고심 계속 중에 성년이 된 경우 항소심의 부정기형 선고는 위법이 된다.
④ 검사가 소년부에 송치한 사건을 소년부에서 조사 또는 심리한 결과, 그 동기와 죄질이 금고 이상의 형사처분을 할 필요가 있다고 인정한 경우에는 사건을 검사에게 송치할 수 있다.

| 해설 | ① 소년이었을 때 범한 죄에 의하여 형을 선고받은 자가 그 집행을 종료하거나 면제받은 경우, 형의 선고유예나 집행유예를 선고받은 경우 자격에 관한 법령을 적용할 때 장래에 향하여 형의 선고를 받지 아니한 것으로 본다(소년법 제67조 제1항). 제1항에도 불구하고 형의 선고유예가 실효되거나 집행유예가 실효 · 취소된 때에는 그 때에 형을 선고받은 것으로 본다(동조 제2항). 〈개정 2018. 9. 18〉

▶ 헌법재판소는, 소년법 제67조는 집행유예보다 중한 실형을 선고받고 집행이 종료되거나 면제된 경우에는 자격에 관한 법령의 적용에 있어 형의 선고를 받지 아니한 것으로 본다고 하여 공무원 임용 등에 자격제한을 두지 않으면서 집행유예를 선고받은 경우에 대해서는 이와 같은 특례조항을 두지 아니하여 불합리한 차별을 야기하고 있으므로 이는 평등원칙에 위반된다는 결정을 내린 바 있다(헌재결 2018.1.25, 2017헌가7). 이러한 헌법불합치결정으로 인하여 소년법 제67조가 일부 개정되었다.

② 죄를 범할 당시 18세 미만인 소년에 대하여 사형 또는 무기형으로 처할 경우에는 15년의 유기징역으로 하므로, 죄를 범할 당시 18세의 소년에 대하여는 사형을 선고하는 것이 가능하다(소년법 제59조). 소년에 대한 형사사건에 관하여는 소년법에 특별한 규정이 없으면 일반 형사사건의 예에 따르므로(소년법 제48조), 소년피고인에 대하여는 공판절차의 정지가 허용된다.
③ 상고심에서의 심판대상은 항소심판결 당시를 기준으로 하여 그 당부를 심사하는 데에 있는 것이므로 항소심판결 선고 당시 미성년이었던 피고인이 상고 이후에 성년이 되었다고 하여 항소심의 부정기형의 선고가 위법이 되는 것은 아니다(대판 1998.2.27, 97도3421).
④ 소년법 제49조 제2항

Answer 5. ④

06 **소년형사사범에 대한 형사절차상의 특칙을 설명한 것 중 가장 옳지 않은 것은?** 14. 경찰간부

① 19세 미만인 소년에 대하여는 벌금 또는 과료를 선고하는 경우에 벌금액 또는 과료액의 미납에 대비한 노역장유치의 선고를 하지 못한다.

② 검사는 소년에 대한 피의사건을 수사한 결과 보호처분에 해당하는 사유가 있다고 인정한 경우에는 사건을 관할 소년부에 송치하여야 한다. 이에 따라서 소년부에 송치된 사건을 조사 또는 심리한 결과 그 동기와 죄질이 금고 이상의 형사처분을 할 필요가 있다고 인정할 때에는 결정으로써 해당 검찰청 검사에게 송치할 수 있다. 이때 송치된 사건은 다시 소년부에 송치할 수 없다.

③ 법원은 소년에 대한 피고사건을 심리한 결과 보호처분에 해당할 사유가 있다고 인정하면 결정으로써 사건을 관할 소년부에 송치하여야 한다.

④ 검사는 피의자에 대하여 범죄예방자원봉사위원의 선도(善導) 등을 받게 하고, 피의사건에 대한 공소를 제기하지 아니할 수 있다. 이 경우 소년과 소년의 친권자·후견인 등 법정대리인의 동의를 받아야 한다.

| 해설 ① 노역장유치선고가 불가능한 연령은 선고 당시 18세 미만의 소년이다(소년법 제62조).
② 소년법 제49조 ③ 소년법 제50조 ④ 소년법 제49조의 3

05

07 **소년형사사건에 관한 설명 중 틀린 것은?**(판례에 의함)

① 상고심에서의 심판대상은 항소심판결 당시를 기준으로 하여 그 당부를 심사하는 데에 있는 것이므로 항소심판결 선고 당시 미성년이었던 피고인이 상고 이후에 성년이 되었다고 하여 항소심의 부정기형의 선고가 위법이 되는 것은 아니다.

② 선고 당시 아직 미성년자인 피고인에 대하여 유기징역형을 선택한 후 경합범가중을 하여 징역 20년을 선고한 것이 소년이 법정형 장기 2년 이상의 유기형에 해당하는 죄를 범한 때에는 장기와 단기를 정하여 선고하되 장기는 10년, 단기는 5년을 초과할 수 없도록 제한한 소년법 제60조 제1항에 위반된다.

③ 무기 또는 10년 이상의 징역이 법정되어 있는 죄를 저질렀다고 인정하고 그 법정형 중에서 무기징역을 선택한 후 작량감경한 결과 피고인에게 유기의 징역형을 선고하게 되었을 경우에는 소년법 제54조(현 제60조)에 의한 부정기형을 선고할 수 없다.

④ 항소심이 미성년자에 대하여 부정기형을 선고해야 함에도 불구하고 성년자로 오인하고 정기형 선고의 위법을 저지른 경우, 상고심 선고 당시 나이가 성년에 달하였더라도 상고심은 파기환송하든지 아니면 파기자판을 해서 부정기형 선고로 바뀌어야 할 것이다.

| 해설 ① 대판 1998.2.27, 97도3421
② 대판 1991.3.8, 90도2826
③ 대판 1983.4.26, 83도210

Answer 6.① 7.④

④ 항소심이 미성년자에 대하여 부정기형을 선고해야 함에도 불구하고 성년자로 오인하고 정기형 선고의 위법을 저지른 경우, 상고심은 파기환송하든지 아니면 파기자판을 해서 부정기형 선고로 바꾸어야 할 것이다. 그런데 상고심 선고 당시 나이가 성년에 달하였다면 파기환송하게 되더라도 환송심에서 선고 당시 나이가 성년에 달하므로 정기형을 선고할 수밖에 없을 것이므로, 상고심에서 파기환송하지 않고 파기자판을 하는 경우 부정기형을 선고한 제1심까지 모두 파기하고 정기형을 선고하여야 한다(대판 1981.12.8, 81도2414).

08 소년사건절차에 관한 설명 중 옳지 않은 것은 모두 몇 개인가?(다툼이 있으면 판례에 의함)

㉠ 소년 피고인에 대해서도 형의 집행유예나 선고유예를 선고할 수 있으나 이 경우에는 부정기형을 선고할 수 없다.
㉡ 보호처분을 받은 소년에 대하여는 그 심리가 결정된 사건은 어떠한 경우에도 다시 공소를 제기하거나 소년부에 송치할 수 없다.
㉢ 소년법의 적용을 받으려면 심판시에 19세 미만이어야 하고, 이는 '소년'의 범위를 20세 미만에서 19세 미만으로 축소한 개정 법률이 시행되기 전에 범행을 저질렀고 20세가 되기 전에 판결이 선고되었다 해서 달라지지 않는다.
㉣ 성폭력범죄를 범한 자가 소년인 경우에는 반드시 보호관찰을 명하여야 한다.
㉤ 징역 또는 금고의 선고를 받은 소년에 대하여 15년의 유기형에는 3년이 경과하면 가석방을 허가할 수 있다.
㉥ 소년에 대한 형사사건의 심리는 공개하나 소년보호사건의 심리는 비공개가 원칙이다.

① 1개 ② 2개 ③ 3개 ④ 4개

해설 ㉠ ○ : 소년법 제60조 제3항

㉡ × : 예외적으로 소년법 제38조 제1항 제1호의 경우는 다시 공소제기할 수 있다(소년법 제53조 단서).

▶ 제38조 제1항 : 보호처분이 계속 중일 때에 사건 본인이 처분 당시 19세 이상인 것으로 밝혀진 경우에는 소년부 판사는 결정으로써 그 보호처분을 취소하고 다음의 구분에 따라 처리하여야 한다.
제1호 : 검사 · 경찰서장의 송치 또는 제4조 제3항의 통고(소년보호대상 소년을 발견한 보호자 또는 학교 · 사회복리시설 · 보호관찰소의 장은 이를 관할 소년부에 통고할 수 있다는 규정)에 의한 사건인 경우에는 관할지방법원에 대응하는 검찰청검사에 송치한다.

㉢ ○ : '소년'의 범위를 20세 미만에서 19세 미만으로 축소한 소년법 개정법률이 시행되기 전에 범행을 저질렀고(범행당시 19세), 20세가 되기 전에 판결이 선고된 경우에도 개정소년법이 적용되므로 항소심판결 선고 당시 19세인 피고인이 소년법상의 '소년'에 해당하지 않는다고 하여, 제1심의 부정기형에 대해 정기형을 선고한 것은 정당하다(대판 2009.5.28, 2009도2682 ; 2009전도7).

㉣ ○ : 성폭력범죄처벌 등에 관한 특례법 제16조 제1항

㉤ ○ : 소년법 제65조 제2호

㉥ ○ : 소년에 대한 형사사건은 소년법에 특별한 규정이 없는 한 형사소송법이 적용되므로(소년법 제48조), 소년에 대한 형사사건의 심리와 재판도 원칙적으로 공개하여야 한다(헌법 제109조, 법원조직법 제57조 제1항). 소년보호사건의 경우는 형사처벌을 하는 절차가 아니므로 비공개가 원칙이다(소년법 제24조).

Answer 8. ①

09 **다음 중 소년사건의 처리절차에 대한 설명으로 가장 옳지 않은 것은?** 24. 해경승진

① 형벌 법령에 저촉되는 행위를 한 피의자가 10세 이상 14세 미만의 소년으로 밝혀진 경우 경찰서장은 사건을 직접 관할 소년부에 송치하여야 한다.

② 보호처분이 계속 중일 때에 징역, 금고 또는 구류를 선고받은 소년에 대하여는 먼저 그 형을 집행한다.

③ 소년이었을 때 범한 죄에 의하여 형의 선고유예를 선고받은 경우, 자격에 관한 법령을 적용할 때 장래에 향하여 형의 선고를 받지 아니한 것으로 보는데, 이는 형의 선고유예가 실효된 경우에도 마찬가지이다.

④ 보호처분을 받은 소년에 대하여는 그 심리가 결정된 사건은 다시 공소제기 할 수 없으나, 다만 보호처분 계속 중 본인이 처분 당시에 19세 이상인 것이 판명된 경우에는 공소제기 할 수 있다.

| 해설 ① 소년법 제4조 제2항

② 동법 제64조

③ 형의 선고유예가 실효되거나 집행유예가 실효・취소된 때에는 그 때에 형을 선고받은 것으로 본다(동법 제67조 제2항).

④ 동법 제53조

05

10 **소년범의 형사절차에 관한 설명으로 가장 적절하지 않은 것은?**(다툼이 있는 경우 판례에 의함) 24. 경찰승진

① 항소심판결 선고 당시 성년이 되었음에도 불구하고 정기형을 선고함이 없이 부정기형을 선고한 제1심판결을 인용하여 항소를 기각한 것은 적법하다.

② 항소심판결 선고 당시 피고인이 소년이어서 부정기형이 선고되었다면, 그 후에 피고인이 성년이 되었다고 하더라도 부정기형을 선고한 항소심판결을 파기할 사유가 되지 않는다.

③ 공소장의 공소사실 첫머리에 피고인이 전에 받은 소년부송치 처분과 직업 없음을 기재한 경우, 이는 피고인을 특정할 수 있는 사항에 속하는 것이어서 그와 같은 내용의 기재가 있다 하여 공소제기의 절차가 법률의 규정에 위반된 것이라고 할 수 없다.

④ 부정기형과 실질적으로 동등하다고 평가될 수 있는 정기형은 부정기형의 장기와 단기의 정중앙에 해당하는 형이다.

| 해설 ① 항소심판결 선고당시 성년이 되었음에도 불구하고 정기형을 선고함이 없이 부정기형을 선고한 제1심판결을 인용하여 항소를 기각한 것은 위법하다(대판 1990.4.24, 90도539).

② 대판 1998.2.27, 97도3421

③ 대판 1990.10.16, 90도1813

④ 대판 2020.10.22, 2020도4140 전원합의체

Answer 9. ③ 10. ①

CHAPTER

04 재판의 집행과 형사보상

제1절 재판의 집행

THEMA 44

재판의 집행에 관한 설명으로 옳지 않은 것은?

① 형집행장은 검사가 발부한다.

② 재판의 집행은 그 재판을 한 법원에 대응한 검찰청 검사가 지휘한다.

③ 사형은 검찰총장의 명령에 의하여 집행한다.

④ 징역, 금고 또는 구류의 선고를 받은 자가 심신의 장애로 의사능력이 없는 상태에 있는 때에는 심신장애가 회복될 때까지 형의 집행을 정지한다.

| 해설

① 사형, 징역, 금고 또는 구류의 선고를 받은 자가 구금되지 아니한 때에는 검사는 형을 집행하기 위하여 이를 소환하여야 한다(제473조 제1항). 소환에 응하지 아니한 때에는 검사는 형집행장을 발부하여 구인하여야 한다(동조 제2항).

② 재판의 집행은 그 재판을 한 법원에 대응한 검찰청 검사가 지휘한다(제460조 제1항).

③ 사형은 법무부장관의 명령에 의하여 집행한다. 사형집행명령은 판결이 확정된 날로 부터 6월 이내에 하여야 한다.

④ 제470조 제1항

» ③

01 재판의 집행에 관한 설명 중 옳지 않은 것은 몇 개인가?

> ㉠ 몰수물은 검사가 수의계약에 의하여 처분하여야 한다.
> ㉡ 우리 형사소송법상 형의 집행정지는 자유형뿐만 아니라 재산형에도 인정된다.
> ㉢ 노역장유치의 집행은 벌금 또는 과료의 재판이 확정된 후 30일 이내에는 집행할 수 없다.
> ㉣ 소송비용부담의 재판은 확정된 후 즉시 집행할 수 있다.

① 1개 ② 2개 ③ 3개 ④ 4개

| 해설 ㉠ × : 몰수물은 검사가 처분해야 한다(제483조).
㉡ × : 형사소송법상 형의 집행정지는 사형과 자유형에 인정되고 있다(제469조, 제470조).
㉢ ○ : 형법 제69조 제1항
㉣ × : 소송비용부담의 재판을 받은 자가 빈곤으로 인하여 이를 완납할 수 없는 때에는 그 재판이 확정된 후 10일 이내에 재판을 선고한 법원에 소송비용의 전부 또는 일부에 대한 재판의 집행면제를 신청할 수 있다(제487조). 이 신청기간 내에 신청이 있는 때에는 소송비용부담의 재판의 집행은 그 신청에 대한 재판이 확정될 때까지 정지된다(제472조).

05

02 재판의 집행과 관련한 형사소송법의 규정내용이 아닌 것은 몇 개인가?

> ㉠ 재판의 집행지휘는 언제나 재판서 또는 재판을 기재한 조서의 등본 또는 초본을 첨부한 서면으로 하여야 한다.
> ㉡ 사형집행의 명령은 판결이 확정된 날로부터 6월 이내에 하여야 하고, 법무부장관이 사형의 집행을 명한 때에는 5일 이내에 집행하여야 한다.
> ㉢ 상소권회복의 청구, 재심의 청구 또는 비상상고의 신청이 있는 때에는 그 절차가 종료할 때까지의 기간은 사형집행명령기간에 산입하지 아니한다.
> ㉣ 사형의 집행에는 법관·검사와 검찰청서기관과 교도소장 또는 구치소장이나 그 대리자가 참여하여야 한다.

① 1개 ② 2개 ③ 3개 ④ 4개

| 해설 ㉠ × : 재판의 집행지휘는 재판서 또는 재판을 기재한 조서의 등본 또는 초본을 첨부한 서면으로 하여야 한다. 단, 형의 집행을 지휘하는 경우 외에는 재판서의 원본, 등본이나 초본 또는 조서의 등본이나 초본에 인정하는 날인으로 할 수 있다(제461조).
㉡ ○ : 제465조, 제466조 ㉢ ○ : 제465조 제2항
㉣ × : 사형의 집행에는 검사와 검찰청서기관과 교도소장 또는 구치소장이나 그 대리자가 참여하여야 한다(제467조).

03 자유형의 집행에 있어 임의적 정지에 해당하는 사유가 아닌 것은? 02. 경찰승진

① 징역, 금고 또는 구류의 선고를 받은 자가 심신장애로 의사능력이 없는 상태에 있는 때
② 징역, 금고 또는 구류의 선고를 받은 자가 형의 집행으로 인하여 현저히 건강을 해하거나 생명을 보전할 수 없는 염려가 있는 때

Answer 1.③ 2.② 3.①

③ 징역, 금고 또는 구류의 선고를 받은 자가 출산 후 60일을 경과하지 아니한 때
④ 징역, 금고 또는 구류의 선고를 받은 자의 직계비속이 유년으로 보호할 다른 친족이 없는 때

| 해설 | ①은 필요적 집행정지사유에 해당한다(제470조 제1항). 자유형의 집행정지에는 검사가 반드시 자유형의 집행을 정지해야 하는 필요적 집행정지와 임의적 집행정지가 있다.

필요적 집행정지사유	임의적 집행정지사유
징역, 금고 또는 구류의 선고를 받은 자가 심신의 장애로 의사능력 없는 상태에 있는 때에 심신장애가 회복될 때까지 형의 집행을 정지한다(제470조 제1항).	징역, 금고 또는 구류의 선고를 받은 자에 대하여 다음 사유 중 하나일 때 집행을 정지할 수 있다(제471조 제1항). • 형의 집행으로 인하여 현저히 건강을 해하거나 생명을 보전할 수 없을 염려가 있는 때 • 연령 70세 이상인 때 • 잉태 후 6월 이상인 때 • 출산 후 60일을 경과하지 아니한 때 • 직계존속이 연령 70세 이상 또는 중병이나 장애인으로 보호할 다른 친족이 없는 때 • 직계비속이 유년으로 보호할 다른 친족이 없는 때 • 기타 중대한 사유가 있는 때

04 재판의 집행에 관한 설명 중 가장 옳은 것은? 07. 9급 법원직

① 사형, 징역, 금고 또는 구류의 선고를 받은 자가 구금되지 아니한 때에는 검사는 형을 집행하기 위하여 이를 소환하여야 하고, 소환에 응하지 아니한 때에는 검사는 재판을 선고한 법원으로부터 구인장을 발부받아 구인하여야 한다.
② 2개 이상의 형의 집행은 자격상실, 자격정지, 벌금, 과료와 몰수 외에는 가벼운 형을 먼저 집행하는 것이 원칙이다.
③ 사형의 선고를 받은 자가 심신의 장애로 의사능력이 없는 상태에 있는 때에는 법무부장관의 명령으로 집행을 정지하고, 심신장애의 회복 후 형을 집행한다.
④ 자유형의 집행은 형기를 준수하여야 하는데, 구속된 자에 대한 형기는 구금된 날로부터 기산한다.

| 해설 | ① 소환에 응하지 아니한 때에는 법원으로부터 구인장을 발부받을 것이 아니라 검사가 형집행장을 발부하여 구인하여야 한다(제473조 제2항).
② 중한 형을 먼저 집행한다(제462조).
③ 제469조
④ 자유형의 형기는 판결이 확정된 날로부터 기산한다(형법 제84조 제1항). 불구속 중인 자에 대한 형기는 형집행지휘서에 의하여 수감된 날로부터 기산하게 된다.

Answer 4. ③

05 재판의 집행에 대한 설명 중 옳은 것은?

12. 경찰간부

① 재판의 집행은 재판의 성질상 검사가 지휘할 경우를 제외하고는 그 재판을 한 법원의 법관이 한다.

② 2개 이상의 형의 집행은 경한 형을 먼저 집행한다.

③ 징역형의 선고를 받은 자가 심신장애로 의사능력이 없는 상태에 있는 때에는 형의 집행을 정지함이 없이 치료감호소로 위탁하여야 한다.

④ 본인의 연령이 70세 이상이거나 직계존속이 연령 70세 이상으로 보호할 다른 친족이 없는 때에는 형의 집행을 정지할 수 있다.

해설 ① 재판의 집행은 그 재판을 한 법원에 대응한 검찰청 검사가 지휘한다(제460조 제1항).
② 2개 이상의 형의 집행은 자격상실, 자격정지, 벌금, 과료와 몰수 외에는 그 중한 형을 먼저 집행한다(제462조).
③ 징역, 금고 또는 구류의 선고를 받은 자가 심신의 장애로 의사능력이 없는 상태에 있는 때에는 형을 선고한 법원에 대응한 검찰청검사 또는 형의 선고를 받은 자의 현재지를 관할하는 검찰청 검사의 지휘에 의하여 심신장애가 회복될 때까지 형의 집행을 정지한다(제470조 제1항). 전항의 규정에 의하여 형의 집행을 정지한 경우에는 검사는 형의 선고를 받은 자를 감호의무자 또는 지방공공단체에 인도하여 병원 기타 적당한 장소에 수용하게 할 수 있다(동조 제2항).
④ 제471조 제1항

05

06 형의 집행에 대한 설명으로 옳은 것은 몇 개인가?

㉠ 재판의 집행에 관한 검사의 처분에 불복이 있는 때에는 준항고의 방법에 의하여야 한다.
㉡ 자유형을 집행하는 경우와는 달리 벌금형을 집행하기 위해서는 형집행장을 요하지 않는다.
㉢ 형집행장의 집행에 관하여 피고인의 구속에 관한 규정을 준용하므로, 구속의 사유에 관한 형사소송법 제70조나 구속이유의 고지에 관한 형사소송법 제72조가 준용된다.
㉣ 사법경찰관리가 벌금형을 받은 사람을 그에 따르는 노역장유치의 집행을 위하여 구인시 형집행장의 제시 없이 구인할 수 있는 '급속을 요하는 때'란 애초 사법경찰관리가 적법하게 발부된 형집행장을 소지할 여유가 없이 형집행의 상대방을 조우한 경우 등을 가리킨다.

① 1개 ② 2개 ③ 3개 ④ 4개

해설 ㉠ ×: 재판의 집행을 받은 자 또는 그 법정대리인이나 배우자는 집행에 관한 검사의 처분이 부당함을 이유로 재판을 선고한 법원에 이의신청을 할 수 있다(제489조).
㉡ ○: 벌금형은 검사의 명령에 의하여 집행한다(제477조).
㉢ ×: 벌금형에 따르는 노역장유치는 실질적으로 자유형과 동일한 것으로서 그 집행에 대하여는 자유형의 집행에 관한 규정이 준용된다(형사소송법 제492조). 형사소송법 제475조는 이 경우 형집행장의 집행에 관하여 형사소송법 제1편 제9장에서 정하는 피고인의 구속에 관한 규정을 준용한다고 규정하고 있고, 여기서 형집행장의 집행에 관하여는 구속의 사유에 관한 형사소송법 제70조나 구속이유의 고지에 관한 형사소송법 제72조가 준용되지 아니한다(대판 2013.9.12, 2012도2349).
㉣ ○: 대판 2013.9.12, 2012도2349

Answer 5.④ 6.②

07 형의 집행에 대한 설명으로 옳지 않은 것은? 13. 9급 교정 · 보호 · 철도경찰

① 2개 이상의 형을 집행하는 경우에는 반드시 중한 형을 먼저 집행하여야 한다.

② 사형의 선고를 받은 자가 심신의 장애로 의사능력이 없는 상태에 있는 때에는 법무부장관은 사형의 집행을 정지하여야 한다.

③ 몰수형의 재판을 받은 자가 재판확정 후에 사망한 경우에는 상속재산에 대하여 몰수형을 집행할 수 있다.

④ 재판의 집행을 받은 자는 집행에 관한 검사의 처분이 부당함을 이유로 재판을 선고한 법원에 이의신청을 할 수 있다.

해설 ① 2 이상의 형의 집행은 자격상실, 자격정지, 벌금, 과료와 몰수 외에는 그 중한 형을 먼저 집행한다. 단, 검사는 소속장관의 허가를 얻어 중한 형의 집행을 정지하고 다른 형의 집행을 할 수 있다(제462조).
② 제469조 제1항 ③ 제478조 ④ 제489조

08 형의 집행에 대한 다음 설명 중 가장 옳지 않은 것은?(다툼이 있으면 판례에 의함) 16. 경찰간부

① 벌금 · 과료 또는 추징의 선고를 하는 경우에 가납의 판결이 있는 때에는 확정을 기다리지 않고 즉시 집행할 수 있다.

② 범죄 후 미국으로 도주하였다가 대한민국 정부와 미합중국정부간의 범죄인인도조약에 따라 미국에서 체포된 후 송환되어 구속되기까지의 기간은 형법 제57조에 의하여 본형에 산입될 미결구금일수에 해당하지 않는다.

③ 2개 이상의 형의 집행은 자격상실, 자격정지, 벌금, 과료와 몰수 외에는 그 중한 형을 먼저 집행하는 것이 원칙이다.

④ '벌금 미납자의 사회봉사 집행에 관한 특례법'은 벌금형이 확정된 벌금 미납자는 검사의 '납부명령일부터 30일 이내에' 사회봉사를 신청할 수 있다고 규정하고 있는바, 사회봉사 대체집행 신청을 할 수 있는 종기(終期)는 납부명령이 벌금 미납자에게 '고지된 날'이 아니라 검사의 납부 '명령일'로부터 30일이 되는 날이라고 해석하여야 한다.

해설 ① 제334조
② 대판 2009.5.28, 2009도1446
③ 제462조
④ '벌금 미납자의 사회봉사 집행에 관한 특례법'은 벌금 미납자에 대한 노역장 유치를 사회봉사로 대신하여 집행할 수 있는 제도를 새로 도입하면서, 벌금형이 확정된 벌금 미납자는 검사의 '납부명령일부터 30일 이내에' 사회봉사를 신청할 수 있다고 규정하고 있다(제4조 제1항). 여러 사정, 특히 특례법의 입법 취지 등을 종합해 보면, 벌금 미납자가 사회봉사의 대체집행 신청을 할 수 있는 처음 시점, 즉 시기를 특별히 제한하여 해석할 이유는 없으므로, 신청은 벌금형이 확정된 때부터 가능하다고 볼 것이다. 따라서 위 규정은 신청을 할 수 있는 종기만을 규정한 것으로 새기는 것이 타당하고, 그 종기는 검사의 납부 '명령일'이 아니라 납부명령이 벌금 미납자에게 '고지된 날'로부터 30일이 되는 날이라고 해석하는 것이 옳다(대결 2013.1.16, 2011모16).

Answer 7. ① 8. ④

09 재판의 집행에 대한 설명 중 가장 옳지 않은 것은?(다툼이 있으면 판례에 의함) 16. 경찰간부

① 몰수 또는 조세·전매 기타 공과에 관한 법령에 의하여 재판한 벌금 또는 추징은 그 재판을 받은 자가 재판 도중 사망한 경우에는 재판확정 후 그 상속재산에 대하여 집행할 수 있다.

② 상소기각결정시 송달기간이나 즉시항고기간 중의 미결구금일수는 전부를 본형에 산입한다.

③ 사법경찰관리가 벌금형을 받는 자를 노역장 유치의 집행을 위하여 구인하려면, 검사로부터 발부받은 형집행장을 그 상대방에게 제시하여야 함이 원칙이다.

④ 형사소송법 제488조의 의의신청은 판결의 취지가 명료하지 않아 그 해석에 대한 의의가 있는 경우에 적용되는 것이고, 같은 법 제489조의 이의신청은 재판의 집행에 관한 검사의 처분이 부당함을 이유로 하는 경우에 적용되는 것이므로 재판의 내용 자체를 부당하다고 주장하는 것은 이에 해당하지 아니한다.

| 해설 ① 몰수 또는 조세·전매 기타 공과에 관한 법령에 의하여 재판한 벌금 또는 추징은 그 재판을 받은 자가 재판확정 후 사망한 경우에는 그 상속재산에 대하여 집행할 수 있다(제478조). 그러나 재판 도중 사망한 경우에는 공소기각결정에 의해 절차가 종결되므로 벌금 또는 추징의 재판이 나올 수 없어 상속재산에 대한 집행의 여지가 없다.
② 제482조 제2항 ③ 대판 2010.10.14, 2010도8591 ④ 대판 1987.8.20, 87도1057

05

10 벌금형의 집행에 관한 다음 설명 중 가장 옳지 않은 것은?

① 벌금형이 확정된 사람이 납부명령이나 납부독촉을 받고도 일정한 기간 내에 벌금을 완납하지 아니할 경우 검사는 민사집행법에 의한 강제집행 또는 국세징수법에 의한 체납처분 절차를 진행하여 벌금액을 강제로 징수할 수 있다.

② 사법경찰관리가 벌금형을 받은 사람에 대한 노역장 유치의 집행을 위하여 구인하려면 검사로부터 발부받은 형집행장을 상대방에게 제시하여야 한다.

③ 300만원 이하의 벌금형이 확정된 벌금 미납자로서 경제적 능력이 없는 사람은 검사의 납부명령일부터 30일 이내에 노역장 유치를 대체하는 사회봉사를 신청할 수 있는 제도가 마련되어 있다.

④ 18세 미만의 소년에 대해서는 벌금형을 선고할 때 노역장 유치의 선고를 하지 못하므로 이를 간과하여 18세 미만의 소년에 대해 노역장유치의 선고를 한 판결이 확정되었다고 하더라도 집행할 수는 없다.

| 해설 ① 제477조 ② 대판 2010.10.14, 2010도8591
③ 500만원 이하의 벌금형이 확정된 벌금 미납자(벌금미납자의 사회봉사 집행에 관한 특례법 시행령 제2조 : 2020. 1. 7. 개정)로서 경제적 능력이 없는 사람은 검사의 납부명령일부터 30일 이내에 노역장 유치를 대체하는 사회봉사를 신청할 수 있는 제도가 마련되어 있다(벌금미납자의 사회봉사 집행에 관한 특례법 제4조 제1항).
④ 소년법 제62조 등에 의할 때 타당한 내용이다.

Answer 9. ① 10. ③

11 **재판의 집행에 대한 설명으로 옳지 않은 것은?** 23. 7급 국가직

① 재판은 확정한 후에 집행하는 것이 원칙이므로 법원이 징역형의 집행유예를 함에 있어 그 집행유예기간의 시기(始期)는 집행유예를 선고한 판결확정일로 하여야 하고, 법원이 판결확정일 이후의 시점을 임의로 선택할 수는 없다.

② 구금되지 아니한 당사자에 대하여 검사는 그 형의 집행을 위하여 당사자를 소환할 수 있고, 당사자가 소환에 응하지 아니한 때에는 형집행장을 발부하여 구인할 수 있는데, 형집행장의 집행에 관하여는 형사소송법상 구속의 사유(제70조)나 구속이유의 고지(제72조)에 관한 규정이 준용되지 않는다.

③ 2개 이상의 형을 집행하는 경우에 자격상실, 자격정지, 벌금, 과료와 몰수 외에는 무거운 형을 먼저 집행하여야 하지만, 검사는 법원의 허가를 얻어 무거운 형의 집행을 정지하고 다른 형의 집행을 할 수 있다.

④ 검사가 형을 집행함에 있어 무죄로 확정된 사건에서의 미결구금 일수를 유죄가 확정된 다른 사건의 형기에 산입하지 않는다고 하더라도 헌법상의 행복추구권이나 평등권을 침해하였다고 볼 수 없다.

| 해설 ① 대판 2002.2.26, 2000도4637

② 대판 2013.9.12, 2012도2349

③ 2 이상의 형을 집행하는 경우에 자격상실, 자격정지, 벌금, 과료와 몰수 외에는 무거운 형을 먼저 집행한다. 다만, 검사는 소속 장관의 허가를 얻어 무거운 형의 집행을 정지하고 다른 형의 집행을 할 수 있다(제462조).

④ 대결 1997.12.29, 97모112

Answer 11. ③

THEMA 45 미결구금일수

의 의	1. 미결구금일수란 구금당한 날로부터 판결확정 전일까지 실제로 구금된 일수를 말한다. 2. 종래에는 미결구금일수의 본형기에 산입하는 방법에 대하여 형법 제57조에 의한 재정통산(법원의 재량에 따라 산입)을 원칙으로 하면서, 형사소송법 제482조에 법정통산(당연히 미결구금일수를 본형에 전부 산입)규정을 보충적으로 두었다. 그러나 헌법재판소의 위헌결정에 따라 형법과 형사소송법이 개정되어 현재는 법정통산만이 인정된다.
미결구금일수가 산입될 형의 종류	유기징역, 유기금고, 벌금이나 과료에 관한 유치 또는 구류에 산입한다(형법 제57조 제1항).
산입방법	미결구금일수가 법률상 당연히 본형에 산입 ▶ 판결선고 전 미결구금일수 전부 본형에 산입 ▶ 판결선고 후 판결확정 전 구금일수(판결선고 당일 구금일 수 포함) 전부 본형산입 ▶ 상소기각결정시에 송달기간이나 즉시항고기간 중의 미결구금일수 전부 본형에 산입 ▶ 상소제기 후 상소취하시까지의 구금일수 당연히 본형에 산입
구금일수 계산	구금일수의 1일을 형기의 1일 또는 벌금이나 과료에 관한 유치기간의 1일로 계산한다(제482조 제3항).

관련판례

1. 형법 제57조 제1항 중 '또는 일부' 부분에 대하여 형법 제57조 제1항은 자유형의 집행과 다를 바 없는 미결구금의 본질을 충실히 고려하지 못하고 법관으로 하여금 미결구금일수 중 일부를 형기에 산입하지 않을 수 있게 허용하였는바, 이는 헌법상 무죄추정의 원칙 및 적법절차의 원칙 등을 위배하여 합리성과 정당성이 없이 신체의 자유를 지나치게 제한함으로써 헌법에 위반된다(헌재결 2009.6.25, 2007헌바25).
2. 미결구금기간이 확정된 징역 또는 금고의 본형기간을 초과한 결과가 생겼다 하여 위법하다고 할 수 없다(대판 1989.10.10, 89도1711). 04. 순경, 15. 7급 국가직
3. 정식재판청구기간을 도과한 약식명령에 기하여 피고인을 노역장에 유치하는 것은 형의 집행이므로 그 유치기간은 형법 제57조가 규정한 미결구금일수에 해당하지 아니한다. 따라서 비록 정식재판청구권 회복결정에 의하여 사건을 공판절차에 의하여 심리하는 경우라 하더라도 법원은 노역장 유치기간을 미결구금일수로 보아 이를 본형에 산입할 수는 없고, 그 유치기간은 나중에 본형의 집행단계에서 그에 상응하는 벌금형이 집행된 것으로 간주될 뿐이다(대판 2007.5.10, 2007도2517). 17. 9급 교정 · 보호 · 철도경찰
4. 형사소송법 제92조 제3항에 의하면 같은 법 제22조에 의한 기피신청으로 인하여 공판절차가 정지된 기간은 구속기간에 산입하지 아니한다고 규정되어 있는바, 그 취지는 본안의 심리기간을 확보하기 위한 것뿐이므로 기피신청으로 인하여 공판절차가 정지된 상태의 구금기간도 판결선고 전의 구금일수에는 산입되어야 하는 것이다(대판 2005.10.14, 2005도4758). 17. 9급 교정 · 보호 · 철도경찰

5. '대한민국 정부와 미합중국 정부 간의 범죄인인도조약'에 따라 체포된 후 인도절차를 밟기 위한 기간은 형법 제57조에 의하여 본형에 산입될 미결구금일수에 해당하지 않는다(대판 2009.5.28, 2009도1446). 16. 경찰간부
6. 형사소송법 제482조의 규정에 의하여 미결구금일수가 법정통산되는 경우에 항소심이 그 법정통산될 일수보다 적은 일수를 산입한다는 판단을 주문에서 선고하였다 하더라도 이는 법률상 의미 없는 조치에 불과하고 이로 말미암아 법정통산이 배제되는 것은 아니므로 위와 같은 사유만으로 원심판결을 파기할 수는 없다(대판 1996.1.26, 95도2263). 07. 순경
7. 형법 제57조 제1항 중 '또는 일부'부분은 위헌결정으로 효력이 상실되었으므로 판결선고 전 미결구금일수는 그 전부가 법률상 당연히 본형에 산입하게 되었으므로 판결에서 별도로 미결구금일수산입에 관한 사항을 판단할 필요가 없다(대판 2009.12.10, 2009도11448). 04. 순경
8. 외국에서 이루어진 미결구금을 형법 제57조 제1항에서 규정한 '본형에 당연히 산입되는 미결구금'과 같다고 볼 수 없다(대판 2017.8.24, 2017도5977 전원합의체).
9. 피고인이 수사기관에 의해 체포되었다가 당일 석방된 경우, 피고인에 대하여 벌금형을 선고하면서 위 미결구금일수를 노역장유치기간에 산입하여야 함에도 이를 산입하지 아니한 것이 위법하다(대판 2007.2.9, 2006도7837).
10. 형의 집행과 구속영장의 집행이 경합하고 있는 경우에는 구속 여부와 관계없이 피고인 또는 피의자는 형의 집행에 의하여 구금을 당하고 있는 것이어서, 구속은 관념상은 존재하지만 사실상은 형의 집행에 의한 구금만이 존재하는 것에 불과하므로, 즉 구속에 의하여 자유를 박탈하는 것이 아니므로, 인권보호의 관점에서 이러한 미결구금 기간을 본형에 통산할 필요가 없다(대판 2001.10.26, 2001도4583).
11. 원심판결 선고 당시에 통산미결구금일수가 원심선고 형기를 초과하는 경우 상고 후의 미결구금일수는 통산 아니한다(대판 1983.3.22, 83도232).
12. 확정된 형을 집행함에 있어서 무죄로 확정된 다른 사건에서의 미결구금일수를 산입하지 않는다고 하여 헌법상의 행복추구권이나 평등권을 침해하였다고 볼 수도 없다(대결 1997.12.29, 97모112).
13. 구속영장이 발부되어 구금되어 있는 사건과 별개의 다른 사건을 병합심리한 경우, 영장에 의하여 구금된 미결구금일수는 구속영장이 발부되지 아니한 다른 범죄사실에 관한 죄의 형에 산입할 수도 있다(대판 1986.12.9, 86도1875).
14. 형사사건으로 외국 법원에 기소되었다가 무죄판결을 받은 사람은, 설령 그가 무죄판결을 받기까지 상당기간 미결구금되었더라도 이를 유죄판결에 의하여 형이 실제로 집행된 것으로 볼 수는 없으므로, '외국에서 형의 전부 또는 일부가 집행된 사람'에 해당한다고 볼 수 없고, 그 미결구금 기간은 형법 제7조에 의한 산입의 대상이 될 수 없다(대판 2017.8.24, 2017도5977 전원합의체).

01 미결구금일수 산입에 관한 다음 설명 중 틀린 것은?

① 판결선고 전의 구금일수는 그 전부를 유기징역, 유기금고, 벌금이나 과료에 관한 유치 또는 구류에 산입한다.

② 현행 형사소송법에 의할 때 상소제기 후 상소취하시까지의 구금일수는 당연히 본형에 산입하는 법정통산의 대상이 아니다.

③ 구금일수의 1일을 형기의 1일 또는 벌금이나 과료에 관한 유치기간의 1일로 계산한다.

④ 상소기각결정시에 송달기간이나 즉시항고기간 중의 미결구금일수는 전부를 본형에 산입한다.

해설 ① 형법 제57조 제1항
② 종래에는 이를 법정통산의 대상으로 볼 수 없는 문제가 있어서 헌법재판소는 형사소송법 제482조에 대하여 헌법불합치결정을 내린바 있으나, 개정 형사소송법상으로는 당연히 법정통산의 대상이 된다.
③ 제482조 제3항
④ 제482조 제2항

02 미결구금일수의 산입에 대한 설명으로 옳은 것은?(다툼이 있는 경우 판례에 의함)

17. 9급 교정 · 보호 · 철도경찰

① 정식재판청구기간을 도과한 약식명령에 기하여 피고인을 노역장에 유치한 후 정식재판청구권회복결정에 따라 사건을 공판절차에 의하여 심리하는 경우, 법원은 노역장 유치기간을 미결구금일수로 보아 이를 본형에 산입할 수 있다.

② 판결선고 후 판결확정 전 구금일수는 판결선고 당일의 구금일수를 포함하여 전부를 본형에 산입한다.

③ 기피신청에 의하여 소송진행이 정지된 기간은 미결구금일수에 산입되지 않는다.

④ 피고인에 대한 감정유치기간은 미결구금일수에 산입되지 않는다.

해설 ① 정식재판청구기간을 도과한 약식명령에 기하여 피고인을 노역장에 유치하는 것은 형의 집행이므로 그 유치기간은 형법 제57조가 규정한 미결구금일수에 해당하지 아니한다. 따라서 비록 정식재판청구권회복결정에 의하여 사건을 공판절차에 의하여 심리하는 경우라 하더라도 법원은 노역장 유치기간을 미결구금일수로 보아 이를 본형에 산입할 수는 없고, 그 유치기간은 나중에 본형의 집행단계에서 그에 상응하는 벌금형이 집행된 것으로 간주될 뿐이다(대판 2007.5.10, 2007도2517).
② 제482조 제1항
③ 형사소송법 제92조 제3항에 의하면 같은 법 제22조에 의한 기피신청으로 인하여 공판절차가 정지된 기간은 구속기간에 산입하지 아니한다고 규정되어 있는바, 그 취지는 본안의 심리기간을 확보하기 위한 것뿐이므로 기피신청으로 인하여 공판절차가 정지된 상태의 구금기간도 판결선고 전의 구금일수에는 산입되어야 하는 것이다(대판 2005.10.14, 2005도4758).
④ 감정유치기간도 미결구금일수에 산입에 있어서는 구속으로 간주한다(제172조 제8항).

Answer 1. ② 2. ②

제2절 형사보상

THEMA 46

형사보상청구권에 대하여 타당한 내용은?

① 형사보상청구권은 관계공무원의 고의 · 과실이 있을 때 청구할 수 있다.
② 형사피의자 또는 피고인으로 구금되었던 자가 불기소처분 또는 무죄판결을 받은 때 형사보상청구권이 있다.
③ 형사보상청구는 무죄판결이 확정된 날로부터 1년 이내에 하여야 하고 보상결정이 송달된 후 6개월 내에 보상지급청구를 하지 아니하면 그 권리를 상실한다.
④ 형사보상청구권은 압류 · 양도 · 상속할 수 없다.

| 해 설

① 형사보상은 국가가 공권력의 행사로 인하여 발생한 손해를 공무원의 고의 · 과실을 묻지 않고 미리 산정된 액에 의하여 배상하여 주는 공법상의 손해배상이다.
② 형사보상은 무죄판결이 확정된 사건에서 구금되었거나 형집행을 받았을 경우(형사보상법 제2조), 피의자로 구금되었던 자 중 검사로부터 불기소처분을 받았거나 사법경찰관으로부터 불송치결정을 받은 경우(불기소처분이나 불송치결정이 종국적인 것이 아니거나 기소유예 제외)에 청구할 수 있다(동법 제27조 제1항). 한편 면소 또는 공소기각의 재판을 받아 확정된 때에도 면소 또는 공소기각의 재판을 할 만한 사유가 없었다면 무죄의 재판을 받을 만한 현저한 사유가 있었을 경우 및 치료감호 등에 관한 법률 제7조에 따라 치료감호의 독립 청구를 받은 피치료감호청구인의 치료감호사건이 범죄로 되지 아니하거나 범죄사실의 증명이 없는 때에 해당되어 청구기각의 판결을 받아 확정된 경우에도 형사보상을 청구할 수 있다(동법 제26조).
③ 보상청구는 무죄, 면소, 공소기각 또는 치료감호의 독립청구에 대한 청구기각의 재판이 확정된 사실을 안 날부터 3년, 확정된 때부터 5년 이내에, 그리고 피의자보상의 청구는 불기소처분 또는 불송치결정의 고지 또는 통지를 받은 날부터 3년 이내에 하여야 한다. 보상결정이 송달된 후 2년 이내에 보상금지급청구를 하지 아니하면 권리를 상실한다(동법 제8조, 제26조, 제28조).
▶ 형사보상의 청구는 무죄재판이 확정된 때로부터 1년 이내에 하도록 규정하고 있는 개정 전 형사보상법 제7조에 대한 헌법재판소의 위헌결정(헌재결 2010.7.29, 2008헌가4)이 반영되어 개정되었다.
④ 이 청구권은 양도 · 압류할 수 없다(동법 제23조). 그러나 상속의 대상은 된다. » ②

01 **형사보상에 관한 설명 중 가장 적절하지 않은 것은?**(다툼이 있는 경우 판례에 의함) 17. 경찰승진

① 피고인의 보상청구는 무죄재판이 확정된 때부터 5년 이내에 하여야 한다.

② 보상의 청구가 이유 있을 때에는 보상결정을 하여야 하고, 그 보상결정에 대하여는 1주일 이내에 즉시항고를 할 수 있다.

③ 보상금 지급을 청구하려는 자는 보상을 결정한 법원에 보상금 지급청구서를 제출하여야 한다.

④ 군용물손괴죄로 구금된 공군 중사가 수사기관에서 범행을 자백하다가 다시 부인하며 다투어 무죄의 확정판결을 받고 형사보상청구를 한 사안에서, 자신이 범인으로 몰리고 있어서 형사처벌을 면하기 어려울 것이라는 생각과 거짓말탐지기 검사 등으로 인한 심리적인 압박 때문에 허위의 자백을 한 것이므로 형사보상청구의 기각 요건인 '수사 또는 심판을 그르칠 목적'에 해당하지 않는다.

| 해설 ① 형사보상 및 명예회복에 관한 법률 제8조
② 동법 제17조 제1항, 제20조 제1항
③ 보상금 지급을 청구하려는 자는 보상을 결정한 법원에 대응하는 검찰청에 보상금 지급청구서를 제출하여야 한다(동법 제21조 제1항).
④ 대결 2008.10.28, 2008모577

05

02 **형사보상에 관한 설명 중 가장 옳은 것은?**(다툼이 있으면 판례에 의함) 20. 경찰간부

① 보상의 청구가 이유 있을 때에는 보상결정을 하여야 하고 그 보상결정에 대하여는 1주일 이내에 즉시항고를 할 수 있다.

② 보상금지급청구권은 양도, 압류, 상속할 수 없다.

③ 보상금지급을 청구하려는 자는 보상을 결정한 법원에 보상금지급청구서를 제출하여야 한다.

④ 피고인의 보상청구는 무죄재판이 확정된 때로부터 3년 이내에 하여야 한다.

| 해설 ① 형사보상법 제17조 제1항, 제20조 제1항
② 보상금지급청구권은 양도·압류할 수 없으나(형사보상법 제23조), 상속할 수는 있다(동법 제3조 제1항).
③ 보상금지급을 청구하려는 자는 보상을 결정한 법원에 대응한 검찰청에 보상금지급청구서를 제출하여야 한다(형사보상법 제21조 제1항).
④ 피고인의 보상청구는 무죄재판이 확정된 사실을 안 날로부터 3년, 무죄재판이 확정된 때부터 5년 이내에 하여야 한다(형사보상법 제8조).

Answer 1.③ 2.①

03 형사보상 및 명예회복에 관한 법률에 따른 형사보상에 대한 설명으로 옳지 않은 것은?

21. 9급 검찰 · 마약 · 교정 · 보호 · 철도경찰

① 미결구금을 당하여 이 법에 따라 보상을 청구할 수 있는 자가 그 청구를 하지 아니하고 사망한 경우, 그 상속인이 이를 청구할 수 있다.

② 1개의 재판으로 경합범의 일부에 대하여 무죄재판을 받고 다른 부분에 대하여 유죄재판을 받았던 경우에는 법원은 재량으로 보상청구의 전부 또는 일부를 기각할 수 있다.

③ 형사보상을 받을 자가 다른 법률에 따라 손해배상을 청구하는 것은 금지된다.

④ 보상청구가 이유있을 때에는 보상결정을 하여야 하며, 이러한 보상결정에 대하여는 1주일 이내에 즉시항고할 수 있다.

| 해설 ① 형사보상법 제3조 제1항 ② 동법 제4조 제3호
③ 형사보상을 받을 자가 다른 법률에 따라 손해배상을 청구하는 것은 금지하지 아니한다. 다만, 어느 한 사유로 배상을 받은 경우 다른 사유로 인한 청구권에 그 액수가 공제된다(동법 제6조 제1항 · 제2항 · 제3항).
④ 보상청구가 이유있을 때에는 보상결정을 하여야 하며, 이러한 보상결정에 대하여는 1주일 이내에 즉시항고할 수 있다(동법 제20조 제1항). 보상청구가 이유가 없어 청구기각결정을 한 때에는 즉시항고할 수 있다(동법 제20조 제2항).

04 형사보상 규정과 관련하여 적절한 내용이 아닌 것은?

① 보상금 지급청구서를 제출받은 검찰청은 3개월 이내에 보상금을 지급하여야 한다.

② '무죄재판의 실질적 이유가 된 사정'도 보상금액을 산정할 때 고려하여야 할 사항이다.

③ 보상금 지급청구서를 제출받은 검찰청은 법정기한까지 보상금을 지급하지 아니한 경우에는 그 다음 날부터 지급하는 날까지의 지연 일수에 대하여 민법 제379조의 법정이율에 따른 지연이자를 지급하여야 한다.

④ 보상청구를 받은 법원은 3개월 이내에 보상결정을 하여야 한다.

| 해설 ① 형사보상 및 명예회복에 관한 법률 제21조의 2 제1항
② 동법 제5조 제2항 ③ 동법 제21조의 2 제2항
④ 보상청구를 받은 법원은 6개월 이내에 보상결정을 하여야 한다(동법 제14조 제3항).

05 피의자 형사보상의 배제사유가 아닌 것은?

① 수사 또는 재판을 그르칠 목적으로 허위자백을 하거나 다른 유죄의 증거를 만듦으로써 구금된 것으로 인정되는 경우

② 구금기간 중에 다른 사실에 대하여 수사가 행해지고 그 사실에 관하여 범죄가 성립한 경우

③ 보상함이 선량한 풍속 기타 사회질서에 반한다고 인정할 특별사정이 있는 경우

④ 1개의 재판으로써 경합범의 일부에 대하여 무죄재판을 받고 다른 부분에 대하여 유죄재판을 받았을 경우

Answer 3. ③ 4. ④ 5. ④

해설 **형사보상 배제사유**

피의자 형사보상 배제사유 (형사보상 및 명예회복에 관한 법률 제27조)	피고인 형사보상 배제사유 (형사보상 및 명예회복에 관한 법률 제4조)
• 수사 또는 재판을 그르칠 목적으로 허위자백을 하거나 다른 유죄의 증거를 만듦으로써 구금된 것으로 인정되는 경우 • 구금기간 중에 다른 사실에 대하여 수사가 행해지고 그 사실에 관하여 범죄가 성립한 경우 • 보상함이 선량한 풍속 기타 사회질서에 반한다고 인정할 특별사정이 있는 경우에는 보상의 전부 또는 일부를 하지 아니할 수 있다(동법 제27조 제2항).	• 피고인이 형사미성년자 내지 심신장애의 사유로 무죄판결을 받은 경우 • 본인이 수사 또는 심판을 그르칠 목적으로 허위의 자백을 하거나 또는 다른 유죄의 증거를 만듦으로써 기소, 미결구금 또는 유죄판결을 받게 된 것으로 인정된 경우 • 1개의 재판으로써 경합범의 일부에 대하여 무죄재판을 받고 다른 부분에 대하여 유죄재판을 받았을 경우에는 법원은 재량에 의하여 전부 또는 일부를 기각할 수 있다(동법 제4조).

06 **다음 중 형사보상에 관한 설명으로 볼 수 없는 것은?**

① 재심이나 비상상고 절차에서 무죄판결을 받은 자도 구금에 관한 보상을 청구할 수 있으나, 피의자로서 죄를 범하였으나 형사정책상의 고려로 불기소처분한 경우에는 보상을 청구할 수 없다.

② 형사보상 및 명예회복에 관한 법률 제3조 제2호에 의하여 법원이 보상청구의 전부 또는 일부를 기각하기 위해서는 본인이 단순히 허위의 자백을 하거나 또는 다른 유죄의 증거를 만드는 것만으로는 부족하고 본인에게 '수사 또는 심판을 그르칠 목적'이 있어야 한다.

③ 대통령 긴급조치 제9호가 해제됨에 따라 면소판결을 받은 자가 '형사보상 및 명예회복에 관한 법률' 제26조 제1항 제1호의 '피고인이 면소의 재판을 할 만한 사유가 없었더라면 무죄재판을 받을 만한 현저한 사유가 있었을 경우'에 해당하지 않는다.

④ 피고인 보상은 무죄, 면소 또는 공소기각의 재판이 확정된 날로부터 5년 이내에, 피의자 보상은 검사로부터 공소를 제기하지 아니하는 처분의 고지 또는 통지를 받은 날로부터 3년 이내에 하여야 한다.

해설 ① 기소유예처분에 대해서는 형사보상청구가 불가능하다(형사보상 및 명예회복에 관한 법률 제27조 제1항).

② 형사보상 및 명예회복에 관한 법률 제3조 제2호에 의하여 법원이 보상청구의 전부 또는 일부를 기각하기 위해서는 본인이 단순히 허위의 자백을 하거나 또는 다른 유죄의 증거를 만드는 것만으로는 부족하고 본인에게 '수사 또는 심판을 그르칠 목적'이 있어야 한다. 여기서 '수사 또는 심판을 그르칠 목적'은 헌법 제28조가 보장하는 형사보상청구권을 제한하는 예외적인 사유임을 감안할 때 신중하게 인정하여야 하고, 형사보상청구권을 제한하고자 하는 측에서 입증하여야 한다. 수사기관의 추궁과 수사상황 등에 비추어 볼 때 본인이 범행을 부인하여도 형사처벌을 면하기 어려울 것이라는 생각으로 부득이 자백에 이르게 된 것이라면 '수사 또는 심판을 그르칠 목적'이 있었다고 섣불리 단정할 수 없다(대결 2008.10.28, 2008모577).

③ 대통령 긴급조치 제9호가 해제됨에 따라 면소판결을 받은 자가 '형사보상 및 명예회복에 관한 법률' 제26조 제1항 제1호의 '피고인이 면소의 재판을 할 만한 사유가 없었더라면 무죄재판을 받을 만한 현저한 사유가 있었을 경우'에 해당한다(대결 2013.4.18, 2011초기689 전원합의체).

④ 형사보상 및 명예회복에 관한 법률 제8조, 제26조, 제28조 제3항

Answer 6. ③

07 **형사보상에 관한 다음 설명 중 가장 적절하지 않은 것은?**

① 구금에 대한 보상을 할 때에는 그 구금일수에 따라 1일당 보상청구의 원인이 발생한 연도의 최저임금법에 따른 일급 최저임금액 이상 대통령령으로 정하는 금액 이하의 비율에 의한 보상금을 지급한다.

② 보상의 청구가 이유 있을 때에는 보상결정을 하여야 하고, 그 보상결정에 대하여는 1주일 이내에 즉시항고를 할 수 있다.

③ 치료감호 등에 관한 법률 제7조에 따라 치료감호의 독립 청구를 받은 피치료감호청구인의 치료감호사건이 범죄로 되지 아니하거나 범죄사실의 증명이 없는 때에 해당되어 청구기각의 판결을 받아 확정된 경우에도 국가에 대하여 구금에 대한 보상을 청구할 수 있다.

④ 면소 또는 공소기각의 재판이 확정된 이후에 비로소 해당 형벌법령에 대하여 위헌 · 무효 판단이 있는 경우 등과 같이 면소 또는 공소기각의 재판이 확정된 이후에 무죄재판을 받을 만한 현저한 사유가 생겼다고 볼 수 있는 경우에는 보상청구는 면소 또는 공소기각의 재판이 확정된 사실을 안 날부터 3년, 면소 또는 공소기각의 재판이 확정된 때부터 5년 이내에 하는 것이 원칙이다.

| 해설 ① 형사보상 및 명예회복에 관한 법률 제5조 제1항
② 동법 제17조, 제20조 ③ 동법 제26조 제1항 제2호
④ 면소 또는 공소기각의 재판이 확정된 이후에 비로소 해당 형벌법령에 대하여 위헌 · 무효 판단이 있는 경우 등과 같이 면소 또는 공소기각의 재판이 확정된 이후에 무죄재판을 받을 만한 현저한 사유가 생겼다고 볼 수 있는 경우에는 해당 사유가 발생한 사실을 안 날부터 3년, 해당 사유가 발생한 때부터 5년 이내에 보상청구를 할 수 있다(대결 2022.12.20, 2020모627).

08 **현행 형사보상제도에 관한 설명으로 틀린 것은 몇 개인가?**

㉠ 보상청구의 관할은 법원 합의부이다.
㉡ 판례는 관할권 없는 법원에서 한 보상결정도 유효하다고 한다.
㉢ 형사보상청구는 모든 타법령에 우선한다.
㉣ 헌법재판소의 위헌결정에 따라 보상결정에 대한 불복이 가능하게 되었다.
㉤ 판결 이유에서 무죄로 판단된 경우에도 형사보상을 청구할 수 있다.
㉥ 벌금 또는 과료의 집행에 대한 보상은 형사보상에서 제외된다.
㉦ 미결구금 일수의 전부 또는 일부가 유죄에 대한 본형에 산입되는 것으로 확정되었더라도, 그 본형이 실형이든 집행유예가 부가된 형이든 불문하고 그 산입된 미결구금 일수는 형사보상의 대상이 된다.

① 1개 ② 2개 ③ 3개 ④ 4개

| 해설 ㉠ ○ : 보상청구는 무죄재판을 한 법원에 하여야 하고 법원 합의부에서 재판한다(형사보상 및 명예회복에 관한 법률 제14조 제1항). 피의자보상의 청구는 공소를 제기하지 아니하는 처분을 한 검사가 소속하는 지방검찰청의 심의회에 하여야 한다(동법 제27조 제1항).

Answer 7. ④ 8. ③

㉡ ○ : 보상결정을 관할권 없는 법원이 하였다고 하여 당연무효가 되는 것은 아니다(대판 1965.5.18, 65다532).
㉢ × : 형사보상청구는 국가배상법 또는 민법에 의한 손해배상청구와 경합하는 경우가 있을 수 있다. 이 경우에 어느 사유에 의하여 배상을 청구하는가는 피해자의 자유이다(형사보상 및 명예회복에 관한 법률 제6조 제1항). 그러나 동일원인에 대하여 어느 한 사유로 배상을 받았을 때에는 다른 사유로 인한 청구에는 그 액이 공제되어야 하며, 손해배상의 액수가 형사보상액과 동일하거나 초과할 때에는 형사보상을 하지 않는 것으로 하고 있다(동조 제2항 · 제3항).
㉣ ○ : 헌법재판소는 형사보상결정에 대하여 불복을 신청할 수 없다는 개정 전 형사보상법 제19조 제1항에 대하여 위헌결정(헌재결 2010.10.28, 2008헌마514)을 내렸고, 이러한 위헌결정의 취지에 따라 개정 형사보상 및 명예회복에 관한 법률 제20조 제1항에서 보상결정에 대하여 1주일 이내에 즉시항고를 할 수 있다고 규정하였다. 한편 형사보상청구기각결정에 대하여 즉시항고를 할 수 있는 것은 법 개정 전후에 변함이 없다(형사보상 및 명예회복에 관한 법률 제20조 제2항).
㉤ ○ : 판결 주문에서 무죄가 선고된 경우뿐만 아니라 판결 이유에서 무죄로 판단된 경우에도 형사보상을 청구할 수 있다(대결 2016.3.11, 2014모2521).
㉥ × : 형사보상은 구금에 대한 보상과 집행에 대한 보상이 있다. 따라서 사형집행, 벌금 또는 과료의 집행, 몰수 · 추징의 집행에 대하여 형사보상이 가능하다.
㉦ × : 판결 주문에서 경합범의 일부에 대하여 유죄가 선고되더라도 다른 부분에 대하여 무죄가 선고되었다면 형사보상을 청구할 수 있다. 그러나 그 경우라도 미결구금 일수의 전부 또는 일부가 유죄에 대한 본형에 산입되는 것으로 확정되었다면, 그 본형이 실형이든 집행유예가 부가된 형이든 불문하고 그 산입된 미결구금 일수는 형사보상의 대상이 되지 않는다. 그 미결구금은 유죄에 대한 본형에 산입되는 것으로 확정된 이상 형의 집행과 동일시되므로, 형사보상할 미결구금 자체가 아닌 셈이기 때문이다(대결 2017.11.28, 2017모1990).

09 다음 중 형사보상에 관한 설명으로 가장 옳지 않은 것은?

22. 해경간부

① 헌법은 형사피의자 또는 형사피고인으로서 구금되었던 자가 법률이 정하는 불기소처분을 받거나 무죄판결을 받은 때에는 법률이 정하는 바에 의하여 국가에 대한 보상을 청구할 수 있음을 규정한다.
② 보상청구권은 양도하거나 압류할 수 없다.
③ 면소 또는 공소기각의 재판을 받았을 때에도 면소 또는 공소기각의 재판을 할만한 사유가 없었다면 무죄의 재판을 받을 만한 현저한 사유가 있었을 때에는 형사보상을 청구할 수 있다.
④ 피고인의 보상청구는 무죄재판이 확정된 사실을 안 날로부터 3년, 무죄재판이 확정된 때부터 6년 이내에 하여야 한다.

| 해설 ① 헌법 제28조
② 형사보상법 제23조
③ 형사보상법 제26조 제1항 제1호
④ 보상청구는 무죄재판이 확정된 사실을 안 날부터 3년, 무죄재판이 확정된 때부터 5년 이내에 하여야 한다(형사보상법 제8조).

Answer 9. ④

종합문제 형사소송법 종합문제

01 형사소송의 기본원칙에 대한 설명으로 옳지 않은 것은? 23. 9급 검찰 · 마약 · 교정 · 보호 · 철도경찰

① 형사재판의 증거법칙과 관련하여서는 소극적 진실주의가 헌법적으로 보장되어 있으므로, 피고인은 형사소송절차에서 검사에 대하여 무기대등의 원칙이 보장되는 절차를 향유할 헌법적 권리를 가진다.

② 형사소송법 제57조 제1항은 "공무원이 작성하는 서류에는 법률에 다른 규정이 없는 때에는 작성 연월일과 소속 공무소를 기재하고 기명날인 또는 서명하여야 한다."라고 규정하고 있다. 여기에서 '법률의 다른 규정'에 검찰사건사무규칙은 포함되지 않는다.

③ 지방법원 본원과 지방법원 지원 사이의 관할의 분배는 토지관할의 분배가 아니라 지방법원 내부의 사법행정사무로서 행해진 지방법원 본원과 지원 사이의 단순한 사무분배에 해당한다.

④ 우리나라 군인이 전시(戰時)에 범한 성폭력범죄의 처벌 등에 관한 특례법 제2조의 성폭력범죄에 대해서는 우리나라 군사법원이 재판권을 가진다.

| 해설 | ① 헌재결 1996.12.26, 94헌바1
② 검찰사건사무규칙은 검찰청법 제11조의 규정에 따라 각급 검찰청의 사건의 수리 · 수사 · 처리 및 공판수행 등에 관한 사항을 정함으로써 사건사무의 적정한 운영을 기함을 목적으로 하여 제정된 것으로서 그 실질은 검찰 내부의 업무처리지침으로서의 성격을 가지는 것이므로 이를 형사소송법 제57조의 적용을 배제하기 위한 '법률의 다른 규정'으로 볼 수 없다(대판 2007.10.25, 2007도4961).
③ 지방법원 본원과 지방법원 지원은 소송법상 별개의 법원이자 각각 일정한 토지관할 구역을 나누어 가지는 대등한 관계에 있으므로, 지방법원 본원과 지방법원 지원 사이의 관할의 분배도 지방법원 내부의 사법행정사무로서 행해진 지방법원 본원과 지원 사이의 단순한 사무분배에 그치는 것이 아니라 소송법상 토지관할의 분배에 해당한다(대판 2015.10.15, 2015도1803). ④ 군사법원법 제2조 제2항 제1호

02 수사에 대한 설명으로 옳지 않은 것은?(다툼이 있는 경우 판례에 의함) 21. 7급 국가직

① 임의동행은 경찰관 직무집행법 제3조 제2항에 따른 행정경찰 목적의 경찰활동으로 행하여지는 것 외에도 형사소송법 제199조 제1항에 따라 범죄 수사를 위하여 오로지 피의자의 자발적인 의사에 의하여 이루어진 경우에도 가능하다.

② 범의를 가진 자에 대하여 단순히 범행의 기회를 제공하거나 범행을 용이하게 하는 것에 불과한 수사방법이 경우에 따라 허용될 수 있음은 별론으로 하고, 본래 범의를 가지지 아니한 자에 대하여 수사기관이 사술이나 계략 등을 써서 범의를 유발케 하여 범죄인을 검거하는 함정수사는 위법하므로 이러한 함정수사에 기한 공소제기에 대해 법원은 공소기각결정을 선고해야 한다.

③ 범죄의 인지는 실질적인 개념이므로 인지절차를 거치기 전에 범죄의 혐의가 있다고 보아 수사를 개시하는 행위를 한 때에 범죄를 인지한 것으로 보아야 하며, 그 뒤 범죄인지서를 작성하여 사건수리 절차를 밟은 때에 비로소 범죄를 인지하였다고 볼 것은 아니다.

Answer 1.③ 2.②

④ 검사가 조사실에서 피의자를 신문할 때 도주, 자해 등의 위험이 없다면 교도관에게 피의자의 수갑 해제를 요청할 의무가 있고, 교도관은 이에 응하여야 한다.

해설 ① 대판 2020.5.14, 2020도398
② 본래 범의를 가지지 아니한 자에 대하여 수사기관이 사술이나 계략 등을 써서 범의를 유발케 하여 범죄인을 검거하는 함정수사는 위법함을 면할 수 없고, 이러한 함정수사에 기한 공소제기는 그 절차가 법률의 규정에 위반하여 무효인 때에 해당한다(대판 2005.10.28, 2005도1247). 이 경우 제327조 제2호에 의거 공소기각판결을 하여야 한다. ③ 대판 2001.10.26, 2000도2968 ④ 대결 2020.3.17, 2015모2357

03 형사소송법의 내용에 설명으로 옳지 않은 것은?

22. 9급 교정 · 보호 · 철도경찰

① 재정신청이 법률상의 방식에 위배되거나 이유가 없는 때에는 법원은 신청을 기각하는 결정을 하며, 이러한 기각결정에 대하여는 즉시항고를 할 수 있다.
② 검사는 송치사건의 공소제기 여부 결정 또는 공소의 유지에 관하여 필요한 경우 사법경찰관에게 재수사를 요청할 수 있다.
③ 즉시항고는 법률에 명문의 규정이 있는 경우에만 허용되며 즉시항고의 제기기간은 7일로 한다.
④ 재심에서 무죄의 선고를 한 때 무죄를 선고받은 자가 원하지 아니하는 경우에는 재심무죄판결을 공시하지 아니할 수 있다.

해설 ① 제262조 제4항
② 검사는 송치사건의 공소제기 여부 결정 또는 공소의 유지에 관하여 필요한 경우, 사법경찰관이 신청한 영장의 청구 여부 결정에 관하여 필요한 경우에 사법경찰관에게 보완수사를 요구할 수 있으며(제197조의 2 제1항), 사법경찰관이 사건을 송치하지 아니한 것이 위법 또는 부당한 때에는 그 이유를 문서로 명시하여 사법경찰관에게 재수사를 요청할 수 있다(제245조의 8 제1항).
③ 제403조 제1항, 제405조 ④ 제440조

04 소송주체 및 소송행위에 대한 설명으로 옳은 것은?(다툼이 있는 경우 판례에 의함)

19. 9급 검찰 · 마약수사

① 항소심에서 공소장변경에 의하여 단독판사의 관할사건이 합의부 관할사건으로 변경된 경우에는 단독판사가 소속된 지방법원 본원 합의부가 관할한다.
② 피고인에 대하여 제1심법원이 집행유예를 선고하였으나 검사만이 양형부당을 이유로 항소한 사안에서, 항소심이 검사의 항소를 받아들여 변호인이 선임되어 있지 않은 피고인에게 징역형을 선고하는 경우 피고인의 권리보호를 위해 판결 선고 전 공판심리 단계에서부터 형사소송법 제33조 제3항에 따라 국선변호인을 선정해 주는 것이 바람직하다.
③ 가정폭력범죄의 처벌 등에 관한 특례법에 따른 보호처분의 결정이 확정된 경우 당해 보호처분은 확정판결과 동일하고 기판력도 있으므로, 보호처분을 받은 사건과 동일한 사건에 대하여 다시 공소제기가 되었다면 이는 면소사유에 해당하며 공소제기의 절차가 법률의 규정에 위배하여 무효인 때에 해당하지 않는다.

Answer 3.② 4.②

05

④ 법관이 당사자의 증거신청을 채택하지 아니하거나 이미 한 증거결정을 취소한 사정만으로도 법관이 불공평한 재판을 할 염려가 있는 때에 해당한다.

해설 ① 법원은 관할권 있는 법원인 고등법원에 이송하여야 한다(대판 1997.12.12, 97도2463).
② 대판 2016.11.10, 2016도7622
③ 가정폭력처벌법에 따른 보호처분의 결정이 확정된 경우에는 원칙적으로 가정폭력행위자에 대하여 같은 범죄사실로 다시 공소를 제기할 수 없으나(가정폭력처벌법 제16조), 보호처분은 확정판결이 아니고 따라서 기판력도 없으므로, 보호처분을 받은 사건과 동일한 사건에 대하여 다시 공소제기가 되었다면 이에 대해서는 면소판결을 할 것이 아니라 공소제기의 절차가 법률의 규정에 위배하여 무효인 때에 해당한 경우이므로 형사소송법 제327조 제2호의 규정에 의하여 공소기각의 판결을 하여야 한다(대판 2017.8.23, 2016도5423).
④ 법관이 당사자의 증거신청을 채택하지 아니하거나 이미 한 증거결정을 취소한 사정만으로는 재판의 공정을 기대하기 어려운 객관적인 사정이 있다고 할 수 없다(대결 1995.4.3, 95모10).

05 **다음 설명 중 옳지 않은 것은?**(다툼이 있는 경우 판례에 의함) 22. 9급 검찰 · 마약 · 교정 · 보호 · 철도경찰

① 공판준비 또는 공판기일에 이미 증언을 마친 증인을 검사가 소환한 후 피고인에게 유리한 증언 내용을 추궁하여 이를 일방적으로 번복시키는 방식으로 작성한 진술조서는 원칙적으로 증거능력이 있다.
② 검사의 불기소처분에는 확정재판에 있어서의 확정력과 같은 효력이 없어 일단 불기소처분을 한 후에도 공소시효가 완성되기 전이면 언제라도 공소를 제기할 수 있다.
③ 제정신청에 관하여 법원의 공소제기 결정이 있는 때에는 공소시효에 관하여 그 결정이 있는 날에 공소가 제기된 것으로 본다.
④ 공소장에 적용법조의 기재에 오기가 있거나 누락이 있더라도 이로 인하여 피고인의 방어에 실질적 불이익이 없는 한 공소제기의 효력에는 영향이 없다.

해설 ① 피고인이 증거로 할 수 있음에 동의하지 아니하는 한 그 증거능력이 없다고 하여야 할 것이다(대판 2000.6.15, 99도1108 전원합의체).
② 대판 2009.10.29, 2009도6614
③ 제262조의 4 제2항
④ 대판 2012.11.15, 2010도11382

06 **재판에 대한 설명으로 옳지 않은 것은?** 23. 9급 검찰 · 마약 · 교정 · 보호 · 철도경찰

① 대한민국헌법 제13조 제1항에서 규정하고 있는 이중처벌금지의 원칙에서 '처벌'은 원칙적으로 범죄에 대한 형벌 부과를 의미하고, 국가가 행하는 일체의 제재나 불이익처분이 모두 여기에 포함되는 것은 아니다.
② 항소심이 제1심의 재판서에 대한 경정 결정을 하면서 제1심이 선고한 판결의 내용을 실질적으로 변경하는 것은 허용되지 않는다.
③ 공소제기 후 판결의 확정이 없이 공소를 제기한 때로부터 25년이 경과한 때에는 면소판결을 하여야 한다.

Answer 5. ① 6. ④

④ 간통사건에 대한 유죄판결이 간통죄에 대한 헌법재판소의 종전 합헌결정 이전에 확정된 경우, 이 판결에 대한 재심개시결정이 간통죄에 대한 헌법재판소의 위헌결정일 이후에 확정되었다면 재심심판법원은 무죄판결을 하여야 한다.

해설 ① 대판 2017.8.23, 2016도5423
② 대판 2021.4.29, 2021도26 ③ 제249조 제2항
④ 종전 합헌결정일 이전의 범죄행위에 대하여 재심개시결정이 확정되었는데 그 범죄행위에 적용될 법률 또는 법률의 조항이 위헌결정으로 헌법재판소법 제47조 제3항 단서에 의하여 종전 합헌결정일의 다음 날로 소급하여 효력을 상실하였다면 범죄행위 당시 유효한 법률 또는 법률의 조항이 그 이후 폐지된 경우와 마찬가지이므로 법원은 형사소송법 제326조 제4호에 해당하는 것으로 보아 면소판결을 선고하여야 한다(대판 2019.12.24, 2019도15167).

07 형법의 강도죄를 범한 자와 관련하여 형사소송법의 기간의 적용에 대한 설명으로 옳지 않은 것은?

(기간 연장은 고려하지 않음) 20. 9급 검찰 · 마약 · 교정 · 보호 · 철도경찰

① 2020년 6월 1일(월) 23시에 피의자를 구속한 경찰관은 2020년 6월 10일(수) 24시까지 피의자를 검사에게 인치하여야 한다.
② 2020년 6월 2일(화) 17시에 공소가 제기된 피고인에 대한 제1심의 구속기간은 2020년 8월 1일(토) 24시까지이다.
③ 2020년 6월 2일(화) 14시에 제1심 공판정에 출석하여 유죄 판결을 선고받은 피고인은 2020년 6월 8일(월) 24시까지 항소를 제기할 수 있다.
④ 2020년 6월 1일(월) 14시에 항소장을 받은 원심법원은 항소를 기각하는 경우가 아닌 한 2020년 6월 15일(월) 24시까지 소송기록과 증거물을 항소법원에 송부하여야 한다.

해설 ③ 항소제기기간은 7일의 기산은 선고일 다음 날부터이므로 6월 3일부터 7일이 되는 6월 9일 24 : 00까지 항소를 제기할 수 있다.

08 형사절차에 대한 설명으로 옳지 않은 것은?(다툼이 있는 경우 판례에 의함)

19. 9급 검찰 · 마약 · 교정 · 보호 · 철도경찰

① 법원이 판결의 선고 전에 피고인이 이미 사망한 사실을 알지 못하여 공소기각의 결정을 하지 않고 실체판결에 나아감으로써 법령위반의 결과를 초래한 경우, 이에 대한 검찰총장의 비상상고는 적법하다.
② 피고인이 정식재판을 청구한 사건에 대하여는 약식명령의 형보다 중한 종류의 형을 선고하지 못하고, 약식명령의 형보다 중한 형을 선고하는 경우에는 판결서에 양형의 이유를 적어야 한다.
③ 피의자는 미리 증거를 보전하지 아니하면 그 증거를 사용하기 곤란한 사정이 있는 때에는 제1회 공판기일 전이라도 판사에게 증인신문을 청구할 수 있는데, 판사가 이를 기각하는 결정에 대하여는 3일 이내에 항고할 수 있다.

Answer 7.③ 8.①

④ 甲이 수사기관에서 조사를 받을 때 乙의 성명, 주소, 본적 등 인적 사항을 모용하였기 때문에 검사가 이를 오인하여 乙의 표시로 공소를 제기한 경우, 검사가 공소제기 후 피고인표시정정을 함으로써 그 모용관계가 바로 잡혔다고 볼만한 사정이 없는 이상 이 공소는 형사소송법 제254조의 공소제기의 방식에 관한 규정에 위반하여 무효로 된다.

해설 ① 법원이 원판결의 선고 전에 피고인이 이미 사망한 사실을 알지 못하여 공소기각의 결정을 하지 않고 실체판결에 나아감으로써 법령위반의 결과를 초래하였다고 하더라도, 이는 형사소송법 제441조에 정한 '그 심판이 법령에 위반한 것'에 해당한다고 볼 수 없다(대판 2005.3.11, 2004오2).
② 제457조의 2 ③ 제184조 ④ 대판 1985.6.11, 85도756

09 불복기간이 3일인 것은 모두 몇 개인가?

18. 순경 1차

㉠ 형사보상 및 명예회복에 관한 법률 제20조의 형사보상결정에 대한 즉시항고
㉡ 즉결심판에 관한 절차법 제14조의 즉결심판에 대한 정식재판청구
㉢ 형사소송법 제23조의 기피신청기각결정에 대한 즉시항고
㉣ 소년법 제43조의 보호처분결정에 대한 항고
㉤ 형사소송법 제184조의 증거보전청구기각결정에 대한 항고

① 1개 ② 2개 ③ 3개 ④ 4개

해설 ㉠ 보상결정에 대하여는 1주일 이내에 즉시항고를 할 수 있다(형사보상 및 명예회복에 관한 법률 제20조 제1항).
㉡ 7일(즉결심판에 관한 절차법 제14조 제1항 · 제2항) ㉢ 7일(제23조 제1항, 제405조)
㉣ 7일(소년법 제32조 제1항, 제43조 제2항) ㉤ 3일(제184조 제4항)

10 형사소송법의 내용으로 옳지 않은 것만을 모두 고르면?

20. 9급 검찰 · 마약 · 교정 · 보호 · 철도경찰

㉠ 사법경찰관이 작성한 피의자신문조서는 적법한 절차와 방식에 따라 작성된 것으로서 공판준비 또는 공판기일에 그 피의자였던 피고인 또는 변호인이 그 내용을 인정할 때에 한하여 증거능력이 있다.
㉡ 공판기일에 검사는 공소장에 의하여 공소사실 · 죄명 및 적용법조를 낭독하여야 한다. 다만, 재판장은 필요하다고 인정하는 때에는 검사에게 공소장의 낭독 또는 공소요지의 진술을 생략하도록 할 수 있다.
㉢ 형을 선고하는 경우 재판장은 상소할 기간뿐만 아니라 상소할 법원을 피고인에게 고지해야 한다.
㉣ 공판준비기일의 지정 신청에 관한 법원의 결정에 대해서는 항고할 수 있다.
㉤ 법원은 소송관계를 분명하게 하기 위해 직권 또는 검사, 피고인 또는 변호인의 신청으로 전문심리위원을 지정하여 소송절차에 참여하게 할 수 있으며, 이러한 전문심리위원은 재판장의 허가를 받으면 피고인, 변호인, 증인 등 소송 관계인에게 필요한 사항에 관하여 직접 질문할 수 있다.

Answer 9.① 10.②

① ㉠, ㉢ ② ㉡, ㉣ ③ ㉡, ㉢, ㉤ ④ ㉡, ㉣, ㉤

| 해설 ㉠ ○ : 제312조 제3항
㉡ × : 공판기일에 검사는 공소장에 의하여 공소사실 · 죄명 및 적용법조를 낭독하여야 한다. 다만, 재판장은 필요하다고 인정하는 때에는 검사에게 공소요지를 진술하게 할 수 있다(제285조). 공소장의 낭독 또는 공소요지의 진술은 생략할 수 없는 절차이다.
㉢ ○ : 제324조
㉣ × : 공판준비기일의 지정 신청에 관한 법원의 결정에 대해서는 불복할 수 없다(제266조의 7 제2항).
㉤ ○ : 제279조의 2 제1항 · 제3항

11 **강제처분에 대한 설명 중 가장 적절하지 않은 것은?**(다툼이 있는 경우 판례에 의함) 20. 순경 1차

① 압수 · 수색영장 대상자와 피의자 사이에 요구되는 인적 관련성은 압수 · 수색영장에 기재된 대상자의 공동정범, 간접정범, 교사범 등은 물론이며 필요적 공범 등에 대한 피고사건에 대해서도 인정될 수 있다.
② 사법경찰관은 피내사자를 대상으로 하는 통신제한조치에 대한 허가를 검사에게 신청하고, 검사는 법원에 대하여 그 허가를 청구할 수 있다.
③ 통신비밀보호법 제12조의 2에 의하면 사법경찰관은 인터넷 회선을 통하여 송신 · 수신하는 전기통신을 대상으로 제6조 또는 제8조(제5조 제1항의 요건에 해당하는 사람에 대한 긴급통신 제한조치에 한정한다)에 따른 통신제한조치를 집행한 경우 그 전기통신의 보관 등을 하고자 하는 때에는 집행종료일부터 14일 이내에 보관 등이 필요한 전기통신을 선별하여 검사에게 보관 등의 승인을 신청하고 검사는 신청일부터 14일 이내에 통신제한조치를 허가한 법원에 그 승인을 청구할 수 있다.
④ 마약류 불법거래 방지에 관한 특례법 제4조 제1항에 따른 조치의 일환으로 특정한 수출입물품을 개봉하여 검사하고 그 내용물의 점유를 취득한 행위는 수출입물품에 대한 적정한 통관 등을 목적으로 하는 조사와 달리 범죄수사인 압수 또는 수색에 해당하여 사전 또는 사후에 영장을 받아야 한다.

| 해설 ① 대판 2017.12.5, 2017도13458
② 통신비밀보호법 제6조 제2항
③ 검사는 인터넷 회선을 통하여 송신 · 수신하는 전기통신을 대상으로 제6조 또는 제8조(제5조 제1항의 요건에 해당하는 사람에 대한 긴급통신제한조치에 한정한다)에 따른 통신제한조치를 집행한 경우 그 전기통신을 제12조 제1호에 따라 사용하거나 사용을 위하여 보관하고자 하는 때에는 집행종료일부터 14일 이내에 보관 등이 필요한 전기통신을 선별하여 통신제한조치를 허가한 법원에 보관 등의 승인을 청구하여야 한다(통신비밀보호법 제12조의 2 제1항 : 신설 2020. 3. 24). 사법경찰관이 위 통신제한조치를 집행한 경우 그 전기통신의 보관 등을 하고자 하는 때에는 집행종료일부터 14일 이내에 보관 등이 필요한 전기통신을 선별하여 검사에게 보관 등의 승인을 신청하고, 검사는 신청일부터 7일 이내에 통신제한조치를 허가한 법원에 그 승인을 청구할 수 있다(통신비밀보호법 제12조의 2 제2항 : 신설 2020. 3. 24).
④ 대판 2017.7.18, 2014도8719

Answer 11. ③

12 **다음 설명 중 가장 옳지 않은 것은?**(다툼이 있는 경우 판례에 의하고, 전원합의체 판결의 경우 다수의견에 의함)

23. 9급 법원직

① 검사가 기명날인 또는 서명이 없는 상태로 공소장을 관할법원에 제출하는 것은 특별한 사정이 없는 한 공소제기의 절차가 법률의 규정을 위반하여 무효인 때에 해당한다. 다만 이 경우 공소를 제기한 검사가 공소장에 기명날인 또는 서명을 추후 보완하는 등의 방법으로 공소제기가 유효하게 될 수 있다.

② 약식명령에 대한 정식재판청구서에 청구인의 기명날인 또는 서명이 없다면 형사소송법 제59조(비공무원의 서류)를 위반한 것으로서 그 청구를 결정으로 기각하여야 한다. 그러나 정식재판의 청구를 접수하는 법원공무원이 청구인의 기명날인이나 서명이 없음에도 불구하고 이에 대한 보정을 구하지 아니하고 적법한 청구가 있는 것으로 오인하여 청구서를 접수한 경우에는 청구인의 귀책사유로 볼 수 없으므로 그 청구를 결정으로 기각할 수 없다.

③ 피고인이 공판조서의 열람 또는 등사를 청구하였음에도 법원이 불응하여 피고인의 열람 또는 등사청구권이 침해된 경우에는 공판조서를 유죄의 증거로 할 수 없을 뿐만 아니라 공판조서에 기재된 당해 피고인이나 증인의 진술도 증거로 할 수 없다고 보아야 한다.

④ 공판조서의 기재가 명백한 오기인 경우를 제외하고는 공판기일의 소송절차로서 공판조서에 기재된 것은 조서만으로써 증명하여야 하고, 그 증명력은 공판조서 이외의 자료에 의한 반증이 허용되지 않는 절대적인 것이다.

| 해설 ① 대판 2021.12.16, 2019도17150

② 정식재판의 청구를 접수하는 법원공무원이 청구인의 기명날인이 없는데도 이에 대한 보정을 구하지 아니하고 적법한 청구가 있는 것으로 오인하여 청구서를 접수한 경우에도 마찬가지이다. 따라서 그 청구를 결정으로 기각하여야 한다(대결 2008.7.11, 2008모605).

③ 대판 2012.12.27, 2011도15869

④ 대판 1996.9.10, 96도1252

Answer 12. ②

13 **다음 사례에 관한 설명 중 가장 적절한 것은?**(다툼이 있는 경우 판례에 의함) 23. 순경 2차

> 연구실을 함께 운영하는 甲과 乙은 소속 연구원들에 대한 인건비 지급 명목으로 X 학교법인에 지원금 지급을 신청하여 지급받은 금원을 연구실 운영비로 사용하기로 공모하였다. 이에 따라 甲은 2022년 1월부터 12월까지 매월 1회 지급신청을 하고 해당 금액을 지급받는 동일한 방식으로 총 12회에 걸쳐 연구원 인건비 명목으로 X 학교법인으로부터 합계 1억원 상당을 송금받았다. 다만, 乙은 2022년 8월에 퇴직하여 이후의 연구실운영에는 관여하지 않았다. 이후 甲과 乙에 대한 재판에서 검사는 '연구실원 A에 대한 참고인 진술조서'(이하, '조서'라 한다)를 증거로 제출하였으나, 공판기일에 증인으로 출석한 A는 甲과의 관계를 우려하여 조서의 진정성립을 비롯한 일체의 증언을 거부하였다.

① 甲과 乙이 2022년 1월부터 12월까지 금원을 지급받은 것이 사기죄에 해당하는 경우, 각 지급행위시마다 별개의 사기죄가 성립한다.

② A가 증언을 거부하면 甲의 반대신문권이 보장되지 않는 것인데, 이 경우 A의 증언거부가 정당한 증언거부권의 행사라 하더라도 甲의 반대신문권이 보장되지 않는다는 점에서는 아무런 차이가 없다.

③ 乙은 퇴직 이후에 甲이 금원을 송금받은 부분에 대해서는 사기죄의 죄책을 부담하지 않는다.

④ 만약 A가 법정에서 증언을 거부하지 않고 조서에 대해 "기재된 바와 같이 내가 말한 것은 맞는데, 그건 일부러 거짓말을 한 것이다."라고 진술하게 되면 조서는 증거로 사용할 수 없게 된다.

| 해설 ① 사기죄에 있어서 동일한 피해자에 대하여 수회에 걸쳐 기망행위를 하여 금원을 편취한 경우, 그 범의가 단일하고 범행 방법이 동일하다면 사기죄의 포괄일죄만이 성립한다(대판 2006.2.23, 2005도8645).

② 대판 2019.11.21, 2018도13945 전원합의체

③ 피고인이 포괄일죄의 관계에 있는 범행의 일부를 실행한 후 공범관계에서 이탈하였으나 다른 공범자에 의하여 나머지 범행이 이루어진 경우, 피고인이 관여하지 않은 부분에 대하여도 죄책을 부담한다(대판 2011.1.13, 2010도9927).

④ 검사 또는 사법경찰관이 피고인이 아닌 자의 진술을 기재한 조서는 적법한 절차와 방식에 따라 작성된 것으로서 그 조서가 검사 또는 사법경찰관 앞에서 진술한 내용과 동일하게 기재되어 있음이 원진술자의 공판준비 또는 공판기일에서의 진술이나 영상녹화물 또는 그 밖의 객관적인 방법에 의하여 증명되고, 피고인 또는 변호인이 공판준비 또는 공판기일에 그 기재 내용에 관하여 원진술자를 신문할 수 있었던 때에는 증거로 할 수 있다. 다만, 그 조서에 기재된 진술이 특히 신빙할 수 있는 상태하에서 행하여졌음이 증명된 때에 한한다(제212조 제4항). 위 지문의 경우 A가 성립의 진정을 인정하였으므로, 반대신문의 기회보장과 특신상태의 증명이 있으면 증거능력이 인정된다.

05

Answer 13. ②

14 **다음 사례에 대한 설명으로 옳은 것은 모두 몇 개인가?**(다툼이 있는 경우 판례에 의함)

24. 경찰간부

> 甲은 乙과 자신의 부유한 삼촌 A의 집에 있는 금괴를 훔치기로 공모하였다. 다음날 01 : 00시 경 甲은 A의 집 담장에서 망을 보고, 乙은 담장을 넘어 거실창문을 열고 안으로 들어가 금괴를 가지고 나오다가 A에게 발각되었고, 그 순간 A는 담장에서 뛰어가는 甲의 뒷모습도 보게 되었다. A는 사법경찰관에게 甲과 乙을 신고하였으며, 수사를 받던 중 乙은 변호사 L을 선임하였다. 이후 검사는 甲과 乙을 기소하였다.
>
> ㉠ 乙의 절도목적이 인정되지 않는다면 乙은 야간에 주거에 침입하였으므로 특수주거침입죄가 성립한다.
>
> ㉡ 사법경찰관이 작성한 甲에 대한 피의자신문조서를 甲이 법정에서 진정성립 및 내용을 인정하더라도 乙이 공판기일에서 그 조서의 내용을 부인하면 이를 乙에 대한 유죄 인정의 증거로 사용할 수 없다.
>
> ㉢ 공동피고인 甲과 乙은 수사기관에서 계속 혐의를 부인하다가 乙이 공판정에서 자백한 경우, 甲의 반대신문권이 보장되어 있으므로 乙의 자백은 별도의 보강증거 필요없이 甲에 대한 유죄의 증거능력이 인정된다.
>
> ㉣ A는 甲과 乙 모두를 처벌해달라고 하였으나 항소심 중에 甲에 대해서만 고소를 취소하였다면, 법원은 甲에 대해서는 공소기각판결을, 乙에 대해서는 실체판결을 하여야 한다.

① 1개 ② 2개 ③ 3개 ④ 4개

| 해설 | ㉠ × : 단순주거침입죄에 해당한다(제319조). 특수주거침입죄가 되기 위해서는 단체 또는 다중의 위력을 보이거나 위험한 물건을 휴대하여야 하기 때문이다(제320조).

㉡ ○ : 대판 2015.10.29, 2014도5939

㉢ ○ : 대판 1990.10.30, 90도1939

㉣ × : 항소심에서 고소를 취소하였다면 이는 친고죄에 대한 고소 취소의 효력은 없으므로(대판 1999.4.15, 96도1922 전원합의체), 甲과 乙 모두 실체판결을 하여야 한다.

Answer 14. ②

MEMO

MEMO

공편저자 약력

조충환

- 중앙대학교 법학박사(형사법전공)

現 • 교재집필 및 연구

前 • 중앙대·울산대 출강
- 노량진 남부경찰학원 대표강사
- 노량진 남부행정고시학원 대표강사
- 노량진 한교경찰학원 대표강사
- 노량진 베리타스경찰학원 대표강사
- 법무부 출간 교정지 출제위원
- 경찰청 인터넷방송 초빙교수

상 훈

- 중앙대 강의평가 우수강사 총장 표창(3회)
- 모범강사 전국학원연합회 회장표창

오상훈

- 고려대학교 법과대학 졸업

現 • 박문각경찰 형법·형사소송법 대표교수

前 • 베리타스 법학원 강사
- 윌비스 한림법학원 강사

양 건

現 • 박문각 경찰승진 형법 대표교수
- 공무원저널 형사법 판례교실 집필위원
- 법률저널 경찰·교정직 집필위원

前 • 조이에듀경찰학원 형법 대표강사
- 신림동 태학관 법정연구회 강의
- 종로행정고시학원 경찰승진 형법 대표강사
- 중앙경찰고시학원 형법 대표강사
- 경찰승진특강
- 노량진 한교경찰학원 대표강사(형법)
- 노량진 베리타스경찰학원 대표강사(형법)

2025 판례·기출증보판
조충환·양건

형사소송법 4권

초판인쇄 : 2024년 6월 15일　　초판발행 : 2024년 6월 20일
공편저자 : 조충환·양건·오상훈　　발 행 인 : 박 용
발 행 처 : (주)박문각출판　　등　　록 : 2015. 4. 29 제2019-000137호
주　　소 : 06654 서울시 서초구 효령로 283 서경 B/D
전　　화 : 교재문의 (02) 6466-7202
팩　　스 : (02) 584-2927

저자와의 협의하에 인지생략

정가 69,000원(전4권)

ISBN 979-11-7262-098-1
ISBN 979-11-7262-094-3(세트)